国典學馨品

中古文名精

二十年目睹之怪现状

（清）吴趼人 著

（下）

中国文史出版社

目　　录

第五十七回　充苦力乡人得奇遇　　发狂怒老父责顽儿……… 313

第五十八回　陡发财一朝成眷属　　狂骚扰遍地索强梁……… 319

第五十九回　干儿子贪得被拐出洋　戈什哈神通能撤人任……… 325

第 六 十 回　谈官况令尹弃官　　　乱著书遗名被骂………… 331

第六十一回　因赌博入棘闱舞弊　　误虚惊制造局班兵……… 337

第六十二回　大惊小怪何来强盗潜踪　上张下罗也算商人团体 … 343

第六十三回　设骗局财神遭小劫　　谋复任臧获托空谈……… 349

第六十四回　无意功名官照何妨是假　纵非因果恶人到底成空 … 355

第六十五回　一盛一衰世情商冷暖　忽从忽违辩语出温柔…… 361

第六十六回　妙转圜行贿买蜚言　　猜哑谜当筵宣谑语……… 367

第六十七回　论鬼蜮挑灯谈宦海　　冒风涛航海走天津……… 373

第六十八回　笑荒唐戏提大王尾　　恣鼍威打破小子头……… 379

第六十九回　责孝道家庭变态　　　权寄宿野店行沽………… 385

第 七 十 回　惠雪舫游说翰苑　　　周辅成误娶填房………… 391

第七十一回　周太史出都逃妇难　　焦侍郎入粤走官场……… 398

第七十二回　逞强项再登幕府　　　走风尘初入京师………… 404

第七十三回　书院课文不成师弟　　家庭变起难为祖孙……… 410

第七十四回　符弥轩逆伦几酿案　　车文琴设谜赏春灯……… 416

第七十五回　巧遮饰赘见运机心　　先预防嫖界开新面………423

第七十六回	急功名愚人受骗	遭薄幸淑女蒙冤…………	429
第七十七回	泼婆娘赔礼入娼家	阔老官叫局用文案………	435
第七十八回	巧蒙蔽到处有机谋	报恩施沿街夸显耀………	441
第七十九回	论丧礼痛砭陋俗	祝冥寿惹出奇谈…………	447
第 八 十 回	贩丫头学政蒙羞	遇骗子富翁中计…………	453
第八十一回	真愚昧惨陷官刑	假聪明贻讥外族…………	459
第八十二回	絜伦常名分费商量	报涓埃夫妻勤伺候………	464
第八十三回	误联婚家庭闹意见	施诡计幕客逞机谋………	470
第八十四回	接木移花丫环充小姐	弄巧成拙牯岭属他人……	476
第八十五回	恋花丛公子扶丧	定药方医生论病…………	482
第八十六回	旌孝子瞒天撒大谎	洞世故透底论人情………	488
第八十七回	遇恶姑淑媛受苦	设密计观察谋差…………	494
第八十八回	劝堕节翁姑齐屈膝	谐好事媒妁得甜头………	501
第八十九回	舌剑唇枪难回节烈	忿深怨绝顿改坚贞………	508
第 九 十 回	差池臭味郎舅成仇	巴结功深葭莩复合………	515
第九十一回	老夫人舌端调反目	赵师母手版误呈词………	521
第九十二回	谋保全拟参僚属	巧运动赶出冤家…………	528
第九十三回	调度才高抚台运泥土	被参冤抑观察走津门……	534
第九十四回	图恢复冒当河工差	巧逢迎垄断银元局………	541
第九十五回	苟观察就医游上海	少夫人拜佛到西湖………	548
第九十六回	教供辞巧存体面	写借据别出心裁…………	554
第九十七回	孝堂上伺候竞奔忙	亲族中冒名巧顶替………	561
第九十八回	巧攘夺弟妇作夫人	遇机缘僚属充西席………	568
第九十九回	老叔祖娓娓讲官箴	少大人殷殷求仆从………	574
第 一 百 回	巧机缘一旦得功名	乱巴结几番成笑话………	581
第一百一回	王医生淋漓谈父子	梁顶粪恩爱割夫妻………	588

第一百二回　温月江义让夫人　　裘致禄孽遗妇子……………595
第一百三回　亲尝汤药媚倒老爷　　婢学夫人难为媳妇………602
第一百四回　良夫人毒打亲家母　　承舅爷巧赚朱博如………609
第一百五回　巧心计暗地运机谋　　真脓包当场写伏辩………616
第一百六回　符弥轩调虎离山　　金秀英迁莺出谷…………623
第一百七回　觑天良不关疏戚　　蓦地里忽遇强梁…………630
第一百八回　负屈含冤贤令尹结果　　风流云散怪现状收场……637

第五十七回

充苦力乡人得奇遇　发狂怒老父责顽儿

　　理之述完了这件事,我从头仔细一想,这李壮布置的实在周密狠毒。因问道:"他这种的秘密布置,外头人哪里知得这么详细呢?"何理之道:"天下事,若要人不知,除非己莫为;何况我们帐房的李先生,就是李壮的胞叔,他们叔侄之间,等定过案之后,自然说起,所以我们知的格外详细。"说话之间,已到了吃饭时候,理之散去。我在广东部署了几天,便到香港去办事,也耽搁了十多天。一天,走到上环大街,看见一家洋货店新开张,十分热闹。路上行人,都啧啧称羡,都说不料这个古井叫他淘着。我虽然懂得广东话,却不懂他们那市井的隐语,这"淘古井"是甚么,听了十分纳闷。后来问了旁人,才知道凡娶着不甚正路的妇人,如妓女、寡妇之类做老婆,却带着银钱来的,叫做"淘古井"。知道这件事里面,一定有甚么新闻,再三打听,却又被我查着了。

　　原来花县地方,有一个乡下人,姓恽,名叫阿来,年纪二十多岁,一向在家耕田度日,和他老子两个,都是当佃户的。有一天,被他老子骂了两句,这恽来便赌气逃了出来,来到香港,当苦力度日(这"苦力"两个字,本来是一句外国话 Coolie,是扛抬搬运等小工之通称。广东人依着外国音,这么叫叫,日子久了,便成了一个名词,也忘了他是一句外国话了)。

　　恽来当了两个月苦力之后,一天,公司船到了,他便走到码头上去等着,代人搬运行李,好赚几文工钱。到了码头,看见一个咸水妹(看官先要明白了"咸水妹"这句名词,是指的甚么人。香港初开埠的时候,外国人渐渐来的多了,要寻个妓女也没有。为甚么呢? 因为他们生的相貌和我们两样，那时大家都未曾看惯，看见他那种生得金黄头发，蓝眼睛珠子，没有一个不害怕的，那些妇女谁敢近他。只有香港海面那些摇舢舨的女子，她们渡外国人上下轮船，先看惯了，言语也慢慢的通了，外国人和她们兜搭起来，她们自后就以此为业了。香港是一个海岛，海水是咸的，她们都在海面做生意，所以叫她做"咸水妹"。以后便成了接洋人的妓女之通称。这个"妹"字是广东俗话，女子未曾出嫁之称，又可作婢女解。现在有许多人，凡是广东妓女，都叫她做"咸水妹"，那就差得远了）。这咸水妹从公司轮下来，跨上舢舨，摇到岸边，恰好碰见悻来，便把两个大皮包交给他。问他这里哪一家客栈最好，你和我扛了送去，我跟着你走。悻来答应了，把一个大的扛在肩膀上，一个稍为小点的提在手里，领着那咸水妹走。走到了一处十字路口，路上车马交驰，一辆马车，在悻来身后飞驰而来，几乎马头碰到身上；悻来急忙一闪，那边又来了一辆，又闪到路旁。回头一看，不见了那咸水妹，呆呆的站着等了一会，还不见到。他心中暗想：这里面不知是甚么东西。她是从外国回来的，除了这两个皮包，别无行李，倘然失了，便是一无所有的了，只怕性命也要误出来。这便怎么处呢。想了半天，还不见来，他便把两个皮包送到大馆里去（旅香港粤人，称巡捕房为大馆）。一径走到写字间，要报明存放，等失主来领。谁知那咸水妹已经先在那里报失了，形色十分张惶；一见了悻来，登时欢喜的说不出来，一迭连声说："你真是好人！"巡捕头问悻来来做甚么。那咸水妹表明他不见了物主，送来存放待领的话。巡捕头道："那么你就仍旧叫他给你拿了去罢。"

于是两个出了大馆，寻到了客栈，拣定了房间。咸水妹问道："你这送一送，要多少工钱？有定例的么？"悻来道："没有甚么定例。码头上送到这里，约莫是两毫子左右——粤人呼小银元为毫子；此刻多走一次大馆，随你多给我几文罢。"咸水妹给他三个毫子。他拿了，说一声"承惠"（承惠二字是广东话，义自明）便要走。咸水妹笑道："你回来。这两个皮包，是我性命交关的东西，我走失了，你不拿了我的去，还送到大馆待领，我岂有仅给你三个毫子之理，你也太老实了。"说罢，在一个小皮夹里，取出五个金元来给他。悻来欢喜的了不得，暗想我自从到香港以来，只听见人说金仔（粤人呼金元为金仔），却还没有见过。总想积起钱来，买他一个玩玩，不料今日一得五个。因说道："这个我拿回去不便当。我住的地方人杂得很，恐怕失了，你有心给我，请你代我存着罢。"咸水妹道："也好。你住在哪里？"悻来道："我住在苦力馆（小工总会也，粤言）。每天两毫子租钱，已经欠了三天租了。"咸水妹又在衣袋里，随意抓了十来个毫子给他。悻来道："已经承惠了五个金仔，这个不要了。"咸水妹道："你只管拿了去。你明天不要到别处去了，到我这里来，和我买点东西罢。"悻来答应着去了。

　　次日，他果然一早就来了。咸水妹见他光着一双脚，拿出两元洋钱，叫他自己去买了鞋袜穿了。方问他汇丰在哪里，你领我去。他便同着咸水妹出来。在路上，咸水妹又拿些金元，向钱铺里兑换了墨银。一路到了汇丰，只见那咸水妹取出一张纸，交到柜上，说了两句话，便带了他一同出来，回到客栈。因对他说道："我住在客栈里，不甚便当。你没有事，到外面去找找房子去，找着了，我就要搬了。"又给他几元银道："你自己去买一套干净点衣服，身上穿的太要不得了。"悻来答应着，便出去找房子。他当了两个多月苦力，香港的地方也走熟了，哪里安静，哪里热闹，哪里是铺户多，哪里是人家多，一一都知道的了。出来买了衣服，便去寻找房子，绕了几个圈子，随便到小饭店里吃了午饭。又走了一趟，看了有三四处，到三点钟时候，便回到客栈。劈面遇见咸水妹，从栈里出来。悻来道："房子找了三四处，请你同去看看哪一处合式。"咸水妹道："我此刻要到汇丰去，没有工夫。"说着，在衣袋里取出房门钥匙，交给他道："你开了门，在房里等着罢。"说罢，去了。悻来开门进房，趁着此时没有人，便把衣裤换了。桌上放着一面屏镜，自己弯下腰来一照，暗想：我不料遇了这个好人，天下哪里有这便宜事！此刻我身上的东西，都是她的了。不过代她扛送了一回东西，便赚了这许多钱。想着，又锁了房门，把两件破衣裤拿到露台上去洗了，晾了，方才下来。恰好咸水妹回来了，手里提着一个小皮包，两个人扛着一个保险铁柜送了来。悻来连忙开了门，把铁柜安放妥当。送来的人去了。咸水妹开了铁柜，把小皮包放进去，又开了那两个大皮包，取了好些一包一包的东西，也放了进去；又开了一个洋式拜匣，检了一检，取了一个钻石戒指带上，方才锁起来。

　　悻来便问去看房子不去，又把买衣服剩下的钱缴还。咸水妹笑道："你带在身边用罢。我也性急得很，要搬出去，我们就去看看罢。"于是一同出来，去看定了一处，是三层楼上，一间楼面，讲定了租钱，便交代恽来去叫一个木匠来,指定地方,叫他隔作两间,前间大些,后间小些,都要装上洋锁;价钱大点都不要紧,明天一天之内,定要完工的。木匠听说价钱大也不要紧,能多赚两文,自然没有不肯的了。讲定之后,二人仍回到客栈里。

恽来看见没事,便要回去。咸水妹道:"你去把铺盖拿了来,叫栈里开一个房,住一夜罢。从此你就跟着我帮忙,我每月给还你工钱,不比做苦力轻松么。"恽来暗想我是甚么运气,碰了这么个好人。因说道:"我本来没有铺盖,一向都是和人家借用的。"咸水妹道:"那么你就不要去了。"一会,茶房开了饭来,咸水妹叫多开一客。一会添了来,咸水妹叫恽来同吃。恽来道:"那不行,你吃完了我再吃。"咸水妹道:"我这甚么要紧。我请你来帮忙,就和请个伙计一般,并不当你是个下人。"恽来只得坐下同吃,却只觉着坐立不安。

吃过了晚饭,已是上灯时候。咸水妹想了一想,便叫恽来领到洋货铺里去,拣了一张美国红毡,便问恽来这个好不好。恽来莫名其妙,只答应好。咸水妹便出了十八元银,买了两张。又拣了一床龙须席,问恽来好不好。恽来也只答应是好的。咸水妹也买了。又买了一对洋式枕头,方才回栈。对恽来道:"你叫茶房另外开一个房,你拿这个去用罢。你跑了一天,辛苦了,早点去睡。"恽来大惊道:"这几件东西,我看着买了二十多元银,怎么拿来给我!我没有这种福气!只怕用了一夜,还不止折短一年的命呢!"咸水妹笑道:"我给了你,便是你的福气,不要紧的,你拿去用罢。"恽来推托再三,无奈只得受了。叫茶房另外开一间房,把东西放好;恐怕自己身上脏,把东西都盖脏了,走上露台自来水管地方,洗了个澡,方才回房安睡。一夜睡的龙须席,盖的金山毡,只喜得个心痒难挠,算是享尽了平生未有之福。

酣然一觉,便到天亮。咸水妹又叫他同去买铁床桌椅,及一切动用家私,一切都送到那边房子里去。又叫恽来去监督着木匠赶紧做,"我饭后就要搬来的。"恽来答应去了。到了午饭时候,便回栈吃饭。吃过饭,便算清房饭钱,叫人来搬东西。恽来道:"只要叫一个人来,我帮着便抬去了,只有这铁箱子重些。"咸水妹道:"我请你帮忙,不过是买东西等轻便的事;这些粗重的事不要你做,你以后不要如此。"于是另外叫了苦力,搬了过去。那三四个木匠,还在那里砰砰訇訇的做工,直到下午,方才完竣。两个人收拾好了,一一陈设起来。把恽来安置在后间,睡的还是一张小小铁床。又到近处包饭人家,说定了包饭。

　　从此恽来便住在咸水妹处，一连几个月，居然"养尊处优"的，养得他又白又胖起来。然而他到底是个忠厚人，始终不涉于邪，并好像不知那咸水妹是女人似的。那咸水妹也十分信他，门上配了两个钥匙，一人带了一个，出入无碍的。一天，恽来偶然在外面闲行，遇见了一个从前同做苦力的人，问道："老恽，你好啊！几个月没看见，怎么这样光鲜了？哪里发的财？"恽来终是个老实人，人家一问，便一五一十的都告诉了。那人一愣道："你和他有那回事么？"恽来愕然道："是哪一回事？"那人知道他是个呆子，便不和他多说，只道："这是从金山发回来的，铁柜里面不知有多少银纸(粤言钞票也)，好歹捞他几张，逃回乡下去，还不发财么，何必还在这里听使唤，做她的西崽？"恽来听了，心中一动，默默无言，各自分散。

　　回到屋里，恰好那咸水妹不在家，看看桌上小钟，恰是省河轮船将近开行的时候。回想那苦力之言不错，便到咸水妹枕头边一翻，翻出了铁柜钥匙，开了柜门，果然横七竖八的放了好几卷银纸。恽来心中暴暴乱跳，取了两卷；还想再取，一想不要拿得太多了，害得他没得用。又怕他回来碰见，急急的忘了关上柜门，忙忙出来，把房门顺手一带；喜得房门是装了弹簧锁的，一碰便锁上了。恽来急急走了出来，径登轮船，竟回省城去了。

　　回到省城，又附了乡下渡船(犹江南之航船也)，回到花县。到了家，见了他老子，便喜孜孜的拿出银纸来道："一个人到底是要出门，你看我已经发了财了。"他老子名叫阿亨，因他年纪老了，人家都叫他老亨。当下老亨听了儿子的话，拿起一卷，打开一看，大惊道："这是银纸啊！我还是前年才见过，我欢喜他，凑了一元银，买了一张藏着，永远舍不得用。你哪里来这许多？莫非你在外面做了强盗么？你可不要在外头闯了祸累我！"恽来是老实到极的人，便把上项事一一说出。老亨不听犹可，听了之时，顿时三尸乱暴，七窍生烟，飞起脚来，就是一脚，接连就是两个嘴巴。大骂："你这畜生！不安分在家耕田，却出去学做那下流事情，回来辱没祖宗！还不给我去死了！"说着，又是没头没脑的两三拳。恽来知道自己的错，不敢动，也不敢则声。老亨气过一阵，想了个主意，取了一根又粗又大、拴牛的麻绳来，把儿子反绑了，手提了一根桑木棍，把那两卷银纸紧紧藏在身边，押着下船。在路上饭也不许他吃。到了省城，换坐轮船，到了香港，叫他领到咸水妹家里。

　　那咸水妹为失了五百元的银纸,知是恽来所为,心中正自纳闷。过了一天,忽见一个老头子,绑着他押了来,心中正在不解。看那老头子,又不是公差打扮。正要开言相问,老亨先自陈了来历,又把儿子偷银纸的事说了。取出银纸,一一点交,然后说道:"这个人从此不是我的儿子了,听凭阿姑(粤人面称妓者为阿姑)怎样发落,打死他,淹死他,杀他,剐他,我都不管了!"说着,举起桑木棍,对准恽来头上尽力打去。吓得咸水妹抢上前来,双手接住。只听得"嗳呀"一声。

　　正是:双手高擎方挞子,一声娇嗔忽惊人。不知叫嗳呀的是谁,打痛了哪里,且待下回再记。

第五十八回

陡发财一朝成眷属　狂骚扰遍地索强梁

　　原来恽老亨用力过猛，他当着盛怒之下，巴不得这一下就要结果了他的儿子。咸水妹抢过来双手往上一接，震伤了虎口，不觉喊了一声"嗳呀"。一面夺过了桑木棍，忙着舀了一碗茶送过来。又去松了恽来的绑。方才说道："这点小事，何必动了真气！老爷不要气坏了自己，我还有说话商量呢。"这恽老亨一向在乡下耕田，只有自己叫人家老爷，哪里有人去叫过他一声老爷的呢，此刻忽然听得咸水妹这等称呼，弄得他周身不安起来。然而那个怒气终是未息，便说道："偷了许多银纸还算是小事，当真要杀了人才算大事么！阿姑你便饶了他，我可饶他不得！此刻银纸交还了你，请你点一点，我便要带他回去治死了他，免得人家说起来，总说我恽老亨没家教，纵容儿子作贼。"说着，又站起来，挥起拳头，打将过去。

　　咸水妹连忙拦住道："老爷有话慢慢说。等我说明白了，你就不恼了。"说罢，便把上岸遇见恽来的事，从头说了一遍。又道："我因为看他为人忠厚，所以十分信他敬他。就是他拿了这五百多元，我想也未必是他自己起意，必是有人唆弄他的。他虽然做了这个事，到底还是忠厚。若是别人，既然开了我的铁柜，岂有不尽情偷去之理。就是银纸，一起放着的，也有十二三卷，他只拿得两卷，还有多少钻石、宝石、金器、首饰，都在里面，他还丝毫没动。这不是他忠厚之处么。所以我前天回来，看见铁柜开了，点了点钱，只少了五百多元，我心中还自好笑，这个就像小孩子偷两文钱买东西吃的行为。我还耽着心，恐怕他惧罪，不知逃到哪里去，就可惜了这个人了。难得老爷也这般忠厚，亲自送了来。我这一向本来有个心事，今天索性说明白了：我从十八岁那年,在这里香港做生意,头一个客人就是个美国人,一见了我就欢喜了,便包了我,一住半年。他得了电报要回去,又和我商量,要带我到美国,情愿多加我包银。我便跟他到美国去了,一住七年,不幸他死了。这个人本是个富家,他一心只想娶我,我也未尝不肯嫁他;然而他因为我究竟担了个妓女的名字,恐怕朋友看不起,所以迟迟未果。他却又不肯另娶别人,所以始终未曾娶亲。他临死的时候,写了遗嘱,把家分给我二万,连我平日积蓄的也有万把。我想有了这点,在美国不算甚么,拿回中国来,是很好的一家人家了,所以附了公司船回来。不想一登岸便碰了他。见他十分老实可靠,他虽然无意,我倒有意要想嫁他了。我在外国住了七八年,学了些外国习气,不敢胡乱查问人家底细。后来试探了他的口气,知道他还没有娶亲,我越发欢喜。然而他家里的人是怎样的,还没有知道,此刻见了老爷也是这等好人,我意思更加决定了。但不知老爷的意思怎样?”

恽老亨听了,心中不觉十分诧异,她何以看上了我们乡下人。娶了他做媳妇,马上就变了个财主了。只是她带了偌大的一分家当过来,不知要闹甚么脾气。倘使闹到一家人都要听她号令起来,岂不讨厌。心中在那里踌躇不定。咸水妹见他迟疑,便道:“我虽然不幸吃了这碗饭,然而始终只有一个客,自问和那胡拉乱扯的还不同。老爷如果嫌到这一层,不妨先和他娶一房正室,我便情愿做了侍妾。”恽老亨吐出舌头道:“我们乡下人,还讲纳妾么!”咸水妹道:“那么就请老爷给个主意。”恽老亨还自沉吟。咸水妹道:“老爷不要多心。莫非疑心到我带了几个钱过来,怕我仗着这个,在翁姑丈夫跟前失了规矩么? 我是要终身相靠的,要嫁他,也是我的至诚,怎肯那个样子呢。”恽老亨见她诚恳,便欢喜起来,一口应允。咸水妹见他应允了,更是欢喜。只有那恽来在旁边听得呆了,自己也不知是欢喜的好,还是不欢喜的好,心里头好像有一件东西,在那里七上八下,自己也不知是何缘故。

咸水妹便拿了两张银纸给恽来,叫他带着老子,先去买一套光鲜衣裤鞋袜之类,恽老亨便登时光鲜起来。又叫了裁缝来,量了他父子两个的衣裁,去做长衣。因为恽老亨住在这里不便,又买了一份铺盖,叫他父子两个,先到客栈里住下,一面另寻房屋。不到两天,寻着了一处,便置备木器及日用家私,搬了进去。择了吉日迎娶,一般的鼓乐彩舆,凤冠霞帔,花烛拜堂,成了好事。那女子在美国多年,那洋货的价钱都知道的,到了香港,看见香港卖的价钱,以为有利,便拿出本钱,开了这家洋货店。

我打听得这件事,觉得官场、士类、商家等,都是鬼蜮世界,倒是乡下人当中,有这种忠厚君子,实在可叹。那女子择人而事,居然能赏识在牝牡骊黄以外,也可算得一个奇女子了。

事办了几天,便回省城。如此来来去去,不觉过了几个月。有一天,又从香港坐了夜船到省城。船到了省河时,却不靠码头,只在当中下了锚,不知是甚么意思。停了一会,来了四五艘舢舨,摇到船边来。二三十个关上扦子手,一拥上船,先把各处舱口守住,便到舱里来翻箱倒匣的搜索。此时是六月下旬天气,带行李的甚少。我来往向来只带一个皮包,统共不过八九寸长、五六十寸高,他们也要开了看看,里面不过是些笔墨帐单之类,也舀了出来翻检一遍;连坐的藤椅,也翻转来看过;甚至客人的身上,也要摸摸。有两起外省人,带了家眷从上海来,在香港上岸,玩了两天,今天才附了这个船来的,有二三十件行李,那些扦子手便逐一翻腾起来,闹了个乱七八糟。也有看了之后,还要重新再看的;连那女客带的马桶,也揭开过;夜壶箱也要开了,把夜壶拿出来看看。忽然又听得外面訇的一声,放了一响洋枪,吓得人人惊疑不定。忽然又在一个搭客衣箱里,搜出一杆六响手枪来,那扦子手便拿出手铐,把那人铐住了,派人守了。又搜索了半天,方才一哄而去。

我要到外面看时,舱口一个关上洋人守着,摇手禁止,不得出去。此时买办也在舱里面,我便问为了甚么事。买办道:“便是连我也不知道。方才船主进来,问那关上洋人,那洋人回说不便泄漏。正是不知为了甚么事呢。”我道:“已经搜过了,怎么还不让我们出去?”买办道:“此刻去搜水手、火夫的房呢,大约是恐怕走散了,有搜不到的去处,所以暂时禁止。”我道:“刚才外面为甚么放枪?”买办道:“关上派人守了船边,不准舢舨摇拢来。有一个舢舨,不知死活,硬要摇过来,所以放枪吓他的。”我听了不觉十分纳闷,这个到底为了甚么,何以忽然这般严紧起来。

又等了一大会,扦子手又进来了,把那铐了的客带了出去。然后叫一众搭客,十个一起的,鱼贯而出。走到船边,还要检搜一遍,方才下了舢舨,每十个人一船,摇到码头上来。码头上却一字儿站了一队兵,一个蓝顶花翎,一个晶顶蓝翎的官,相对坐在马鞍上。众人上岸要走，却被两个官喝住。便有兵丁过来，每人检搜了一遍。我皮包里有三四元银，那检搜的兵丁，便拿了两元，往自己袋里一放，方放我走了。走到街上，遇着两个兵勇，各人扛着一枝已经生锈的洋枪，迎面走来。走不多路，又遇了两个。一径走到名利客栈，倒遇见了七八对，也有来的，也有往的。

回到栈里，我便问帐房里的李吉人，今天为了甚么事，香港来船，搜得这般严紧，街上又派了兵勇，到底为了甚么事。吉人道："我也不知道。昨夜二更之后，忽然派了营兵，在城里城外各客栈，挨家搜查起来，说是捉拿反贼。到底是谁人造反，也不得而知。我已经着人进城去打听了。"我只得自回房里去歇息，写了几封信。吃过午饭，再到帐房里问信。那去打听的伙计已经回来了，也打听不出甚么，只说总督、巡抚两个衙门，都布了重兵，把甬道变了操场，官厅变了营房，还听说昨天晚上，连夜发了十三枝令箭调来的，此刻陆续还有兵来呢。督抚两个衙门，今天都止了辕，只传了臬台去问了一回话，到底也不知商量些甚么。城门也严紧得很，箱笼等东西，只准往外来，不准往里送；若是要送进去，先要由城门官搜检过才放得进去呢。两县已经出了告示，从今天起更便要关闸（街上栅栏，广东谓之闸）。我道："这些都不过是严紧的情形罢了。至于为了甚么事这般严紧，还是毫无头绪。"

正说话时，忽听得门外一声叱喝。回头看时，只见两名勇丁在前开道，跟着一匹马，驮着一个骨瘦如柴，满面烟色，几茎鼠须的人，戴着红顶花翎。我们便站到门口去看，只见后头还有五六匹马，马上的人，也有蓝顶子的，也有晶顶子的。几匹马过去后，便是一大队兵：起先是大旗队，大旗队过去，便有一队扛叉的，扛刀的，扛长矛的。过完这一队，又是一队抬枪。抬枪之后，便是洋枪队。最是这洋枪队好看：也有长杆子林明敦枪的，也有短杆子毛瑟枪的；有拿枪扛在肩膀上的，有提在手里的；有上了枪头刀的，有不曾上枪头刀的。路旁歇了一担西瓜，一个兵便拿枪头刀向一个西瓜戳去，顺手便挑起来。那瓜又重，瓜皮又脆，挑起来时，便破开了，豁剌一声，掉了下来，跌成七八块。那兵嘴里说了一句□□□□。我听他这一句，是合肥人骂人的村话，方知道是淮军。随后来的兵，又学着拿枪头刀去戳。吓得那卖西瓜的挑起来要走，可怜没处好走。我便招手叫他，让他挑到栈里避一避，卖瓜的便跟跟跄跄挑了进来，已经又被他戳破一个了。卖瓜的进来之后，又见一个老婆子，手里拿着一个碗，从隔壁杂货店里出来，颤巍巍地走过去。不期误踩了那跌破的西瓜，仰面一交跌倒，手里那碗便掼了出去打破了。碗里的酱油泼了出来，那一个兵身上穿的号衣，溅着了一点。那兵便出了队，抓住那老婆子要打。那老婆子才爬了起来，就被他抓住了，吓得跪在地下叩头求饶，还合着掌乱拜；又拿自己衣服，代他拭了那污点。旁边又走过几个人，前去排解，说她年纪大了，又不是有心的，求你大量饶了她罢，那个兵方悻悻的胡乱归队去了。这洋枪队过完之后，还有一个押队官，戴着砗磲顶子，骑着马。看他过完之后，我们方进来。大家议论这一队兵，又不知是从甚么地方调来的了。此时看大众情形，大有人心惶惶的样子。

我想要探听这件事情的底细，在帐房里坐到三点多钟。忽又见街上一对一对往来巡查的兵都没了，换上了街坊团练勇，也是一对一对的往来巡查，手中却是拿的单刀藤牌，腰上插了六响手枪。这些团练勇都是土人，吉人多有认识的，便出去问为甚么调了你们出来，今天到底为了甚么事。团练勇道："连我们也不知道，只听吩咐查察形迹可疑之人。上半天巡查那些兵，听说调去保护藩库了。"我听了这话，知道是有了强盗的风声。然而何至于如此的张惶，实在不解。只得仍回房里，看一回书，觉得烦热，便到后面露台上去乘凉。

原来这家名利客栈，楼上设了一座倒朝的客厅，作为会客之地。厅前面是一个极开辟的露台，正对珠江，十分豁目。我走到外面，先有一人在那里，手里拿着水烟筒，坐在一把皮马靰上，是一个同栈住的客人。他也住了有个把月，相见得面也熟了，彼此便点头招呼。我看他那举动，颇似官场中人，便和他谈起今天的事，希冀他知道。那客道："很奇怪！我今天进城上院，走到城门口，那城门官逼着住了轿，把帽盒子打开看过；又要我出了轿，他要验轿里有无夹带，我不肯，他便拿出令箭来，说是制台吩咐的，没法，只得给他看了，才放进去。到了抚院，又碰了止辕，衙门里点了许多兵，如临大敌。我问了巡捕，才知道两院昨夜接了一个甚么洋文电报，便登时张惶起来。至于那电报说些甚么，便连签押房的家人也不知道。"

正说话时，有客来拜他，他就在客厅里会客。我仍在露台上乘凉。听见他和那客谈的也是这件事，只是听不甚清楚。谈了一会，他的客去了。便出来对我说道："这件事了不得！刚才我敝友来说起，他知道详细。那封洋文电报，说的是有人私从香港运了军火过来，要谋为不轨。已经挖成了隧道，直达万寿宫底下，装满了炸药，等万寿那天，阖城官员聚会拜牌时，便要施放。此刻城里这个风声传开来了，万寿宫就近的一带居民铺户，胆小的都纷纷搬走了。两院的内眷，都已避到泮塘（地名）一个乡绅人家去了。"我吃了一惊道："明天就是二十六了，这还了得！"那客道："明天行礼，已经改在制台衙门了。"

　　正是：如火如荼，军容何盛；疑神疑鬼，草木皆兵。未知这件事闹得起来与否，且待下回再记。

第五十九回

干儿子贪得被拐出洋　戈什哈神通能撤人任

我听那同栈寓客的话,心中也十分疑虑,万一明日出起事来,岂不是一番扰乱。早知如此,何不在香港多住两天呢。此刻如果再回香港去,又未免太张惶了。一个人回到房里,闷闷不乐。

到了傍晚时候,忽听得房外有搬运东西的声音,这本来是客栈里的常事,也不在意。忽又听得一个人道:"你也走么?"一个应道:"暂时避一避再说。好在香港一夜就到了,打听着没事再来。"我听了,知道居然有人走避的了。便到帐房里去打听打听,还有甚么消息。吉人一见了我,就道:"你走么? 要走就要快点下船了,再迟一刻,只怕船上站也没处站了。"我道:"何以挤到如此?"吉人道:"而且今天还特为多开一艘船呢。孖舲艇(广东小快船)码头的孖舲艇都叫空了。"我道:"这又到哪里去的?"吉人道:"这都是到四乡去的了。"我道:"要走,就要到香港、澳门去。这件事要是闹大了,只怕四乡也不见得安靖。若是一哄而散的,这里离万寿宫很远,又有一城之隔,只怕还不要紧。而且我撤开的事情在外面,走了也不是事。我这回来,本打算料理一料理,就要到上海去的了,所以我打算不走了。"吉人点头无语。

我又到门口闲望一回,只见团练勇巡的更紧了。忽然一个人,扛着一扇牌,牌上贴了一张四言有韵告示,手里敲着锣,嘴里喊道:"走路各人听啊! 今天早点回家。县大老爷出了告示,今天断黑关闸,没有公事,不准私开的啊!"这个人想是个地保了。看了一会,仍旧回房。虽说是定了主意不走,然而总不免有点耽心。幸喜我所办的事,都在城外的,还可以稍为宽慰。又想到明日既然在督署行礼,或者那强徒得了信息,罢了手不放那炸药,也未可知。既而又想到,他既然预备了,怎肯白白放过,虽然众官不在那里,他也可以借此起事。终夜耽着这个心,竟一夜不曾合眼。听着街上打过五更,一会儿天窗上透出白色来,天色已经黎明了。便起来走到露台上,一来乘凉,二来听听声息。过了一会,太阳出来了,却还绝无消息。这一天大家都是惊疑不定,草木皆兵。迨及到了晚上,仍然毫无动静。一连过了三天,竟是没有这件事,那巡查的就慢慢疏了。再过两天,督抚衙门的防守兵也撤退了,算是解严了。这两天我的事也料理妥贴,打算走了。

一天正在客厅闲坐,同栈的那客也走了来道:"无罪而戮民,则士可以徙,我们可以走了。"我问道:"这话怎讲?"他道:"今天杀了二十多人,你还不知道么?"我惊道:"是甚么案子?"他道:"就是为的前两天的谣言了。也不知在哪里抓住了这些人,没有一点证据,就这么杀了。有人上了条陈,叫他们雇人把万寿宫的地挖开,查看那隧道通到哪里,这案便可以有了头绪。你想这不是极容易、极应该的么?他们却又一定不肯这么办。你想照这样情形看去,这挖成隧道,谋为不轨的话,岂不是他们以意为之,拟议之词么。此刻他们还自诩为弭巨患于无形呢。"说罢,喟然长叹。我和他谈论了一回,便各自走开。

恰好何理之走来,我问可是广利到了。理之道:"不是。我回乡下去了一个多月,这回要附富顺到上海。"我问富顺几时走。理之道:"到了好几天了,说是今天走,大约还要明天,此刻还上货呢。"我道:"既如此,代我写一张船票罢。"理之道:"怎么便回去了?几时再来?"我道:"这个一年半载说不定的,走动了,总要常来。"理之便去预备船票,定了地方。到了明天,发行李下船。下午时展轮出口。到了香港,便下锚停泊。这一停泊,总要耽搁一天多才启轮,我便上岸去走一趟,买点零碎东西。

广东用的银元,是每经一个人的手,便打上一个硬印的。硬印打多了,便成了一块烂板,甚至碎成数片,除了广东、福建,没处行用的。此时我要回上海,这些烂板银,早在广州贴水换了光板银元。此时在香港买东西,讲好了价钱,便取出一元光板银元给他。那店伙拿在手里,看了又看,掼了又掼,说道:"换一元罢。"我换给他一元,他仍然要看个不了,掼个不了,又对我看。我倒不懂起来,难道我贴了水换来的,倒是铜银。便把小皮夹里十几元一起拿出来道:"你拣一元罢。"那店伙又看看我,倒不另拣,就那么收了。再到一家买东西,亦复如此。买完了,又走了几处有往来的人家,方才回船上去。

停泊了一夜,次日便开行。在船上没事,便和理之谈天,谈起我昨天买东西,那店伙看银元的光景。理之笑道:"光板和烂板比较,要伸三分多银子的水;你用出去,不和他讨补水,他那得不疑心你用铜银呢。"我听了方才恍然大悟。然而那些香港人,也未免太不张眼睛了。我连年和继之办事经营,虽说是趸来趸去,也是一般的做买卖,何尝这样小器来。于是和理之谈谈香港的风气,我谈起那咸水妹嫁乡下人的事。理之道:"这个是喜出意外的。我此次回家,住了一个多月,却看见一件祸出意外的事。"我问甚么祸出意外。理之道:"我家里隔壁一家人家,有两间房子空着,便贴了一张'余屋召租'的条子。不多几天,来了一个老婆子,租来住了,起居动用,像是很宽裕的。然而只有一个人,用了一个仆妇。住了两个月,便与那女房东相好起来。她自己说是在新加坡开甚么行栈的,丈夫没了,又没有儿子,此刻回来,要在同族中过继一个儿子。谁知回来一查,族中的子侄,竟没有一个成名的,自己身后,正不知倚靠谁人。说着,便不胜凄惶,以后便常常说起。新加坡也常常有信来,有银子汇来。来了信,她便央男房东念给她听。以后更形相熟了。房东本有三个儿子,那第二个已经十七八岁了。那老婆子常常说他好:'我有了这么个儿子就好了!'那女房东便说:'你欢喜他,何不收他做个干儿子呢?'那老婆子不胜欢喜,便看了黄道吉日,拜干娘。到了这天,她还慎重其事的,置酒庆贺。干娘干儿子,叫得十分亲热。她又说要替干儿子娶亲了,一切费用,他都一力担任。那房东也乐得依她。于是就张罗起来,便有许多媒人来送庚贴说亲。说定了,便忙着拣日子行聘迎娶,十分热闹。待媳妇也十分和气。又替媳妇用了一个年轻梳头老妈子。房东见她这等相待,便说是亲生儿子,也不过这样了。老婆子道:'我们没有儿子的人,干儿子就和亲生的一般。我今年五十多岁,没有几年的人了,只要他将来肯当我亲娘一般,送我的终,我的一分家当便传授给他,也不去族中过继甚么儿子了。'女房东一想,她是个开行栈的人,家当至少也有几万,如何不乐从。便叫儿子来,说知此事,儿子自然也乐得应允。老婆子更是欢喜,就在那里天天望孙了。偏偏这媳妇娶了来差不多一年,还没有喜信。老婆子就天天求神拜佛,请医生调理身子。过了几个月,依然没有信息。老婆子急不能待,便要和干儿子纳妾。叫了媒婆来说知,看了几家丫头和贫家女儿。看对了,便娶了一个过来。一样的和她用一个年轻梳头老妈子。刚娶了没有几天,忽然新加坡来了一封电信,说有一单货到期要出,恰好行里所有存款,都支发了出去。放在外面的,一时又收不回来。银行的一个存折,被女东带了回粤,务祈从速寄来云云。老婆子央房东翻出来,念了一遍,便道:'你看,我不在那里,便一点主意都没了。自己的款项虽然支发出去,又何妨在别处调动呢。我们几十年的老行号,还怕没人相信么。'说着,闷闷不乐。又道:'这个存折怎好便轻易寄去,倘或寄失了,那还了得么。'商量了半天道:'不如我自己回去一趟罢。我还想带了干儿子同去。他此刻是小东家了,叫他去看看,也历练点见识,出来经历过一两年,自己就好当事了。'房东一心以为儿子承受了这份大家当,有甚么不肯之理。她见房东应允了,自是不胜欢喜。于是带了一个干儿子、两房干媳妇、两个梳头老妈子,一同到新加坡去了。这是去年的事。我这回到家里去,那房东接了他儿子来信了。你晓得他在新加坡开的是甚么行号?原来开的是娼寮。那老婆子便是鸨妇。一到了新加坡,她便翻转了面皮,把干儿子关在一间暗室里面。把两房干媳妇和两个梳头老妈子,都改上名字,要她们当娼。倘若不从,她家里有的是皮鞭烙铁,便要请你尝这个滋味。可怜这四个好人家女子,从此便跳落火坑了。那个干儿子呢,被他幽禁了两个月,便把他'卖猪仔(读若崽)'到吉冷去了。卖了猪仔到那边做工。那边管得极为苛虐,一步都不能乱走的。这位先生能够设法寄一封信回来,算是他天大的本领了。"

我道:"卖猪仔之说,我也常有得听见,但不知是怎么个情形。说的那么苦,谁还去呢?"理之道:"卖猪仔其实并不是卖断了,就是那招工馆代外国人招的工,招去做工,不过订定了几年合同,合同满了,就可以回来。外国人本来招去做工,也未必一定要怎么苛待。后来偶然苛待了一两次,我们中国政府也不过问。那没有中国领事的地方,不要说了;就是设有中国领事的地方,中国人被人苛虐了,那领事就和不见不闻,与他绝不相干的一般。外国人从此知道中国人不护卫自己百姓的,便一天苛似一天起来了。"我道:"那苛虐的情形,是怎么样的呢?"理之道:"这个我也不仔细,大约各处的办法不同。听说南洋那边有一个软办法:他招工的时候,恐怕人家不去,把工钱定得极优。他却在工场旁边,设了许多妓馆、赌馆、酒馆、烟馆之类,无非是销耗钱财的所在。做工的进了工场,合同未满,本来不能出工场一步的,惟有这个地方,他准你到。若是一无嗜好的,就不必说了。倘使有了一门嗜好,任从你工钱怎么优,也都被他赚了回去,依然两手空空。他又肯借给你,等你十年八年的合同满了,总要亏空他几年工钱,脱身不得,只得又联几年合同下去。你想这个人这一辈子还能指望有回来的一天么,还不和卖了给他一样么。因此广东人起他一个名字,叫他卖猪仔。"说话之间,船上买办打发人来招呼理之去有事,便各自走开。

一路无事。到了上海便登岸,搬行李到字号里去。德泉接着道:"辛苦了! 何以到此时才来? 继之半个月前,就说你要到了呢。"我道:"继之到上海来过么?"德泉道:"没有来过,只怕也会来走一趟呢。有信在这里,你看了就知道了。"说着,检出一封信来道:"半个月前就寄来的,说是不必寄给你,你就要到上海的了。"我拆开一看,吃了一惊,原来继之得了个撤任调省的处分,不知为了甚么事,此时不知交卸了没有。连忙打了个电报去问。直到次日午间,才接了个回电。一看电码的末尾的一个字,不是继之的名字。继之向来通电给我,只押一个"吴"字,这吴字的码,是〇七〇二,这是我看惯了,一望而知的;这回的码,却是个六六一五,因先翻出来一看,是个"述"字,知道是述农复的了。逐字翻好,是"继昨已回省。述"六个字。

我得了这个电,便即晚动身,回到南京,与继之相见。却喜得家中人人康健。继之又新生了一个儿子,不免去见老太太,先和干娘道喜。老太太一见了我,便欢喜的了不得。忙叫奶娘抱撤儿出来见叔叔。我接过一看,小孩子生得血红的脸儿,十分茁壮。因赞了两句,交还奶娘道:"已经有了名儿了,干娘叫他甚么,我还没有听清楚。是几时生的? 大嫂身子可好?"老太太道:"他娘身子坏得很,继之也为了她赶回来的。此刻交代还没有算清,只留下文师爷在那边。这小孩子还有三天就满月了。他出世那一天,恰好挂出撤任的牌来,所以继之给他起个名字叫撤儿。"我道:"大哥虽然撤了任,却还得常在干娘跟前,又抱了孙子,还该喜欢才是。"老太太道:"可不是么。我也说继之丢了一个印把子,得了个儿子,只好算秤钩儿打钉——扯直罢了。"我笑道:"印把子甚么希奇,交了出去,乐得清净些,还是儿子好。"说罢,辞了出来,仍到书房和继之说话,问起撤任缘由,未免着恼。继之道:"这有甚么可恼。得失之间,我看得极淡的。"于是把撤任情由，对我说了。

　　原来今年是大阅年期，这位制军代天巡狩，到了扬州，江、甘两县自然照例办差。扬州两首县，是著名的"甜江都、苦甘泉"。然而州县官应酬上司，以及衙门里的一切开销，都有个老例，有一本老帐簿的。新任接印时，便由新帐房向旧帐房要了来，也有讲交情要来的，也有出钱买来的。这回帅节到了扬州，述农查了老例，去开销一切。谁知那戈什哈嫌钱少，退了回来。述农也不和继之商量，在例外再加丰了点再送去。谁知他依然不受。述农只得和继之商量。还没有商量定，那戈什哈竟然亲自到县里来，说非五百两银子不受。继之恼了，便一文不送，由他去。那戈什哈见诈不着，并且连照例的都没了。那位大帅向来是听他们说话的，他倘去说继之坏话，撤他的任倒也罢了，谁知后来打听得那戈什哈并未说坏话。

　　正是：不必蜚言腾毁谤，敢将直道拨雷霆。那戈什哈不是说继之坏话，不知说的是甚么话，且待下回再记。

第六十回

谈官况令尹弃官　乱著书遗名被骂

那戈什哈,他不是说继之的坏话,难道他倒说继之的好话不成?哪有这个道理!他说的话,说得太爽快了,所以我听了,就很以为奇怪。你猜他说甚么来?他简直的对那大帅说:"江都这个缺很不坏。沐恩等向吴令借五百银子,他居然回绝了,求大帅作主。"这种话你说奇不奇?那大帅听了,又是奇怪,他不责罚那戈什哈倒也罢了,却又登时大怒起来,说:"我身边这几个人,是跟着我出生入死过来的,好容易有了今天。他们一个一个都有缺的,都不去到任,都情愿仍旧跟着我,他们不想两个钱想甚么!区区五百两都不肯应酬,这种糊涂东西还能做官么!"也等不及回省,就写了一封信,专差送给藩台,叫撤了江都吴令的任,还说回省之后要参办呢。我问继之道:"他参办的话,不知可是真的?又拿个甚么考语出参?"继之道:"官场中的办事,总是起头一阵风雷火炮,打一个转身就要忘个干净了。至于他一定要怎样我,那出参的考语,正是欲加之罪,何患无词。好在参属员的折子上去,总是'着照所请,该部知道'的,从来没有驳过一回。"我道:"本来这件事很不公的,怎么保举折子上去,总是交部议奏。至于参折,就不必议奏呢?"继之道:"这个未尽然。交部议奏的保折,不过是例案的保举。就是交部,那部里你当他认真的堂官、司员会议起来么!不过交给部办去查一查旧例,看看与旧例符不符罢了。其实这一条就是部中书吏发财的门路。所以得了保举以及补缺,都首先要化部费。那查例案最是混帐的事,你打点得到的,他便引这条例;打点不到,他又引那条例,哪里有一定的呢。至于明保、密保的折子上去,也一样不交部议的。"我道:"虽说欲加之罪,何患无词,究竟也要拿着人家的罪案,才有话好说啊。"继之道:"这又何必。他此刻随便出个考语,说我'心地糊涂',或者'办事颠顸',或者'听断不明',我还到哪里同他辩去呢。这个还是改教的局面。他一定要送断了我,就随意加重点,难道我还到京里面告御状,同他辩是非么。"

我道:"提起这个,我又想起来了。每每看见京报,有许多参知县的折子,譬如'听断不明'的改教,倒也罢了;那'办事颠顸,心地糊涂'的,既然'难膺民社',还要说他'文理尚优,着以教职归部铨选',难道儒官就一点事都没得办么? 把那心地糊涂的去当学老师,那些秀才们,不都叫他教成了糊涂虫么?"继之道:"照你这样说起来,可驳的地方也不知多少。参一个道员,说他'品行卑污,着以同知降补',可见得品行卑污的人,都可以做同知的了。这一位降补同知的先生,更是奉旨品行卑污的了。参一个知县,说他'行止不端,以县丞降补',那县丞就是奉了旨行止不端的了。照这样说穿了,官场中办的事,哪一件不是可笑的。这个还是字眼上的虚文,还有那办实事的,候选人员到部投供,与及小班子的验看,大约一大半都是请人去代的,将来只怕引见也要闹到用替身的了。"我道:"那些验看王大臣,难道不知道的么?"继之道:"哪有不知之理! 就和唱戏的一样,不过要唱给别人听,做给别人看罢,肚子里哪一个不知道是假的。碰了岔子,那王大臣还帮他忙呢。有一回,一个代人验看,临时忘了所代那人的姓名,报不出来,涨红了脸,愣了半天。一位王爷看见他那样子,一想这件事要闹穿了,事情就大了,便假意着恼道:"唔! 这个某人,怎么那么糊涂!'这明明是告诉他姓名,那个人才报了出来。你想,这不是串通做假的一样么。"

我笑道:"我也要托人代我去投供了。"继之道:"你几时弄了个候选功名?"我道:"我并不要甚么功名,是我家伯代我捐的一个通判。"继之道:"化了多少钱?"我道:"颇不便宜,三千多呢。"继之默然。一会道:"你倒弄了个少爷官,以后我见你,倒要上手本,称大老爷、卑职呢。"我道:"怎么叫做少爷官? 这倒不懂。"继之道:"世上那些阔少爷想做官,州县太烦剧,他懒做;再小的,他又不愿意做;要捐道府,未免价钱太贵。所以往往都捐个通判,这通判就成了个少爷官了。这里头他还有个得意之处:这通判是个三府,所以他一个六品官,和四品的知府是平行的,拜会时只拿个晚生帖子;却是比他小了一级的七品县官,是他的下属,见他要上手本,称大老爷、卑职。实缺通判和知县行起公事来,是下札子的,他的署缺又多,上可以署知府、直隶州;下可以署州县。占了这许多便宜,所以那些少爷,便都走了这条路了。其实你既然有了这个功名,很可以办了引见到省,出来候补。"我道:"我舒舒服服的事不干,却去学磕头请安作甚么。"

继之想了一想道:"劝你出来候补是取笑的。你回去把那第几卯,第几名,及部照的号数,一切都抄了来,我和你设法,去请个封典。"我道:"又要化这个冤钱做甚么?"继之道:"因为不必化钱,纵使化,也化不上几个,我才劝你干啊。你拿这个通判底子,加上两级,请一个封赠,未尝不可以博老伯母的欢喜。"我道:"要是化得少,未尝不可以弄一个。但不知到哪里去弄?"继之道:"就是上海那些办赈捐的,就可以办得到。"我道:"他们何以能便宜,这是甚么讲究?"继之道:"说来话长。向来出资助赈,是可以请奖的。那出一千银子,可以请建坊,是大家都知道的了;其余不及一千的,也有奖虚衔,也有奖封典,是听随人便的。甚至那捐助的小数,自一元几角起至几十元,那毂不上请奖的,拿了钱出去就完了,谁还管他。可是数目是积少成多的,那一本总册在他那里,收条的存根也在他那里。那办赈捐的人一定兼办捐局,有人拿了钱去捐封典、虚衔,他们拿了那零碎赈捐,凑足了数目,在部办那里打点几个小钱,就给你弄了来,你的钱他可上了腰。所以他们那里捐虚衔、封典,格外便宜,总可以打个七折。然而已经不好了,你送一百银子去助赈,他不会一点弊都不做,完全一百银子拿去赈饥,他可是在这一百之外,稳稳的赚了七十的。所以'善人是富'的,就是这个道理。这个毛病,起先人家还不知道,这又是他们做贼心虚弄穿的。有一回,一个当道荐一个人给他,他收了,派这个人管理收捐帐目,每月给他二十两的薪水。这个人已经觉得出于意外了。过得两个月便是中秋节,又送他二百两的节敬。这个人就大疑心起来,以为善堂办赈捐哪里用得着如此开销,而且这种钱又往哪里去报销。若说他自己掏腰包,又断没有这等事。一定这里面有甚么大弊病,拿这个来堵我的口的,我倒不可不留心查查他,以为他日要挟地步。于是细心静意的查他那帐簿,果然被他查了这个弊病出来,自此外面也渐渐有人知道了。有知道他这毛病的,他们总肯送一个虚衔或者一个封典,这也同贿赂一般,免得你到处同他传扬。前回一个大善士,专诚到扬州去劝捐,愁眉苦目的样子,真正有'己饥己溺'的神情,被述农讥诮了两句。他们江苏人最会的是讥诮人，也最会听人家话里的因由。他们两个江苏人碰在一起，自然彼此会意。述农不知弄了他一个甚么，他还要送我的封典，我是早讲过的了，不曾要他的。此刻叫述农写一封信去，怕不弄了来，顶多部里的小费由我们认还他罢了。"我道："这也罢了。等我翻着时，顺便抄了出来就是。"当下，又把广东、香港所办各事大略情形，告诉了继之一遍，方才回到我那边，和母亲、婶娘、姊姊，说点别后的事，又谈点家务事情。在行李面里，取出两本帐簿和我在广东的日记，叫丫头送去给继之。

　　过得两天，撒儿满月，开了个汤饼会，宴会了一天，来客倒也不少。再过了十多天，述农算清交代回省，就在继之书房下榻。继之便去上衙门禀知，又请了个回籍措资的假，我和述农都不曾知道；及至明天看了辕门抄，方才晓得。便问为甚事请这个假。继之道："我又不想回任，又不想求差，只管住在南京做甚么。我打算把家眷搬到上海去住几时，高兴我还想回家乡去一趟。这个措资假，是没有定期的，我永远不销假，就此少陪了，随便他开了我的缺也罢，参了我的功名也罢。我读书十年，总算上过场，唱过戏了，迟早总有下场的一天，不如趁此走了的干净。"述农道："做官的人，像继翁这样乐于恬退的，倒很少呢。"继之道："我倒不是乐于恬退。从小读书，我以为读了书，便甚么事都可以懂得的了。从到省以来，当过几次差事，做了两年实缺，觉得所办的事，都是我不曾经练的，兵、刑、钱、谷，没有一件事不要假手于人；我纵使处处留心，也怕免不了人家的蒙蔽。只有那回分校乡闱试卷，是我在行的。此刻回想起来，那一班取中的人，将来做了官，也是和我一样。老实说一句，只怕他们还不及我想得到这一层呢。我这一番到上海去，上海是个开通的地方，在那里多住几天，也好多知点时事。"述农道："这么说，继翁倒深悔从前的做官了？"继之道："这又不然。寒家世代是出来作官的，先人的期望我是如此，所以我也不得不如此还了先人的期望；已经还过了，我就可告无罪了。以后的日子，我就要自己做主了。我们三个，有半年不曾会齐了，从此之后，我无官一身轻，咱们三个痛痛快快的叙他几天。"说着，便叫预备酒菜吃酒。

　　述农对我道："是啊。你从前只飙人家谈故事，此刻你走了一次广东，自然经历了不少，也应该说点我们听了。"继之道："他不说，我已经知道了。他备了一本日记，除记正事之外，把那所见所闻的，都记在上面,很有两件希奇古怪的事情,你看了便知,省他点气,叫他留着说那个未曾记上的罢。"于是把我的日记给述农看。述农看了一半,已经摆上酒菜,三人入席,吃酒谈天。

述农一面看日记,末后指着一句道:"这'《续客窗闲话》毁于潮人'是甚么道理?"我道:"不错。这件事本来我要记个详细,还要发几句议论的,因为这天恰好有事,来不及,我便只记了这一句,以后便忘了。我在上海动身的时候,恐怕船上寂寞,没有人谈天,便买了几部小说,预备的。到了广东,住在名利客栈里,隔壁房里住了一个潮州人,他也闷得慌,看见我桌子上堆了些书,便和我借来看。我顺手拿了部《续客窗闲话》给他。谁知倒看出他的气来了。我在房里,忽听见他拍桌子跺脚的一顿大骂。他说的潮州话,我不甚懂,还以为他骂茶房;后来听来听去,只有他一个人的声音,不像骂人。便到他门口望望。他一见了我,便指手画脚的剖说起来。我见他手里拿着一本撕破的书,正是我借给他的。他先打了广州话对我说道:'你的书,被我毁了。买了多少钱,我照价赔还就是。'我说:'赔倒不必。只是你看了这书为何动怒,倒要请教。'他找出一张撕破的,重新拼凑起来给我看。我看时,是一段《乌蛇已癞》的题目。起首两行泛叙的是:'潮州凡幼女皆蕴癞毒,故及笄须有人过癞去,方可婚配。女子年十五六,无论贫富,皆在大门外工作,诱外来浮浪子弟,交往弥月。女之父母,张灯彩,设筵席,会亲友,以明女癞去,可结婚矣'云云。那潮州人便道:'这麻疯是我们广东人有的,我何必讳他。但是他何以诬蔑起我合府人来? 不知我们潮州人杀了他合族,还是我们潮州人□了他的祖宗,他造了这个谣言,还要刻起书来,这不要气死人么!'说着,还拿纸笔抄了著书人的名字——'海盐吴炽昌号芗厈',夹在护书里,说要打听这个人,如果还在世,要约了潮州合府的人,去同他评理呢。"述农道:"本来著书立说,自己未曾知得清楚的,怎么好胡说,何况这个关乎闺女名节的呢。我做了潮州人,也要恨他。"

我道:"因为他这一怒,我倒把那广东麻疯的事情,打听明白了。"述农道:"是啊。他那条笔记说的是癞,怎么拉到麻疯上来?"我道:"这个是朱子的典故。他注'伯牛有疾'章说:'先儒以为癞也。据《说文》:'癞,恶疾也'。广东人便引了他做一个麻疯的雅名。"继之扑嗤一声,回过脸来,喷了一地的酒道:"麻疯还有雅名呢。"我道:"这个不可笑,还有可笑的呢。其实麻疯这个病,外省也未尝没有,我在上海便见过一个。不过外省人不忌,广东人极忌罢了。那忌不忌的缘故,也不可解。大约广东地土热,犯了这个病要溃烂的,外省不至于溃烂,所以有忌有不忌罢了。广东地方,有犯了这个病的,便是父子也不相认的了,另外造了一个麻疯院,专收养这一班人,防他传染。这个病非但传染,并且传种的要到了第三代,才看不出来,然而骨子里还是存着病根。这一种人,便要设法过人了。男子自然容易设法。那女子却是掩在野外,勾引行人,不过一两回就过完了。那上当的男子,可是从此要到麻疯院去的了。这个名目,叫做'卖疯',却是背着人在外面暗做的,没有彰明昭著在自己家里做的,也不是要经月之久才能过尽,更没有张灯宴客的事,更何至于阖府都如此呢。"

继之愣愣的道:"你说还有可笑的,却说了半天麻疯的掌故,没有可笑的啊。"我道:"可笑的也是麻疯掌故,广东人最信鬼神,也最重始祖,如靴业祀孙膑,木匠祀鲁班,裁缝祀轩辕之类,各处差不多相同的。惟有广东人,哪怕没得可祀的,他也要硬找出一个来,这麻疯院当中供奉的却是冉伯牛。"

正是:享此千秋奇血食,斯人斯疾尚模糊。未知麻疯院还有甚么掌故,且待下回再记。

第六十一回

因赌博入棘闱舞弊　误虚惊制造局班兵

　　我说了这一句话，以为继之必笑的了。谁知继之不笑，说道："这个附会得岂有此理！麻疯这个毛病，要地土热的地方才有，大约总是湿热相郁成毒，人感受了就成了这个病。冉子是山东人，怎么会害起这个病来。并且癞虽然是个恶疾，然而恶疾焉见得就是麻疯呢？这句注，并且曾经毛西河驳过的。"我道："那一班溃烂得血肉狼籍的，拈香行礼起来，那冉子才是血食呢。"述农皱眉道："在这里吃着喝着，你说这个，怪恶心的。"

　　我道："广东人的迷信鬼神，有在理的，也有极不在理的。他们医家只知有个华佗；那些华佗庙里，每每在配殿上供了神农氏，这不是无理取闹么。至于张仲景，竟是没有知道的。真是做古人也有幸有不幸。我在江、浙一带，看见水木两作都供的是鲁班，广东的泥水匠却供着个有巢氏，这不是还在理么。"继之摇头道："不在理。有巢氏构木为巢，还应该是木匠的祖师。"我道："最可笑的是那搭棚匠，他们供的不是古人。"述农道："难道供个时人？"我道："供的是个人，倒也罢了；他们供的却是一个蜘蛛，说他们搭棚就和蜘蛛布网一般，所以他们就奉以为师了。这个还说有所取意的。最奇的是剃头匠这一行事业，本来中国没有的，他又不懂得到满洲去查考查考这个事业是谁所创，却供了一个吕洞宾。他还附会着说：有一回，吕洞宾座下的柳仙下凡，到剃头店里去混闹，叫他们剃头；那头发只管随剃随长，足足剃了一整天，还剃不干净。幸得吕洞宾知道了，也摇身一变，变了个凡人模样，把那斩龙的飞剑取出来，吹了一口仙气，变了一把剃刀，走来代他剃干净了。柳仙不觉惊奇起来，问你是甚么人，有这等法力。

吕洞宾微微一笑,现了原形。柳仙才知道是师傅,连忙也现了原形,脑袋上长了一棵柳树,倒身下拜。师徒两个,化一阵清风而去。一班剃头匠,方才知道是神仙临凡,连忙焚香叩谢,从此就奉为祖师。"继之笑道:"这才像乡下人讲《封神榜》呢。"述农道:"剃头虽是满洲的制度,然而汉人剃头,有名色的,第一个要算范文程了,何不供了他呢?"继之道:"范文程不过是被剃的,不是主剃的。必要查着当日第一个和汉人剃头的人,那才是剃头祖师呢。"

我道:"这些都是他们各家的私家祖师。还有那公用的,无论甚么店铺,都是供着关神。其实关壮缪并未到过广东,不知广东人何以这般恭维他。还有一层最可笑的:凡姓关的人都要说是原籍山西,是关神之后。其实《三国志》载,'庞德之子庞会,随邓艾入蜀,灭尽关氏家',哪里还有个后来。"继之道:"这是小说之功。那一部《三国演义》,无论哪一种人,都喜欢看的。这部小说却又做得好,却又极其尊他,好像这一部大书都是为他而作的,所以就哄动了天下的人。"我道:"《三国》这部书,不错,是好的;若说是为关壮缪而作,却没有凭据。"继之道:"虽然没有凭据,然而一部书之中,多少人物,除了皇帝之外,没有一个不是提名道姓的,只有叙到他的事,必称之为'公',这还不是代一个人作墓碑家传的体裁么。其实讲究敬他忠义,我看岳武穆比他还完全得多,先没有他那种骄矜之气。然而后人的敬武穆不及敬他的多,就因为那一部《岳传》做得不好之故。大约天下愚人居多。愚人不能看深奥的书,见了一部小说,就是金科玉律,说起话来便是有书为证,不像我们看小说是当一件消遣的事。小说能把他们哄动了,他们敬信了,不因不由的,便连上等人也跟着他敬信了,就闹的请加封号,甚么王咧、帝咧,闹这种把戏,其实那古人的魂灵,已经不知散到哪里去了。想穿了真是笑得死人!"我道:"此刻还有人议论岳武穆不是的呢。"继之道:"奇了!这个人还有甚批评?倒要请教。"我道:"有人说他,'将在外,君命有所不受';况且十二道金牌,他未必不知道是假的,何必就班师回去,以致功败垂成。"继之道:"生在千年以后去议论古人,也要代古人想想所处的境界。那时候严旨催迫,自有一番必要他班师的话。看他百姓遮留时,出诏示之曰:'我不得擅留。'可见得他自有必不能留的道理,不过史上没有载上那道诏书罢了。这样批评起古人来,哪里不好批评。怪不得近来好些念了两天外国书的,便要讥诮孔子不知洋务。看得一张平圆地球图的,便要骂孔子动辄讲平天下，说来说去都是千乘之国，不知支那之外，更有五洲万国的了。"我笑道："天下未必有这等人。"继之道："今年三月里，一个德国人到扬州游历，来拜我，带来的一个翻译，就是这种议论。"述农道："这种人谈他做甚么，谈起来呕气。还是谈我们那对着迷信的见解，还可以说说笑笑。"我道："要讲究迷信，倘使我开个店铺，情愿供桓侯，断不肯供壮缪。"述农道："这又为甚么？"我道："俗人凡事都取个吉利。店铺开张交易，供了桓侯，还取他的姓是个开张的'张'字。若供了壮缪，一面才开张，一面便供出那关门的'关'字来，这不是不祥之兆么。"说得述农、继之一齐笑了。

述农道："广东的赌风向来是极盛的，不知你这回去住了半年，可曾赌过没有？"我道："说起来可是奇怪。那摊馆我也到过，但是挤拥的不堪，总挨不到台边去看看。我倒并不要赌，不过要见识见识他们那个赌法罢了。谁知他们的赌法不曾看见，倒又看见了他们的祖师，用绿纸写了甚么'地主财神'的神位，不住的烧化纸帛，那香烛更是烧得烟雾腾天的。"述农道："地主是广东人家都供的，只怕不是甚么祖师。"我道："便是我也知道。只是他为甚用绿纸写的，不能无疑。问问他的土人，他们也说不出个所以然来。"

述农道："这龙门摊的赌博，上海也很利害，也是广东人玩的。而且他们的神通实在大，巡捕房那等严密，却只拿他们不着。有一回，巡捕头查得许多人都得了他们的陋规，所以想着要去拿他，就有人通了风声。这一回出其不意，叫一个广东包探，带了几十个巡捕，自己还亲自跟着去捉，真是雷厉风行，说走就走的了。走到半路上，那包探要吃吕宋烟，到一家烟店去买，拣了许久，才拣了一支，要自来火来吸着了。及至走到赌台时，连桌椅板凳都搬空了，只剩下两间大篷厂。巡捕头也愣住了，不知他们怎样得的信。没奈何，只放一把火，把那篷厂烧了回来。"我惊道："怎么放起火来！"述农笑道："他的那篷厂是搭在空场上面，纵使烧了，也是四面干连不着的。"我道："这只可算是聊以解嘲的举动。然而他们到底哪里得的信呢？"述农道："他们那个赌场也是合了公司开的，有股份的人也不知多少。那家烟铺子也是股东。那包探去买烟时，轻轻的递了一个暗号，又故意以拣烟为名，俄延了许久，那铺子里早差人从后门出去，坐上车子，飞奔的报信去了，这边是步行去的，如何不搬一个空。"

继之道："不知是甚么道理，单是广东人欢喜赌。那骨牌、纸牌、骰子,制成的赌具,拿他去赌,倒也罢了。那绝不是赌具,落了广东人的手,也要拿来赌,岂不奇么! 像那个闹姓,人家好好的考试,他却借着他去做输赢。"述农道:"这种赌法,倒是大公无私,不能作弊的。"我道:"我从前也这么想。这回走了一次广东,才知道这里面的毛病大得很呢。第一件是主考、学台自己买了闹姓,那个毛病便说不尽了。还有透了关节给主考、学台,中这个不中那个的。最奇的,俗语常说,'没有场外举子',广东可闹过不曾进场,中了举人的了。"述农道:"这个奇了! 不曾入场,如何得中?"我道:"他们买闹姓的赌,所夺的只在一姓半姓之间。倘能多中了一个姓,便是头彩。那一班赌棍,拣那最人少的姓买上一个,这是大众不买的。他却查出这一姓里的一个不去考的生员,请了枪手,或者通了关节,冒了他的姓名进场去考,自然要中了。等到放出榜来,报子报到,那个被人冒名去考的,还疑心是做梦,或是疑心报子报错的呢。"继之道:"犯到了赌,自然不会没弊的,然而这种未免太胡闹了。"我道:"这个乡科冒名的,不过中了就完了。等到赴鹿鸣宴、谒座主,还通知本人,叫他自己来。还有那外府荒僻小县,冒名小考的,并谒圣、簪花、竭师,都一切冒顶了,那个人竟是事后安享一名秀才呢。"述农道:"听说广东进一名学极不容易,这等被人冒名的人,未免太便宜了。"我道:"说也奇怪,一名秀才值得甚么,听说他们院考的时候,竟有交了白卷,拿银票夹在卷里,希冀学台取进他的呢。"

继之道:"随便哪一项,都有人发迷的,像这种真是发秀才迷了。其实我也当过秀才,回想起来,有甚么意味呢。我们且谈正经事罢,我这几天打算到安庆去一走。你可到上海去,先找下一处房子,我们仍旧同住。只是述农就要分手,我们相处惯了,倒有点难以离开呢。我们且设个甚么法子呢?"述农道:"我这几年总没有回去过,继翁又说要到上海去住,我最好就近在上海弄一个馆地,一则我也免于出门,二则同在上海,时常可以往来。"继之想了一想道:"也好。我来同你设一个法。但不知你要甚么馆地?"述农道:"那倒不必论定,只要有个名色,说起来不是赋闲就罢了。我这几天,也打算回上海去了。我们将来在上海会罢。"当下说定了。

过得两天,继之动身到安庆去。我和述农同到上海,述农自回家去了。我看定了房子,写信通知继之。约过了半个月,继之带了两家家眷,到了上海,搬到租定的房子里,忙了几天,才忙定了。

　　继之托我去找述农。我素知他住在城里也是园滨的，便进城去访着了他，同到园里一逛。这小小的一座花园，也还有点曲折，里面供着李中堂的长生禄位。游了一回出来，迎面遇见一个人，年纪不过三十多岁，却留了一部浓胡子，走起路来，两眼望着天。等他走过了，述农问道："你认得他么？"我道："不。"述农道："这就是为参了李中堂被议的那位太史公。此刻因为李大先生做了两广，他回避了出来，住在这里蕊珠书院呢。"我想起继之说他在福建的情形，此刻见了他的相貌，大约是色厉内荏的一流人了。一面和述农出城，到字号里去，与继之相见。

　　述农先笑道："继翁此刻居然弃官而商了，其实当商家倒比做官的少耽心些。"继之道："耽心不耽心且不必说，先免了受那一种龌龊气了。我这回到安庆去，见了中丞，他老人家也有告退之意了。我说起要代你在上海谋一个馆地，又不知你怎样的才合式，因和他要了一张启事名片，等你想定了哪里，我就代你写一封荐信。"述农道："有这种好说话的荐主，真是了不得！但是局卡衙门的事，我不想干了。这些事情，东家走了，我们也跟着散，不如弄一个长局的好。好在我并不较量薪水，只要有了个处馆的名色罢了。这里的制造局，倒是个长局……"我不等说完，便道："好，好。我听说那个局子里面故事很多的，你进去了，我们也可以多听点故事。"述农也笑了一笑。议定了，继之便写了一封信，夹了片子，交给述农。不多几天，述农来说，已经投了信，那总办已经答应了。此刻搬了行李到局里去住，只等派事。坐了一会就去了。

　　此时已过了中秋节，继之要到各处去逛逛，所以这回长江、苏、杭一带，都是继之去的。我在上海没有甚事。一天，坐了车子，到制造局去访述农。述农留下谈天，不觉谈的晚了。述农道："你不如在这里下榻一宵，明日再走罢。"我是无可无不可的，就答应了。到得晚上，一同出了局门，到街上去散步。

　　到了一家酒店，述农便邀我进去，烫了一壶酒对吃。说道："这里倒很有点乡村风味，为十里洋场所无的，也不可不领略领略。"一面谈着天，不觉吃了两壶酒。忽听得门外一声洋号吹起，接连一阵咯蹬咯蹬的脚步声。连忙抬头往外望时，只见一队兵，排了队伍，向局子里走去，正不知为了甚么事。等那队兵走过了，忽然一个人闯进来道："不好了！局子里来了强盗了！"我听了，吃了一惊。取出表来一看，只得八点一刻钟,暗想时候早得很,怎么就打劫了呢。此时述农早已开发了酒钱,就一同出来。

走到栅门口,只见两排兵,都穿了号衣,擎着洋枪,在黑暗地下对面站着。进了栅门,便望见总办公馆门口,也站了一排兵,严阵以待。走过护勇棚时,只见一个人,生得一张狭长青灰色的脸儿,浓浓的眉毛,一双抠了进去的大眼睛,下颏上生成的挂脸胡子,却不曾留;穿一件缺襟箭袖袍子,却将袍脚撩起,掖在腰带上面,外面罩一件马褂,脚上穿了薄底快靴,腰上佩了一把三尺多长的腰刀,头上却还戴的是瓜皮小帽;年纪不过三十多岁;在那里指手画脚,撇着京腔说话。一班护勇都垂手站立。述农拉我从旁边走过道:"这个便是总办。"走过护勇棚,向西转弯,便是公务厅,这里又是有两排兵守着。过了公务厅,往北走了半箭多路,便是述农的住房。述农到得房里,叫当差的来问,外面到底是甚么事。当差的道:"就是洋枪楼藏了贼呢。"述农道:"谁见来?"当差的道:"不知道。"

正说话间,听得外面又是一声洋号。出来看时,只见灯球火把,照耀如同白日,又是一大队洋枪队来。看他那号衣,头一队是督标忠字营,第二队是督标信字营字样。

正是:调来似虎如貔辈,要捉偷鸡盗狗徒。未知到底有多少强盗,如何捉获,且待下回再记。

第六十二回

大惊小怪何来强盗潜踪
上张下罗也算商人团体

　　述农指着西北角上道："那边便是洋枪楼，到底不知有了甚么贼。这忠字营在徽州会馆前面，信字营在日晖港，都调了来了。"我道："我们何妨跟着去看看呢。"述农道："倘使认真有了强盗，不免要放枪，我们何苦冒险呢。"说话间，两队兵都走过了，跟着两个蓝顶行装的武官押着阵。那总办也跟在后头，一个家人扛着一枝洋枪伺候着过去。我到底耐不住，往北走了几步，再往西一望，只见那些兵一字儿面北排班站着，一个个擎枪在手，肃静无哗。到底不知强盗在哪里，只得回到述农处。述农已经叫当差的打听去了。一会儿回来说道："此刻东栅门只放人进来，不放人出去。进来的兵只有两哨，其余的也有分派在码头上，也有分派在西炮台；沪军营也调来了，都在局外面团团围住。听见有几十个强盗，藏在洋枪楼里面呢。此刻又不敢开门，恐怕这里一开门，那里一拥而出，未免要伤人呢。"述农道："奇了！洋枪楼是一放了工便锁门的，难道把强盗锁到里头去了？"

　　正说话间，外面来了一群人，当头一个身穿一件蜜色宁绸单缺襟袍，罩了一件崭新的团花天青宁绸对襟马褂，脚穿的是一双粉底内城式京靴，头上却是光光的没有戴帽。后面跟着两个家人，打着两个灯笼。家人后面，跟了四名穿号衣的护勇，手里都拿着回光灯，在天井里乱照。述农便起身招呼。当头那人只点了点头，对我看了一眼，便问这是谁。述农道："这是晚生的兄弟。"那人道："兄弟还不要紧，局子里不要胡乱留人住！"述农道："是。"又道："本来吃过晚饭要去的，因为此刻东栅门不放出去，不便走。"那人也不回话，转身出去，跟来的人一窝蜂似的都去了。述农道:"这是会办。大约因为有了强盗,出来查夜的。"我道:"这个会办生得一张小白脸儿,又是那么打扮,倒很像个京油子,可惜说起话来是湖南口音。"

说话间,忽听得远远的一声枪响。我道:"是了,只怕是打强盗了。"过了一会,忽听得有人说话,述农喊着问是谁。当差的进来说道:"听说提调在大厅上打倒了一个强盗。"述农忙叫快去打听,那当差的答应着去了。一会回来,笑了个弯腰捧腹。我和述农忙问甚么事情。当差道:"今天晚上出了这件事,总办亲自出来督兵,会办和提调便出来查夜。提调查到大厅上面,看见角子上一团黑影,窸窣有声,便喝问是谁。喝了两声,不见答应。提调手里本来拿了一枝六响手枪,见喝他不答应,以为是个贼,便放了一枪。谁知这一枪放去,"汪"的一声叫了起来,不是贼,是两只狗,打了一只,跑了一只。那只跑的直扑门口来,在提调身边擦过。提调吃了一惊,把手枪掉在地下,拾起来看时,已经跌坏了机簧,此刻在那里跺脚骂人呢。"说得我和述农一起笑了。

我道:"今天我进来时,看见这局里许多狗,不知都是谁养的?"述农道:"谁去养它! 大约是衙门、大局子,都有一群野狗,听其自己孳生,左右大厨房里现成的剩菜剩饭,总够供它吃的。这里的狗,听说曾经捉了送到浦东去,谁知它遇了渡江的船,仍旧渡了过来。"我道:"狗这东西,本来懂点人事的,自然会渡回来。"述农道:"说这件事,我又想起一件事了:浙江抚台衙门也有许多狗,那位抚台讨厌它,便叫人捉了,都送到钱塘江当中一块涨滩上去。这块涨滩上面,有几十家人家,那滩地都已经开垦了的。那滩上的居民,除了完粮以外,绝不进城,大有与世隔绝的光景。那一群狗送到之后,一天天孳生起来,不到两年,变了好几百,内中还有变了疯狗的,践踏得那田禾不成样子。乡下人要赶它,又没处可赶,迫得到钱塘县去报荒。钱塘县派差去查过,果然那些狗东奔西窜,践踏田禾。差人回来禀知,钱塘县回了抚台,派了两棚兵,带了洋枪出去剿狗。你说不是笑话么?"我听了,又说笑了一会。惦记着外面的事,和述农出来望望,见那些兵仍旧排列着,那两个押队官和总办,却在熟铁厂帐房里坐着。

此时已有三更时分,望了一会,毫无动静,仍回到房里去。方才坐下,外面查夜的又来了。当头那人,生得臃肿肥胖,唇上长了几根八字鼠须,脸上架了一副茶碗口大的水晶眼镜,身上穿的是半截湖色熟罗长衫，也没罩马褂，挺着一个大肚子，脚上却也穿了一双靴子，一样的带了家人护勇，只站在门口望了一望。述农起身招呼。那人道："还没睡么？"述农道："没有呢。外面乱得很，也睡不安稳。"那人自去了。述农道："这个便是提调。"我道："这局子只有一个总办，一个会办么？"述农道："还有一个襄办，这两天到苏州去了。"两个谈至更深，方才安歇。外面那洋号一回一回的，吹得呜呜响，人来人往的脚步声音，又是那打更的梆子敲个不住，如何睡得着。方才朦胧睡去，忽听得外面呜呜的洋号声，咚咚的铜鼓声大振起来。连忙起身一望，天色已经微明，看看桌上的钟，才交到五点半的时候。述农也起来了，忙到外面去看，只见忠字营、信字营、沪军营、炮队营的兵，纷纷齐集到洋枪楼外面。

我见路旁边一棵柳树，柳树底下放着一件很大的铁家伙，也不知是甚么东西，我便跨了上去，借它垫了脚，扶住了柳树，向洋枪楼那边望去。恰好看见两个人在门口，一个拿了钥匙开锁，这边站的三四排兵，都拿洋枪对着洋枪楼门口。那开锁的人开了，便一人推一扇门，只推开了一点，便飞跑的走开了，却又不见有甚动静。忽见一个戴水晶顶子的官，嘴里喊了一句甚么话，那穿炮队营号衣的兵，便一步步向洋枪楼走去，把那大门推的开足了，鱼贯而入。这里忠、信两营，与及沪军营的兵，也跟着进去。不一会，只见楼上楼下的窗门，一齐开了。众兵在里面来来往往，一会儿又都出来了，便是嘻嘻哈哈的一阵说笑。进去的是兵，出来的依旧是兵，何尝有半个强盗影子。便下来和述农回房。

述农道："惊天动地的闹了一夜，这才是笑话呢。"我道："倒底怎样闹出这句话来呢？"说话时，当差送上水，盥洗过，又送上点心来。当差说道："真是笑话！原来昨天晚上，熟铁厂里的一个师爷，提了手灯到外面墙脚下出恭，那手灯的火光，正射在洋枪楼向东面的玻璃窗上。恰好那打更的护勇从东面走来，远远的看见玻璃窗里面的灯影子，便飞跑的到总办公馆去报，说洋枪楼里面有了人。那家人传了护勇的话进去，却把一个'人'字，说成了一个'贼'字。那总办慌了，却又把一个'贼'字，听成了'强盗'两个字。便即刻传了本局的炮队营来，又挥了条子，请了忠、信两营来；去请沪军营请不动，还专差人到道台那里，请了令箭调来呢。此刻听说总办在那里发气呢。"我和述农不觉一笑。

　　吃过点心，不久就听见放汽筒开工了。开过工之后，述农便带着我到各厂去看看，十点钟时候，方才回房。走过一处，听得里面人声嘈杂，抬头一看，门外挂着"议价处"三个字的牌子。我问这是甚么地方。述农道："这不明明标着议价处么，是买东西的地方。你可要做生意？进去看看，或者可以做一票。"我道："生意不必一定要做，倒要进去见识见识怎么个议法。"述农便领了我进去。

　　只见当中一间是空着的，旁边一间，摆着一张西式大桌子，围着许多人，也有站的，也有坐的。上面打横坐了三个人，述农介绍了与我相见，通过姓名，方知两个是议价委员，一个是誊帐司事。那委员问我可是要做生意。我道："进来见识见识罢了，有合式的也可以做点。"委员一面问我宝号，一面递一张纸给我看。我一一告诉了，一面接过那张纸看时，上面写着："请饬购可介子煤三千吨、豆油十篓、高粱酒二篓"等字。旁边又批了"照购"两个字，还有两个长方图书碰在上面。我想这一票煤倒有万把银子生意，但不知那豆油、高粱酒，这里买来何用。看罢了，交还委员。委员问道："你可会做煤么？这是一票大生意呢。"我道："会是会的。不知要栈货，还是路货？"旁边一个宁波人接口道："此地向来不用栈货的，都是买路货。"我道："这两年头番可介子很少了。"委员道："我们不管头番、二番，只要东西好，价钱便宜。"我道："关税怎样算呢？"委员道："关税是由此地请免单的。"我道："不知要几天交货？"委员道："二十天、一个月，都可以。你原船送到码头就是，起到岸上是我们的事。多少银子一吨？你说罢。"我默算一算道："每吨四两五钱银子罢。"一个宁波人看了我一眼道："我四两四。"那委员又对那些人道："你们呢？"却没人则声。委员又对我道："你呢，再减点，你做了去。"我道："那么就四两三罢。"又一个宁波人抢着道："我四两二。"我心中暗想，这个哪里是议价，只是在这里跌价。外国人的拍卖行是拍卖，这里是拍买呢。算一算，这个价钱没甚利息，我便不再跌了。那宁波人对我道："你再跌罢，再跌一钱，你做了去。"我道："三千吨呢，跌一钱便是三百两，好胡乱跌么。"委员道："你再减点罢，早得很呢。"我筹算了一会道："再减去五分罢。"说犹未了，忽听得一声拍桌子响，接着一声大吼道："我四两，齐头数！"接着，哄然一声叫好。

　　我暗想这个明明是欺我生，和我作对。这个情形，外头拍卖行也有的，几个老拍卖联合了不肯抬价，及至有一个生人到了要拍，他们便很命把价抬起来。照这样看起来，纵使我再跌，他们也不肯让给我做的了，我何不弄他们一弄，看他们怎样。想罢，便道："三两九罢。"道犹未了，忽的一声跳起一个宁波人来，把手一扬，喊道："三两五!"接着又是哄然叫好。委员拿了一张承揽纸，叫他写。我在旁边看时，那承揽纸上印就的格式，甚么限月日交货，甚么不得以低货蒙充等字样，都是刻就的，只要把现在所定的货物、价目，填写上去便是了。看他拿起笔要写时，我故意道："三两四如何?"那人拿着笔往桌子上一拍道："三两三!"我道："三两二。"便有一班人劝他道："让他做了去罢。"我心中一想，不好，他倘让我做了，吃亏不少，要弄他倒弄了自己了。想犹未了，只听他大喊道："三两一! 我今日要让旁人做了，便不是个好汉!"我笑道："我三两，你还能进关么?"他抢着喊道："二两九!"我也抢着道："二两八。"他把双脚一跳，直站起来道："二两五!"我道："四钱半。"他便道："让你，让你。"我一想，不好了，这回真上当了。便坐下去，拿过承揽纸来，提笔要写。忽听得另外一个人道："二两四我来!"我听了方才把心放下，乐得推给他去做了。

那个人写好了，两个委员画了押。又议那豆油、高粱酒，却是一个南京人做去的，并没有人向他抢跌价钱。等他写好时，已听得呜呜的汽筒响，放工了。我回头一看，不见了述农，想是先走了。那些人也一哄而散。我也出了议价处，好得贴着隔壁便是述农住的地方，我见了述农，说起刚才的情形。因说道："这一票煤，最少也要赔两把银子一吨，不知他怎么做法。你在这里头，我倒托你打听打听呢。"述农道："这里是各人管各事的，怎样打听得出来，而且我还生得很呢。"我道："倒是那票油酒是好生意，我看见为数太少了，不去和他抢夺罢了。"

说话间，已经开饭。饭后别过述农，出来叫了车，回家走了一次，再到号里去，闲闲的又和管德泉说起制造局买煤的情形来。德泉吐出舌头来道："你几乎惹出事来! 这个生意做得的么! 只怕就是四两五钱给你做了，也要累得你一个不亦乐乎呢!"我道："我算过，从日本运到这里，不过三两七八钱左右便毂了，如果四两五钱做了，何至受累?"德泉道："就算三两八办到了，赚了七钱银子一吨，三七二千一到手了。轮船到了黄浦江，你要他驶到南头，最少要加他五十两。到了码头上，看煤的人来看了，凭你是拿花旗白煤代了东洋可介子，也说你是次货，不是碎了，便是潮了，挑剔了多少。有神通的，化上二三百,但求他不要原船退回,就万幸了。等到要起货时,归库房长夫经手,不是长夫忙得没有工夫,便是没有小工,给你一个三天起不清;轮船上耽搁他一天,最少也要赔他五百两,三五已经去了一千五了。好容易交清了货,要领货价时,他却给你一个一搁半年,这笔拆息法你和谁算去!他们是做了多年的,一切都熟了,应酬里面的人也应酬到了,所有里面议价处、核算处、库房、帐房,处处都要招呼到。见了委员、司事,卑污苟贱的,称他老爷、师爷;见了长夫、听差,呵腰打拱的,和他称兄道弟。到了礼拜那天,白天里在青莲阁请长夫、听差喝茶开灯,晚上请老爷、师爷在窑姐儿里碰和喝酒。这都是好几年的历练资格呢。”我道:“既如此,他们免不得要遍行贿赂的了。那里面人又多,照这样办起来,纵使做点买卖,哪里还有好处?”德泉道:“贿赂遍不遍,未曾见他过付,不能乱说。然而他们是联络一气的,所以你今天到了,他们便拚命的和你跌价,等你下次不敢去。他吃亏做了的买卖,便拿低货去充。譬如今天做的可介子,他却去弄了蒲古来充;如果还要吃亏,他便搀点石头下去,也没人挑剔。等你明天不去了,他们便把价钱压住了不肯跌。再不然,值一两银子的东西,他们要价的时候,却要十两,几个人轮流减跌下来,到了五六两,也就成交了。那议价委员是一点事也不懂得,单知道要便宜。他们那赚头,却是大家记了帐,到了节下,照人数公摊的。你想初进去的人,怎么做得过他们!”我听了这话,不觉恍然大悟。

正是:回首前情犹在目,顿将往事一撄心。不知悟出些甚么来,且待下回再记。

第六十三回

设骗局财神遭小劫　谋复任臧获托空谈

　　我听德泉一番话，不觉恍然大悟道："怪不得今日那承揽油酒的，没有人和他抢夺。这两天豆油的行情，不过三两七八钱，他却做了六两四钱；高粱酒行情，不过四两二三，他却做了七两八钱；可见得是通同一气的了。"德泉道："这些话，我也是从佚庐处听来的，不然我哪里知道。他们当日本来是用了买办出来采办的；后来一个甚么人上了条陈，说买办不妥，不如设了报价处，每日应买甚么东西，挂出牌去，叫各行家弥封报价，派了委员会同开拆，拣最便宜的定买。谁知一班行家得了这个信，便大家联络起来。后来局里也看着不对，才行了这个当面跌价的规矩，报价处便改了议价处。起先大家要抢生意，自然总跌得贱些，不久却又联络起来了。其实做买卖联络了同行，多要点价钱，不能算弊病；那卖货的和那受货的联络起来，那个货却是公家之货，不是受货人自用之货，这个里面便无事不可为了。"我道："从前既是用买办的，不知为甚么又要改了章程，只怕买办也出了弊病了。"德泉道："这个就难说了。官场中的事情，只准你暗中舞弊，却不准你明里要钱。其实用买办倒没有弊病，商家交易一个九五回佣，几乎是个通例的了。制造局每年用的物料，少说点，也有二三十万，那当买办的，安分照例办去，便坐享了万把银子一年，他何必再作弊呢。虽然说人心没厌足，谁能保他！不过作了弊，万一给人家攻击起来，撤了这个差使，便连那万把一年的好处也没了。不比这个单靠几两银子薪水的，除了舞弊，再不想有丝毫好处，就是闹穿了，开除了，他那个事情本来不甚可惜。这般利害相衡起来，那当买办的自然不敢舞弊了。谁知官场中却不这么说，拿了这照规矩的佣钱，他一定要说是弊,不肯放过;单立出这些名目来,自以为弊绝风清,中间却不知受了多少蒙蔽。"

我道:"他买货是一处,收货是一处,发价又是一处,要舞弊,可也不甚容易。"德泉道:"岂但这几处,那专跑制造局做生意的,连小工都是通同一气的。小工头,上海人叫做'笋间'。那边做笋间的人,却兼着做砖灰生意,制造局所用的砖灰,都是用他的。他也天天往议价处跑,所以就格外容易串通了。有一回,买了一票砖,害得人家一个痛快淋漓。这里起造房子的砖,叫做'新放砖',名目是二寸厚,其实总不免有点厚薄。制造局买砖,向来是要验过厚薄的;其实此举也是多事,一二分的上下,制造时,那泥水匠本可以在用灰上设法的。他那验厚薄之法,是用五块砖迭起,把尺一量,是十寸,便算对了。那做砖灰生意的,自己是个笋间,验起来时自然容易设法,厚的薄的搀起来迭,自然总在十寸光景。他也不知垄断了若干年了。有一回,跑了个生脸的人,去承揽了十万新放砖。等到送货的时候,不免要请教他的小工。那小工却把厚的和厚的迭在一处,薄的和薄的迭在一处,拿尺量起来,不是量了十一寸,便是量了九寸。收货的司事,便摆出满脸公事样子来,说一定不能用,完全要退回去。又说甚么工程赶急,限时限刻,要换了好货来。害得那家人家,雇了他的小工,一块一块的拣起来,十成之中,不过三成是恰合二寸厚的。只得到窑里去商量,窑里也不能设法一律匀净。十万砖,送了七次,还拣不到四万。一面又是风雷火炮的催货。那家人家没了法,只得不做这个生意,把下余未曾交齐的六万多砖,让给他去交货,每万还贴还他若干银子,方才了结。还要把人家那三万多的货价,捺了五个月,才发出来。照这样看去,那制造局的生意还做得么。这样把持的情形,那当总办的木头人,哪里知道!说起来,还是只有他家靠得住呢。"我道:"发价是局里的事,他怎么能捺得住?"德泉道:"他只要弄个玄虚,叫收货的人不把发票送到帐房里,帐房又从何发起!纵使发起已经到了帐房,他帐房也是通的,又奈他何呢。"

凡做小说的有一句老话,是有话便长,无话便短。等到继之查察了长江、苏、杭一带回来,已是十月初旬了。此时外面倒了一家极大的钱庄,一时市面上沸沸扬扬起来,十分紧急,我们未免也要留心打点。一时谈起这家钱庄的来历,德泉道:"这位大财东,本来是出身极寒微的,是一个小钱店的学徒,姓古,名叫雨山。他当学徒时,不知怎样认识了一个候补知县,往来得甚是亲密。有一回,那知县太爷要紧要用二百银子,没处张罗,便和雨山商量。雨山便在店里,偷了二百银子给他。过得一天查出了,知道是他偷的。问他偷了给谁,他却不肯说。百般拷问,他也只承认是偷,死也不肯供出交给谁。累得荐保的人,受了赔累。店里把他赶走了,他便流离浪荡了好几年。碰巧那候补知县得了缺,便招呼了他,叫他开个钱庄,把一应公事银子都存在他那里,他就此起了家。他那经营的手段,也实在利害,因此一年好似一年,各码头都有他的商店。也真会笼络人,他到一处码头,开一处店,便娶一房小老婆,立一个家。店里用的总理人,到他家里去,那小老婆是照例不回避的。住上几个月,他走了,由得那小老婆和总理人鬼混。那总理人办起店里事来,自然格外巴结了,所以没有一处店不是发财。外面人家都说他是美人局。像他这种专会设美人局的,也有一回被人家局骗了,你说奇不奇。"

我道:"是怎么个骗法呢?"德泉道:"有一个专会做洋钱的,常常拿洋钱出来卖。却卖不多,不过一二百、二三百光景。然而总便宜点:譬如今天洋价七钱四分,他七钱三就卖了;明天洋市七钱三,他七钱二也就卖了,总便宜一分光景。这些钱庄上的人,眼睛最小,只要有点便宜给他,哪怕叫他给你捧大腿,都是肯的。上海人恨的叫他'钱庄鬼'。一百元里面,有了一两银子的好处,他如何不买,甚至于有定着他的。久而久之,闹得大家都知道了。问他洋钱是哪里来的,他说是自己做的。看着他那雪亮的光洋钱,丝毫看不出是私铸的。这件事叫古雨山知道了,托人买了他二百元,请外国人用化学把他化了,和那真洋钱比较,那成色丝毫不低。不觉动了心,托人介绍,请了他来,问他那洋钱是怎么做的,究竟每元要多少成本。他道:'做是很容易的,不过可惜我本钱少;要是多做了,不难发财。成本每元不过六钱七八分的谱子。'古雨山听了,不觉又动了心,要求他教那制造的法子。

他道:'我就靠这一点手艺吃饭,教会了你们这些大富翁,我们还有饭吃么!'雨山又许他酬谢,他只是不肯教。雨山没奈何,便道:'你既然不肯教,我就请你代做,可使得?'他道:'代做也不能。你做起来,一定做得不少,未必信我把银子拿去做,一定要我到你家里来做。这件东西,只要得了窍,做起来是极容易的,不难就被你们偷学了去。'雨山道:'我就信你,请你拿了银子去做。但不知一天能做多少?'他道:'就是你信用我,我也不敢担承得多。至于做起来,一天大约可以做三四千。'雨山道:'那么我和你定一个合同,以后你自己不必做了,专代我做。你六钱七八的成本,我照七钱算给你,先代我做一万元来,我这里便叫人先送七千两银子到你那里去。'他只推说不敢担承。说之再四,方才应允。订了合同,还请他吃了一顿馆子,约定明天送银子去。除了明天不算,三天可以做好,第四天便可以打发人去取洋钱。到了明天,这里便慎重其事的,送了七千两现银子过去。到第四天,打发人去取洋钱,谁知他家里,大门关得紧紧的,门上粘了一张'召租'的帖子,这才知道上当了。"

我道:"他用了多少本钱,费了多少手脚,只骗得七千银子,未免小题大做了。"德泉道:"你也不是个好人,还可惜他骗得少呢。他能用多少本钱,顶多卖过一万洋钱,也不过蚀了一百两银子罢了。好在古雨山当日有财神之目,去了他七千两,也不过是'九牛一毛','太仓一粟'。若是别人,还了得么。"我道:"别人也不敢想发这种财。你看他这回的倒帐,不是为屯积了多少丝,要想垄断发财所致么。此刻市面各处都被他牵动,吃亏的还不止上海一处呢。"

正说话间,继之忽然跑了来,对我道:"苟才那家伙又来了。他来拜过我一次,我去回拜过他一次,都说些不相干的话。我厌烦的了不得,交代过家人们,他再来了,只说我不在家,挡驾。此刻他又来了,直闯进来。家人们回他说不在家,他说有要紧话,坐在那里,叫人出来找我。我从后门溜了出来。请你回去敷衍他几句,说到我的事情,你是全知道的,随意回复他就是了。"我听了莫名其妙,只得回去。原来我们住的房子,和字号里只隔得一条胡同,走不多路便到了。

当下与苟才相见,相让坐下。苟才便问继之到哪里去了。我道:"今天早起还在家,午饭后出去,遇了两个朋友,约着到南翔去了。"苟才愕然道:"到南翔做甚么? 怎么家里人也不晓得?"我道:"是在外面说起就走的,家里自然不知。听说那边有个古漪园,比上海的花园,较为古雅。还有人在那边起了个搓东诗社,只怕是寻诗玩景去了。"苟才道:"好雅兴! 但不知几时才回来?"我道:"不过一两天罢了。不知有甚么要紧事?"苟才沉吟道:"这件事,我已经和他当面说过了。倘使他明天回来,请他尽明天给我个信,我有人到南京。"我道:"到底为甚么事,何妨告诉我。继之的事,我大半可以和他作主的,或者马上就可以说定,也未可知。"苟才又沉吟半晌道:"其实这件事本是他的事,不过我们朋友彼此要好,特地来通知一声罢了。兄弟这回到上海,是奉了札子来办军装的。藩台大人今年年下要嫁女儿,顺便托兄弟在上海代办点衣料之类。临行的时候,偶然说起,说是还差四十两金首饰,很费踌躇。兄弟到了这里,打听得继之还在上海,一想,这是他回任的好机会,能够托人送了四十两金子进去,怕藩台不请他回江都去么。"我道:"大人先和继之说时,继之怎样说呢?"苟才道:"他总是含含糊糊的。"我道:"他请假措资,此时未必便措了多少,一时怕拿不出来。"苟才道:"他哪里要措甚么资!我看他不过请个假,暂时避避大帅的怒罢了。哪里有措资的人,堂哉皇哉,在上海打起公馆的?"

我暗想:大约继之被他这种话聒得麻烦了,不如我代他回绝了罢。想罢,便道:"大人这一个'避'字,倒是说着了。然而只着得一半。继之的避,并不是暂时避大帅的怒,却是要永远避开仕路的意思。此刻莫说是要化钱回任,便是不化钱叫他回任,只怕也不愿意的了。他常常和我说,等过了一年半载,上头不开他的缺,他也要告病开缺,他要自己去注销这个知县呢。"苟才愕然道:"这个奇了。江都又不是要赔累的缺,何至如此!若说碰钉子呢,我们做官的人,哪一天不碰上个把钉子!要都是这么使脾气,官场中的人不要跑光了么!"我道:"便是我也劝过他好几次,无奈他主意打定了,任凭谁劝也劝不过来。大人这番美意,我总达到就是了。"苟才道:"就是继翁正当年富力强的时候,此刻已经得了实缺,巴结点的干,将来督抚也是意中事。"我没得好说,只答应了两个"是"字。苟才又道:"令伯许久不见了,此刻可好?在哪里当差?"我道:"在湖北,此刻当的是宜昌土捐局的差事。"苟才道:"这个差事怕不坏罢?"我道:"这倒不知道。"苟才道:"沾着厘捐的,左右没有坏差使。"说着,两手拿起茶碗,往嘴唇上送了一送,并不曾喝着一点茶;放下茶碗,便站起来,说道:"费心继翁跟前转达到这个话,并劝他不要那么固执,还是早点出山的好。"我一面答应着,就送他出去。我要送他到胡同口上马车,他一定拦住,我便回了进来。

继之的家人高升对我道:"这么一个送上门的好机会,别人求也求不着的,怎么我们老爷不答应?求老爷好歹劝劝,我们老爷答应了,家人们也沾点儿光。"我笑道:"你们老爷自己不愿意做官,叫我怎样劝呢。"高升道:"这是一时气头上的话,不愿意做官,当初又何必出来考试呢。不要说有这么个机会,就是没有机会,也要找路子呢。前年盐城县王老爷不是的么，到任不满三个月，上忙没赶上，下忙还没到，为了乡下人一条牛的官司，叫他那舅老爷出去，左弄右弄，不知怎样弄拧了，就撤了任，闹了一身的亏空。后来找了一条路子，是一个候补道蔡大人，和藩台有交情，能说话；可是王老爷没有钱化，还是他的两三个家人，凑上了一吊多银子，不就回了任了吗。虽然赶回任的时候，把下忙又过了，明年的上忙还早着。到此刻，可是好了。倘使我们老爷不肯拿出钱来，就是家人们代凑着先垫起来，也可以使得。请老爷代家人说说。"我道："你跟了你老爷这几年，还不知他的脾气吗。我可不能代你去碰这个钉子，要说你自己说去。"高升道："家人们去说更不对了。"我正要走进去，字号里来了个出店，说有客来了。我便仍到字号里来。

正是：仕路方聆新怪状，家庭又听出奇闻。不知那来客是谁，且待下回再记。

第六十四回

无意功名官照何妨是假
纵非因果恶人到底成空

那客不是别人，正是文述农。述农一见了我，便猝然问道："你那个摇头大老爷，是哪里弄来的？"我愕然道："甚么摇头大老爷？我不懂啊。"继之笑道："官场礼节，知县见了同、通，都称大老爷。同知五品，比知县大了两级，就叫他一声大老爷，似乎还情愿的，所以叫做点头大老爷。至于通判，只比他大得一级，叫起来未免有点不情愿，不情愿，就要摇头了，所以叫做摇头大老爷。那回我和你说过请封典之后，我知道你于此等事是不在心上的，所以托你令姊抄了那卯数、号数出来，托述农和你办去。其余你问述农罢。"我道："这是家伯托人在湖南捐局办来的。"述农道："你令伯上了人家的当了，这张照是假的。"我不觉愕然，愣了半天道："难道部里的印信，都可以假的么？你又从哪里知道的呢？"述农道："我把你官照的号码抄去，托人和你办封典；部里复了出来，说没有这张照，还不是假的么。"我道："这真奇了！那一张官照的板可以假得，怎么假起紫花印信来！这做假的，胆子就很不小。"继之道："官照也是真的，印信也是真的，一点也不假，不过是个废的罢了。你未曾办过，怨不得你不知道。本来各处办捐的老例，系先填一张实收，由捐局汇齐捐款，解到部里，由部里填了官照发出来，然后由报捐的拿了实收，去倒换官照。遇着急于筹款的时候，恐怕报捐的不踊跃，便变通办理，先把空白官照，填了号数，发了出来，由各捐局分领了去劝捐。有来报捐的，马上就填给官照。所有剩下来用不完的，不消缴部，只要报明由第几号起，用到第几号，其余均已销毁，部里便注了册，自第几号至第几号作废，叫做废照。外面报过废的照,却不肯销毁,仍旧存着,常时填上个把功名,送给人作个玩意儿;也有就此穿了那个冠带,充做有职人员的,谁还去追究他;也有拿着这废照去骗钱的,听说南洋新加坡那边最多。大约一个人有了几个钱,虽不想做官,也想弄个顶戴。到新加那边发财的人很多,那边捐官极不容易,所以就有人搜罗了许多废照,到那边去骗人。你的那张,自然也是废照。你快点写信给你令伯,请他向前路追问。只怕……"说到这两个字,继之便不说了。述农道:"其实功名这样东西,真的便怎么,假的弄一个玩玩也好。"

我听了这话,想起苟才的话来,便告诉了继之。继之道:"这般回绝了他也好,省得他再来麻烦。"我道:"大哥放着现成真的不去干,我却弄了个假的来,真是无谓。"述农道:"这样东西,真的假的,最没有凭据。我告诉你一个笑话:我们局里前几年,上头委了一个盐运同来做总办。这局子向来的总办都是道班,这一位是破天荒的。到差之后,过了一年多,才捐了个候选道。你道他为甚么加捐起来? 原来他那盐运同是假的。"继之道:"假功名,戴个顶子玩玩就罢了,怎么当起差来?"述农道:"他还是奉宪准他冒官的呢。他本是此地江苏人。他的老兄,是个实缺抚台。他是个广东盐大使。那年丁忧回籍,办过丧事之后,不免出门谢吊;谢过吊,就不免拜客。他老兄见了两江总督,便代自家兄弟求差使,说本籍人员,虽然不能当地方差使,但如洋务、工程等类,也求赏他一个。总督答应了,他便递了一张'广东候补盐大使某某'的条子。说过之后,许久没有机会。忽然一天,这局子里的总办报了丁忧,两江总督便想着了他。可巧那张条子不见了,书桌上、书架上、护书里、抽屉里,翻遍了都没有。便仔细一想,把他名字想了出来,却忘了他的官阶。想了又想,仿佛想起一个'盐'字,便糊里糊涂给他填上一个盐运同。这不是奉宪冒官么。"我道:"他已经捐过了道班,这件事又从哪里知道他的呢?"述农道:"不然哪里知道,后来他死了,出的讣帖,那官衔候选道之下,便是广东候补盐大使,竟没有盐运同的衔头,大家才知道的啊。"

继之道:"自从开捐之后,那些官儿竟是车载斗量,谁还去办甚么真假。我看将来是穿一件长衣服的,都是个官,只除了小工、车夫与及小买卖的,是百姓罢了。"述农道:"不然,不然!上一个礼拜,有个朋友请我吃花酒,吃的时候晚了,我想回家去,叫开老北门或新北门到也是园滨还远得很,不如回局里去。赶到宁波会馆叫了一辆东洋车。那车夫是个老头子，走的慢得很。我叫他走快点，情愿加他点车钱。他说走不快了，年轻时候，出来打长毛，左腿上受过枪弹，所以走起路来，很不便当。我听了很以为奇怪，问他跟谁去打长毛，他便一五一十的背起履历来。他还是花翎、黄马褂、硕勇巴图鲁、记名总兵呢。背出那履历来，很是内行，断不是个假的。还有这里虹口鸿泰木行一个出店，也是个花翎、参将衔的都司。这都是我亲眼看见的，何必穿长衣的才是个官呢。"德泉道："方伕庐那里一个看门的，听说还是一个曾经补过实缺的参将呢。"继之道："军兴的时候，那武职功名，本来太不值钱了；到了兵事过后，没有地方安插他们，流落下来，也是有的。那年我进京，在客店里看见一首题壁诗，署款是：'解弁将军'。那首诗很好的，可惜我都忘了。只记得第二句是'到头赢得一声驱'。只这七个字，那种抑郁不平之气，也就可想了。"当下谈了一会，述农去了，各自散开。

　　我想这废照一节，不便告诉母亲，倘告诉了，不过白气恼一场，不如我自己写个信去问问伯父便了。于是写就一封信，交信局寄去。回到家来，我背着母亲、婶娘，把这件事对姊姊说了。姊姊道："这东西一寄了来，我便知道有点跷蹊。伯娘又不曾说过要你去做官，你又不是想做官的人，何必费他的心，弄这东西来。你此刻只不要对伯娘说穿，有心代她瞒到底，免得伯娘白生气。"我道："便是我也是这个意思，姊姊真是先得我心了。"姊姊道："本来做官不是一件容易的事，便是真的，你未必便能出去做。就出去了，也未必混得好。前回在南京的时候，继之得了缺，接着方伯升到安徽去，那时你看干娘欢喜得甚么似的，以为方伯升了抚台，继之更有照应了。她未曾明白，隔了一省，就是鞭长不及马腹了。俗语说的好，朝里无人莫做官，所以才有撤任的这件事。此刻譬如你出去候补，靠着谁来照应呢？并且就算有人照应，这靠人终不是个事情。并且一走了官场，就是你前回说的话，先要学的卑污苟贱，灭绝天良。一个人有好人不学，何苦去学那个呢。这么一想，就管他真的也罢，废的也罢，你左右用他不着。不过……"说到这里，就顿住了口，歇一歇道："这两年字号里的生意也很好，前两天我听继之和伯娘说起，我们的股本，积年将利作本，也上了一万多了。哪里不弄回三千银子来，只索看破点罢了。"我道："不错，这里面很像有点盈虚消息。倘使老人家的几个钱，不这般糊里糊涂的弄去了，我便不至于出门。不出门，便不遇见继之，哪里能挣起这个事业来呢。到了此刻,却强我做达人。"

　　说话之间,婶娘走了进来道:"侄少爷在这里说甚么?大喜啊!"我愕然道:"婶婶说甚么?喜从何来?"婶娘对我姊姊说道:"你看他一心只巴结做生意,把自己的事,全然不管,连问他也装做不知道了。"姊姊道:"这件事来往信,一切都是我经理的,难怪他不知道。"婶娘道:"难道继之也不向他提一句?"姊姊道:"他们在外面遇见时,总有正经事谈,何必提到,况且继之那里知道我们瞒着他呢。"说着,又回头对我道:"你从前定下的亲,近来来了好几封信催娶了,已经定了明年三月的日子。这里过了年,就要动身回去办喜事。瞒着你,是伯娘的主意,说你起服那一年,伯娘和你说过好几遍,要回去娶媳妇儿,你总是推三阻四的。所以这回不和你商量,先定了日子,到了时候,不由你不去。"我笑着站起来道:"我明年过了年,正月里便到宜昌去看伯父,住他一年半载才回来。"说着,走了下楼。

　　光阴荏苒,转瞬又到了年下,正忙着各处的帐目,忽然接到伯父的回信,我拆开一看,上面敷衍了好些不相干的话,末后写说:"我因知王俎香在湘省办捐,吾侄之款,被其久欠不还,屡次函催,伊总推称汇兑不便。故托其即以此款,代捐一功名,以为吾侄他日出山之地。不图其以废照塞责。今俎香已死,虽剖身心,无以自明。惟有俟吾死后,于九泉之下,与之核算"云云。我看了,只好付之一笑。到了晚上回家,给姊姊看了,姊姊也是一笑。

　　腊月的日子格外易过,不觉又到了新年。过年之后,便商量动身。继之老太太也急着要带撤儿回家谒祖,一定要继之同去。继之便把一切的事都付托了管德泉,退了住宅房子,一同上了轮船。在路走了四天,回到家乡,真是河山无恙,桑梓依然。在上海时,先已商定由继之处拨借一所房子给我居住。好在继之房子多,尽拨得出来。所以起岸之后,一行人轿马纷纷,都向继之家中进发。伯衡接着,照应一切行李。当日草草在继之家中歇了一天。次日,继之把东面的一所三开间、两进深的宅子,指拨给我。我道:"我住不了这些房子啊。"继之道:"住是住不了,然而办起喜事来却用得着。并且家母和你老太太同住热闹惯了,住远了不便。我自己这房子后面一所花园,却跨到那房子的后面;只要在那边开个后门,内眷们便可以不出大门一步,从花园里往来了。这是家母的意思,你就住了罢。"我只得依了。继之又请伯衡和我过去,叫人扫除一切。

原来这所房子,是继之祖老太爷晚年习静之处。正屋是三开间、两进深;西面还有一个小小院落,一间小小花厅,带着一间精雅书房;东面另有一间厨房,布置得十分齐整。伯衡帮着忙,扫除了一天,便把行李一切搬了过来。动用的木器家伙,还是我从前托伯衡寄存的,此时恰好应用,不够的便添置起来。母亲住了里进上首房间,婶娘暂时住了花厅,姊姊急着回婆家去了。我这边张罗办事,都是伯衡帮忙。安顿了三天,我才到各族长处走了一次,于是大家都知道我回来娶亲了。自此便天天有人到我家里来,这个说来帮忙,那个说来办事,我和母亲都一一谢去了。

有一天,要配两件零碎首饰,我暗想尤云岫向来开着一家首饰店的,何不到他那里去买,也顺便看看他。想罢,便一路走去。久别回乡的人,走到路上,看见各种店铺,各种招牌,以及路旁摆的小摊,都是似曾相识,如遇故人,心中另有一种说不出的情景。走到云岫那店时,谁知不是首饰店了,变了一家绸缎店。暗想莫非我走错了,仔细一认,却并未走错。只得到左右邻居店家去问一声,是搬到哪里去了,谁知都说不是搬去,却是关了。我暗想云岫这个人,何等会算计,何等尖刻,何至好好的一家店关了呢。只得到别家去买。这条街本是一个热闹所在,走不上多少路,就有了首饰店,我进去买了。因为他们同行,或者知道实情,顺便问问云岫的店为甚么关了。一个店伙笑道:“没有关。”说着,把手往南面一指道:“搬到那边去了。往南走出了栅栏,路东第一家,便是他的宝号。”我听了,又暗暗诧异,怎么他的旧邻又说是关了呢。

谢过了那店伙,便向南走去,走出半里多路,到了栅栏,蹽了过去。向路东第一间一望,只是这间房子,统共不过一丈开阔,还不到五尺深;地下摆了两个矮脚架子,架着两个玻璃扁匣,匣里面摆着些残旧破缺的日本要货;匣旁边坐了一个老婆子,脸上戴着黄铜边老花眼镜,在那里糊自来火匣子,连柜台也没有一张。回过头来一看,却有一张不到三尺长的柜台,柜台上面也放着一个玻璃扁匣,匣里零零落落的放着几件残缺不全的首饰,旁边放着一块写在红纸贴在板上的招牌,是“包金法蓝”四个字。柜台里面坐着一个没有留胡子的老头子,戴了一顶油腻腻的瓜皮小帽,那帽顶结子,变了黑紫色的了;露出那苍白短头发,足有半寸多长,犹如洋灰鼠一般;身上穿了一件灰色洋布棉袄,肩上襟前,打了两个大补钉。仔细一看,正是尤云岫,不过面貌憔悴了好些。我跨进去一步，拱拱手，叫一声世伯。他抬起头来，我道："世伯还认得我么？"云岫连忙站起来弯着腰道："嘎，咦，啊，唔！哦，哦，哦！认得，认得！到哪里去？请坐，请坐！"我见他这种神气，不觉忍不住要笑。

正要答话，忽听得后面有人叫我。我回头一看，却是伯衡。我便对云岫道："我有一点事，回来再谈罢。"弯了弯腰，辞了出来，问伯衡甚么事。伯衡道："继之老太太要送你一套袍褂，叫我剪料，恰好遇了你，请你同去看看花样颜色。"我道："这个随便你去买了就是，哪有我自己去拣之理。"伯衡道："既如此，买了穿不得的颜色，你不要怨我。"我道："又何苦要买穿不得的颜色呢！"伯衡道："不是我要买，老太太交代，袍料要出炉银颜色的呢。"我笑道："老太太总还当我是小孩子，在她跟前，穿得老实点，她就欢喜。今年新年里，还送我一条洒花腰带，硬督着要我束上，你想怎好拂她的意思。这样罢，袍料你买了蜜色的罢，只说我自己欢喜的，她老人家看了，也不算老实，我还可以穿得出。劳了你驾罢，我要和云岫谈谈去。"伯衡答应去了。

我便回头再到云岫那里。云岫见了我，连忙站起来道："请坐，请坐！你几时回来的？我这才想起来了。你头回来，我实在茫然。后来你临去那一点头，一呵腰，那种神态，活像你尊大人，我这才想起来了。请坐，请坐！"我看他只管说请坐，柜台外面却并没一把椅子。

正是：剩有阶前盈尺地，不妨同作立谈人。柜台外面既没有椅子，不知坐到哪里，且待下回再记。

第六十五回

一盛一衰世情商冷暖　忽从忽违辩语出温柔

云岫一口气说了六七句"请坐",猛然自己觉着柜台外面没有凳子,连忙弯下腰去,要把自己坐的凳子端出来。我忙着:"不必了,我们到外面去谈谈罢。但不知这里要看守不?"云岫道:"好,好,我们外面去谈,这里不要紧的。"于是一同出来,拣了一家酒楼要上去。云岫道:"到茶楼上去谈谈,省点罢。"我道:"喝酒的好。"于是相将登楼,拣了坐位,跑堂的送上酒菜。

云岫问起我连年在外光景,我约略说了一点。转问他近年景况。云岫叹口气道:"我不料到了晚年才走了坏运,接二连三的出几件事,便弄到我一败涂地!上前年先母见背下来,不上半年,先兄,先嫂,以及内人、小妾,陆续的都不在了;半年工夫,我便办了五回丧事。正在闹的筋皮力尽,接着小儿不肖,闯了个祸,便闹了个家散人亡!直是令我不堪回首!"我道:"此刻宝号里生意还好么?"云岫道:"这个哪里好算一个店,只算个摊罢了。并且也没有货物,全靠代人家包金、法蓝、赚点工钱,哪里算得个生意!"我道:"那个老婆子又是甚么人?"云岫道:"我租了那一点点地方,每年租钱要十元洋钱,在这个时候哪里出得起!因此分租给她,每年也得她七元,我只要出三元就够了。"说时不住的歜歜叹息。我道:"这个不过暂屈一时,穷通得失,本来没有一定的。像世伯这等人,还怕翻不过身来么!"云岫道:"这么一把年纪,死期也要到快了,才闹出个朝不谋夕的景况来。不饿死就好了,还望翻身么!"我道:"世伯府上,此时还有甚人?"云岫见问,摇头不答,好像就要哭出来的样子。

我也不便再问,让他吃酒吃菜。又叫了一盘炒面,他也就不客

气,风卷残云的吃起来。一面又诉说他近年的苦况,竟是断炊的日子
也过过了。去年一年的租钱还欠着,一文不曾付过;分租给人家的七
元,早收来用了。我见他穷得着实可怜,在身边摸一摸,还有几元洋
钱,两张钞票;洋钱留着,恐怕还要买东西,拿出那两张钞票一看,却
是十元一张的,便递了给他道:"身边不曾多带得钱,世伯不嫌亵渎,
请收了这个,一张清了房钱,一张留着零用罢。"云岫把脸涨得绯红,
说道:"这个怎好受你的!"我道:"这个何须客气。朋友本来有通财之
义,何况我们世交,这缓急相济,更是平常的事了。"云岫方才收了。
叹道:"人情冷暖,说来实是可叹! 想我当日光景好的时候,一切的乡
绅世族,哪一家哪一个不和我结交。办起大事来,哪一家不请我帮
忙。就是你们贵族里,无论红事、白事,哪一回少了我的。自从倒败
下来,一个个都掉头不顾。先母躺了下来,还是很热闹的;及至内
人死后,散出讣帖去,应酬的竟就寥寥了;到了今日,更不必说了。难
得你这等慷慨,真是有其父必有其子。你老翁在家时,我就受他的惠
不少,今天又叨扰你了。到底出门人,市面见得多,手段是两样的。"
说着,不住的恭维。一时吃完了酒,我开发过酒钱,吃得他醺然别去。
我也就回家。晚上没事,我便到继之那边谈天,可巧伯衡也在书房
里。

　　我谈起云岫的事,不觉代他叹息。伯衡道:"你便代他叹息,这里
的人看着他败下来,没有一个不拍手称快呢。你从前年纪小,长大了
就出门去了,所以你不知道他。他本是一个包揽词讼,无恶不作的人
啊!"我道:"他好好的一家铺子,怎样就至于一败涂地?"伯衡道:"你
今天和他谈天,有说起他儿子的事么?"我道:"不曾说起。他儿子怎
样?"伯衡道:"杀了头了!"我猛吃了一大惊道:"怎样杀的?"伯衡笑
道:"杀头就杀了,还有多少样子的么。"我道:"不是。是我说急了,为
甚么事杀的?"伯衡道:"他家老大没有儿子,云岫也只有这一个庶出
儿子,要算是兼祧两房的了,所以从小就骄纵得非常。到长大了,便
吃喝嫖赌,没有一样不干。没钱化,到家来要;赌输了,也到家来要。
云岫本来是生性悭吝的,如何受得起! 无奈他仗着祖母疼爱,不怕云
岫不依。及至云岫丁了忧,便想管束他,哪里管束得住。接着他家老
大夫妻都死了,手边未免拮据,不能应他儿子所求。他那儿子妙不可
言,不知跑到哪里弄点闷香来,把他夫妻三个都闷住了,在父母身
边搜出钥匙,把所有的现银首饰,搜个一空。又搜出云岫的一本底稿

来,这本底稿在云岫是非常秘密的,内中都是代人家谋占田产,谋夺媚妇等种种信札,以及诬捏人家的呈子。他儿子得了这个,欢喜的了不得,说道:'再不给我钱用,我便拿这个出首去!'云岫虽然闷住,心中眼中是很明白的,只不过说不出话来,动弹不得。他儿子去了许久,方才醒来,任从气恼暴跳,终是无法可施。他儿子从此可不回家来了;有时到店里去走走,也不过匆匆的就去了。你道他外面做甚么?原来是做了强盗!抢了东西,便拿到店里,店里本有他的一个卧房,他便放在自己卧房里面。有一回,又纠众打劫,拒伤事主。告发之后,被官捉住了,追问赃物窝藏所在,他供了出来。官派差押着到店里起出赃物,便把店封了,连云岫也捉了去,将他的同知职衔也详革了。罄其所有打点过去,方才仅以身免。那家店就此没了。因为案情重大,并且是积案累累的,就办了一个就地正法。云岫的一妻一妾,也为这件事,连吓带痛的死了。到了今日,云岫竟变了个孤家寡人了。"我听了,方才明白日里我问他还有甚人,他现出了一种凄惶样子的缘故。当下又谈了一会,方才告别回去。

这几天没事,我便到族中各处走走。有时谈到尤云岫,却是没有一个不恨他的。我暗想虽然云岫为人可恶,然而还是人情冷暖之故。记得我小的时候,云岫哪一天不到我们族中来,哪一个不和他拉相好。既然知道他不是个好人,为甚么那时候不肯疏远他,一定要到了此时才恨他呢?这种行径,虽未尝投井,却是从而下石了。炎凉之态,想着实在可笑可怕。闲话少提。不知不觉,已到了三月初旬娶亲的吉期了。到了这天,云岫也还备了蜡烛、花爆等四式礼物送来。我想他穷到这个样子,哪里还好受他。然而这些东西,我纵然退了回去,他却不能退回店家的了,只得受了下来,交代多给他脚钱。又想到这脚钱是来人得的,与他何干,因检出一张五元的钞票,用信封封固了,交与来人,只说是一封要紧信,叫他带回去交与云岫。这里的拜堂、合卺、闹房、回门等事,都是照例的,也不必细细去说他了。

匆匆过了喜期,继之和我商量道:"我要先回上海去了,你在家里多住几时。从此我们两个人替换着回家。我到上海之后,过几时写信来叫你;等你到了,我再回来。"我道:"这个倒好,正是瓜时而往,及瓜而代呢。"继之道:"我们又不是戍兵,何必约定日子,不过轮流替换罢了。"商量既定,继之便定了日子,到上海去了。

一天,云岫忽然着人送一封信来,要借一百银子。我回信给他,只说我的钱都放在上海，带回来有限，办喜事都用完了。回信去后，他又来了一封信，说甚么"尊翁去世时，弟不远千里，送足下到浙，不无微劳，足下岂遂忘之?"云云。我不禁着了恼，也不写回信，只对来人说知道了。来人道："尤先生交代说，要取回信呢。"我道："回信明日送来。"那人才去了。我暗想你要和我借钱，只诉诉穷苦还好；若提到前事，我恨不得吃你的肉呢! 此后你莫想我半文。当日若是好好的彼此完全一个交情，我今日看你落魄到此，岂有不帮忙之理。到了明日，云岫又送了信来。我不觉厌烦了，叫人把原信还了他，回说我上坟修墓去了，要半个月才得回来。从此我在家里，一住三年。婶娘便长住在我家里。姊姊时常归宁。住房后面，开了个便门，通到花园里去，便与继之的住宅相通，两家时常在花园里聚会。这日子过得比在南京、上海，又觉有趣了。撖儿已经四岁，生得雪白肥胖，十分乖巧，大家都逗着他玩笑，更不寂寞，所以日子更容易过了。

直到三年之后，继之才有信来叫我去。我便定了日子，别过众人，上轮船到了上海，与继之相见。德泉、子安都来道候。盘桓了两天，我问继之几时动身回去。继之道："我还不走，却要请你再走一遍。"我道："又到哪里?"继之道："这三年里面，办事倒还顺手。前年去年，我亲到汉口办了两年茶，也碰了好机会。此刻打算请你到天津、京城两处去走走，察看那边的市面能做些甚么。"我道："几时去呢?"继之道："随便几时，这不是限时限刻的事。"

说话之间，文述农来了，大家握手道契阔。说起我要到天津的话，述农道："你到那边很好。舍弟杏农在水师营里，我写封信给你带去，好歹有个人招呼招呼。"我道："好极! 你几时写好，我到你局里来取。"述农道："不必罢，那边路远。今天是礼拜，我才出来，等再出来，又要一礼拜了，我就在这里写了罢。"说罢，就在帐桌上一挥而就，写了交给我，我接过来收好了。

大家谈些别后之事，我又问问别后上海的情形。述农道："你到了两天，这上海的情形，总有人告诉过你了。我来告诉你我们局里的情形罢。你走的那年夏天，我们那位总办便高升了，放了上海道。换了一个总办来，局里面的风气就大变了。前头那位总办是爱朴素的，满局里的人，都穿的是布长褂子、布袍子；这一位是爱阔的，看见这个人朴素，便说这个人没用，于是乎大家都阔起来。他爱穿红色的，到了新年里团拜，一色的都是枣红摹本缎袍子。有一个委员，和他同姓,出来嫖,窑姐儿里都叫他大人。到了节下,窑姐儿里照例送节礼给嫖客。那送给委员的到了局里,便问某大人。须知局子里,只有一个总办是大人,那看栅门的护勇听见问,便指引他到总办公馆里去了。底下人回上去,他却茫然,叫了来人进去问,方知是送那委员的,他还叫底下人带了他到委员家去。若是前头那位总办,还了得么!"

我道:"那么说,这位总办也嫖的了?"述农道:"怎么不嫖,还嫖出笑话来呢。我们局里的议价处,是你到过的了。此刻那议价处没了权了,不过买些零碎东西。凡大票的煤铁之类,都归了总办自己买。有一个甚么洋行的买办,叫做甚么舒淡湖,因为做生意起见,竭诚尽瘁的巴结。有一回,请总办吃酒,代他叫了个局,叫甚么金红玉,总办一见了,便赏识的了不得,当堂给了她一百元的钞票。到第二回吃酒,又叫了她,不住口的赞好。舒淡湖便在自己家里,拾掇了一间密室,把总办请到家里来,把金红玉叫到家里来,由他两个去鬼混了两次。我们这位总办着了迷了,一定要娶她。舒淡湖便挺了腰子,揽在身上,去和金红玉说。往返说了几遍,说定了身价,定了日子要娶了。谁知金红玉有一个客人,听见红玉要嫁人,便到红玉处和她道喜,说道:'恭喜你高升了,做姨太太了! 只是有一件事,我很代你耽心。'红玉问:'耽心甚么?'客人道:'我是耽心做官的人,脾气不好。况且他们湖南人,长毛也被他杀绝了,你看凶的还了得么!'红玉笑道:'我又不是长毛,他未必杀我。况且杀长毛是一事,娶妾又是一事,怎么好扯到一起去说呢。'客人道:'话是不错。只是做官的人家,与平常人家不同,断不能准你出入自由的。况且他五十多岁的人,已经有了六七房姬妾了。今天欢喜了你,便娶了去;可知你进门之后,那六七个都冷淡的了。你保得住他过几时不又再看上一个,又娶回去么? 须知再娶一个回去时,你便和这六七个今天一样了。若在平常人家,或者还可以重新出来,或者嫁人,或者再做生意;他们公馆里,能放你出来么? 还不是活着在那里受冷淡! 我是代你耽心到这一层,好意来关照你,随你自己打主意去。'红玉听了,总如冷水浇背一般,唇也青了,面也白了,做声不得。等那客人去了,便叫外场去请舒淡湖。

"舒淡湖是认定红玉是总办姨太太的了,莫说请他他不敢不来,就是传他他也不敢不来。来了之后,恭恭敬敬的请示。红玉劈头一句便道:'我不嫁了!'舒淡湖吃了一惊道:'这是甚么话?'红玉道:'承某大人的情,抬举我,我有甚不愿意之理。但是我想来想去,我的娘只有我一个女儿，嫁了去，她便举目无亲了。虽说是大人赏的身价不少，但是她几十岁的一个老太婆，拿了这一笔钱，难保不给歹人骗去，那时叫她更靠谁来！'舒淡湖道：'我去和大人说，接了你娘到公馆里，养她的老，不就好了么。'红玉道：'便是我何尝不想到这一层。须知官宦人家，看那小老婆的娘，不过和老妈子一样，和那丫头、老妈子同食同睡。我嫁了过去，便那般锦衣玉食，却看着亲生的娘这般作践，我心里实在过不去；若说和亲戚一般看待呢，莫说官宦人家没有这种规矩，便是大人把我宠到头顶上去，我也不敢拿这种非礼的事去求大人啊。我十五岁出来做生意，今年十八岁了，这几年里面，只挣了两副金镯子。'说着，便在手上每副除下一只来，交给舒淡湖道：'这是每副上面的一只，费心舒老爷，代我转送给大人，做个纪念，以见我金红玉不是忘恩负义的人。上海标致女人尽多着，大人一定要娶个人，怕少了比我好的么。'

"舒淡湖听了一番言语，竟是无可挽回的了，就和红玉刚才听了那客人的话一般，唇也青了，面也白了，如水浇背，做声不得，接了金镯子，怏怏回去。暗想只恨不曾先下个定，倘是下了定，凭他怎样，也不能悔议。此刻弄到这个样子，别的不打紧，倘使总办恼了，说我不会办事，以后的生意便难做了。这件事竟急了他一天一夜，在床上翻来覆去想法子，总不得个善法。直至天明，忽然想了一条妙计，便一跃而起。"

只因这一条妙法，有分教：潜语不如蜇语妙，解铃还是系铃人。不知是一条甚么妙计，且待下回再记。

第六十六回

妙转圜行贿买蜚言　猜哑谜当筵宣谑语

只听述农述道:"舒淡湖一跃而起,匆匆梳洗了,藏好了两只金镯子,拿了一百元的钞票,坐了马车,到四马路波斯花园对过去,找着了《品花宝鉴》上侯石翁的一个孙子,叫做侯翱初的,和他商量。这侯翱初是一家甚么报馆的主笔,当下见了淡湖,便乜斜着眼睛,放出那一张似笑非笑的脸来道:'好早啊! 有甚么好意? 你许久不请我吃花酒了,想是军装生意忙?'淡湖陪笑道:'一向少候。今日特来,有点小事商量。'翱初拍手道:'你进门我就知道了。你们这一班军装大买办,平日眼高于天,何尝有个朋友在心上! 除了呵外国人的卵脬,便是拍大人先生的马屁,天天拿这两件事当功课做;余下的时候,便是打茶围、吃花酒,放出阔老的面目去骄其娼妓了,哪里有个朋友在心上! 所以你一进门,我就知道你是有为而来的了。这才是无事不登三宝殿啊。'淡湖被他一顿抢白,倒没意思起来。搭讪了良久,方才说道:'我有件事情和你商量,求你代我设一个善法,我好好的谢你。'翱初摇手道:'莫说! 莫说! 说到谢字,呕得死人! 前回一个朋友代人家来说项了一件事。你道是甚么事呢? 是一个赌案里面牵涉着三四个体面人,恐怕上出报来,于声名有碍,特地来托我,请我不要上报。我念朋友之请,答应了他;更兼代他转求别家报馆,一齐代他讳了。到了案结之后,他却送我一份厚礼,用红封套封了,签子上写了袍金两个字。我一想,也罢了,今年恰好我狐皮袍子要换面子,这一封礼,只怕换两个面子也够了。及至拆开一看,却是一张新加坡甚么银行的五元钞票,这个钞票上海是不流通的,拿去用每元要贴水五分,算起来只有四元七角半到手。我想这回我的狐皮袍子倒了运了,要靠着他，只怕换个斗纹布的面子还不够呢。你说可要呕死人！'舒淡湖道：'翱翁，你不要骂人，我可不是那种人。你若不放心时，我先谢了你，再商量事体也使得。'说罢，拿出一百元钞票来，摆在桌上道：'我们是老朋友，我也不客气，不用甚么封套、签子，也不写甚么袍金、褂金，简直是送给你用的，凭你换面子也罢，换里子也罢。'翱初看见了一百元钞票，便登时眉花眼笑起来，说道：'淡翁，有事只管商量，我们老朋友，何必客气。'舒淡湖方才把金红玉一事，详详细细，诉说了一遍。翱初耸起了一面的肩膊，侧着脑袋听完了，不住口的说：'该死，该死！此刻有甚法子挽回呢？'舒淡湖道：'此刻哪里还有挽回的法子，只要设法弄得那一边也不要讨就好了。'翱初道：'这有甚么法子呢？'淡湖便坐近一步，向翱初耳边细细的说了两句话。翱初笑道：'亏你想得好法子，却来叫我无端诬谤人。'淡湖站起来一揖到地，说道：'求你老哥成全了我，我生生世世不忘报答！'翱初看在一百元的票子上，也就点头答应了。淡湖又叮嘱明天要看见的，翱初也答应了。淡湖才欢天喜地而去。这一天心旷神怡的过去了。

"到了次日，一早起来，便等不得送报人送报纸来，先打发人出去买了一张报纸，略略看了一遍，欢天喜地的坐了马车，到总办公馆里去。总办还没有起来。好得他是走拢惯的，一切家人，又都常常得他的好处，所以他到了，绝无阻挡，先引他到书房里去坐。一直等到十点钟，那总办醒了，知道淡湖到了，想来是为金红玉的事，便连忙升帐，匆匆梳洗，踱到书房相见。淡湖那厮，也亏他真做得出，便大人长、大人短的乱恭维一阵，然后说是：'娶新姨太太的日子近了，一切事情，卑职都预备了。他们向来是没有妆品的，新房里动用物件，卑职也已经敬谨预备。那个马桶，卑职想来桶店里买的，又笨重，又不雅相，卑职亲自到福利公司去买了一个洋式白瓷的，是法兰西的上等货。今天特地来请大人的示，几时好送到公馆里来，专等大人示下，卑职好遵办。'总办听了，也是喜欢，便道：'一切都费心得很！明后天随便都可以送来。至于用了多少钱，请你开个帐来，我好叫帐房还你。'淡湖道：'卑职孝敬大人的，大人肯赏收，便是万分荣耀，怎敢领价！到了喜期那天，大人多赏几盅喜酒，卑职是要领吃的。'一席话，说的那一位总办大人，通身松快，便留他吃点心。这时候，家人送进三张报纸来，淡湖故意接在手里，自己拿着两张，单把和侯翱初打了关节的那张，放在桌上。总办便拿过来看，看了一眼，颜色就登时变了,再匆匆看了一会,忽然把那张报往地下一扔,跳起来大骂道:'这贱人还要得么!'淡湖故意做成大惊失色的样子,连忙站起来,垂了手问道:'大人为甚么忽然动气?'那总办气喘如牛地说道:'那贱人我不要了!你和我去回绝了他,叫他还是嫁给马夫罢!至于这个情节,我不要谈他!'说时,又指着扔下的报纸道:'你自己看罢!'淡湖又装出一种惶恐样子,弯下腰,拾起那张报来一看,那论题是'论金红玉与马夫话别事'。这个论题,本是他自己出给侯翱初去做的,他早起在家已是看过的了;此时见了,又装出许多诧异神色来,说道:'只怕未必罢。'又唠唠叨叨的说道:'上海同名的妓女,也多得很呢。'总办怒道:'他那篇论上,明明说是将近嫁人,与马夫话别;难道别个金红玉,也要嫁人了么!'淡湖得了这句话,便放下报纸不看,垂了手道:'那么,请大人示下办法。'总办啐了他一口道:'不要了,有甚么办法!'他得了这一句话,死囚得了赦诏一般,连忙辞了出来。回到家中,把那两只金镯子,秤了一秤,足有五两重,金价三十多换,要值到二百多洋钱;他虽给了侯翱初一百元,还赚着一百多元呢。"

述农滔滔而谈,大家侧耳静听。我等他说完了,笑道:"依你这样说,那舒淡湖到总办公馆里的情形,算你近在咫尺,有人传说的;那总办在外面吃酒叫局的事,你又从何得知?况且舒淡湖的设计一层,只有他心里自己知道的事,你如何也晓得了?这事未必足信,其中未免有些点染出来的。"述农道:"你哪里知道,那舒淡湖后来得了个疯瘫的毛病,他的儿子出来滥嫖,到处把这件事告诉人,以为得意的,所以我们才知道啊。"

继之道:"你们不必分辩了,这些都是人情险恶的去处,尽着谈他作甚么。我们三个人,多年没有畅叙,今日又碰在一起,还是吃酒罢。明天就是中秋,天气也甚好,我们找一个甚么地方,去吃酒消遣他半夜,也算赏月。"述农道:"是啊,我居然把中秋忘记了。如此说,我明天也还没有公事,不要到局,正好陪你们痛饮呢。"我道:"这是上海,红尘十丈,有甚么好去处,莫若就在家里的好。子安、德泉都是好量,若是到外面去,他们两个人总不能都去,何不就在家里,大家在一起呢。"继之道:"这也好,就这么办罢。"德泉听说,便去招呼厨房弄菜。

我对继之道:"离了家乡几年,把故园风景都忘了,这一次回去,一住三年,方才温熟了。说起中秋节来,我想起一件事,那打灯谜不是元宵的事么,原来我们家乡,中秋节也弄这个玩意儿的。"继之道:

"你只怕又看了好些好灯谜来了。"我道:"看是看得不少,好的却极难得,内中还有粗鄙不堪的呢。我记得一个很有趣的,是'一画,一竖,一画,一竖,一画,一竖;一竖,一画,一竖,一画,一竖,一画',打一个字。大哥试猜猜。"继之听了,低头去想。述农道:"这个有趣,明明告诉了你一竖一画的写法,只要你写得出来就好了。"金子安、管德泉两个,便伸着指头,在桌子上乱画,述农也仰面寻思。我看见子安等乱画,不觉好笑。继之道:"自然要依着你所说写起来,才猜得着啊,这有甚么好笑?"我道:"我看见他两位拿指头在桌子上写字,想起我们在南京时所谈的那个旗人上茶馆吃烧饼蘸芝麻,不觉好笑起来。"继之笑道:"你单拿记性去记这些事。"述农道:"我猜着一半了。这个字一定是'弓'字旁的,这'弓'字不是一画,一竖,一画,一竖,一画,一竖的么。"我道:"弓字多一个钩,他这个字并没有钩的。"继之道:"'曹'字可惜多了一画,不然都对了。"于是大家都伸出指头把"曹"字写了一回。述农笑道:"只可以向那做灯谜的人商量,叫他添一画算了'曹'字罢。我猜不着了。"金子安忽然拍手道:"我猜着了,可是个'亞'字?"我道:"正是,被子翁猜着了。"大家又写了一回,都说好。

述农道:"还有好的么?"我道:"还有一个猜错的,比原做还好的,是一个不成字的谜画,'丿丨',打一句四书,原做的谜底是'一介不以与人',你猜那猜错的是甚么?"子安道:"我们书本不熟,这个便难猜了。"继之道:"这个做的本不甚好,多了一个'以'字;若这句书是'一介不与人'就好了。"说话间,酒菜预备好了,继之起来让坐。坐定了,述农便道:"那个猜错的,你也说了出来罢。此刻大家正要吃酒下去,不要把心呕了出来。"我道:"那猜错的是'是非之心'。"继之道:"好,却是比原做的好,大家赏他一杯。"

吃过了,继之对述农道:"你怕呕心出来,我却想要借打灯谜行酒令呢。"述农未及回言,子安先说道:"这个酒令,我们不会行;打些甚么书句,我们肚子里哪里还掏得出来,只怕算盘歌诀还有两句。"继之笑道:"会打谜的打谜,不会的只管行别的令,不要紧。"述农道:"既如此,我先出一个。"继之道:"我是令官,你如何先出?"我道:"不如指定要一个人猜:猜不出,罚一杯;猜得好,大家贺一杯;倘被别人先猜出了,罚说笑话一个。"德泉道:"好,好,我们听笑话下酒。"继之道:"就依这个主意。我先出一个给述农猜。我因为去年被新任藩台开了我的原缺,通身为之一快。此刻出一个是:'光绪皇帝有旨,杀尽天下暴官污吏。'打四书一句。"我拍手道："大哥自己离开了那地位,就想要杀尽他们了。但不知为甚么事开的缺,何以家信中总没有提及?"继之道："此刻吃酒猜谜,你莫问这个。"述农道："这一句倒难猜,孔、孟都没有这种辣手段。"我道："猜谜不能这等老实,总要从旁面着想,其中虚虚实实,各具神妙;若要刻舟求剑,只能用朱注去打四书的了。"说到这里,我忽然触悟起来道："我倒猜着了。"述农道："你且莫说出来,我不会说笑话。"继之道："你猜着了,何妨说出来,看对不对。"我道："今之从政者殆而。"述农拍手道："妙! 妙! 是骂尽了也! 只是我不会说笑话,我情愿吃三杯,一发请你代劳了罢。"说罢,先自吃了三杯。

德泉道："我们可有笑话听了。你不要把《笑林广记》那个听笑话的说了出来,可不算数的。"继之道："他没有这种粗鄙的话,你请放心;并且老笑话也不算数。"我道："玉皇大帝一日出巡,群仙都在道旁舞蹈迎驾;只有李铁拐坐在地下,偃蹇不为礼。玉皇大怒道:'你虽然跛了一只脚,却还站得起来,何敢如此傲慢?'拐仙奏道:'臣本来只跛一只脚,此刻却两只都跛了也。'玉皇道:'这却为何?'拐仙道:'下界的画家,动辄喜欢画八仙,那七个都画的不错,只有画到臣像,有个画臣跛的左脚,有个画臣跛的右脚,岂非两脚全跛了么。'"众人笑了一笑。

继之道："你猜着了,应该还要你出一个给我们猜。"我道："有便有一个。我说出来大家猜,不必限定何人。猜着了,我除饮酒之外,再说一个笑话助兴。"述农道："这一定是好的,快说出来。"我道："'含情迭问郎。'四书一句、唐诗一句。"述农道："好个旖旎风光的谜儿! 娶了亲,领略过温柔乡风味,作出这等好灯谜来了。"继之道："他这一个谜面,倒要占两个谜底呢。我们大家好好猜着他的,好听他的笑话。"述农道："这个要往温柔那边着想。"继之道："四书里面,除了一句'宽裕温柔',哪里还有第二句。只要从问的口气上着想,只怕还差不多。"述农道："如此说,我猜着了,四书是'夫子何为',唐诗是'夫子何为者'。"继之道："这个又妙,活画出美人香口来,传神得很! 我们各贺一大杯,听他的笑话。"

我道："观音菩萨到玉皇大帝处告状,说:'我本来是西竺国公主,好好一双大脚,被下界中国人搬了我去,无端裹成一双小脚,闹的筋枯骨烂,痛彻心脾。求请做主!'玉皇攒眉道:'我此刻自顾不暇,焉能再和你做主呢。'观者诧问何故。玉皇道：'我要下凡去嫁老公了。'观音大惊道：'陛下是个男身，如何好嫁人?'玉皇道：'不然，不然，我久已变成女身了。'观音不信。玉皇道：'你如果不信，只要到凡间去打听那一班惧内的朋友，没有一个不叫老婆做玉皇大帝的。'"说的合席大笑。述农道："只怕你是叫惯了玉皇大帝的，所以知道。"

我道："你不要和我取笑。你猜着了我的，你快点出一个我们猜。"述农道："有便有一个，只怕不好。我们江南的话，叫拿尖利的兵器去刺人，叫做'戳'。我出一句上海俗话：'戳弗杀。'打《西厢》一句，请你猜。"我道："这有何难猜，我一猜就着了，是'银样蜡枪头'。"述农道："我也知道这个不好，太显了，我罚一杯。"

我道："我出一个晦的你猜：'大会于孟津'。《孟子》二字。"述农道："只有两个字倒难了，不然就可以猜'武王伐纣'。"我道："这两个字其实也是一句，所以不说一句，要说二字的缘故，就怕猜到那上头去。"继之道："这个谜好的，我猜着了，是'征商'。"子安道："妙，妙，今夜尽有笑话听呢。"述农道："我向不会说笑话，还是哪一位代我说个罢。"我道："你吃十杯，我代你说一个。"述农道："只要说得发笑，便是十杯也无妨。"我道："你先吃了，包你发笑。"述农道："你只会说菩萨，若再说了菩萨，虽笑也不算数。"我道："只要你先吃了，我不说菩萨，说鬼如何?"述农只得一杯一杯的吃了十杯。

正是：只要莲花翻妙舌，不妨曲蘗落欢肠。未知说出甚么笑话来，且待下回再记。

第六十七回

论鬼蜮挑灯谈宦海　冒风涛航海走天津

　　我等述农吃过了十杯之后，笑说道："无常鬼、醒醒鬼、冒失鬼、酒鬼、刻薄鬼、吊死鬼，围坐吃酒行酒令，要各夸说自己的能事，夸说不出的，罚十杯。"述农道："不好了，他要说我了！"我道："我说的是鬼，不说你，你听我说下去。当下无常鬼道：'我能勾魂摄魄，免吃。'醒醒鬼道：'我最能讨人嫌，免吃。'冒失鬼道：'我最工于闯祸，免吃。'酒鬼道：'我最能吃酒，也免吃。'刻薄鬼道：'刻薄是我的专长，已经著名，不必再说，也免吃。'轮到吊死鬼说，吊死鬼攒眉道：'我除了求代之外，别无能处，只好认吃十杯的了。'说得众人一齐望着述农大笑。述农道："好，好！骂我呢！我虽是个吊死鬼，你也未免是刻薄鬼了！"继之道："不要笑了。子安他们说是书句不熟，我出一个小说上的人名，不知可还熟？"子安道："也不看甚么小说。"继之道："《三国演义》总熟的了？"子安道："姑且说出来看。"继之道："我说来大家猜罢：'曹丕代汉有天下。'三国人名一。"德泉道："三国人名多得很呢，刘备、关公、张飞、赵云、黄忠、曹操、孔明、孙权、周瑜……"述农道："叫你猜，不叫你念，你只管念出来做甚么。"德泉道："我侥幸念着了，不是好么。"我笑道："这个名字，你念到天亮也念不着的。"德泉道："这就难了。然而你怎么知道我念不着呢？"我道："我已经猜着了，是'刘禅'。"子安道："《三国演义》上哪里有这个名字？"我道："就是阿斗。"德泉道："这个我们哪里留心，怪不得你说念不到的了。"

　　继之道："你猜了，快点出一个来。"我道："我出一个给大哥猜：'今世孔夫子。'古文篇名一。"继之凝思了一会道："亏你想得好！这是《后出师表》。"述农道："好极，好极！我们贺个双杯。"于是大众吃了。子安道："我们跟着吃了贺酒，还莫名其妙呢。"述农道："孔夫子只有一个，是万世师表；他出的是今世孔夫子，是又出了个孔夫子了，岂不是后出的师表么。"子安、德泉都点头领会。

继之道："我出一个：'大勾决。'《西厢》一句。大家猜罢，不必指定谁猜了。"我道："大哥今天为何只想杀人？方才说杀暴官污吏，此刻又要勾决了。"述农拍手道："妙啊！'这笔尖儿横扫五千人'。"我道："果然是好，若不是五千人，也安不上这个'大'字。"

述农拿筷子蘸了酒，在桌子上写了半个字，是"示"。说道："四书一句。"子安道："只半个字，要藏一句书，却难！"我道："并不难，是一句'视而不见'。"述农道："我本来不长此道，所以一出了来，就被人猜去了。"

我道："我出一个：'山节藻棁(素腰格)。《三字经》一句。这个可容易了，子翁、德翁都可以猜了。"子安道："《三字经》本来是容易，只是甚么素腰格，可又不懂了。"述农道："就是白字格：若是头一个字是白字，叫白头格；末了一个是白字，叫粉底格；素腰格是白当中一个字。"德泉道："照这样说来，遇了头一个字是要圈声的，应该叫红头格；末了一个圈声的，要叫赤脚格；上下都要圈声，只有当中一个不圈的，要叫黑心格；若单是圈当中一个字的，要叫破肚格了。"我道："为甚么要叫破肚？"德泉道："破了肚子，流出血来，不是要红了么。"继之道："不必说那些闲话，我猜着了，是'有归藏'。我也出一个：'南京人'(卷帘格)。也是一句《三字经》。"子安道："甚么又叫卷帘格？"述农道："要把这句书倒念上去的。你看卷帘子，不是从下面卷上去的么。"我笑道："才说了'有龟藏'，就说南京人，叫南京人听了，还当我们骂他呢。这'南京人'可是'汉业建'？"继之道："是。"述农道："我们上海本是一个极纯朴的地方，自通商之后，五方杂处，坏人日见其多了，我不禁有所感慨，出一个：'良莠杂居，教刑乃穷'。《孟子》二句。"我接着叹道："'虽日挞而求其齐也，不可得矣。'"述农道："怎么我出的，总被你先抢了去？"继之道："非但抢了去，并且乱了令了。他猜着我的，应该他出，怎么你先出了？"

一言未了，忽听得门外人声嘈杂，大嚷大乱起来。大众吃了一惊，停声一听，仿佛听说是火，于是连忙同到外面去看。只见胡同口一股浓烟，冲天而起，金子安道："不好！真是走了水也！"连忙回到帐房，把一切往来帐簿及一切紧要信件、凭据，归到一个帐箱里锁起来，叫出店的拿着,往外就走。我道:"在南面胡同口,远得很呢。真烧到了,我们北面胡同口也可以出去,何必这样忙?"子安道:"不然。上海不比别处,等一会巡捕到了,是不许搬东西的。"说罢,带了出店,向北面出去了。我们站在门口,看着那股浓烟,一会工夫,烘的一声,通红起来,火星飞满一天。那人声更加嘈杂,又听得警钟乱响。不多一会,救火的到了,四五条水管望着火头射去。幸而是夜没有风,火势不大,不久便救熄了。大家回到里面,只觉得满院子里还是浓烟。大家把酒意都吓退了,也无心吃饭,叫打杂的且收过去,等一会再说。过了一会,子安带着出店的把帐箱拿回来了。我道:"子翁到哪里去了一趟?"子安道:"就在北面胡同外头熟店家里坐了一会,也算受了个虚惊。"我道:"火烛起来,巡捕不许搬东西,这也未免过甚。"子安道:"他这个例,是一则怕抢火的,二则怕搬的人多,碍着救火。说来虽在理上,然而据我看来,只怕是保险行也有一大半主意。"我道:"这又为何?"子安道:"要不准你们搬东西,才逼得着你们家家保险啊。"

德泉道:"凡是搬东西,都一律以为是抢火的,也不是个道理。人家莫说没有保险,就算保了险,也有好些不得不搬的东西。譬如我们此地也是保了险的。这种帐簿等,怎么能够不搬。最好笑有一回三马路富润里左右火烛,那富润里面住的,都是穷人家居多。有一个听说火烛,连忙把些被褥布衣服之类,归在一只箱子里,扛起来就跑。巡捕当他是抢火的,捉到巡捕房里去,押了一夜。到明天早堂解审,那问官也不问青红皂白就叫打。打了三十板,又判赃候失主具领。那人便叩头道:'小人求领这个赃。'问官怒道:'你还嫌打得少呢!'那人道:'这箱子本来是小人的东西,里面只有一床花布被窝、一床老蓝布褥子,那褥子并且是破了一块的,还有几件布衣服。因为火起,吓得心慌,把钥匙也锁在箱子里面。老爷不信,撬开来一看便知道了。'问官叫差役撬开,果然一点不错,未免下不了台,干笑着道:'我替你打脱点晦气也!'你说冤枉不冤枉!"

金子安道:"这点冤枉算得甚么。我记得有一回,一个乡下人才冤枉呢。静安寺路(上海马路名)一带,多是外国人的住宅。有一天,一个乡下人放牛,不知怎样,被那条牛走掉了,走到静安寺路一个外国人家去,把他家草皮地上种的花都践踏了。外国人叫人先把那条牛拴起来。那乡下人不见了牛,一路寻去,寻到了那外国人家。外国人叫了巡捕,连人带牛交给他。巡捕带回捕房,押了一夜,明日早上

解送公堂,禀明原由。那原告外国人却并没有到案。那官听见是得
罪了外国人,被外国人送来的,便不由分说,给了一面大枷,把乡下人
枷上,判在静安寺路一带游行示众;一个月期满,还要重责三百板释
放。任凭那乡下人叩响头哭求,只是不理。于是枷起来,由巡捕房派
了一个巡捕,押着在静安寺路游行。游了七八天。忽然一天,那巡捕
要拍外国人马屁,把他押到那外国人住宅门口站着,意思要等那外国
人看见,好喜欢他的意思。站了一天,到下午,那外国人从外面坐了
马车回来,下了车看见了,认得那乡下人,也不知他为了甚事,要把这
木头东西箍着他的颈脖子。便问那巡捕,巡捕一一告诉了。那外国
人吃了一惊,连忙仍跳上马车,赶到新衙门去,拜望那官儿。那官儿
听说是一个绝不相识的外国人来拜,吓得魂不附体,手足无措,连忙
请到花厅相会。外国人说道:'前个礼拜,有个乡下人的一只牛,跑到
我家里……'那官儿恍然大悟道:'是,是,是。这件事,兄弟不敢怠
慢,已经判了用五十斤大枷,枷号在尊寓的一条马路上游行示众。等
一个月期满后,还要重责三百板,方才释放。如果密司不相信,到了
那天,兄弟专人去请密司来监视行刑。'外国人道:'原来贵国的法律
是这般重的?'官儿道:'敝国法律上并没有这一条专条,兄弟因为他
得罪了密司,所以特为重办的。如果密司嫌办得轻,兄弟便再加重点
也使得,只请密司吩咐。'外国人道:'我不是嫌办得轻,倒是嫌太重
了。'那官儿听了,以为他是反话,连忙说道:'是,是。兄弟本来办得
太轻了。因为那天密司没有亲到,兄弟暂时判了枷号一个月;既是密
司说了,兄弟明天改判枷三个月,期满责一千板罢。'那外国人恼了
道:'岂有此理! 我因为他不小心,放走那只牛,糟蹋我两棵花,送到
你案下,原不过请你申斥他两句,警戒他下次小心点,大不了罚他几
角洋钱就了不得了。他总是个耕田安分的人。谁料你为了这点小
事,把他这般凌辱起来! 所以我来请你赶紧把他放了。'那官儿听了,
方才知道这一下马屁拍在马腿上去了。连忙说道:'是,是,是。既是
密司大人大量,兄弟明天便把他放了就是。'外国人道:'说过放,就把
他放了,为甚么还要等到明天,再押他一夜呢?'那官儿又连忙说道:
'是,是,是。兄弟就叫放他。'外国人听说,方才一路干笑而去。那官
儿便传话出去,叫把乡下人放了。又恐怕那外国人不知道他马上释
放,于是格外讨好,叫一名差役,押着那乡下人到那外国人家里去
叩谢。面子上是这等说,他的意思,是要外国人知道他惟命是听,如

奉圣旨一般。谁知那外国人见了乡下人，还把那官儿大骂一顿，说他岂有此理；又叫乡下人去告他。乡下人吓得吐出了舌头道：'他是个老爷，我们怎么敢告他！'外国人道：'若照我们西例，他办冤枉了你，可以去上控的；并且你是个清白良民，他把那办地痞流氓的刑法来办你，便是损了你的名誉，还可以叫他赔钱呢。'乡下人道：'阿弥陀佛！老爷都好告的么！'那外国人见他着实可怜，倒不忍起来，给了他两块洋钱。你说这件事不更冤枉么。"

继之道："冤枉个把乡下人，有甚么要紧！我在上海住了几年，留心看看官场中的举动，大约只要巴结上外国人，就可以升官的。至于民间疾苦，冤枉不冤枉，那个与他有甚么相干！"我道："此风一开，将来怕还不止这个样子，不难有巴结外国人去求差缺的呢。"述农道："天下奇奇怪怪的事，想不到的，也有人会做得到。你既然想得到这一层，说不定已经有人做了，也未可知。"继之叹了一口气。大众又谈谈说说，夜色已深，遂各各安歇。述农也留在号里。明日是中秋佳节，又畅叙了一天，述农别去。

过了几天，我便料理动身到天津去。附了招商局的普济轮船。子安送我到船上。这回搭客极多，我虽定了一个房舱，后来也被别人搭了一个铺位，所以房里挤的了不得。子安到来，只得在房门口外站着说话。我想起继之开缺的缘故，子安或者得知，因问道："我回家去了三年，外面的事情，不甚了了。继之前天说起开了缺，到底不知是甚么缘故？"子安道："我也不知底细。只闻得年头上换了一个旗人来做江宁藩台，和苟才是甚么亲戚。苟才到上海来找了继翁几次，不知说些甚么，看继翁的意思，好像很讨厌他的。后来他回南京去了，不上半个月光景，便得了这开缺的信了。"我听了子安的话，才知道又是苟才做的鬼。好在继之已弃功名如敝屣一般的了，莫说开了他的缺，便是奏参了他，也不在心上的。当下与子安又谈了些别话，子安便说了一声"顺风"，作别上岸去了。

我也到房里拾掇行李，同房的那个人，便和我招呼。彼此通了姓名，才知道他姓庄，号作人，是一个记名总兵，山东人氏；向来在江南当差，这回是到天津去见李中堂的。彼此谈谈说说，倒也破了许多寂寞。忽然一个年轻女人走到房门口，对作人道："从上船到此刻，还没有茶呢，渴的要死，这便怎样？"作人起身道："我给你泡去。"说罢，起身去了。我看那女子年纪，不过二十岁上下；说出话来，又是苏州口音;生得虽不十分体面,却还五官端正,而且一双眼睛,极其流动;那打扮又十分趋时。心中暗暗纳罕。过了一会,庄作人回到房里,说道:"这回带了两个小妾出来,路上又没有人招呼,十分受累。"我口中唯唯答应。心中暗想,他既是做官当差的人,何以男女仆人都不带一个? 说是个穷候补,何以又有两房姬妾之多? 心下十分疑惑,不便诘问,只拿些闲话,和他胡乱谈天。

　　到了半夜时,轮船启行,及至天明,已经出海多时了。我因为舱里闷得慌,便终日在舱面散步闲眺。同船的人也多有出来的,那庄作人也同了出来。一时船舷旁便站了许多人。我忽然一转眼,只见有两个女子,在那边和一伙搭客调笑。内中一个,正是叫庄作人泡茶的那个。其时庄作人正在我这一边和众人谈天,料想他也看见那女子的举动,却只不做理会。我心中又不免暗暗称奇。站了一会,忽然海中起了大浪,船身便颠簸起来。众人之中,早有站立不住的,都走回舱里去了。慢慢的风浪加大,船身摇撼更甚,各人便都一齐回房。到了夜来,风浪更紧,船身两边乱歪。搭客的衣箱行李,都存放不稳,满舱里乱滚起来;内中还有女眷们带的净桶,也都一齐滚翻,闹得臭气逼人;那晕船的人,呕吐更甚。足足闹了一夜一天,方才略略宁静。

　　及至船到了天津,我便起岸,搬到紫竹林佛照楼客栈里,拣了一间住房,安置好行李。歇息了一会,便带了述农给我的信,雇了一辆东洋车,到三岔河水师营去访文杏农。

　　正是:阅尽南中怪状,来寻北地奇闻。未知访着文杏农之后,还有何事,且待下回再记。

第六十八回

笑荒唐戏提大王尾　恣嚚威打破小子头

当时我坐了一辆东洋车，往水师营去。这里天津的车夫，跑的如飞一般，风驰电掣，人坐在上面，倒反有点害怕。况且他跑的又一点没有规矩，不似上海只靠左边走，便没有碰撞之虞；他却横冲直撞，恐后争先。有时到了挤拥的地方挤住了，半天走不动一步，街路两旁又是阳沟，有时车轮陷到阳沟里面，车子便侧了转来，十分危险。我被他挤了好几次，方才到了三岔河口。过了浮桥，便是水师营。

此时天色已将入黑。我下了车，付过车钱，正要进去，忽然耳边听见哈打打、哈打打的一阵喇叭响。抬头看时，只见水师营门口，悬灯结彩，一个营兵，正在那里点灯。左边站了一个营兵，手中拿了一个五六尺长的洋喇叭，在那里鼓起两腮，身子一俯一仰的，哈打打、哈打打吹个不住。看他忽然喇叭口朝天，忽然喇叭口贴地，我虽在外多年，却没有看过营里的规矩，看了这个情景，倒也是生平第一回的见识，不觉看的呆了。正看得出神，忽又听得咚咚咚的鼓声。原来右边坐了一个营兵，在那里擂鼓。此时营里营外，除了这两种声音之外，却是寂静无声，也不见别有营兵出进。我到了此时，倒不好冒昧进去，只得站住了脚，等他一等再说。抬眼望进去，里外灯火，已是点的通明，仿佛看见甬道上，黑压压地站了不少人，正不知里面办甚么事。

足足等了有十分钟的时候，喇叭和鼓一齐停了，又见一个营兵，轰轰轰的放了三响洋枪。我方才走过去，向那吹喇叭的问道："这营里有一位文师爷，不知可在家？"那兵说道："我也不知道，你跟我进去问来。"说罢，他在前引路，我跟着他走。只见甬道当中，对站了两排兵士，一般的号衣齐整，擎着明晃晃的刀枪。我们只在甬道旁边走进去，行了一箭之地，旁边有一所房子，那引路的指着门口道："这便是文师爷的住房。"说罢，先走到门口去问道："文师爷在家么？有客来。"里边便走出一个小厮来，我把名片交给他，说有信要面交。那小厮进去了一会，出来说请，我便走了进去。杏农迎了出来，彼此相见已毕，我把述农的信交给他。他接来看过道："原来与家兄同事多年，一向少亲炙得很！"我听说，也谦让了几句。因为初会，彼此没有甚么深谈。彼此敷衍了几句客气说话，杏农方才问起我到天津的缘故，我不免告诉一二。谈谈说说，不觉他营里已开夜饭，杏农便留我便饭。我因为与述农相好多年，也不客气。杏农便叫添菜添酒，我要阻止时，已来不及。

当下两人对酌了数杯。我问起今日营里有甚么事，里里外外都悬灯结彩的缘故。杏农道："原来你还不知！我们营里，接了大王进来呢！"我不觉吃了一惊道："甚么大王？"杏农笑道："你向来只在南边，不曾到北边来过，怨不得你不懂。这大王是河神，北边人没有一个不尊敬他的。"我道："就是河神应该尊敬，你们营里怎么又要接了他来呢？"杏农道："他自己来了，指名要到这里，怎么好不接他呢？"我吃惊道："那么说，这大王居然现出形来，和人一般，并且能说话的了？"杏农笑道："不是现人形，他原是个龙形。"我道："有多少大呢？"杏农道："大小不等，他们船上人都认得，一见了，便分得出这是某大王、某将军。"我道："他又怎会说话，要指名到哪里哪里呢？"杏农道："他不说话。船上人见了他，便点了香烛，对他叩头行礼，然后卜他的去处。他要到哪里，问的对了，跌下来便是胜；得了胜之后，便飞跑往大王要到的地方去报。这边得了信，便排了执事，前去迎接了来。我们这里是昨天接着的，明天还要唱戏呢。"我道："这大王此刻供在甚么地方？可否瞻仰瞻仰？"杏农道："我们饭后可以到演武厅上去看看。但是对了他，不能胡乱说话。"我笑道："他又不能说话，我们自然没得和他说的了。"

一会饭罢之后，杏农便带了我同到演武厅去。走到厅前，只见檐下排了十多对红顶、蓝顶，花翎、蓝翎的武官，一般的都是箭袍、马褂、佩刀，对面站着，一动也不动，声息全无。这十多对武官之下，才是对站的营兵，这便是我进营时，看见甬道上站的了。走到厅上看时，只见当中供桌上，明晃晃点了一对手臂粗的蜡烛；古鼎里香烟袅绕，烧着上等檀香。供桌里面，挂了一堂绣金杏黄幔帐，就和人家孝堂上的孝帐一般，不过他是金黄色的罢了；上头挂了一堂大红缎子红木宫灯；地下铺了五彩地毡；当中加了一条大红拜垫；供桌上系了杏黄绣金桌帷。

杏农轻轻的拿起幔帐，招手叫我进去。我进去看时，只见一张红木八仙桌，上面放着一个描金朱漆盘；盘里面盘了一条小小花蛇，约摸有二尺来长，不过小指头般粗细，紧紧盘着，犹如一盘小盘香模样。那蛇头却在当中，直昂起来。我低头细看时，那蛇头和那蕲蛇差不多，是个方的；周身的鳞，湿腻且滑，映着烛光，显出了红蓝黄绿各种颜色；其余没有甚么奇怪的去处。心中暗想，为了这一点点小幺魔，便闹的劳师动众，未免过于荒唐了。我且提他起来，看是个甚么样子。想定了主意，便仔细看准了蛇尾所在，伸手过去捏住了，提将起来（凡捕蛇之法：提其尾而抖之，虽至毒之半，亦不能施其恶力矣；此老于捕蛇者所言也）。还没提起一半，杏农在旁边，慌忙在我肘后用力打了一下，我手臂便震了一震，那蛇是滑的，便捏不住，仍旧跌到盘里去。

　　杏农拉了我便走，一直回到他房里。喘息了一会，方才说道："幸而没有闹出事来！"我道："这件事荒唐得很！这么一条小蛇，怎么把他奉如神明起来？我着实有点不信。方才不是你拉了我走，我提他起来，把他一阵乱抖，抖死了他，看便怎样！"杏农道："你不知道，这顺、直、豫、鲁一带，凡有河工的地方，最敬重的是大王。况且这是个金龙四大王，又是大王当中最灵异的。你要不信，只管心里不信，何苦动起手来。万一闹个笑话，又何苦呢！"我道："这有甚么笑话可闹？"杏农道："你不知道，今天早起才闹了事呢。昨天晚上四更时候，排队接了进来；破天亮时，李中堂便委了委员来敬代拈香。谁知这委员才叩下头去，旁边一个兵丁，便昏倒在地；一会儿跳起来，乱跳乱舞，原来大王附了他的身。嘴里大骂：'李鸿章没有规矩，好大架子！我到了你的营里，你还装了大模大样，不来叩见，委甚么委员恭代！须知我是受了煌煌祀典，只有谕祭是派员拈香的。李鸿章是甚么东西，敢这样胡闹起来！'说时，还舞刀弄棒，跳个不休。吓得那委员重新叩头行礼，应允回去禀复中堂，自来拈香，这兵丁才躺了下来，过一会醒了。此刻中堂已传了出来，明天早起，亲来拈香呢。"我道："这又不足为信的。这兵丁或者从前赏罚里面，有憾于李中堂，却是敢怒而不敢言，一向无可发泄，忽然遇了这件事，他便借着神道为名，把他提名叫姓的，痛乎一骂，以泄其气，也是料不定的。"杏农笑了一笑道："那兵丁未必有这么大胆罢。"我道："总而言之，人为万物之灵，怎么向这种小小幺魔，叩头礼拜起来，当他是神明菩萨？我总不服。何况我记得这四大王，本来是宋理宗。谢皇后之侄谢绪，因为宋亡，投钱塘江殉国；后来封了大王，因为他排行第四,所以叫他四大王,不知后人怎样,又加上了'金龙'两个字。他明明是人,人死了是鬼,如何变了一条蛇起来呢?"杏农笑道:"所以牛鬼蛇神,连类而及也。"说的大家都笑了。

杏农又道:"说便这样说,然而这样东西也奇得很!听说这金龙四大王很是神奇的。有一回,河工出了事,一班河工人员,自然都忙的了不得。忽然他出现了,惊动了河督,亲身迎接他,排了职事,用了显轿,预备请他坐的。不料他老先生忽然不愿坐显轿起来,送了上去,他又走了下来,如此数次。只得向他卜筮,谁知他要坐河督大帅的轿子。那位河督只得要让他。然而又没有多预备轿子,自己总不能步行;要骑马罢,他又是赏过紫缰的,没有紫缰,就不愿意骑。后来想了个通融办法,是河督先坐到轿子里,然后把那描金朱漆盘,放在轿里扶手板上。说也作怪,走得没有多少路,他却忽然不见了,只剩了一个空盘。那河督是真真近在咫尺的,对了他,也不曾看见他怎样跑的,也只得由他的了。谁知到了河督衙门下轿时,他却盘在河督的大帽子里,把头昂起在顶珠子上。你道奇不奇呢!这还是我传闻得来的。还有一回,是我亲眼见的事:我那回同了一个朋友去办河工。我那个同事姓张,别字星甫,我和他一同奉了礼,去查勘河工。一天到了一个乡庄上,在一家人家家里借住,就在那里耽搁两天。这是我们办河工常有的事。住了两天,星甫偶然在院子里一棵向日葵的叶子上,看见一个壁虎(即守宫,北人呼为壁虎,粤中谓之盐蛇),生得通身碧绿,而且布满了淡黄斑点,十分可爱。星甫便叫我去看。我便拿了一个外国人吃啤酒的玻璃杯出来,一手托着叶子,一手拿杯把他盖住;叫星甫把叶子摘下来,便拿到房里,盖在桌上,细细把玩。等到晚饭过后,我们两个还在灯底细看,星甫还轻轻的把玻璃杯移动,把他的尾巴露出来,给他拴上一根红线,然后关门睡觉。这房里除了我两个之外,再没有第三个人了。谁知到了第二天,星甫一早起来看时,那玻璃杯依然好好盖住,里面的东西却不见了。星甫还骂底下人放跑了的,然而房门的确未开,是没有人进来过的。闹了一阵,也就罢了。又过了几天,我们赶到工上,只见工上的人,都在传说大王到了,就好望合龙了。我和星甫去看那大王时,正是我们捉住的那个壁虎,并且尾巴上拴的红线还在那里。问他们几时到的,他们说是某日晚上三更天到的,说的那天,正是我们拿住他的那天。你说这件事奇不奇呢。"我道:"哪里有这等事,不过故神其说罢了。"杏农道:"这是我亲眼目睹的,怎么还是故神其说呢。"我道:"又焉见得不是略有一点影响,你却故神其说,作为谈天材料呢。总而言之,后人治河,哪一个及得到大禹治水。你看《禹贡》上面,何尝有一点这种邪魔怪道的话,他却实实在在把水治平了。当日'敷土刊木,奠高山大川',又何尝仗甚么大王之力。那奠高山大川,明明是测量高低、广狭、深浅,以为纳水的地位,水流的方向;孔颖达疏《尚书》,不该说是'以别祀礼之崇卑',遂开后人迷惑之渐。大约当日河工极险的时候,曾经有人提倡神明之说,以壮那工人的胆,未尝没有小小效验。久而久之,变本加厉,就闹出这邪说诬民的举动来了。时候已经将近二炮了,我也暂且告辞,明日再来请教一切罢。"说罢,起身告辞。杏农送我出来。我仍旧雇了东洋车,回到紫竹林佛照楼客栈。夜色已深,略为拾掇,便打算睡觉了。

此时虽是八月下旬,今年气候却还甚热。我顺手推开窗扇乘凉,恰好一阵风来,把灯吹灭了,我便暗中摸索洋火。此时栈里已是静悄悄的,忽然间一阵抽抽噎噎的哭声,直刺入我耳朵里,不觉呆了一呆。且不摸索洋火,定一定神,仔细听去,仿佛这声音出在隔壁房里。黑暗中看见板壁上一个脱节的地方,成了一个圆洞,洞中却射出光来,那哭声好像就在那边过来的。我便轻移脚步,走近板壁那边;那洞却比我高了些,我又移过一张板凳,垫了脚,向那洞中望去。只见隔壁房里坐了一个五十多岁的斑白妇人,穿了一件三寸宽、黑缎滚边的半旧蓝熟罗衫,蓝竹布扎腿裤,伸长两腿,交放起一双四寸来长的小脚;头上梳了一个京式长头;手里拿了一根近五尺长的旱烟筒,在那里吸烟。她前面却跪了一个二十来岁的年轻小子,穿一件补了两块的竹布长衫,脚上穿的是毛布底的黑布鞋,只对着那妇人呜呜饮泣。那妇人面罩重霜般,一言不发。再看那小子时,却是生得骨瘦如柴,脸上更是异常瘦削。看了许久,他两个人只是不做声,那小子却哭得更利害。

我看了许久,看不出其所以然来,便轻轻下了板凳。正要重新去摸洋火,忽又听得隔壁一阵劈拍之声,又是一阵詈骂之声,不觉又起了多事之心,重新站上板凳,向那边一张。只见那妇人站了起来,拿着那旱烟筒,向那小子头上乱打,嘴里说道:"我只打死了你,消消我这口气! 我只打死了你,消消我这口气!"说来说去,只是这两句,手里却是不住的乱打。那小子仍是跪在那里,一动也不动,伸着脖子受打。不提防拍拆一声,烟筒打断了。那妇人嚷道:"我吃了二十多年的烟袋(北人通称烟袋),在你手里送折了,我只在你身上讨赔!"说时,又拿起那断烟筒,狠命的向那小子头上打去。不料烟筒杆子短了,格外力大,那铜烟锅儿(粤人谓之烟斗,苏、沪间谓之烟筒头),恰恰打在头上,把头打破了,流出血来,直向脸上淌下去。那小子先把袖子揩拭了两下,后来在袖子里取出手帕来擦,仍旧是端端正正跪着不动。那妇人弯下腰来一看,便捶胸顿足,号啕大哭起来,嘴里嚷道:"天呵,天呵! 我好命苦呵! 一个儿子也守不住呵!"

我起先只管呆看,还莫名其妙,听到了这两句话,方才知道他是母子两个。却又不知为了甚么事。若说这小子是个逆子呢,看他那饮泣受杖的情形又不像;若说不是逆子呢,她又何以惹得她母亲动了如此大气。至于那妇人,也是测度她不出来:若说她是个慈母呢,她那副狠恶凶悍的尊容又不像;若说她不是个慈母,何以她见儿子受了伤,又那么痛哭起来。正在那里胡思乱想,忽然她那房门已被人推开,便进来了四五个人。认得一个是栈里管事的,其余只怕是同栈看热闹的人。那管事的道:"你们来是一个人来的,虽是一个人吃饭,却天天是两个人住宿;住宿也罢了,还要天天晚上闹甚神号鬼哭,弄的满栈住客都讨厌。你们明天搬出去罢!"此时跪下的小子,早已起来了。管事的回头一看,见他血流满面,又厉声说道:"你们吵也罢,哭也罢,怎么闹到这个样子,不要闹出人命来!"管事的一面说,那妇人一面哭喊。那小子便走到那妇人跟前,说道:"娘不要哭,不要怕! 儿子没事,破了一点点皮,不要紧的。"那妇人咬牙切齿的说道:"就是你死了,我也会和他算帐去!"那小子一面对管事的说道:"是我们不好,惊动了你贵栈的寓客。然而无论如何,总求你担代这一回,我们明日搬到别家去罢。"管事的道:"天天要我担代,担代了七八天了。我劝你们安静点罢! 要照这个样子,随便到谁家去,都是不能担代的。"说罢,出去了。那些看热闹的,也就一哄而散。

我站的久了,也就觉得困倦,便轻轻下了板凳,摸着洋火,点了灯,拿出表来一看,谁知已经将近两点钟了,便连忙收拾睡觉。

正是:贪观隔壁戏,竟把睡乡忘。未知此一妇人,一男子,到底为了甚么事,且待下回再记。

第六十九回

责孝道家庭变态　权寄宿野店行沽

　　且喜自从打破了头之后，那边便声息俱寂，我便安然鼾睡。一觉醒来，已是九点多钟，连忙叫茶房来，要了水，净过嘴脸，写了两封信，拿到帐房里，托他代寄。走过客堂时，却见杏农坐在那里，和昨夜我看见的那小子说话。原来佛照楼客栈，除了客房之外，另外设了两座客堂，以为寓客会客之用。杏农见我走过，便起身招呼道："起来了么？"我道："想是到了许久了。"杏农道："到了一会儿。"说着，便走近过来，我顺便让他到房里坐。他一面走，一面说道："方才来回候你，你未起来，恰好遇了一个朋友，有事托我料理。此时且没工夫谈天，请你等我一等，我去去再来。"说罢，拱手别去。

　　我回到房里，等了许久，直到午饭过后，仍不见杏农来。料得他既然有事，未必再来的了，我便出门到外面逛了一趟，又到向来有来往的几家字号里去走走。及至回到栈时，已经四点多钟，客栈饭早，茶房已经开上饭来。吃饭过后，杏农方才匆匆的来了。喘一口气，坐定说道："有劳久候了！"我道："我饭后便出去办了一天事，方才回来。"杏农道："今天早起，我本来专诚来回候你；不料到得此地，遇了一个敝友，有点为难的事，就代他调排了一天，方才停当。"我道："就是早起在客堂里那一位么？"杏农道："正是，他本来住在你这里贴隔壁的房间。我到此地时才八点钟，打你的门，你还没有起来。我正要先到别处走走，不期遇了他开门出来，我便揽了这件事上身，直到此刻才办妥了。"

　　我道："昨夜我听见隔壁房里有人哭了许久，后来又吵闹了一阵，不知为的是甚么事？"杏农叹道："说起来，话长得很。我到了天津，已经十多年,初到的时候,便识了这个朋友。那时彼此都年轻,他还没有娶亲,便就了这里招商局的事。只有一个母亲,在城里租了我的两间余屋,和我同住着;几两银子薪水,虽未见得丰盛,却也还过得去。"我笑道:"你说了半天他,究竟他姓甚名谁?"杏农道:"他姓石,别字映芝,是此地北通州人。他祖父是个翰林,只放过两回副主考,老死没有开坊,所以穷的了不得。他老子是个江苏知县,署过几回事,临了闹了个大亏空,几乎要查抄家产,为此急死了。遗下两房姨太太,都打发了。那时映芝母子,本没有随任,得信之后,映芝方才到南京去运了灵柩回来。可怜那年映芝只得十五岁!"

我听了这话,不觉心中一动,暗想我父亲去世那年,我也只得十五岁,也是出门去运灵柩回家的,此人可谓与我同病相怜的了。因问道:"你怎么知道的这般详细?"杏农道:"我同他一相识之后,便气味相投,彼此换了帖,无话不谈的。以后的事,我还要知得详细呢。他运柩回来之后,便到京里求了一封荐信,荐到此地招商局来。通州离这里不远,便接了他母亲来津。那时我的家眷也在这里,便把我住的房子腾出两间,转租给他。因此两下同居,不免登堂拜母。那时却也相安无事。映芝为人,十分驯谨,一向多有人和他做媒。映芝因为家道贫寒,虽有人提及,自己也不敢答应。及至服阕之后,才定了这天津城里的一位贫家小姐,却也是个书香人家,丈人是个老儒士。谁知过门之后,不到一年光景,便闹了个婆媳不对,天天吵闹不休,连我们同居的也不得安。"我道:"想是娶了个不贤的妇人来了。这不贤妻、不孝子,最是人生之累。"

杏农叹道:"在映芝说呢,他母亲在通州和妯娌亲戚们,都是和和气气的,从来不会和人家拌嘴;在我们旁观的呢,实在不敢下断语。从此那位老太太,因为和媳妇不对,便连儿子也厌恶起来了,逢着人便数说她儿子不孝。闹的映芝没有法子,便写了一纸休书要休了老婆。他老太太知道了,便闹的天翻地覆起来,说映芝有心和她赌气:'难道你休了老婆,便罢了不成!左右我和你拚了这条命!'如此一来,吓的映芝又不敢休了。这位媳妇受气不过,便回娘家去住几天,那柴米油盐的家务,未免少了人照应。老太太又不答应了,说道是:'我偌大年纪了,儿子也长大了,媳妇也娶了,还要我当这个穷家!'映芝没法子,只得把老婆接了回来。映芝在招商局领了薪水回来,总是先交给母亲,老太太又说我不当家,交给我做甚么;只得另外给老太太几块钱零用,她又不要。及至吵骂起来,她总说'儿子媳妇没有钱给我用,我要买一根针、一条线,都要求媳妇指头缝里宽一宽,才流得出来!'诸如此类的闹法,一个月总有两三回。她老太太高兴起来,便到街坊邻舍上去,数落她儿子一番。再不然,便找到映芝朋友家里去,也不管人家认得她不认得,走进去便把自己儿子尽情数落。最可笑的,有一回我一个舍亲,从南边来了,便到我家里去,谈起来是和映芝老人家认得的。我那舍亲姓丁,别字纪昌,向来在南京当朋友的,谈到映芝老人家亏空急死的,也十分叹息。却被那老太太听见了,便到我这边来,对纪昌着着实实的把映芝数落了一顿,总说他怎么的不孝。这是路过的一个人,说过也就罢了,谁知后来却累的映芝不浅。"

我道:"怎样累呢?"杏农道:"你且莫问,等我慢慢的说来。到后来他竟跑到招商局里去,求见总办,要告他儿子的不孝。总办哪里肯见他。便坐在大门口外面,哭天哭地的诉说她儿子怎么不孝,怎么不孝,经映芝多少朋友劝了她才回来。还有一回,白天闹的不够,晚上也闹起来,等人家都睡了,她却拍桌子打板凳的大骂,又把瓷器家伙一件件的往院子里乱摔,搅了个鸡犬不宁。到明天,实在没有法子了,映芝的老婆避回娘家去了,映芝也住在局里不敢回家。过了一夜,这位老太太见一个人闹的没味了,便拿了一根带子,自己勒起颈脖子来。恰好被我用的老妈子看见了,便嚷起来。那天刚刚我在家,便同内人过去解救。一面叫我用的一个小孩子,到招商局去叫映芝回来。偏偏映芝又不在局里,那小孩子没轻没重的,便说不好了,石师爷的老太太上了吊。这句话恰被一个和映芝不睦的同事听了去,便大惊小怪的传扬起来,说甚么天津地方要出逆伦重案了,快点叫人去捉那逆子,不要叫他逃脱了。这么一传扬起来,叫总办知道了,便把映芝的事情撤去,好好的二十两银子的馆地,从此没了。天津如何还住得下,只好搬回通州去了。

"住了一年,终不是事,听说有几个祖父的门生、父亲的相好,在南京很有局面,便凑了盘缠,到南京去希图谋个馆地。不料我方才说的那位舍亲丁纪昌,听了他老太太的话,回到南京之后,逢人便说,没处不谈,赶映芝到了南京,一个个的无不是白眼相加。映芝起初还莫名其妙,后来有人告诉了他丁纪昌的话,方才知道。幸亏回到上海,寻着了述农家兄,方才弄了一份盘缠回来。你说这个不是大受其累么。谁知回到通州,他那位老太太,又出了花样了,不住在家里,躲向亲戚家里去了。映芝去接她回家时,他一定不肯,说是我不惯和他同居。映芝没法,把老婆送到天津来,住到娘家去了,然后把自己母亲接回家中。通州地面小,不能谋事,自己只得仍到天津来,谋了东局的一件事。东局离这里远,映芝有时到市上买东西,或到这里紫竹林看朋友,天晚了不便回去,便到丈人家去借住。不知怎样,被他老太太知道了,又从通州跑到天津来,到亲家家里去大闹,说亲家不要脸,嫁女儿犹如婊子留客一般,留在家里住宿。"我道:"难道映芝的老婆,一回娘家之后,便永远不回夫家去么?"杏农道:"只有过年过节,由映芝领回去绘婆婆拜年拜节,不过住一两天便走了。倒是这个办法,家里过得安静些,然而映芝却又担了一个大名气了。"

我道:"甚么名气呢?"杏农道:"他那位老太太,满到四处的去说,说她的儿子赚了钱,只顾养老婆的全家,不顾娘的死活,所以映芝便担了这个名气。那东局的事,也没有办得长,不多几个月,就空下来了。一向都是这些短局,一年倒有半年是赋闲的。所谓人穷志短,那映芝这两年,闹的神采也没有了。今年春上,弄了一个筹防局的小馆地,一个月只有六吊大钱。他自己一个人,连吃饭每月只限定用一吊五百文,给老婆五百文的零用,其余四吊,是按月寄回通州去的。馆地愈小,事情愈忙,这是一定之理,他从春上得了这件事之后,便没有回通州去过。所以他老太太这回赶了来,先把行李落在这里,要到筹局去找儿子。却不料找错了,找到巡防局里去。人家对他说,我们局里没有这个人。他便说是儿子串通了门丁,不认娘了,在那里叫天叫地的哭骂起来。人家办公事的地方,如何容得这个样子,便有两个局勇驱赶她。她又说儿子赶娘了。人家听了这个话,越发恨了。在那里受了一场大辱,方才回到这里,哭喊了一夜。第二天映芝打听着了,连忙到了这里来,求她回去。她见了映芝,便是一场大骂,说他指使局勇,羞辱母亲。映芝和她分辩,说儿子并不在那个局里,是母亲走错了地方。他说既然不是这个局,是哪个局?映芝是前回招商局的事情,被他母亲闹掉了的,这回怕再是那个样,如何敢说。她见映芝不说,便天天和映芝闹。可怜映芝白天去办公事,晚上到这里来捱骂,如此一连八九天。这里房饭钱又贵,每客每天要三百六十文,五天一结算。映芝实在是穷,把一件破旧熟罗长衫当了,才开销了五天房饭钱。再一耽搁,又是第二个五天到了。昨天晚上,映芝央求她回通州去,不知怎样触怒了她,便把映芝的头也打破了。今天早起我来了，知道了这件事，先把她老人家连哄带骗的，请到了我一个朋友家里，然后劝了她一天，映芝还磕了多少头，陪了多少小心，直到方才，才把她劝肯了，和她雇定了船，明天一早映芝送她回通州去。一切都说妥了，我方才得脱身到这里来。"

这一席长谈，不觉已掌灯多时了。知道杏农没有吃夜饭，便叫厨房里弄了两样菜，请他就在栈里便饭。饭后又谈了些正事，杏农方才别去。

我在天津住了十多天，料理定了几桩正事，便要进京。我因为要先到河西务去办一件事，河西务虽系进京的大路，因恐怕到那边有耽搁，就没有雇长车，打算要骑马。谁知这里马价很贵，只有骑驴的便宜，我便雇了一头驴。好在我行李无多，把衣箱寄在杏农那里，只带了一个马包，跨驴而行。说也奇怪，驴这样东西，比马小得多，那性子却比马坏。我向来没有骑过，居然使他不动。出了西沽，不上十里路，他忽然把前蹄一跪，幸得我骑惯了马的，没有被他摔下来。然而尽拉缰绳，他总不肯站起来了。只得下来，把他拉起，重新骑上。走不了多少路，他又跪下了。如此几次，我心中无限焦燥，只得拉着缰绳步行一程，再骑一程，走到太阳偏西，还没有走到杨村（由天津进京尖站），越觉心急。看见路旁一家小客店，只得暂且住下，到明天再走。

人到店里，问起这里的地名，才知道是老米店。我净过嘴脸之后，拿出几十钱，叫店家和我去买点酒来，店家答应出去了。我见天时尚早，便到外面去闲步。走出门来，便是往来官道。再从旁边一条小巷子里走进去，只见巷里头一家，便是个烧饼摊；饼摊旁边，还摆了几棵半黄的青菜。隔壁便是一家鸦片烟店。再走过去，约莫有十来家人家，便是尽头。那尽头的去处，却又是一家卖鸦片烟的。从那卖鸦片烟的人家前面走过去，便是一片田场。再走几十步，回头一望，原来那老米店，通共只有这几家人家，便算是一个村落的了。

信步走了一回，仍旧回到店里，呆呆的坐了一大会。看看天要黑下来了，那店家才提了一壶酒回来交给我。我道："怎么去这半天？"店家道："客人只怕是初走这里？"我道："正是。"店家道："这老米店没有卖酒的地方，要喝一点酒，要走到十二里地外去买呢。客人初走这里，怨不得不知道。"我一面听他说话，一面舀出酒来呷了一口，觉得酒味极劣。暗想天津的酒甚好，何以到了此地，便这般恶劣起来。想是去买酒的人，赚了我的钱，所以买这劣酒搪塞，深悔方才不曾多给他几文。

心里正在这么想着，外面又来了一个客人，却是个老者，鬓发皆白，脸上却是一团书卷气；手里提着一个长背搭，也走到房里来。原来北边地方的小客店，每每只有一个房，一铺炕，无论多少寓客，都在一个炕上歇的。那老者放下背搭，要了水净面，便和我招呼，我也随意和他点头。因见桌上有一个空茶碗，顺手便舀一碗酒让他喝。他也不客气，举杯便饮。我道："这里的酒很不好！"老者道："这已经是好的了；碰了那不好的，简直和水一样。"我道："这里离天津不远，天津的酒很好，何以不到那边贩来呢？"老者道："卫里吗（北直人通称天津为卫里，以天津本卫也），那里自然是好酒。老客想是初步这边，没知道这些情形。做酒的烧锅都在卫里，卫里的酒，自然是好的了。可是一过西沽就不行了，为的是厘卡上的捐太重，西沽就是头一个厘卡，再往这边来，过一个卡子，就捐一趟，自然把酒捐坏了。"我道："捐贵了还可以说得，怎么会捐坏了呢？"老者道："卖贵了人家喝不起，只得搀和些水在酒里。那厘捐越是抽得利害，那水越是搀得利害，你说酒怎么不坏！"我问道："那抽捐是怎么算法？可是照每担捐多少算的吗？"老者道："说起来可笑得很呢！他并不论担捐，是论车捐；却又不讲每车捐多少，偏要讲每个车轮子捐多少。说起来是那做官的混帐了，不知道这做买卖的也不是个好东西，他要照车轮子收捐，这边就不用牲口拉的车，只用人拉的车。"我道："这又有甚么分别？"老者道："牲口拉的车，总是两个轮子。他们却做出一种单轮子的车来，那轮子做的顶小，安放在车子前面的当中，那车架子却做的顶大，所装的酒篓子，比牲口拉的车装的多，这车子前面用三四个人拉，后头用两个人推，就这么个玩法。"

正是：一任你刻舟求剑，怎当我掩耳盗铃。未知那老者还说出些甚么来，且待下回再记。

第七十回

惠雪舫游说翰苑　周辅成误娶填房

　　我听那老者一席话，才晓得这里酒味不好的缘故，并不是代我买酒的人落了钱。于是再舀一碗让他喝，又开了一罐罐头牛肉请他。大家盘坐在炕上对吃。我又给钱与店家，叫他随便弄点面饭来。方才彼此通过姓名。

　　那老者姓徐，号宗生，是本处李家庄人。这回从京里出来，因为此地离李家庄还有五十里，恐怕赶不及，就在这里下了店。我顺便问问京里市面情形。宗生道："我这回进京，满意要见焦侍郎，代小儿求一封信，谋一个馆地。不料进京之后，他碰了一桩很不自在的事，我就不便和他谈到谋事一层，只住了两天就走了。市面情形，倒未留心。"

　　我道："焦侍郎可就是刑部的焦理儒？"宗生道："正是他。"我道："我在上海看了报，他这侍郎是才升转的，有甚么不自在的事呢？"宗生道："他们大老官，一帆风顺的升官发财，还有甚么不自在，不过为点小小家事罢了。然而据我看来，他实在是咎由自取。他自己是一个绝顶聪明人，笔底下又好，却是学也不曾入得一名。如今虽然堂堂八座，却是异途出身。四五个儿子，都不肯好好的念书，都是些不成材的东西。只有一位小姐，爱同拱璧，立志要招一位玉堂金马的贵婿。谁知立了这么一个志愿，便把那小姐耽误了，直到了去年，已过二十五岁了，还没有人家。耽误了点年纪，还没有甚么要紧，还把她的脾气惯得异乎寻常的出奇，又吃上了鸦片烟瘾，闹的一发没有人敢问名的了。去年六月间，有一位太史公断了弦。这位太史姓周，号辅成，年纪还不满三十岁。二十岁上便点了翰林，放过一任贵州主考，

宦囊里面多了三千金，便接了家眷到京里来，省吃俭用的过日子，望
开坊。谁知去年春上，染了个春瘟病，捱到六月间死了。你想这般一
位年轻的太史公，一旦断了弦，自然有多少人家央人去做媒的了。这
太史公倒也伉俪情深，一概谢绝。这信息被焦侍郎知道了，便想着这
风流太史做个快婿。虽然是个续弦，且喜年纪还差不多。想定了主
意，便打算央媒说合。既而一想，自己是女家，不便先去央求。又打
听得这位太史公，凡是去做媒的，一概谢绝，更怕把事情弄僵了，所以
直等到今年春天，才请出一个人来商量。这个人便是刑部主事，和周
太史是两榜同年；却是个旗人，名叫惠覃，号叫雪舫；为人极其能言善
辩。焦侍郎请他来，把这件事直告诉了他，又说明不愿自己先求他的
意思。雪舫便一力担承在身上，说道：'大人放心，司官总有法子说得
他服服贴贴的来求亲。大人这里还不要就答应他，放出一个欲擒故
纵的手段，然后许其成事，方不失了大人这边的门面。'焦侍郎大喜，
便说道：'那么这件事，就尽托在老兄身上了。'

　　"雪舫得了这个差使，便不时去访周辅成谈天。周辅成老婆虽死
了，却还留下一个六岁大的男孩子，生得眉清目秀，十分可人。雪舫
到了，总是逗他玩笑，考他认字。偶然谈起说道：'怪可怜的一个小孩
子，小小年纪没了娘了。你父亲怎么就不再娶一个？'辅成听了笑道：
'伤心还伤心不过，哪里便谈到这一层；况且我是立志鳏居以终的
了。'雪舫道：'你莫嘴强，这是办不到的。纵使你伉俪情深，一时未
忍，久后这中馈乏人，总不是事。况且小孩子说大不大，总得要有人
照应的。你此刻还正处在伤心追悼之中，未必肯信我这个话，久后你
便要知道的。'辅成未及回答，雪舫又道：'说来也难，娶了一个好的来
也罢了；倘使娶了个不贤的，那非但自己终身之累，就是小孩子对付
晚娘，也不容易。'辅成道：'可不是吗。我这立定鳏居以终之志，也是
看到这一着。'雪舫道：'这也足见你的深谋远虑。其实现在好好的女
子很少，每每听见人家说起某家的晚娘待儿子怎样，某家的晚娘待儿
子怎样，听着也有点害怕。辅成兄，你既然立定主意不娶，何不把令
郎送回家乡去？自己住到会馆里，省得赁宅子，要省得多呢。'辅成
道：'我何尝不想。只为家母生平最爱的是内人，去年得了我这里的
信息，已经不知伤心的怎样了。此刻再把小孩子送回去，老人家见子
思母，岂非又撩拨起她的伤心来！何况小儿说大虽不大，也将近可以
读书了。我们衙门清闲无事，也想借课子消遣，因此未果。'雪舫道：

'既如此,你也大可以搬到会馆里面去,到底省点浇裹。'辅成道'我何尝不想。只因这小孩子还小,一切料理,打辫洗澡,还得用个老妈子伺候。'雪舫道:'就是这个难,并且用老妈子,也不容易用着好的。'辅成道'这倒不然,我现在用的老妈子,就是小孩子的奶娘,还是从家乡带来的。'雪舫道:'这么说,你夫人虽是没了,这过日子浇裹,还是一文不能省的。'辅成道:'这个自然。'雪舫道:'这么说,你还是早点续弦的好。'辅成发急道:'这话怎讲?'雪舫笑了一笑,却不答话,辅成心下狐疑,便追着问是甚么道理。雪舫道:'我要待不说,又对你不起;要待说了出来,一则怕你不信,二则怕你发急。'辅成道:'说的不近情理,不信或者有之,又何至于发急呢。'雪舫又笑了一笑,依然没有话说。辅成道:'你这个样子,倒是令我发急了。我和你彼此同年相好,甚么话不好说,要这等藏头露尾作甚么呢?'雪舫正色道:'我本待不说,然而若是终于不说呢,实在对朋友不起,所以我只得直说了。但是说了,你切莫发急。'辅成道:'你说了半天,还是未说,你这是算甚么呢!'

"雪舫道:'此刻我直说了罢。若是在别的人呢,这是稀不相干的事。无奈我们是做官的人……'说着,又顿住了。辅成恨道:'你简直爽快点一句两句说了罢,我又不和你作甚么文字,只管在题前作虚冒,发多少议论作甚么!'雪舫道:'你是身居清贵之职的,这个上头更要紧。'辅成更急了道:'你还要故作盘旋之笔呢,快说罢!'雪舫道:'老实说了罢,你近来外头的声名,不大好听呢!"辅成生平是最爱惜声名的,平日为人谨慎的了不得。忽然听了这句话,犹如天上吊下了一个大霹雳来,直跳起来问道:'这是哪里来的话?'雪舫道:'我说呢,叫你不要着急。'辅成道:'到底是哪里来的话? 我不懂啊。到底说的是哪一行呢?'雪舫拍手道:'你知道我近来到你这里来坐,格外来得勤,是甚么意思? 我是要来私访你的。谁知私访了这几天,总访不出个头绪来,只得直说了。外头人都说你自从夫人没了之后,便和用的一个老妈子搭上了,缠绵的了不得,所以凡是来和你做媒的,你都一概回绝。'辅成道:'这些谣言从哪里来的?'雪舫道:'外头哪个不知,还要问哪里来的呢。不信,你去打听你们贵同乡,大约同乡官没有一个不知道的了。'辅成直跳起来道:'这还了得! 我明日便依你的话,搬到会馆去住,乐得省点浇裹。'雪舫道:'这一着也未尝不是;然而你既赁了宅子,自己又住到会馆里,怎么见得省?'辅成道:'哪里的话!

我既住到会馆,便先打发了老妈子,带着小孩子住进去了。'雪舫道:
'早就该这样办法的了。'

"辅成便忙着要拣日子就搬。雪舫道:'你且莫忙,这不是一时三
刻的事,我也在这里代你打算呢。小孩子说小虽然不小,然而早起晚
睡,还得要人招呼,还有许多说不出的零碎事情,断不是我们办得到
的。譬如他顽皮搅湿了衣服,或者挂了衣服等类,都是马上要找替
换,要缝补的,试问你我可以办得到么? 这都是平常无事的话。万一
要有甚么伤风外感,那不更费手脚么? 我正在这里和你再三盘算,左
也不是,右也不是。看不出这么一件小小事情,倒是很费商量的。'一
席话说得辅成呆了。歇了半晌道:'不然,索性把小孩子送回家乡去
也好。'雪舫道:'你方才不是说怕伤太夫人的心么?'辅成搓手顿足了
半晌,没个理会。雪舫又道:'不如我和你想个法子罢,是轻而易举,
绝不费事的,不知你可肯做?'辅成道:'你且说出来,可以做的便做。'
雪舫道:'你若肯依了我做去,包管你就可以保全声名。'辅成道:'你
又来作文字了,又要在题前盘旋了,快直说了罢。'

"雪舫道:'你今日起,便到处托人做媒,只说中馈乏人,要续弦
了。这么一来,外头的谣言自然就消灭了。'辅成道:'这个不过暂时
之计,不可久长的。况且央人做媒,做来做去,总不成功,也不是个
事;万一碰了合式的,她样样肯将就,任我怎样挑剔,她都答应,那却
如何是好呢?'雪舫正色道:'那不就认真续了弦就完了。我劝你不要
那么呆,天下哪里有从一而终的男子。你此刻还是热烘烘的,自然这
样说。久而久之,中馈乏人,你便知道鳏居的难处了。与其后来懊
悔,还是赶早做了的好。依我劝你,趁此刻自己年纪不十分大,儿子
也还小,还容易配;倘使耽搁几年,自己年纪也大了,小孩子也长成
了,那时后悔,想到续弦,只怕人家有好好的女儿未,必肯嫁给你这个
的老翁了。况且说起来,前妻的儿子已经长大了,人家更多一层嫌
弃。还有一层,比方你始终不续弦的话,将来开坊了,外放了,老大
人、太夫人总是要迎养的,同寅中官眷往来,你没有个夫人,如何得
便? 难道还要太夫人代你应酬么? 你细想想,我的话是不是?'辅成
听了低下头去,半晌没有话说。雪舫又道:'说虽如此说,这件事却是
不能卤莽的,最要紧是打听人品;倘使弄了一个不贤的来,那可不是
闹玩的!'辅成叹了一口气,却不言语。雪舫又道:"此刻你且莫愁这
些,先撒开了话,要求人做媒,赶紧要续弦,先把谣言息一息再讲。'辅

成也没有话说。雪舫又谈些别样说话，然后辞去。

"过了一日，雪舫未曾出门，辅成先去拜访了，说是踌蹰了一天一夜，没有别的法子，只好依你之计，暂时息一息谣言再说的了。雪舫道：'既如此，便从我先做起媒来。陆中堂有一位小姐，是才貌兼备的，等我先去碰一碰看。'辅成道：'你少胡闹！他家女儿怎肯给我们寒士，何况又是个填房。'雪舫道：'求不求在你，肯不肯由他，问一问不见得就玷辱了他，那又何妨呢。'辅成也就没言语了。再过一天，雪舫便来回话说：'陆中堂那边白碰了。今日我又到张都老爷那边去说，因为听说张都老爷有个妹子，生得十分福气，今日没有回话，过几天听信罢。'

"此时辅成因为谣言可怕，也略略活动了一点了，这两天也在别个朋友跟前提起续弦的话。一时同衙门的、同乡的，都知道周太史要续弦了，那做媒的便络绎不绝，这个夸说张家小姐才能，那个夸说李家小姐标致，说的心如槁木的一位太史公，心中活泼泼起来。雪舫又时时走来打动，商量要怎么的好，怎么的不好，又说第一年纪大的好。辅成问他是甚么缘故。雪舫道：'若是元配，自然年纪不怕小的。此刻你的是续弦，进了你门，就要做娘的，翁姑又不在跟前，倘使年纪过轻，怎么能当得起这个家。若是年纪大点的，在娘家纵使未曾经练过，也看见得多了，招呼小孩子，料理家务，自然都会的了。你想不是年纪大的好么。'说的辅成合了意。他却另外挽出一个人来，和辅成做焦侍郎小姐的媒。辅成便向雪舫打听。雪舫道：'这一门我早就想着了，一则怕这位小姐不肯许人家做填房，二则我和焦老头子有个堂属之分，毂不上去说这些事，所以未曾提及。这门亲倘是成了，倒是好的。听说那一位小姐，雅的是琴棋书画，俗的是写算操作，没有一件不来的。况且年纪好像在二十以外一点了，于料理小孩子一层，自然是好的了。'辅成听了，也巴望这门亲定了，好得个内助。偏偏焦侍郎那边，又没有着实回话，倒闹得辅成心焦起来，又托雪舫去说。求之再四，方才应允。一连跑了四五天，把这头亲事说定。一面择日行聘。过了几时，又张罗行亲迎大礼，央了钦天监选择了黄道吉日，打发了鼓吹彩舆去迎娶，择定了午正三刻拜堂合卺。

"这一天，周太史家里贺客盈门，十分热闹；格外提早点吃了中饭，预备彩舆到了，好应吉时拜堂。一班同年、同馆的太史公，都预备了催妆诗、合卺词。谁知看看到了吉时，不见彩舆到门，众亲友都呆呆的等着看新人。等毂多时，已是午过未来，还是寂无消息。办事的人便打发人到坤宅去打听，回报说新人正在那里梳妆呢。众人只得仍旧呆等。等到了未末申初，两顶大媒老爷的轿子到了，说来了来了，快了快了，马上就登舆了。周太史一面款待大媒。闹了一会，已交酉刻，天已晚下来了，只得张罗开席宴客。吃到半席时，忽然间鼓乐喧天的，新娘娶回来了，便连忙撤了席，拜堂、送房、合卺，又忙了一阵，直到戌正，才重新入席。那新人的陪嫁，除了四名丫头之外，还有两房仆妇、两名家人，都是很漂亮的。众人尽欢散席时，已是亥正了。

大家宽坐了一会，便要到新房里看新人。周太史只得陪着到新房里去。众人举目看时，都不觉愣了一愣：原来那位新人，早已把凤冠除下，却仍旧穿的蟒袍霞帔，在新床上摆了一副广东紫檀木的鸦片烟盘，盘中烟具，十分精良，新人正躺在新床吃旧公烟呢。看见众人进来，才慢慢的坐起，手里还拿着烟枪。两个伴房老妈子，连忙过去接了烟枪，打横放在烟盘上，一个接手代她戴上凤冠。陪嫁家人过来，把烟盘收起来，回身要走，忽听得娇滴滴的声音叫了一声'来'，这个声音正是新人口中吐出来的。那陪嫁家人，便回转身子，手捧烟盘，端端正正的站着。只听得那新人又说道：'再预备十二个泡儿就够了。'那陪嫁家人，连答应了三四个'是'字，方才退了出去。众人取笑了一回，见新人老气横秋的那个样子，便纷纷散去。新人见客散了，仍旧叫拿了烟具来，一口一口的吹。吹足了十二口时，天色已亮，方才卸妆睡觉。周辅成这一气，几乎要死！然米已成饭，无可如何了。只打算日后设法禁制她罢了。那位新人一睡，直到三点钟方才起来。梳洗已毕，便有她的陪嫁家人，带了一个面生人，手里拿了一包东西，到上房里去，辅成此时一肚子没好气，也没做理会。第二天晚上，便自己睡到书房里去了。

"到了第三天，是照例回门，新婚新人，先后同去；行礼已完，新婿也照例先回。及至辅成回到家时，家人送上两张帐单。辅成接过来一看，一张是珠宝市美珍珠宝店的，上面开着珍珠头面一副、穿珠手镯一副、西洋钻石戒指五个，共价洋四千五百两；又一张是宝兴金店的，上面开着金手镯一副、押发簪子等件，零零碎碎，共价三百十五两。辅成看了便道：'我家里几时有买过这些东西？'家人回道：'这是新太太昨天叫店里送来的。'辅成吓了一跳，呆了半晌，没有话说，慢腾腾的踱到书房，换过便衣，唉声叹气的坐立不安。直等到晚上十二点多钟,新人方才回来。辅成一肚子没好气,走到上房。只见那位新夫人,已经躺下吃烟了,看见丈夫进来,便慢腾腾的坐起。辅成不免也欠欠身坐下。半晌开口问道:'夫人昨天买了些首饰?'新人道:'正是。我看见今天回门,倘使还戴了陪嫁的东西,不像样子,所以叫他们拿了来,些微拣了两件,其实还不甚合意。'辅成道:'既然不甚合意,何不退还了他呢?'说时,脸上很现出一种不喜欢的颜色。新人听了这话,看了新婿的颜色,不觉也勃然变色起来。"

　　正是:房帏未遂齐眉乐,《易》象先呈反目爻。未知一对新人,闹到怎么样子,且待下回再记。

第七十一回

周太史出都逃妇难　焦侍郎入粤走官场

宗生又道："当下新人变了颜色,一言不发。辅成也忍耐不住,说道:'不瞒夫人说,我当了上十年的穷翰林,只放过一回差,不曾有甚么积蓄。'"新人不等说完,便抢着说道:'罢,罢!几吊钱的事情,你不还,我娘家也还得起,我明日打发人去要了来,不烦你费心。不过我这个也是挣你的体面。今天回门去,我家里甚么王爷、贝子、贝勒的福晋、姑娘,中堂、尚书、侍郎的夫人、小姐,挤满了一屋子,我只插戴了这一点捞什子,还觉着怪寒碜的,谁知你到那么惊天动地起来!早知道这样,你又何必娶甚么亲!'说着,又叫了一声'来',那陪嫁家人便走了进来,垂手站着。新人拿眼睛对着鸦片烟盘看了一看,那家人便走到床前,半坐半躺的烧了一口烟,装到斗上。辅成冷眼觑着,只见那家人把烟枪向那边一送,新人躺下来接了,向灯上去吸,那家人此时简直也躺了下来,一手挡着枪梢,一手拿着烟签子,拨那斗门上的烟。辅成见了,只气得三尸乱暴,七窍生烟!只因才做了亲不过三朝,不便发作,忍了一肚子气,仍到书房里去安歇了。从此那珠宝店、金子店的人,三天五天便来催一次,辅成只急得没路投奔。雪舫此时却不来了,终日闷着一肚子气,没处好告诉,没人好商量。一连过了二十多天,看看那娶来的新人,非但愈形骄蹇放纵,并且对于那六岁孩子,渐渐露出晚娘的面目来了。辅成更加心急,想想转恨起雪舫来。然而徒恨也无益,总要想一个善后之策,因此焦灼的一连几夜总睡不着。并且自从娶亲以来,便和上房如同分了界一般,足迹轻易不踏到里面。小孩子受了晚娘的气,又走到自己跟前哭哭啼啼,益加烦闷。

"忽然一日,自己决绝起来,定下一个计策,暗地里安排妥当。只说家中老鼠多,损伤了书籍字画,把一切书画都归了箱,送到会馆里存放,一共运去了十多箱书画,暗中打发一个家人,到会馆里取了,运回家乡去。等到了满月那天,新人又照例回门去了。这一次回门,照例要在娘家住几天。这位周太史等他夫人走了,便写了个名条,到清秘堂去请了一个回籍措资的假,雇了长车,带了小孩子,收拾了细软,竟长行回籍去了。只留下一个家人看门,给了他一个月的工钱,叫他好好看守门户,诳他说到天津,去去就来的。他自己到了天津之后,却寄了一封信给他丈人焦侍郎。这封信却是骈四骊六的,足有三千多字,写得异常的哀感顽艳。焦侍郎接了这封信,一气一死!无可奈何,只得把女儿权时养在家里,等日后再做道理。我进京找他求信,恰好碰了这个当口。所以我也不便多说,耽搁了几天,只得且回家去,过几时再说的了。"

徐宗生一席长谈,一面谈着,一面喝着,不觉把酒喝完了,饭也吃了,问店家要了水来净了面。我又问起焦侍郎为甚么把一位小姐惯到如此地位。宗生道:"这也不懂。论起来,焦侍郎是很有阅历的人,世途上、仕途上,都走的烂熟的了,不知为甚么家庭中却是如此。"我道:"世路仕路的阅历,本来与家庭的事是两样的。"宗生道:"不是这样说。这位焦理儒,他是经过极贫苦来的,不应把小孩子惯得骄纵到这步田地。他焦家本是个富家,理儒是个庶出的晚子,十七八岁上,便没了老子,弟兄们分家,他名下也分到了二三万的家当。搁不起他老先生吃喝嫖赌,无一不来,不上几年,一份家当,弄得精光。闹的弟兄不理,族人厌恶,亲戚冷眼,朋友远避。在家乡站不住了,赌一口气走了出来,走到天津,住在同乡的一家字号里,白吃两顿饭,人家也没有好面目给他。可巧他的运气来了,字号里的栈房碰破了两箱花椒,连忙修钉好了,总不免有漏出来的,字号里的小伙计把他扫了回来。被这位焦侍郎看见了,不觉触动了他的一门手艺,把那好的整的花椒,拣了出来,用一根线一颗一颗的穿起来,盘成了一个班指。被字号里的伙计看见了,欢喜他精致,和他要了。于是这个要穿一个,那个要穿一个,弄得天天很忙。他又会把他盘成珠子,穿成一副十八子的香珠。穿了香珠,却没有人要。只有班指要的人多,甚至有出钱叫他穿的。齐巧有一位候补道进京引见,路过天津,是他的世伯辈,他用了'世愚侄'的帖子去见了一回,便把所穿的香珠,凑了一百零八颗,配了一副烧料的佛头、纪念,穿成一挂朝珠,又穿了一个细致的班指,作一份礼送了去。那位候补道欢喜的了不得,等他第二次去见了,便问他在天津作甚么。他一时没得好回答,便随嘴答应,说要到广东去谋事。那候补道便送了他五十两银子程仪。他得了这笔银子,便当真到广东去了。

"原来他有一位姑丈,是广东候补知府,所以他一心要找他姑丈去。谁知他在家乡那等行为,早被他哥哥们写信告诉了姑丈了,所以他到了广东,那位姑丈只给他一个不见。他姑母是早已亡故的了,他姑丈就在广东续的弦,他向来没有见过,就是请见也见不着。五十两银子有限,从天津到得广东,已是差不多的了,再是姑丈不见,住了几天客栈,看看银子没了。他心急了,便走到他姑丈公馆门口等着,等他姑丈拜客回来,他抓住了轿杠便叫姑丈。他姑丈到了此时,没有法子,只得招呼他进去,问他来意。他说要谋事。他姑丈说:"谈何容易!这广东地方虽大,可知人也不少,非有大帽子压下来,不能谋一个馆地。并且你在家里荒唐惯了,到了外面要守外面的规矩,你怎样办得到。不如仍旧回去罢。'他道:'此刻盘缠也用完了,回去不得,只得在这里等机会。我就搬到姑丈公馆来住着等,想姑丈也不多我这一碗闲饭。'他姑丈没奈何,只得叫他搬到自己公馆里住。这一住又是好几个月。喜得他还安分,不曾惹出逐客令来。他姑丈在广东,原是一个红红儿的人,除了外面两三个差使不算,还是总督衙门的文案。这一天总督要起一个折稿,三四个文案拟了出来,都不合意,便把这件事交代了他姑丈。他姑丈带回公馆里去弄,也弄不好。他看见了那奏稿节略,便自去拟出一篇稿来,送给他姑丈看,问使得使不得。他姑丈向来鄙薄他的,如何看得在眼里,拿过来便搁在一旁。但苦于自己左弄不好,右弄不好,姑且拿他的来看看,看了也不见得好。暗想且不要管他,明天且拿他去塞责。于是到了明天,果然袖了他的稿子去上辕。谁知那位制军一看见了,便大加赏识,说好得很,却不像老兄平日的笔墨。他姑丈一时无从隐瞒,又不便撒谎,只得直说了,是卑府亲戚某人代作的。制军道:'他现在办甚么事?是个甚么功名?'他姑丈回说没有事,也没有功名。制军道:'有了这个才学,不出身可惜了。我近来正少一个谈天的人,老兄回去,可叫他来见我。'他姑丈怎么好不答应,回去便给他一身光鲜衣服,叫他去见制军。那制军便留他在衙门里住着,闲了时,便和他谈天。他谈风却极好。有时闷了,和他下围棋,他却又能够下两子;并且输赢当中,极有分寸,他的棋子虽然下得极高,却不肯叫制军大败,有时自己还故意输去两子。偶然制军高兴了,在签押房里和两位师爷小酌,他的酒量却又不输与别人。并且出主意行出个把酒令来,都是雅俗共赏的。若要和他考究经史学问,他却又样样对答得上来;有时唱和几首诗,他虽非元、白、李、杜,却也才气纵横。因此制军十分器重他,每月送他五十两银子的束脩。他就在广东阔天阔地起来。

不多几时,潮州府出了缺,制台便授意藩台,给他姑丈去署了。一年之后,他姑丈卸事回来,禀知交卸。制军便问他:'我这回叫你署潮州,是甚么意思,你可知道?'他姑丈回说是大帅的栽培。制军道:'那倒并不是,我想你那个亲戚,总要想法子叫他出身。你在省城当差,未必有钱多,此刻署了一年潮州,总可以宽裕点了,可以代你亲戚捐一个功名了。'他姑丈此时不能不答应,然而也太刻薄一点,只和他捐了一个未入流,带捐免验看,指分广东。他便照例禀到。制军看见只代他弄了这么个功名,心中也不舒服,只得吩咐藩台,早点给他一个好缺署理。总督吩咐下来的,藩司那里敢怠慢,不到一个月,河泊所出了缺,藩台便委了他。原来这河泊所是广东独有的官,虽是个从九、未入,他那进款可了不得。事情又风流得很,名是专管河面的事,就连珠江上妓船也管了。他做了几个月下来,那位制军奉旨调到两江去,本省巡抚坐升了总督,藩台坐升了抚台,剩下藩台的缺,却调了福建藩台来做。那时候一个最感恩知己的走了,应该要格外小心的做去才是个道理。谁知他却不然,除了上峰到任,循例道喜之外,朔望也不去上衙门,只在他自己衙门里,办他的风流公案。

"那时新藩台是从福建来的,所有跟来的官亲幕友,都是初到广东,闻得珠江风月,哪一个不想去赏鉴赏鉴。有一天晚上,藩台的少爷,和一个衙门里的师爷,两个人在谷埠(妓船麇聚之所)船上请客。不知怎样,妓家得罪了那位师爷,师爷大发雷霆,把席面掀翻了,把船上东西打个稀烂,大呼小叫的,要叫河泊所来办人。吓得一众妓女,莺飞燕散的,都躲开了。一个鸨妇见不是事,就硬着头皮,闪到舱里去,跪下叩头认罪。那师爷顺手拿起一个茶碗,劈头摔去,把鸨妇的头皮摔破了,流出血来。请来的客,也有解劝的,也有帮着嚷打的。这个当口,恰好那位焦理儒,带了两个家人,划了一艘小船,出来巡河。刚刚巡到这个船边,听得吵闹,他便跳过船来。刚刚走在船头,忽见一个人在舱里走出来，一见了理儒便道：'来得好，来得好！'理儒抬头一看，却是一位姓张的候补道，也是极红的人。原来理儒在督署里面，当了差不多两年的朋友，又是大帅跟前极有面子的，所以那一班候补道府，没有一个不认得他的。当下理儒看见是熟人，便站住了脚。姓张的又低低的说道：'藩宪的少大人和老夫子在里面，是船家得罪了他。阁下来得正好，请办一办他们，以警将来。'理儒听了，理也不理，昂起头走了进去，便厉声问道：'谁在这里闹事？'旁边有两个认得理儒的，便都道：'好了，好了！他们的管头来了。'有个便暗暗告诉那师爷，这便是河泊所焦理儒了。那师爷便上前招呼。理儒看见地下跪着一个头破血流的妇人，便问谁在这里打伤人。那师爷便道：'是兄弟摔了他一下。'理儒沉下脸道：'清平世界，哪里来的凶徒！'回头叫带来的家人道：'把他拿下了！'藩台的少爷看见这个情形，不觉大怒道：'你是甚么人，敢这么放肆！'理儒也怒道：'你既然在这里胡闹，怎么连我也不知道！想也是凶徒一类的。'喝叫家人，把他也拿了。旁边一个姓李的候补府，悄悄对他说道：'这两位一个是藩台少爷，一个是藩台师爷。'理儒喝道：'甚么少爷老爷，私爷公爷，在这里犯了罪，我总得带到衙门里办去。'姓李的见他认真起来，便闪在一边，和一班道府大人，闪闪缩缩的，都到隔壁船上去，偷看他作何举动。只见他带来的两个家人，一个看守了师爷，一个看守了少爷，他却居中坐了，喝问那鸨妇：'是哪一个打伤你的，快点说来。'那鸨妇只管叩头，不肯供说。那师爷气愤愤的说道：'是我打的，却待怎样！'理儒道：'好了，得了亲供了。'叫家人带了他两个，连那鸨妇一起带到衙门里去。

　　"此时师爷少爷带来的家人，早飞也似的跑进城报信去了。理儒把一起人也带进城，到衙门里，分别软禁起来，自己却不睡，坐在那里等信。到得半夜里，果然一个差官拿了藩台的片子来要人。理儒道：'要甚么人？'差官道：'要少爷和师爷。'理儒道：'我不懂。我是一个人在衙门里办公，没带家眷，没有少爷；官小俸薄，请不起朋友，也没有师爷。'差官怒道：'谁问你这个来！我是要藩宪的少大人与及藩署的师爷！'理儒道：'我这里没有！'差官道：'你方才拿来的就是。'理儒道：'那不是甚么少爷师爷，是两个闹事伤人的凶徒！'差官道：'只他两个就是，你请他出来，我一看便知。'理儒把桌子一拍，大喝道：'你是个甚么东西，要来稽查本衙门的犯人！'喝叫家人：'给我打出去！'

两个家人，一片声叱喝起来，那差官没好气，飞马回衙门报信去了。藩台听了这话，也十分诧异，一半以为理儒误会，一半以为那差官搅不清楚，只得写了一封信，再打发别人去要。理儒接了信，付之一笑。草草的回了一个禀，交来人带去。禀里略言：'卑职所拿之人，确系凶徒，现有受伤人为证。无论此凶徒系何人，既以公事逮案，案未结，未便遽释'云云。

"这两次往返，天已亮了。理儒却从从容容地吃过了早饭，才叫打轿回公事去。谁知他昨夜那一闹，外面通知道了，说是河泊所太爷误拿藩台的人，这一回是死无葬身之地的了，不难合衙门的人都有些不便呢。此风声一夜传了开去，到得天明，合衙门的书吏差役，纷纷请假走了，甚至于抬轿的人也没有了。理儒看见觉得好笑，只得另外雇了一乘小轿，自己带了那一颗小小的印把，叫家人带了那少爷、师爷、鸨妇，一同上制台衙门去。"

这一去，有分教：胸前练雀横飞出，又向最高枝上栖。未知理儒见了制台，怎样回法，且待下回再记。

第七十二回

逞强项再登幕府　走风尘初入京师

宗生又继续讲道:"前一夜藩台因为得了幕友、儿子闹事,被河泊所司官捉去的信,心中已经不悦,及至两次去讨不回来,心中老大不舒服。暗想这河泊所是甚么人,他敢与本司作对! 当时便有那衙门旧人告诉他,说是这河泊所本来是前任制台的幕宾,是制台交代前任藩台给他这个缺的。藩台一想,前任藩台便是现任的抚军,莫非他仗了抚军的腰子么。等到天明,便传伺候上院去,把这件事嗫嗫嚅嚅的回了抚台。抚台道:'这个人和兄弟并没有交情,不过兄弟在司任时,制军再三交代给他一个缺,恰好碰了河泊所出缺,便委了他罢了。但是听说他很有点才干。昨夜的事,他一定明知是公子,但不知他要怎样玩把戏罢了。我看他既然明知是公子,断不肯仅于回首县,说不定还要上辕来。倘使他到兄弟这里,兄弟自当力为排解,叫他到贵署去负荆请罪。就怕他径到督宪那里去,那就得要阁下自己去料理的了。'藩台听说,便辞了抚台,去见制台。喜得制台是自己同乡世好,可以无话不谈的。

一直上了辕门,巡捕官传了手本进去,制台即时请见。藩台便把这件事,一五一十的回明白了,又说明这河泊所焦理儒系前任督宪的幕宾。制台听了这话,沉吟了一会道:'他若是当一件公事,认真回上来,那可奈何他不得,只怕阁下身上也有点不便。这个便怎生区处?'藩台此时也呆了,垂手说道:'这个只求大帅格外设法。'制台道:'他动了公事来,实在无法可设。'藩台正在踌躇,那巡捕官早拿了河泊所的手本上来回话了。制台道:'他一个人来的么?'巡捕道:'他还带了两个犯人、一个受伤的同来。'藩台起初只知道儿子和师爷在外闹事,不曾知道打伤人一节，此刻听了巡捕的话，又加上一层懊恼。制台便对藩台说道：'这可是闹不下来了！或者就请了他进来，你们彼此当面见了，我在旁边打个圆场，想来还可以下得去。'藩台道：'他这般倔强，万一他一定顶真起来，岂不是连大帅也不好看？'制台忽然想了一个主意道：'有了。只是要阁下每月津贴他多少钱，这件事就包在我身上，霎时间就冰消瓦解了。'藩台道：'终不成拿钱买他？'制台道：'不是买。你只管每月预备二百银子，也不要你出面，你一面回去，只管拣员接署河泊所就是了。'藩台满腹狐疑，不便多问，制台已经端茶送客。一面对巡捕说：'请焦大老爷。'向来传见末秩没有这种声口的，那巡捕也很以为奇，便连忙跑了出去。藩台一面辞了出来，走到麒麟门外，恰遇见那巡捕官拿着手本，引了焦理儒进去。那巡捕见了藩台，还站了一站班；只有理儒要理不理的，只望了他一眼。藩台十分气恼，却也无可如何。理儒进去见了制台，常礼已毕，制台便拉他上炕来；理儒到底不敢坐，只在第二把交椅前面站定。制台道：'老兄的风骨，实在令人可敬！请上坐了，我们好谈天。将来叨教的地方还多呢。'理儒只得到炕上坐了。制军又亲手送过茶，然后谈道：'昨天晚上那件事，兄弟早知道了。老兄之强项风骨，着实可敬！现在官场中哪里还有第二个人！只可惜屈于末僚。兄弟到任未久，昧于物色，实在抱歉得很！'理儒道：'大帅奖誉过当，卑职决不敢当！只是责守所在，不敢避权贵之势，这是卑职生性使然。此刻开罪了本省藩司，卑职也知道罪无可逭，所以带印在此，情愿纳还此职，只求大帅把这件事公事公办。'说着，在袖里取出那一颗河泊所印来，双手放在炕桌上。制台道：'这件事，兄弟另外叫人去办，不烦阁下费心；不过另有一事，兄弟却要叨教。'说罢，叫一声'来'，又努一努嘴，一个家人便送上一副梅红全帖。制台接在手里便站起来，对理儒深深一揖，理儒连忙还礼。制台已双手把帖子递上道：'今后一切，都望指教！'理儒接来一看，却是延聘书启老夫子的关书，每月致送束脩二百两。便连忙一揖道：'承大帅栽培，深恐驽骀，不足以副宪意！'制台道：'前任督宪，是兄弟同门世好，最有知人之明，阁下不以兄弟不才，时加教诲，为幸多矣！'当下又谈了些别话，便把理儒留住。一面叫传藩司，一面叫人带了理儒进去，与各位师爷相见。

　　"原来那藩台并不曾回去，还在官厅上，一则等信息，二则在那里抱怨师爷，责备儿子。一听得说传，便连忙进去。制台把上项事，仔细告诉了一遍，又道：'一则此人之才一定可用，二则借此可以了却此事。阁下回去，赶紧委人接署。此后每月二百两的束脩，由尊处送来就是了。'藩台听说，谢了又谢。制台又把那河泊所的印，交他带去道：'也不必等他交代，你委了人，就叫他带印到任便了。'藩台领命辞去。从此焦河厅又做了总督幕宾。总是他生得人缘美满，这位制军得了他之后，也是言听计从，叫他加捐了一个知县，制台便拜了一个折，把他明保送部引见。回省之后，便署了一任香山，当了好些差使。从此连捐带补的，便弄了个道台。就此一帆风顺，不过十年，便到了这个地位。只可怜他那姑丈，此刻六十多岁了，还是一个广东候补府，自从署一任潮州下来，一直不曾署过事。你说这宦海升沉，有何一定呢。"

我本来和宗生谈的是焦侍郎不善治家庭的事，却无意中惹了他这一大套，又被我听了不少的故事。当下夜色已深，大家安睡一宿，次日便分路而行。

我到河西务料理了两天的事，又到张家湾耽搁了一日，方才进京，在骡马市大街广升客栈歇下。因为在河西务、张家湾寄信不便，所以直等到了京城，才发各路的信，一连忙了两天，不曾出门，方才料理清楚。因为久慕京师琉璃厂之名，这天早上，便在客栈柜上问了路径，步行前去，一路上看看各处市景。街道虽宽，却是坎坷的了不得；满街上不绝的骆驼来往；偶然起了一阵风，便黄尘十丈。以街道而论，莫说比不上上海，凡是我经过的地方，没有一处不比他好几倍的。一路问讯到了琉璃厂，路旁店铺，尽是些书坊、笔墨、古玩等店家。走到一家松竹斋纸店，我想这是著名的店家，不妨进去看看。想定了，便走近店门，一只脚才跨了进去，里边走出一个白胡子的老者，拱着手，呵着腰道："您来了久违了！你一向好，里边请坐！"我被这一问，不觉愣住了，只得含糊答应，走了进去。便有一个小后生，送上一枝水烟筒来，老者连忙拦住，接在手里，装上一口烟，然后双手递给我。那小后生又送上一碗茶，那老者也接过来，一手拿起茶碗，一手把茶托侧转，舀了一舀，重新把茶碗放上，双手递过了来，还齐额献上一献。然后自己坐定，嘴里说些"天气好啊，还凉快，不比前年，大九月里还是很热。你有好两个月没请过来了。"我一面听他说，一面心中暗暗好笑。我初意进来，不过要看看，并不打算买东西；被他这么一招呼，倒不好意思空手出去了，只得拣了几个墨盒、笔套等件，好在将来回南边去,送人总是用得着的。老者道:"墨盒子盖上可要刻个上下款?"我被他提醒了,就随手写了几个款给他。然后又看了两种信笺。老者道:"小店里有一种'永乐笺',头回给你看过的,可要再看看?"说罢,也不等我回话,便到柜里取出一个大纸匣来。我打开匣盖一看,里面是约有八寸见方的玉版笺,左边下角上一朵套色角花,纸色极旧。老者道:"这是明朝永乐年间,大内用的笺纸,到此刻差不多要到五百年了,的真是古货。你瞧,这角花不是印板的,是用笔画出来的,一张一个样子,没有一张同样儿的。"我拿起来仔细一看,的确是画的;看看那纸色,纵使不是永乐年间的,也是个旧货了。因问他价钱。老者道:"别的东西有个要价还价,这个纸是言无二价的,五分银子一张。"我笑道:"怎么单是这一种做不二价的买卖呢?"老者道:"你明见得很,我不能瞒着你。别的东西,市价有个上下,工艺有个粗细,唯有这一号纸,是做不出来的,卖了一张,我就短了一张的了。小号收来是三千七百二十四张,此刻只剩了一千三百十二张了。"我心里虽是笑他捣鬼,却也欢喜那纸,就叫他数了一百张,一共算帐。因为没带钱,便写了个条子,叫他等一会送到广升栈第五号。便走出来。那老者又呵腰打拱的一路送出店门之外,嘴里说了好些"没事请来谈论"的话。

我别过了,走到一家老二酉书店,也是最著名的,便顺着脚走了进去。谁知才进了门口,劈头一个人在我膀子上一把抓着道:"哈哈,是甚么风把你吹来了!我计算着你总有两个月没来了。你是最用功的,看书又快,这一向买的是谁家的书,总没请过来?"说话时,又瞅着一个学徒的道:"你瞧你,怎么越闹越傻了(傻音近要字音,京师土谚,痴呆之意也)!老爷们来了,茶也忘了送了,烟也忘了装了。像你这么个傻大头,还学买卖吗!"他嘴里虽是这么说,其实那学徒早已捧着水烟筒,在那里伺候了。那个人把我让到客座里,自己用袖子拂拭了椅子,请我坐下,然后接过烟筒,亲自送上。此时已是另有一个学徒,泡上茶来了。那人便问道:"你近来看甚么书啊?今儿个要办甚么书呢?"

我未及回答,忽见一个人拿了一封信进来,递给那人。那人接在手里,拆开一看,信里面却有一张银票。那人把信放在桌上,把银票看了一看,绉眉道:"这是松江平,又要叫我们吃亏了。"说着,便叫学徒的,"把李大人那箱书拿出来,交他管家带去。"学徒捧了一个小小的皮箱过来，摆在桌上。那箱却不是书箱，像是个小文具箱样子，还有一把锁锁着。那送信的人便过来要拿。那人交代道："这锁是李大人亲手锁上的，钥匙在李大人自己身边，你就这么拿回去就得了。"那送信人拿了就走。这个当口，我顺眼看他桌上那张信，写的是"送上书价八十两，祈将购定之书，原箱交来人带回"云云。我暗想这个小小皮箱，装得了多大的一部书，却值得八十两银子！忍不住向那人问道："这箱子里是一部甚么书，却值得那么大价？"那人笑道："你也要办一份罢？这是礼部堂官李大人买的。"我道："到底是甚么书，你告诉了我，许我也买一部。"那人道："那箱子里共是三部：一部《品花宝鉴》，一部《肉蒲团》，一部《金瓶梅》。"我听了，不觉笑了一笑。那人道："我就知道这些书，你是不对的；你向来是少年老成，是人所共知的。咱们谈咱们的买卖罢。"我初进来时，本无意买书的，被他这一招呼应酬，倒又难为情起来，只得要了几种书来。拣定了，也写了地址，叫他送去取价。我又看见他书架上放了好些石印书，因问道："此刻石印书，京里也大行了？"那人道："行是行了，可是卖不出价钱。从前还好，这两年有一个姓王的，只管从上海贩了来，他也不管大众行市，他贩来的便宜，就透便宜的卖了，闹的我们都看不住本钱了。"我道："这姓王的可是号叫伯述？"那人道："正是。你认得他么？"我道："有点相熟。不知道他此刻可在京里？住在甚么地方？"那人道："这可不大清楚。"我就不问了。

别了出来，到各处再逛逛。心中暗想：这京城里做买卖的人，未免太油腔滑调了。我生平第一次进京，头一天出来闲逛，他却是甚么"许久不来"啊，"两个月没来"啊，拉拢得那么亲热，真是出人意外。想起我进京时，路过杨村打尖，那店家也是如此。我骑着驴走过他店门口，他便拦了出来，说甚么"久没见你出京啊，几时到卫里去的，你用的还是那匹老牲口"，说了一大套。当时我还以为他认错了人，据今日这情形看来，北路里做买卖的，都是这副伎俩了。正这么想着，走到一处十字街口，正要越走过去，忽然横边走出一头骆驼，我只得站定了，让他过去。谁知过了一头，又是一头，络绎不绝。并且那拴骆驼之法，和拴牛一般，穿了鼻子，拴上绳，却又把那一根绳，通到后面来，拴后面的一头。如此头头相连，一连连了二三十头。那身躯又长大，走路又慢，等他走完了，已是一大会的工夫，才得过去。

我初到此地，路是不认得的，不知不觉，走到了前门大街。老远的看见城楼高耸,气象雄壮,便顺脚走近去望望。在城边绕行一遍,只见瓮城凸出,开了三个城门,东西两个城门是开的,当中一个关着。这一门,是只有皇帝出来才开的,那一种严肃气象,想来总是很利害的了。我走近那城门洞一看,谁知里面瓦石垃圾之类,堆的把城门也看不见了。里面挤了一大群叫化子,也有坐的,也有睡的,也有捧着烧饼在那里吃的,也有支着几块砖当炉子,生着火煮东西的。我便缩住脚回头走。

走不多路,经过一家烧饼店,店前摆了一个摊,摊上面摆了几个不知隔了几天的旧烧饼。忽然来了一群化子,一拥上前,一人一个或两个,抢了便飞跑而去。店里一个人大骂出来,却不追赶,低头在摊台底下,又抓了几个出来摆上。我回眼看时,那新摆出来的烧饼,更是陈旧不堪,暗想这种烧饼,还有甚么人要买呢。想犹未了,就看见一个人丢了两个当十大钱在摊上,说道:"四十。"那店主人便在里面取出两个雪白新鲜的烧饼来交给他。我这才明白他放在外面的陈旧货,原是预备叫化子抢的。

顺着脚又走到一个胡同里,走了一半,忽见一个叫化子,一条腿肿得和腰一般粗大,并且烂的血液淋漓,当路躺着。迎头来了一辆车子,那胡同很窄,我连忙闪避在一旁,那化子却还躺着不动。那车子走到他跟前,车夫却把马缰收慢了,在他身边走过。那车轮离他的烂腿,真是一发之顷,幸喜不曾碰着。那车夫走过了之后,才扬声大骂,那化子也和他对骂。我看了很以为奇,可惜初到此处,不知他们捣些甚么鬼。又向前走去,忽然抬头看见一家山东会馆,暗想伯述是山东人,进去打听或者可以得个消息,想罢,便踱了进去。

正是:方从里巷观奇状,又向天涯访故人。未知寻得着伯述与否,且待下回再记。

第七十三回

书院课文不成师弟　家庭变起难为祖孙

当下我走到山东会馆里，向长班问讯。长班道："王伯述王老爷，前几天才来过。他不住在这里。他卖书，外头街上贴的萃文斋招纸，便是他的。好像也住在一家甚么会馆里，你到街上一瞧就知道了。"我听说便走了出来，找萃文斋的招贴，偏偏一时找不着。倒是沿路看见不少的"包打私胎"的招纸，还有许多不伦不类卖房药的招纸，到处乱贴，在这辇毂之下，真可谓目无法纪了。走了大半条胡同，总看不见萃文斋三个字。直走出胡同口，看见了一张，写的是"萃文斋洋版书籍"，旁边"寓某处"的字，却是被烂泥涂盖了的。再走了几步，又看见一张同前云云；旁边却多了一行小字，写着"等米下锅，赔本卖书"八个字。我暗想，这位先生未免太儿戏了。及至看那"寓某处"的地方，仍旧是用泥涂了的，我实在不解。在地下拾了一片木片，把那泥刮了下来，仔细去看，谁知里面的字，已经挖去的了。只得又走，在路旁又看见一张，这是完全的了，写着"寓半截胡同山会邑馆"。我便一路问信要到半截胡同，谁知走来走去，早已走回广升栈门口了，我便先回栈里。又谁知松竹斋、老二酉的伙计，把东西都送了来，等了半天了。客栈中饭早开过了。我掏出表来一看，原来已经一点半钟了。我便拿银子到柜上换了票子，开发了两家伙计去了。然后叫茶房补开饭来，胡乱吃了两口。又到柜上去问半截胡同，谁知这半截胡同就在广升栈的大斜对过，近得很的。

我便走到了山会邑馆，一直进去，果然看见一个房门首，贴了"萃文斋寓内"的条子。便走了进去，却不见伯述，只有一个斑白老翁在内。我便向他叩问。老翁道："伯述到琉璃厂去了，就回来的，请坐等一等罢。"我便请教姓名。那老翁姓应,号畅怀,是绍兴人。我就坐下同他谈天,顺便等伯述。等了一会,伯述来了,彼此相见,谈些别后的话。我说起街上招贴涂去了住址一节。伯述道:"这是他们书店的人干的。我的书卖得便宜,他又奈何我不得,所以出了这个下策。"我道:"怪不得呢,我在老二酉听姻伯的住处,他们只回说不知道。"伯述道:"这还好呢,有两回有人到琉璃厂打听我,他们简直的回说我已经死了,无非是妒忌我的意思。老二酉家,等一回就要来拿一百部《大题文府》,怎么不知我住处呢。"我又说起在街上找萃文斋招贴,看见好些"包打私胎"招纸的话。伯述道:"你初次来京,见了这个,自以为奇,其实希奇古怪的多得很呢。这京城里面,就靠了这个维持风化不少。"我不觉诧异道:"怎么这个倒可以维持风化起来?"伯述道:"在外省各处,常有听见生私孩子的事,惟有京城里出了这一种宝货,就永无此项新闻了,岂不是维持风化么。你还没有看见满街上贴的招纸,还有出卖妇科绝孕丹的呢,那更是弭患于无形的善法了。"说罢,呵呵大笑。又谈了些别话,即便辞了回栈。

连日料理各种正事,伯述有时也来谈谈。一连过了一个月,接到继之的信,叫我设法自立门面。我也想到长住在栈里,终非久计。但是我们所做的都是转运买卖,用不着热闹所在,也用不着大房子。便到外面各处去寻找房屋。在南横街找着了一家,里面是两个院子,东院那边已有人住了,西院还空着,我便赁定了,置备了些动用家伙,搬了进去,不免用起人来。又过了半个月,继之打发他的一个堂房侄子吴亮臣进京来帮我,并代我带了冬衣来。亮臣路过天津时,又把我寄存杏农处的行李带了来。此时又用了一个本京土人李在兹帮着料理各项,我倒觉得略为清闲了点。

且说东院里住的那一家人姓符,门口榜着"吏部符宅"。与我们虽是各院,然而同在一个大门出入,总算邻居的。我搬进来之后,便过去拜望,请教起台甫,知道他号叫弥轩,是个两榜出身,用了主事,签分吏部。往来过两遍,彼此便相熟了。我常常过去,弥轩也常常过来。这位弥轩先生,的真是一位道学先生,开口便讲仁义道德,闭口便讲孝弟忠信。他的一个儿子,名叫宣儿,只得五岁,弥轩便天天和他讲《朱子小学》。常和我说:"仁义道德,是立身之基础;倘不是从小熏陶他,等到年纪大了,就来不及了。"因此我甚是敬重他。有一天,我又到他那边去坐。两个谈天正在入彀的时候,外面来了一个白须老头子,穿了一件七破八补的棉袍,形状十分瑟缩,走了进来。弥轩望了他一眼,他就瑟瑟缩缩的出去了。我谈了一回天之后,便辞了回来,另办正事。

　　过了三四天,我恰好在家没事,忽然一个人闯了进来,向我深深一揖,我不觉愕然。定睛一看,原来正是前几天在弥轩家里看见的老头子。我便起身还礼。那老头子战战兢兢地说道:"忝在邻居,恕我荒唐,有残饭赐我一碗半碗充饥。"我更觉愕然道:"你住在哪里?我几时和你邻居过来?"那老头子道:"弥轩是我小孙,彼此岂不是有个邻居之谊。"我不觉吃了一惊道:"如此说是太老伯了!请坐,请坐。"老头子道:"不敢,不敢!我老朽走到这边,也是无可奈何的事,只求有吃残的饭,赐点充饥,就很感激了。"我听说忙叫厨子炒了两碗饭来给他吃。他忙忙的吃完了,连说几声"多谢",便匆匆的去了。我要留他再坐坐谈谈,他道:"恐怕小孙要过来不便。"说着,便去了。我遇了这件事,一肚子狐疑,无处可问,便走出了大门,顺着脚步儿走去,走到山会邑馆,见了王伯述,随意谈天,慢慢的便谈到今天那老头子的事。伯述道:"弥轩那东西还是那样吗,真是岂有此理!这是认真要我们设法告他的了。"我道:"到底是甚么样一桩事呢?符弥轩虽未补缺,到底是个京官,何至于把乃祖弄到这个样子,我倒一定要问个清楚。"

　　伯述道:"他是我们历城(山东历城县也)同乡。我本来住在历城会馆。就因为上半年,同乡京官在会馆议他的罪状,起了底稿给他看过,要他当众与祖父叩头伏罪。又当众写下了孝养无亏的切结,说明倘使仍是不孝,同乡官便要告他。当日议事时,我也在会馆里,同乡中因为我从前当过几天京官,便要我也署上一个名。我因为从前虽做过官,此刻已经商多年了,官不官,商不商,便不愿放个名字上去。好得畅怀先生和我同在一起,他是绍兴人,我就跟他搬到此地来避了。论起他的家世,我是知的最详。那老头子本来是个火居道士,除了代别人唪经之外,还鬼鬼祟祟的会代人家画符治病,偶然也有治好的时候,因此人家给他一个外号,叫做'符最灵'。这个名气传了开去,求他治病的人更多了,居然被他积下了几百吊钱。生下一个儿子,却是很没出息的,长大了,游手好闲,终日不务正业。老头儿代他娶了一房媳妇,要想仗媳妇来管束儿子。谁知非但管束不来,小夫妻两个反时时向老头儿吵闹,说老人家是个守财虏,守着了几百吊钱,不知道拿出来给儿子做买卖,好歹也多挣几文,反要怪做儿子的不务正业,你叫我从哪个上头做起!吵得老头儿没了法了,便拿几百吊钱出来,给儿子做小买卖,不多几天,亏折个罄尽。他不怪自己不会打算,倒怪说本钱太少了,所以不能赚钱。老头儿没奈何,只得又拿些出来,不多几天,也是没了。如此一拿动了头,以后便无了无休了,足足把他半辈子积攒下来的几吊钱,化了个一干二净。真是俗语说的是个讨债儿子,把他老子的钱弄干净了,便得了个病,那时候'符最灵'变了'符不灵'了,医治无效,就此呜呼了。且喜代他生下一个孙子,就是现在那个宝货符弥轩了。他儿子死了不上一个月,他的媳妇就带着小孩子去嫁了。这一嫁嫁了个江西客人,等老头子知道了时,那江西客人已经带着那婆娘回籍去了。老头儿急得要死,到历城县衙门去告,上下打点,不知费了多少手脚,才得历城县向江西移提了回来,把这个宝货孙子断还了他。那时这宝货只有三岁,亏他祖父符最灵百般抚养,方得长大,到了十二三岁时,实在家里穷得不能过了,老头子便把他送到一家乡绅人家去做书僮。谁知他却生就一副聪明,人家请了先生教子弟读书,他在旁边听了,便都记得。到了背书时,那些子弟有背不下去的,他便在旁边偷着提他。被那教读先生知道了,夸奖他聪明,便和东家说了,不叫他做事,只叫他在书房伴读。一连七八年,居然被他完了篇。那一年跟随他小主人入京乡试,他小主人下了第,正没好气。他却自以为本事大的了不得,便出言无状起来。小主人骂了他,他又反唇相讥。他小主人怒极了,把他撵走了,从此他便流落在京。幸喜写的一笔好字,并且善变字体,无论颜、柳、欧、苏,都能略得神似。别人写的字,被他看一遍,他摹仿起来,总有几分意思。因此就在琉璃厂卖字。倒也亏他,混了三年,便捐了个监生下乡场,谁知一出就中了。次年会试连捷,用了主事,签分了吏部。那时还是住在历城会馆里。可巧次年是个恩科,他的一个乡试座主,又放了江南主考,爱他的才,把他带了去帮阅卷。他便向部里请了个假,跟着到了江南。从中不知怎样鬼混,卖关节舞弊,弄了几个钱。等主考回京复命时,他便逗留在上海,滥嫖了几个月,娶了一个烟花中人,带了回山东,骗人说是在苏州娶来的,便把她作了正室,在家乡立起门户。他那位令祖看见孙子成了名,自是欢喜。谁知他把一个祖父看得同赘瘤一般,只是碍着邻里,不敢公然暴虐。在家乡住了一年,包揽词讼,出入衙门,无所不为。历城县请他做历城书院的山长,他那旧日的小主人，偏是在书院肄业，他便摆出山长的面目来，那小主人也无可如何。

"有一回，书院里官课，历城县亲自到院命题考试。内中有一个肄业生，是山东的富户，向来与山长有点瓜葛的，私下的孝敬，只怕也不少。只苦于没有本事，作出文字来，总不如人；屡次要想取在前列，以骄同学，私下的和山长商量过好几次。弥轩便和他商定，如取在第一，酬谢若干。取在五名前，酬谢若干。十名前又酬谢若干，商定之后，每月师课时，也勉强取了两回在十名之内，得过些酬谢；要想再取高些，又怕诸生不服。恰好这回遇了官课，照例当堂缴卷之后，汇送到衙门里，凭官评定甲乙的。那弥轩真是利令智昏，等官出了题目之后，他却偷了个空，惨淡经营，作了一篇文字，暗暗使人传递与那肄业生。那肄业生却也荒唐，得了这稿子，便照誊在卷上，誊好了，便把那稿子摔了。却被别人拾得，看见字迹是山长写的，便觉得奇怪，私下与两个同学议论，彼此传观。及至出了案，特等第一名的文章，贴出堂来，是和拾来的稿子一字不易。于是合院肄业生、童大哗起来，齐集了一众同学，公议办法。那弥轩自恃是个山长，众人奈何他不得，并不理会，也并未知道自己笔迹落在他人手里。那肄业生却是向来'恃财傲物'的，任凭他人纷纷议论，他只给他一概不知。众人议定了，联合了合院肄业生、童，具禀到历城县去告。历城县受了山长及那富户的关节，便捺住这件公事，并不批出来。众人只得又催禀。他没法，只得批了。那批的当中只说：'官课之日，本县在场监考，当堂收卷，从何作弊？诸生、童等工夫不及他人，因羡生妒，屡次冒渎多事，特饬不准'云云。批了出来，各生、童又大哗，又联名到学院里去告；又把拾来的底稿，粘在禀帖上，附呈上去。学院见了大怒，便传了历城县去，把那禀及底稿给他去看，叫他彻底根究。谁知历城县仍是含糊禀复上去。学院恼了，传了弥轩去，当堂核对笔迹，对明白了，把他当面痛痛的申饬一番，下了个札给历城县，勒令即刻将弥轩驱逐出院，又把那肄业生衣顶革了。

"弥轩从此便无面目再住家乡，便带了那上海讨来的婊子，撇下了祖父，一直来到京城，仍旧扯着他几个座师的旗号，在那里去卖风云雷雨。有一回，博山（山东县名，出玻璃料器甚佳）运了一单料货到烟台，要在烟台出口装到上海，不知是漏税或是以多报少，被关上扣住要充公。那运货的人与弥轩有点瓜葛，打了个电报给他，求他设法。他便出了他会试座主的衔名，打了一个电报给登莱青道，叫把这一单货放行。登莱青道见是京师大老的电报，便把他放了。事后才想起这位大老是湖南人，何以干预到山东公事，并且自己与他向无往来，未免有点疑心。过了十多天，又不见另有墨信寄到，便写了一封信，只说某日接到电报如何云云，已遵命放行了。他这座主接到这封信，十分诧异，连忙着人到电报局查问这个电报是哪个发的，却查不出来。把那电报底稿吊了去，核对笔迹，自己亲信的几个官亲子侄，又都不是的。便打发几个人出来，明查暗访，哪里查得出来！

"却得一个少爷，是个极精细的人，把门房里的号簿吊了进来，逐个人名抄下，自己却一个个的亲自去拜访，拜访过了之后，便是求书求画，居然叫他把笔迹对了出来。他却又并不声张，拿了那张电底去访弥轩，出其不意，突然拿出来给他看。他忽然看见了这东西，不觉变了颜色，左支右吾了一会。却被那位少爷查出了，便回去告诉了老子，把他叫了来，痛乎其骂了一顿，然后撵走了，交代门房，以后永不准他进门。他坏过这一回事之后，便黑了一点下来。他那位令祖，因为他虽然衣锦还乡，却不曾置得丝毫产业，在家乡如何过得活。便凑了盘川，寻到京里来，谁知这位令孙却是拒而不纳。老人家便住到历城会馆里去。那时候恰好我在会馆里，那位老人家差不多顿顿在我那里吃饭，我倒代他养了几个月的祖父。后来同乡官知道这件事，便把弥轩叫到会馆里来，大众责备了他一番，要他对祖父叩头认罪，接回宅子去奉养，以为他总不敢放恣的了，却不料他还是如此。"伯述正在汩汩而谈，谁知那符最灵已经走了进来。

正是：暂停闲议论，且听个中言。未知符最灵进来有何话说，且待下回再记。

第七十四回

符弥轩逆伦几酿案　车文琴设谜赏春灯

当下符最灵走了进来，伯述便起身让坐。符最灵看见我在座，便道："原来阁下也在这里。早上我荒唐得很，实在饿急了，才蒙上一层老脸皮。"我道："彼此邻居，这点小事，有甚么要紧！"伯述接口道："怎么你那位令孙，还是那般不孝么？"符最灵道："这是我自己造的孽，老不死，活在世界上受这种罪！我也不怪他，总是我前一辈子做错了事，今生今世受这种报应！"伯述道："自从上半年他接了你回去之后，到底怎样对付你？我们虽见过两回，却不曾谈到这一层。"符最灵道："初时也还没有甚么，每天吃三顿，都是另外开给我吃的。"伯述道："不同在一起吃么？你的饭开在甚么地方吃？"符最灵道："因为我同孙媳妇一桌吃不便当，所以另外开的。"伯述道："到底把你放在甚么地方吃饭？"符最灵嗫嚅着道："在厨房后面的一间柴房里。"伯述道："睡呢？"符最灵道："也睡在那里。"伯述把桌子一拍道："这还了得！你为甚么不出来惊动同乡去告他？"符最灵道："阿弥陀佛！如此一来，岂不是送断了他的前程。况且我也犯不着再结来生的冤仇了。"伯述叹了一口气道："近来怎样呢？"符最灵又喘着气道："近来一个多月，不是吃小米粥（小米，南人谓之粟，无食之者，惟以饲鸟。北方贫人，取以作粥），便是棒子馒头（棒子，南人谓之珍珠米。北人或磨之成屑，调蒸作馒头，色黄如蜡，而粗如砂，极不适口，谓之棒子馒头，亦贫民之粮也），吃的我胃口都没了，没奈何对那厨子说，请他开一顿大米饭（南人所食之米，北方土谚谓之大米，盖所以别于小米也），也不求甚么，只求他弄点咸菜给我过饭便了。谁知我这句话说了出去，一连两天也没开饭给我吃。我饿极了，自己到灶上看时，却已是收拾的干干净净，求一口米泔水都没了。今天早起，实在捱不过了，只得老着脸向邻居求乞。"

伯述道："闹到如此田地，你又不肯告他。我劝你也不必在这里受罪了，不如早点回家乡去罢。"符最灵道："我何尝不想。一则呢，还想看他补个缺；二则我自己年纪大了，嗬经画符都干不来了，就是干得来，也怕失了他的体面。家里又不曾挣了一丝半丝产业，叫我回去靠甚么为生。有这两层难处，所以我捱在这里，不然啊，我早就拔碇了(拔碇，山东济南土谚，言舍此他适也)。"伯述道："我本来怕理这等事，也懒得理。此刻看见这等情形，我也耐不住了。明日我便出一个知单，知会同乡，收拾他一收拾。"符最灵慌忙道："快不要如此！求你饶了我的残命罢！要是那么一办，我这几根老骨头就活不成了！"伯述道："这又奇了！我们同乡出面，无非责成他孝养祖父的意思，又何至关到你的性命呢？"符最灵道："各同乡虽是好意，就怕他不肯听劝，不免同乡要恼了。倘使当真告他一告，做官的不知道我的下情，万一把他的功名干掉了，叫我还靠谁呢？"伯述冷笑道："你此刻是靠的他么！也罢，我们就不管这个闲事，以后你也不必出来诉苦了。"符最灵被伯述几句话一抢白，也觉得没意思，便搭讪着走了。应畅怀连忙叫用人来，把符最灵坐过的椅垫子拿出去收拾过，细看有虱子没有。他坐过的椅子，也叫拿出去洗。又叫把他吃过茶的茶碗也拿去了，不要了，最好摔了他。你们舍不得，便把他拿到旁处去，不要放在家里。伯述见他那种举动，不觉愣住了，问是何故。畅怀道："你们两位都是近视眼，看他不见。可知他身上的虱子，一齐都爬到衣服外头来了，身上的还不算，他那一把白胡子上，就爬了七八个，你说腻人不腻人！"伯述哈哈一笑，对我道："我是大近视，看不见，你怎么也看不见起来？"我道："我的近视也不浅了。这东西，倒是眼不见算干净的好。"正说话时，外面用人嚷起来，说是在椅垫子上找出了两个虱子。畅怀道："是不是。倘使我也近视了，这两个虱子不定往谁身上跑呢。"大家说笑一阵，我便辞了回去。

刚到家未久，弥轩便走了过来，彼此相见熟了，两句寒暄话之外，别无客气。谈话中间，我说起彼此邻居月余，向不知道祖老大人在侍，未曾叩见，甚为抱歉。弥轩道："不敢，不敢！家祖年纪过大，厌见生人，懒于酬应，虽迎养在京寓，却向不见客的。"我道："年纪大的人，懒于应酬，也是人情之常；只是老人家久郁在家里，未免太闷，不知可常出来逛逛?"弥轩道:"说起来我们做晚辈的很难!寒家本是几代寒士,家训相承,都是淡泊自守。只有到了兄弟,侥幸通籍,出来当差。处于这应酬纷繁之地,势难仍是寒儒本色,不免要随俗附和,穿两件干净点的衣服,就是家常日用,也不便过于俭啬。这一点下情,想来当世君子,总可以原谅我的。然而家祖却还是淡泊自甘。兄弟的举动支消,较之于同寅中,已是省之又省的了。据家祖的意思,还以为太费。平日轻易不肯茹荤,偶见家人辈吃肉,便是一场教训。就是衣服一层,平素总不肯穿一件绸衣,兄弟做了上去请老人家穿,老人家非但不穿,反惹了一场大骂,说是'暴殄天物,我又不应酬,不见客,要这个何用'。这不是叫做小辈的难过么。兄弟襁褓时,先严、慈便相继弃养,亏得祖父抚养成人,以有今日,这昊天罔极之恩,无从补报万一,思之真是令人愧恨欲死!"我听了他这一席话,不住的在肚子里干笑,只索由他自言自语,并不答他。等他讲完了这一番孝子顺孙话之后,才拉些别的话和他谈谈,不久他自去了。

到了晚上,各人都已安歇,我在枕上隐隐听得一阵喧嚷的声音,出在东院里。侧耳细听,却听不出是嚷些甚么,大约是隔得太远之故。嚷了一阵,又静了一阵;静了一阵,又嚷一阵。虽是听不出所说的话来,却只觉得耳根不得清净,睡不安稳。到得半夜时,忽听得一阵匍匐之声,甚是利害。接着又是一阵乱嚷乱骂之声,过了半响,方才寂然。我起先听得匍匐之声之时,便披衣坐起,侧耳细听。听到没有声息之后,我的睡魔早已过了,便睡不着,直等到自鸣钟报了三点之后,方才朦胧睡去。

等到一觉醒来,已是九点多钟了,连忙起来,穿好衣服,走出客堂。只见吴亮臣、李在兹和两个学徒、一个厨子、两个打杂,围在一起,窃窃私语。我忙问是甚么事。亮臣早已看见我出来,便叫他们舀洗脸水,一面回我说没甚么事。我一面要了水漱口,接着洗过脸,再问亮臣、在兹:"你们议论些甚么?"亮臣正要开言,在兹道:"叫王三说罢,省了我们费嘴。"打杂王三便道:"是东院符老爷家的事。昨天晚上半夜里,我起来解手,听见东院里有人吵嘴,我要想去听听是甚么事。走到那边,谁想他们院门是关上的,不便叫门,已经想回来睡觉了。忽然又想到咱们后院是通的,就摸到后院里,在他们那堂屋的后窗底下偷听。原来是符老爷和符太太两个在那里骂人,也不知他骂的是谁,听了半天,只听不出。后来轻轻的用舌尖把纸窗舐破了一点，往里面偷看，原来符老爷和符太太对坐在上面，那一个到我们家里讨饭的老头儿坐在下面，两口子正骂那老头子呢。那老头子低着头哭，只不做声。那符太太骂得最出奇，说道：'一个人活到五六十岁，就应该死的了，从来没见过八十多岁人还活着的！'符老爷道：'活着倒也罢了，无论是粥是饭，有得吃吃点，安分守己也罢了；今天嫌粥了，明天嫌饭了！你可知道要吃好的，喝好的，穿好的，是要自己本事挣来的呢。'那老头子道："可怜我并不求好吃好喝，只求一点儿咸菜罢了。'符老爷听了，便直跳起来说道：'今日要咸菜，明日便要咸肉，后日便要鸡鹅鱼鸭；再过些时，便燕窝鱼翅都要起来了！我是个没补缺的穷官儿，供应不起！'说到那里，拍桌子打板凳的大骂。骂了一回，又是一回，说的是他们山东土话，说得又快，全都是听不出来。骂到热闹头上，符太太也插上了嘴，骂到快时，却又说的是苏州话，只听得'老蔬菜'（吴人詈老人之词）、'杀千刀'两句是懂的，其余一概不懂。骂殼了一回，老妈子开上酒菜来，摆在当中一张独脚圆桌上，符老爷两口子对坐着喝酒，却是有说有笑的。那老头子坐在底下，只管抽抽咽咽的哭。符老爷喝两杯，骂两句。符太太只管拿骨头来逗着叭儿狗玩。那老头子哭丧着脸，不知说了一句甚么话，符老爷登时大发雷霆起来，把那独脚桌子一掀，匍匐一声，桌上的东西翻了个满地，大声喝道：'你便吃去！'那老头子也太不要脸，认真就爬在地下拾来吃。符老爷忽的站了起来，提起坐的凳子对准了那老头子摔去，幸亏旁边站着的老妈子抢着过来接了一接，虽然接不住，却挡去势子不少，那凳子虽还摔在那老头子的头上，却只摔破了一点头皮。倘不是那一挡，只怕脑子也磕出来了！"我听了这一番话，不觉吓了一身大汗，默默自己打主意。

到了吃饭时，我便叫李在兹赶紧去找房子，我们要搬家了。在兹道："大腊月里，往来的信正多，为甚忽然要搬家起来？"我道："你且不要问这些，赶着找房子罢。只要找着了空房子，合式的自然合式，不合式的也要合式，我是马上就要搬的。"在兹道："那么说，绳匠胡同就有一处房子，比这边还多两间；也是两个院子，北院里住着人，南院子本来住的是我的朋友，前几天才搬走了，现在还空着。"我道："那么你吃过饭赶紧去看，马上下定，马上今天就搬。"在兹道："何必这样性急呢。大腊月里天气短，怕来不及。"我道："怕来不及，多雇两辆大敞车（敞之为言露天也，敞车无顶篷，所以载运货物者），一会儿就搬走了。"在兹答应着,饭后果然便去找房东下定,又赶着回来招呼搬东西。赶东西搬完了,新屋子还没拾掇清楚,那天气已经断黑了,便招呼先吃晚饭。

晚饭中间,我问起李在兹:"你知道今天王三说的,被符弥轩用凳子摔破头的那老头子,是弥轩的甚么人?"在兹道:"虽是两个月邻居下来,却还不得底细,一向只知道是他的一个穷亲戚。"我道:"比亲戚近点呢?"在兹道:"难道是自家人?"我道:"还要近点。"在兹道:"到底是甚么人?"我道:"是他嫡亲的祖父呢!"在兹吐舌道:"这还了得!"我道:"非但是嫡亲的祖父,并且他老子先死了,他还是一个承重孙呢。你想今天听了王三的话,怕人不怕人? 万一弄出了逆伦重案,照例左右邻居,前后街坊,都要波及的,我们好好的作买卖,何苦陪着他见官司,所以赶着搬走了。此刻只望他昨天晚上的伤不是致命的,我们就没事。万一因伤致命,只怕还要传旧邻问话呢。"当下我说明白了,众人才知道我搬家的意思。一连几日,收拾停妥了,又要预备过年。

这边北院里同居住的,也是个京官,姓车,号文琴,是刑部里的一个实缺主事,却忘了他在哪一司了。为人甚是风流倜傥。我搬进来之后,便过去拜望他。打听得他宅子里只有一位老太太,还有一个小孩子,已经十岁,断了弦七八年,还不曾续娶。我过去拜望过他之后,他也来回拜。走了几天,又走熟了。

光阴迅速,残冬过尽,早又新年。新年这几天,无论官商士庶,都是不办正事的。我也无非是看看朋友,拜个新年,胡乱过了十多天。

这天正是元宵佳节,我到伯述处坐了一天,在他那里吃过晚饭,方才回家。因为月色甚好,六街三市,甚是热闹,便和伯述一同出来,到各处逛逛,绕着道儿走回去。回到家时,只见门口围了一大堆人。抬头一看,门口挂了一个大灯,灯上糊了好些纸条儿,写了好些字,原来是车文琴在那里出灯迷呢。我和伯述都带上了眼镜来看。只见一个个纸条儿排列得十分齐整,写的是:

一　吊者大悦 ……………………………………《论语》一句
二　斗 ……………………………………………　药名一
三　四 ……………………………………………《论语》一句
四　子不子 ………………………………………《孟子》一句
五　硬派老二做老大 ……………………………《孟子》一句
六　不可夺志 ……………………………………《孟子》一句

七　　飓 ⋯⋯⋯⋯⋯⋯⋯⋯⋯⋯⋯⋯《书经》一句
八　　徐稚下榻 ⋯⋯⋯⋯⋯⋯⋯⋯⋯⋯⋯⋯县名一
九　　焚林 ⋯⋯⋯⋯⋯⋯⋯⋯⋯⋯⋯⋯⋯⋯字一
十　　老太太 ⋯⋯⋯⋯⋯⋯⋯⋯⋯⋯⋯⋯⋯字一
十一　杨玉环嫁王约 ⋯⋯⋯⋯⋯⋯⋯⋯⋯⋯县名一
十二　地府国丧 ⋯⋯⋯⋯⋯⋯⋯⋯⋯⋯⋯《聊》目一
十三　霹雳 ⋯⋯⋯⋯⋯⋯⋯⋯⋯⋯⋯《西游》地名一
十四　开门见山 ⋯⋯⋯⋯⋯⋯⋯⋯⋯⋯《水浒》浑一
十五　一角屏山 ⋯⋯⋯⋯⋯⋯⋯⋯⋯⋯《水浒》浑一
十六　刂 ⋯⋯⋯⋯⋯⋯⋯⋯⋯⋯⋯⋯⋯常语一句
十七　广东地面 ⋯⋯⋯⋯⋯⋯⋯⋯⋯⋯《孟子》一句
十八　官 ⋯⋯⋯⋯⋯⋯⋯⋯⋯⋯⋯⋯《易经》一句
十九　监照 ⋯⋯⋯⋯⋯⋯⋯⋯⋯⋯⋯《孟子》一句
二十　凤鸣岐山 ⋯⋯⋯⋯⋯⋯⋯⋯⋯⋯《红楼》人一

看到这里，伯述道："我已经射着好几条了，请问了主人，再看底下罢。"说话时，人丛里早有一个人，跐着脚，伸着脖子望过来。看见伯述和我说话，便道："原来□老爷来了(第一回楔子，叙明此书为九死一生之笔记，此九死一生始终以一'我'字代之，不露姓名，故此处称姓之处，仍以□代之)。自己一家人，屋里请坐罢。咱们老爷还在家里做谜儿呢。"原来是车文琴的家人在那里招呼。我便约了伯述，回到文琴那边去。才进了大门，只见当中又挂了一个灯，上面的全是《西厢》谜儿：

二十一　一杯闷酒尊前过
二十二　天兵天将捉嫦娥
二十三　望梅止渴
二十四　相片
二十五　破镜重圆
二十六　哑巴看戏
二十七　北岳恒山 ⋯⋯⋯⋯⋯⋯⋯⋯⋯⋯⋯⋯三句
二十八　走马灯人物
二十九　藏尸术
三十　　谜面太晦
三十一　亏本潜逃

三十二　新诗成就费推敲 ……………………………… 白一字
三十三　强盗宴客
三十四　打不着的灯谜

　　我两人正看到这里，忽然车文琴从里面走了出来，一把拉着我手臂道："请教，请教。"我连说："不敢，不敢。"于是相让入内。

　　正是：门前榜出雕虫技，座上邀来射虎人。未知所列各条灯谜，均能射中否，且待下回再记。

第七十五回

巧遮饰赀见运机心　先预防嫖界开新面

当下我和伯述两个跟了文琴进去，只见堂屋当中还有一个灯，文琴却让我们到旁边花厅里去坐。花厅里先有了十多个客，也有帮着在那里发给彩物的，也有商量配搭赠品的，也有在那里苦思做谜的。彼此略略招呼，都来不及请教贵姓台甫。文琴一面招呼坐下，便有一个家人拿了三张条子进来，问猜的是不是。原来文琴这回灯谜比众不同，在门外谜灯底下，设了桌椅笔砚，凡是射的，都把谜面条子撕下，把所射的写在上面，由家人拿进来看。是射中的，即由家人带赠彩出去致送；射错的，重新写过谜面粘出去。

那家人拿进来的三条，我看时，射的是第二条"百合"；第九条"樵"字，第二十条"周瑞"。文琴说对的，那家人便照配了彩物，拿了出去。伯述道："我还记得那外面第一条可是'临丧不哀'？第五条可是'吾必以仲子为巨擘焉'？第十七条可是'五羊之皮'？"文琴拍手道："对，对！非但打得好，记性更好！只看了一看，便连粘的次第都记得了，佩服，佩服！"说罢，便叫把那几条收了进来，另外换新的出去，一面取彩物送与伯述。家人出去收了伯述射的三条，又带了四条进来。我看时，是第三条射"非其罪也"，第四条射"当是时也"，第十九条射"以粟易之"，第六条射"此匹夫之勇"。我道："作也作得好，射也射得好。并且这个人四书很熟，是《孟子》、《论语》的，只怕全给他射去了。"文琴给了赠彩出去。我道："第十一条只怕我射着了，可是'合肥'？"文琴拍手道："我以为这条没有人射着的了，谁记得这么一个痴肥王约！"我道："这个应该要作卷帘格更好。"文琴想了一想，大笑道："好，好！好个肥合！原来阁下是个老行家。"我道："不过偶然碰着了，何足为奇。不知第二十一条可是'未饮心先醉'？"文琴道："正是，正是。"我道："这一条以《西厢》打《西厢》，是天然佳作。"文琴忙叫取了那两条进来，换过新的出去，一面又送彩给我。伯述道："两个县名，你射了一个难的去，我射一个容易的罢：第八条可是'陈留'？"我道："姻伯射了第八条，我来射第十六条，大约是'小心'。"文琴道："敏捷得很！这第十六条是很泛的，真了不得！"又是一面换新的，一面送彩过来，不必多赘。

文琴检点了，回道："《西厢》谜只射了一个。"我道："我恰好想了几个，不知对不对。第三十一可是'撇下赔钱货'？三十二可是'反吟伏吟'？三十三可是'这席面真乃乌合'？三十四可是'只许心儿空想'？"文琴惊道："阁下真是老行家！堂屋里还有几条，一并请教罢。"说着，引了我和伯述到当中堂屋里去看，只见先有几个人在那里抓耳挠腮的想。抬眼看时，只见：

三十五	兴 …………………………	《孟子》一、《论语》一
三十六	馈 …………………………	《论语》一、《孟子》一
三十七	正 …………………………	《论语》一、《中庸》一
三十八	谏迎佛骨 …………………	《论语》一、《孟子》一
三十九	尸解 ………………………	《孟子》二句，不连
四十	（此一点乃朱笔所点）…………	《孟子》一、《论语》一

我们正要再看，忽听得花厅上哄堂大笑。连忙走过去问笑甚么。原来第十八条谜面的"宫"字，有人射着了"乾道乃革"一句，因此大众哄堂。伯述道："我射一条虽不必哄堂，却也甚可笑的，那第二十六条定是'眼花撩乱口难言'。"众人想一想谜面，都不觉笑起来。我道："请教那第四十条一点儿红的，《孟子》可是'观其色'？《论语》可是'赤也为之小'？"伯述不等文琴开口，便拍手道："这个射得好！我也来一个：第三十八可是'故退之'，'不得于君'？"文琴摇头道："你两位都是健将！"正说话时，堂屋里走出一个人，拿了第三十五条问道："《孟子》可是'可以与'？《论语》可是'可以兴'？"文琴连忙应道："是，是，是。"即叫人分送了彩，又换粘上新的。伯述道："这一条别具一格。我们射的太多了，看看旁人射的罢。"于是又在花厅上检看射进来的。只见第七条射了"四方风动"，十四条射了"没遮拦"，十五条射了"小遮拦"，十三条射了"大雷音"。

　　我看见第三十七条底下注明赠彩是时表一枚，一心要得他这时表来玩玩，因此潜心去想。想了一大会，方才想了出来，因问文琴道："三十七条可是'天之未丧斯文也'，'则其政举'？"文琴连忙在衣袋里掏出一个时表，双手送与我道："承教，承教！这一条又晦又泛，真亏你射！"我接过谦谢了，拿起来一看，却是上海三井洋行三块洋钱一个的，虽不十分贵重，然而在灯谜赠彩中，也算得独竖一帜的厚彩了。伯述看见了道："你不要瞧他是三块钱的东西，我却在他身上赚过钱的了。这东西买他一个要三块钱，要是买一打，可以打九折；买十打，可以打八折；买五十打，可以打到七五折。我前年买了五十打，回济南走了一趟，后来又由济南到河南去，从河南再来京，我贩的五十打表，一个也没有卖去。沿路上见了当铺，我便拿一个去当，当四两银子一个的也有，当五两一个的时候也有，一路当到此地，六百个表全当完了，碰巧那当铺还可以卖几百文。我仔细算了一算，赚的利钱比本钱还重点呢。"说笑了一回，又看别人射了几个，夜色已深，各自散去。

　　过了几天，各行生意都开市了，我便到向有往来的一家钱铺子里去，商量一件事。到得那里，说是掌柜的有事，且请坐一坐。原来那掌柜的姓恽，号洞仙，我自从入京之后，便认得了他，一向极熟的。每来了，总是到他办事房里去坐。这一回我来了，铺里的人却让我坐到客堂里，说办事房里另外有客，请在这里等一等。我只得就在客堂里坐下。

　　等了一大会，才见恽洞仙笑吟吟的送一个客出来，一直送到大门口，上了车，方才回转来，对我拱手道："有劳久候了，屈驾得很！请屋里坐罢。"于是同到他办事房里去，重新让坐送茶。洞仙道："兄弟今年承周中堂委了一个差使，事情忙点，一向都少候；你是大量的，想来也不怪我懒。"我道："好说，好说！得了中堂的差使，一定是恭喜的。"洞仙道："不过多点穷忙的事罢了。但得有事办，就忙点也是值得的。"说时，手指着桌上道："你瞧，这就是方才那个客送我们老中堂的赞见，特诚来烦兄弟代送的，说不得也要给他当差。"我看那桌上时，摆着两个柴檀木匣子。我走过去揭开盖子一看，一匣子是平排列着五十枝笔，一匣子是平列着十锭墨，都是包了金的。我暗想虽是送中堂之品，却未免太讲究了。墨上包金，还有得好说；这笔杆子是竹子做的，怎么都包上金呢，用两天不要都掉了下来么。一面想着，顺手拿起一枝笔来看，谁知拿到手里，沉甸甸的重的了不得，不觉十分惊

奇。拔去笔套一看，却又是没有笔头的，更觉奇怪。洞仙在旁呵呵大
笑道："我要说一句放恣的话，这东西你只怕是头一回瞧见呢！"我道：
"为甚么那么重？难道是整根是金子的么？"洞仙道："可不是！你瞧
那墨么？"我伸手取那墨时，谁知用力少点，也拿他不动，想来自然也
是金子了。便略为看了一看，仍旧放下道："这一份礼很不轻。"洞仙
道："也不很重。那笔是连笔帽儿四两一枝（京师人呼笔套为帽），这
墨是二十两一锭，统共是四百两。"我道："这又何必。有万把两银子
的礼，不会打了票子送去，又轻便，在受礼的人，有了银子，要甚么可
以置办甚么。何必多费工钱做这些假笔墨呢，送进去，就是受下他
来，也是没用的。"洞仙呵呵大笑道："我看天底下就是你最阔，连金子
都说是没用的。"我道："谁说金子没用，我说拿金子做成假笔墨，是没
用的罢了。"洞仙道："那么你又傻了。他用的是金子，并不用假笔墨。
我也知道打了票子进去最轻便的，怎奈大人先生不愿意担这个名色，
所以才想方做成这东西送去。人家看见，送的是笔墨，很雅的东西，
就是受了也取不伤廉。"

　　我道："这是一份贽礼，却送得那么重！"洞仙道："凡有所为而送
的，无所谓轻重，也和咱们做卖买一般，一分行情一分货。你还没知
道，去年里头大叔生日，闽浙萧制军送的礼，还要别致呢，是三尺来高
的一对牡丹花。白玉的花盆，珊瑚碎的泥，且不必说；用了一对白珊
瑚作树，配的是玛瑙片穿出来的花，葱绿翡翠作的叶子，都不算数；这
两颗花，统共是十二朵，那花心儿却是用金丝镶了金钢钻做的，有人
估过价，这一对花要抵得九万银子。送过这份礼之后，不上半年，那
位制军便调了两广总督的缺。最苦是闽浙，最好是两广，你想这份礼
送得着罢。"我道："这一份笔墨，又是哪一省总督的呢？"洞仙道："不
配，不配！早得很呢！然而近来世界，只要肯应酬，从府道爬到督抚，
也用不着几年工夫。你也弄个功名出来干罢！"我笑道："好，好！赶
明天我捐一个府道，再来托你送笔墨。"说着，大家都笑了。我便和他
说了正事，办妥了，然后回去。

　　回到家时，恰好遇见车文琴从衙门里回来，手里拿了一个大纸
包。我便让他到我这边坐。他便同我进来，随意谈天。我便说起方
才送金笔墨的话。文琴忙问道："经手的是甚么人？"我道："是一个钱
铺的掌柜，叫做恽洞仙。"文琴道："这等人倒不可不结识结识。"我笑
道："你也想送礼么？"文琴道："我们穷京官不配。然而结识了他，万

一有甚么人到京里来走路子,和他拉个皮条,也是好的。"

　　说话时,桌上翻了茶碗,把他那纸包弄湿了,透了许久,方才觉着。连忙打开,把里面一张一张的皮纸抖了开来,原来全是些官照,也有从九的,也有未入流的,也有巡检的,也有典史的,也有把总的。我不觉诧异道:"哪里弄了这许多官照来?"文琴笑道:"你可要? 我可以奉送一张。"我道:"这都填了姓名、三代的,我要他作甚么。"文琴道:"这个不过是个玩意儿罢了,顶真那姓名做甚么。"我道:"奇极了!官照怎么拿来做玩意儿? 这又有什么玩头呢"文琴道:"你原来不知道,这个虽是官照,却又是嫖妓的护符。这京城里面,逛相公是冠冕堂皇的,甚么王公、贝子、贝勒,都是明目张胆的,不算犯法;惟有妓禁极严,也极易闹事,都老爷查的也最紧。逛窑姐儿的人,倘给都老爷查着了,他不问三七二十一,当街就打;若是个官,就可以免打;但是犯了这件事,做官的照例革职。所以弄出这个玩意儿来,大凡逛窑姐儿的,身边带上这么一张,倘使遇了都老爷,只把这一张东西缴给他,就没事了。"我道:"为了逛窑姐儿,先捐一个功名,也未免过于张致了。朝廷名气,却不料拿来如此用法!"文琴道:"谁捐了功名去逛窑姐儿! 这东西正是要他来保全功名之用。比方我去逛窑姐儿,被他查着了,谁愿意把这好好的功名去干掉了。我要是不认是个官,他可拉过来就打,那更犯不上了。所以备了这东西在身边,正是为保全功名之用。"我道:"你弄了这许多来,想是一个老嫖客了。然而未见得每嫖必遇见都老爷的,又何必要办这许多呢?"文琴道:"这东西可以卖,可以借,可以送,我向来是预备几十张在身边的。"我道:"卖与送不必说了,这东西有谁来借?"文琴道:"你不知道,这东西不是人人有得预备的。比方我今日请你吃花酒,你没有这东西,恐怕偶然出事,便不肯到了;我有了这个预备,不就放心了么。"一面说话时,已把那湿官照一张一张的印干了,重新包起来。又殷殷的问悾洞仙是哪一家钱铺的掌柜。我道:"你一定要结识他,我明日可以给你们拉拢。"文琴大喜。

　　到了次日,一早就过来央我同去。我笑道:"你也太忙,不要上衙门么?"文琴道:"不相干,衙门里今日没有我的事。"我道:"去的太早了,人家还没有起来呢。"文琴又连连作揖道:"好人! 没起来,我们等一等。倘使去迟了,恐怕他出去了呢。"我给他缠的没法,只得和他同去。谁知洞仙果然出门去了。问几时回来,说是到周宅去的,不定要下午才得回来。文琴没法，只得回去。

我却到伯述那里去有事。办过正事之后，便随意谈天。我说起文琴许多官照的事，伯述道："这是为的从前出过一回事，后来他们才想出这个法子的。自从行出这个法子之后，户部里却多了一单大买卖，甚至有早上填出去的官照，晚上已经缴了的，那要嫖的人不免又要再捐一个，那才是源源而来的生意呢。"

我道："从前出的是甚么事？"伯述道："京城里的窑姐儿最粗最贱，不知怎么那一班人偏要去走动，真所谓逐臭之夫了。有一回，巡街御史查到一家门内有人吵闹，便进去拿人。谁知里面有三个阔客：一个是侍郎，一个是京堂，一个是侍讲。一声说都老爷查到了，便都吓得魂不附体。那位京堂最灵便，跑到后院里，用梯子爬上墙头，往外就跳。谁知跳不惯的人，忽然从高落下，就手足无措的了，不知怎样一闪，把腿跌断了，整整的医了半年才得好，因此把缺也开了。那一位侍郎呢，年纪略大了，跳不动，便找地方去躲，跑到毛厕里去，以为可以躲过了；谁知走得太忙，一失脚掉到了粪坑里去，幸得那粪坑还浅，不曾占灭顶之凶，然而已经闹得异'香'遍体了。只有那位侍讲，一时逃也逃不及，躲也躲不及，被他拿住了，自己又不敢说是个官；若是说了，他问出了官职，明日便要专折奏参的，只得把一个官字藏起来。那位都老爷拿住了，便喝叫打了四十下小板子。这一位翰林侍讲平空受此奇辱，羞愧的无地自容，回去便服毒自尽了；却又写下了一封遗书给他同乡，只说被某御史当街羞辱，无复面目见人。同乡京官得了这封书，便要和那御史为难。恰好被他同嫖的那两位侍郎、京堂知道了，一个是被他逼断了腿的，一个是被他逼下粪坑的，如何不恨，便暗中帮忙，怂恿起众人，于是同乡京官斟酌定了文饰之词，只说某侍讲某夜由某处回寓，手灯为风所熄，适被某御史遇见，平日素有嫌隙，指为犯夜，将其当街笞责云云。据了这个意思，联衔入奏。那两位侍郎、京堂，更暗为援助，最终成狱，把那都老爷革职，发往军台。这件事出了以后，一班逐臭之夫，便想出这官照的法子来。"正说得高兴时，家里忽然打发人来找我，我便别过伯述回去。

正是：只缘一段风流案，断送功名更戍边。不知回去之后，又有甚事，且待下回再记。

第七十六回

急功名愚人受骗　遭薄幸淑女蒙冤

　　我回到家时,原来文琴坐在那里等我。我问在兹找我做甚么。在兹道:"就是车老爷来说有要紧事情奉请的。"我对文琴道:"你也太性急了,他说下午才得回家呢。"文琴道:"我另外有事和你商量呢。"我问他有甚么事时,他却又说不出来,只得一笑置之。捱到中饭过后,便催我同去。及至去了,恽洞仙依然没回来。我道:"算了罢,我们索性明天再来罢。"

　　文琴正在迟疑,恰好门外来了一辆红围车子,在门首停下,车上跳下一个人来,正是洞仙。一进门见了我,便连连打拱道:"有劳久候!失迎得很! 今天到周宅里去,老中堂倒没有多差使,倒是叫少大人把我缠住了,留在书房里吃饭,把我灌个稀醉,才打发他自己的车子送我回来。"说罢,呵呵大笑。又叫学徒的:"拿十吊钱给那车夫,把我的片子交他带一张回去,替我谢谢少大人。"说罢了,才让我们到里面去。我便指引文琴与他相见。彼此谈得对劲,文琴便扯天扯地的大谈起来,一会儿大发议论,一会儿又竭力恭维。我自从相识他以来,今天才知道他的谈风极好。

　　谈到下午时候,便要拉了洞仙去上馆子。洞仙道:"兄弟不便走开,恐怕老中堂那边有事来叫。"文琴道:"我们约定了在甚么地方,万一有事,叫人来知照就是了。你大哥是个爽快人,咱们既然一见如故,应该要借杯酒叙叙,又何必推辞呢。"洞仙道:"不瞒你车老爷说,上午我给周少大人硬灌了七八大盅,到此刻还没醉得了呢。"文琴道:"不瞒你大哥说,我有一个朋友从湖北来,久慕你大哥的大名,要想结识结识,一向托我。我从去年冬月里就答应他引见你大哥的,所以他一直等在京里，不然他早就要赶回湖北去的了。今儿咱们遇见了，岂有不让他见见你大哥之理。千万赏光！我今天也并不是请客，不过就这么二三知己，借此谈谈罢了。"洞仙道："你车老爷那么赏脸，实在是却之不恭，咱们就同去。不过还有一说，你两位请先去，做兄弟的等一等就来。"文琴连忙深深一揖道："老大哥，你不要怪我！我今儿没具帖子，你不要怪我！改一天我再肃具衣冠，下帖奉请如何？"洞仙呵呵大笑道："这是甚么话！车老爷既然那么说，咱们就一块儿走。不过有屈两位稍等一等，我干了一点小事就来。"文琴大喜道："既如此，就请便罢，咱两个就在这里恭候。"我道："我却要先走一步，回来再来罢。"文琴一把拉住道："这是甚么话！我知道你是最清闲的，成天没事，不过找王老头子谈天。我和你是同院子的街坊，怎么好拿我的腔呢。"我道："这是甚么话！我是有点小事，要去一去。你不许我去，我就不去也使得，何尝拿甚么腔呢。"洞仙道："既如此，你两位且在这里宽坐一坐，我到外面去去就来。"说罢，拱拱手，笑嘻嘻地往外头去了。

这一去，便去得寂无消息，直等到天将入黑，还不见来，只急得文琴如热锅上蚂蚁一般。好容易等得洞仙来了，一迭连声只说："屈驾，屈驾！实在是为了一点穷忙，分身不开，不能奉陪，千万不要见怪！"文琴也不及多应酬，拉了便走。出了大门，各人上了车，到了一家馆子里，拣定了座，文琴忙忙的把自己车夫叫了来，交代道："你赶紧去请陆老爷，务必请他即刻就来，说有要紧话商量。"车夫去了。这边文琴又忙着请点菜。忙了一会，文琴的车夫引了一个人进来，文琴便连忙起身相见，又指引与洞仙及我相见，一一代通姓名。又告诉洞仙道："这便是敝友陆俭叔，是湖北一位著名的能员，这回是明保来京引见的。"又指着洞仙和俭叔说道："这一位恽掌柜，是周中堂跟前头一个体己人，为人极其豪爽，所以我今儿特为给你们拉拢。"说罢，又和我招呼了几句。俭叔便问有烟具没有，值堂的忙答应了一个"有"字，即刻送了上来，把烟灯剪好，俭叔便躺下去烧鸦片烟。我在旁细看那陆俭叔，生得又肥又矮，雪白的一张大团脸，两条缝般的一双细眼睛。此时正月底边，天气尚冷，穿了一身大毛衣服，竟然象了一个圆人。值堂的送上酒来，他那鸦片烟还抽个不了。文琴催了他两次，方才起来坐席。文琴一面让酒让菜，一面对了俭叔吹洞仙如何豪爽，如何好客；一面对了洞仙吹俭叔如何慷慨，如何至诚。吃过了两样菜，俭叔又去烟炕上躺下。文琴忽然起身拉了洞仙到旁边去，唧唧哝哝，说了一会话，然后回到席上招呼俭叔吃酒。俭叔又抽了一口，方才起来入席。洞仙问道："陆老爷欢喜抽两口？"俭叔道："其实没有瘾，不过欢喜摆弄他罢了。"这一席散时，已差不多要交二鼓，各人拱揖分别，各自回家。

从此一连十多天，我没有看见文琴的面。有一天，我到洞仙铺里去，恰好遇了文琴。看他二人光景，好像有甚事情商量一般。我便和洞仙算清楚了一笔帐，正要先行，文琴却先起身道："我还有点事，先走一步，明天问了实信再来回话罢。"说罢，作辞而去。洞仙便起身送他，两个人一路唧唧哝哝的出去，直到门口方休。洞仙送过文琴，回身进内，对我道："代人家办事真难！就是车老爷那位朋友，甚么陆俭叔，他本是个一榜，由拣选知县，在法兰西打仗那年，广西边防上得了一个保举，过了同知、直隶州班，指省到了湖北。不多几年，倒署过了几回州县。这回明保送部引见，要想设法过个道班，却又不愿意上兑，要避过这个'捐'字，转托了车老爷来托我办。你想，这是甚么大事，非得弄一个特旨下来不为功，咱们老中堂圣眷虽隆，只怕也办不到。他一定要那么办，不免我又要央及老头子设法。前几天拜了门，是我给他担代的，只送得三撇头的贽见。这两天在这里磋磨使费，那位陆老爷一天要抽三两多大烟，没工夫来当面，总是车老爷来说话，凡事不得一个决断。说了几天，姓陆的只肯出八千使费。他们外官看得一班京官都是穷鬼，老实说，八千银子谁看在眼里！何况他所求的是何等大事，倒处处那么悭吝起来！我这几天叫他们麻烦的彀了，他再不爽爽快快的，咱们索性撒手，叫他走别人的路子去。"正说得高兴时，文琴又来了，我便辞了出去。

光阴迅速，不觉到了八月。我一面打发李在兹到张家口，一面收拾要回上海一转，把一切事都交给亮臣管理。便到伯述那边辞行。恰好伯述因为畅怀往上海去了，许久并未来京，今年收的京版货不少，也要到上海去，于是约定同行。雇了长车，我在张家湾、河西务两处也并不耽搁，不过稍为查检查检便了。一直到了天津，仍在佛照楼住下。伯述性急，碰巧有了上海船，便先行了。我因为天津还有点事，未曾同行。安顿停当，先去找杏农。杏农一见我，便道："你接了家兄的信没有？"我道："并未接着，有甚么事？"杏农道："家兄到山东去了，我今天才接了信。"我道："到山东有甚么事？"杏农道："有一个朋友叫蔡侣笙，是山东候补知县，近日有了署事消息，打电报到上海叫他去的。"我不觉欢喜道："原来蔡侣笙居然出身了！我这几年从未得过他的信，不知他几时到的山东？那边我还有一个家叔呢。"杏农道："家兄给我的信，说另有信给你，想是已经寄到京里去了。"我稍为谈了一会，便回到栈里，连忙写了一封信入京，叫如有上海信来，即刻寄出天津。把信发了，我又料理了一天的正事。

次日下午，杏农来谈了一天，就在栈里晚饭。饭后，约了我出去，到侯家后一家南班子里吃酒（天津以上海所来之妓院为南班子），另外又邀了几个朋友。这等事本是没有甚么好记的，这一回杏农请的都是些官场朋友，又没有甚么唐玉生的竹汤饼会故事，又何必记他呢。因为这一回我又遇了一件奇事，所以特为记他出来。

你道是甚么事呢？原来这一席中间，他们叫来侍酒的，都是南班子的人，一时燕语莺声，尽都是吴侬娇语。内中却有两个十分面善的，非但言语声音很熟，便是那眉目之间，也好像在哪里见过的，一时却想不起来。回思我近来在家乡一住三年，去年回到上海，不上几天，就到北边来了。在上海那几天，并未曾出来应酬，从何处见过这两个人呢。莫非四年以前所见的。然而就是四年以前，我也甚少出来应酬，何以还有这般面善的人呢。一面满肚子乱想，一双眼睛，便不住的钉着她看。内中一个是杏农叫的，杏农看见我这情形，不觉笑道："你敢是看中了她，何不叫她转一个条子？"我道："岂有此理！我不过看见她十分面善，不知从何处见来。她又叫甚么名字？"杏农道："她叫红玉。"又指着一个道："她叫香玉。都是去年才从上海来的，要就你在上海见过她。"我道："我已经三年没住上海了，去年到得一到，并没有出来应酬，不上两天，我就到这边来了，从何见起。"杏农道："正是。你去年进了京，不多几天，我就认识了她，那时候她也是初到没有几天。"我听了这话，猛然想起这两个并非他人，正是我来天津时，同坐普济轮船的那个庄作人的两个小老婆，如何一对都落在这个地方来。不觉心中又是怀疑，又是纳罕，不住的要向杏农查问，却又碍着耳目众多，不便开口。直等到众人吃到热闹时，方才离了座，拉杏农到旁边问道："这红玉、香玉到底是甚么出身，你知道么？"杏农道："这是这里的忘八到上海贩来的，至于甚么出身，又从何稽考呢。你既然这么问，只怕是有点知道的了。"我道："我仿佛知道她是人家的侍妾。"杏农道："嫁人复出，也是此辈之常事。但不知是谁的侍妾？"我道："这个人我也是一面之交，据说是个总兵，姓庄，号叫作人。"杏农道："既是一面之交，你怎么便知道这两个是他侍妾？"我便把去年在普济船上遇见的话，说了一遍。杏农想了一想道："呸！你和乌龟答了话,还要说呢。这不明明是个忘八从上海买了人,在路上拿来冒充侍妾的么。"我回头想了一想当日情形,也觉得自己太笨,被他当面瞒过还不知道,于是也一笑归座。等到席散了,时候已经不早,杏农还拉着到两家班子里去坐一坐,方才雇车回栈。

叩开了门,取表一看,已经两点半钟了。走过一个房门口,只见门是敞着的,门口外面蹲着一个人,地下放着一盏鸦片烟灯,手里拿着鸦片烟斗,在那里出灰。门口当中站着一个人,在那里骂人呢。只听他骂道："这么大早,茶房就都睡完了,天下哪有这种客栈!"一回眼看见我走过,又道:"你看我们说睡得晚了,人家这时候才从外面回来呢。"我听了这话,不免对他望一望,原来不是别人,正是在京里车文琴的朋友陆偻叔。不免点头招呼,彼此问了几时到的,住在几号房,便各自别去。

次日,我办了一天正事,到得晚饭之后,我正要到外面去散步,只见陆偻叔踱了进来,彼此招呼坐下。偻叔道:"早没有知道你老哥也出京;若是早知道了,可以一起同行,兄弟也可以靠个照应。"我道:"正是。出门人有个伴,就可以互相照应了。"偻叔道:"像我兄弟是个废人,哪里能照应人,约了同伴,正是要靠人照应。这一回虽说是得了个明保进京引见,却赔累的不少。这也罢了,这回出京,却又把一件最要紧的东西失落了,此刻赶信到京里去设法,过两天回信来,正不知怎样呢。"我道:"丢了东西,应该就地报失追查,怎么反到京里去设法呢?"偻叔叹道:"我丢了的不是别的东西,却是一封八行书,夹在护书里面。那天到杨村打了个尖,我在枕箱里取出护书来记一笔帐,不料一转眼间,那护书就不见了。连忙叫底下人去找,却在店门口地下找着了,里面甚么东西都没有丢,单单就丢了这封信,你说奇不奇呢。你叫我如何报失!"我道:"那么说,就是写信到京里也是没用。"偻叔道:"这是我的妄想,要想托文琴去说,补写一封,不知可办得到。"我道:"这一封是谁的信呢?"

偻叔道:"一言难尽!我这封信是化了不少钱的了。兄弟的同知、直隶州,是从拣选知县上保来的,一向在湖北当差。去年十月里,章制军给了一个明保送部引见。到了京城,遇了舍亲车文琴,劝我过个道班。兄弟怕的是担一个捐班的名气,况且一捐升了,到了引见时,那一笔捐免保举的费是很可观的,所以我不大愿意。文琴他又说在京里有路子可走，可以借着这明保设法过班，叫我且不要到部投到。我听了他的话，一耽搁就把年过了。直到今年正月底，才走着了路子，就是我们同席那一个姓恽的，烦了他引进，拜了周中堂的门。那一份贽见，就化了我八千！只见得中堂一面，话也没有多说两句，只问得一声几时进京的，湖北地方好，就端茶送客了。后来又是打点甚么总管咧、甚么大叔咧，前前后后，化上了二万多，连着那一笔贽见，已经三万开外了！满望可以过班的了，谁知到了引见下来，只得了'仍回原省照例用'七个字。你说气死人不呢！我急了，便向文琴追问，文琴也急了，代我去找着前途经手人。找了十多天，方才得了回信，说是引见那天，里头弄错了。你想里头便这样稀松，可知道人家银子是上三四万的去了！后来还亏得文琴替我竭力想法，找了原经手人，向周中堂讨主意。怎奈他老人家也无法可想，只替我写了一封信给两湖章制军，那封信却写得非常之切实，求他再给我一个密保，再委一个报销或解饷的差使云云，其意是好等我再去引见，那时却竭力想法。我得了这一封信，似乎还差强人意，谁知偏偏把他丢了，你说可恨不可恨呢！"

　　我听了他这一番话，不觉暗暗疑讶，又不便说甚么，因搭讪着道："原来文琴是令亲，想来总可以为力的。"俭叔道："兄弟就信的是这一点。文琴向来为朋友办事是最出力的，何况我当日也曾经代他排解过一件事的，他这一回无论如何，似乎总应该替我尽点心。"我道："既如此，更可放心了。"嘴里是这样说，心中却很想知道他所谓排解的是甚么事。因又挑着他道："这排难解纷最是一件难事，遇了要人排解的事，总是自己办不下来的了，所以尤易感激。文琴受过你老哥这个惠，这一回一定要格外出力的。"俭叔道："文琴那回事，其实他也不是有心弄的，不过太过于不羁，弄出来的罢了。他断了弦之后，就续定了一位填房，也是他家老亲，那女子和文琴是表兄妹，从前文琴在扬州时，是和她常见的。谁知文琴丧偶之后，便纵情花柳，直到此刻还是那个样子，所以他虽是定下继配，却并不想娶。定的时候，已是没有丈人的了。过了两年，那外母也死了，那位小姐只依了一个寡婶居住。等到母服已满，仍不见文琴来娶。那小姐本事也大，从扬州找到京师，拿出老亲的名分，去求见文琴的老太太。她到得京里，是举目无亲的，自然留她住下。谁知这一住，就住出事情来了。"

　　正是：凫雁不成同命鸟，鸳鸯翻作可怜虫。未知住出了甚么事，且待下回再记。

第七十七回

泼婆娘赔礼入娼家　阔老官叫局用文案

俭叔道"那小姐在他宅子里住下,每日只跟着他老太太。大约没有人的时候,不免向老太太诉苦,说依着婶娘不便,求告早点娶了过来,那是一定的了。文琴这件事,却对人不住,觑老太太不在旁时,便和那小姐说体己话,拿些甜话儿骗她。那小姐年纪虽大,却还是一个未经出阁的闺女,主意未免有点拿不定,况且这个又是已经许定了的丈夫,以为总是一心一意的了,于是乎上了他的当。文琴又对她说:'你此时寻到京城,倘使就此办了喜事,未免过于草草。不如你且回扬州去,我跟着就请假出京,到扬州去迎娶,方为体面。'那小姐自然顺从,不多几天,便仍然回扬州去了。文琴初意本也就要请假去办这件事,不知怎样被一个窑姐儿把他迷住了,一定要嫁他,便把他迷昏了,写了一封信给他的叔丈母(便是那小姐的婶子)说:'本来早就要来娶的,因为访得此女不贞,然而还未十分相信,尚待访查清楚,然后行事。岂料渠此次亲身到京,不贞之据已被我拿住,所以不愿再娶'云云。那小姐得了这个信,便羞悔交迸,自己吊死了。那女族平时好像没有甚么人,要那小姐依寡婶而居。及至出了人命,那族人都出来了,要在地方上告他,倘告他不动,还商量京控。那时我恰好在扬州有事,知道闹出这个乱子,便一面打电报给他,一面代他排解,费了九牛二虎之力,把这件事弄妥了,未曾涉讼。经过这一回事之后,他是极感激我的,一向我和他通信,他总提起这件事,说不尽的感激图报。所以我这回进京,一则因为自己抽了两口烟,未免懒点;二则也信得他可靠,所以一切都托了他经手的。不料自己运气不济,一连出了这么两个岔子!"说罢,连连叹气。我随意敷衍他几句。他打了两个呵欠，便辞了去，想是要紧过瘾去了，所以我也并不留他。

自此过了几天，京里的信，寄了出来，果然有述农给我的一封信。内中详说侣笙历年得意光景："两月之前，已接其来信，言日间可有署缺之望。如果得缺，即当以电相邀，务乞帮忙。前日忽接其电信，嘱速赴济南，刻拟即日动身，取道烟台前去"云云。我见了这封信，不觉代侣笙大慰。

正在私心窃喜时，忽然那陆俭叔哭丧着脸走过来，说道："兄弟的运气真不好！车文琴的回信来了，说接了我的信，便连忙去见周中堂，却碰了个大钉子。周中堂大怒，说'我生平向不代人写私信，这回因为陆某人新拜门，师弟之情难却，破例做一遭儿，不料那荒唐鬼、糊涂虫，才出京便把信丢了！丢了信不要紧，倘使被人拾了去，我几十年的老名气，也叫他弄坏了！他还有脸来找我再写！我是他甚么人，他要一回就一回，两回就两回！你叫他赶快回湖北去听参罢，我已经有了办法了'云云。这件事叫我如何是好！"我听了他的话，看了他的神色，觉得甚是可怜。要想把我自己的一肚子疑心向他说说，又碍着我在京里和文琴是个邻居，他们到底是亲戚，说得他相信还好；倘使不相信，还要拿我的话去告诉文琴，我何苦结这种冤家。况且看他那呆头呆脑的样子，不定我说的他果然信了，他还要赶回京里和文琴下不去，这又何苦呢。因此隐忍了不曾谈，只把些含糊两可的话，安慰他几句就算了。俭叔说了一回，不得主意，便自去了。

再过几天，我的正事了理清楚，也就附轮回上海去。见了继之，不免一番叙别，然后把在京在津各事，细细的说了遍，把帐略交了出来。继之便叫置接风。金子安在旁插嘴道："还置甚么呢，今天不是现成一局么。"继之笑道："今天这个局，怕不成敬意。"德泉道："成敬意也罢，不成敬意也罢，今日这个局既然允许了，总逃不了的，就何妨借此一举两得呢。"我问："今天是甚么局？何以碰得这般巧？"继之道："今天这一局是干犯名教的；然而在我们旁边人看着，又不能不作是快心之举。这里上海有一个著名的女魔王，平生的强横，是没有人不知道的了。她的男人一辈子受她的气，到了四十岁上便死了，外面人家说，是被她磨折死的。这件以前的事，我们不得而知。后来她又拿磨折男人的手段来磨折儿子，她管儿子是说得响的，更没有人敢派她不是了，她就越闹越强横起来。"我道："说了半天，究竟她的儿子是谁？"继之道："她男人姓马，叫马瀚臣，是广西人，本是一个江苏候补知县。她儿子马子森，从小是读会英文的。自从父亲死后，便考入新关，充当供事，捱了七八年，薪水倒也加到好几十两一月了。他那位老太太，每月要儿子把薪水全交给她，自己霸着当家；平生绝无嗜好，惟有敬信鬼神，是她独一无二的事，家里头供的甚么齐天大圣、观音菩萨，乱七八糟的，闹了个烟雾腾天。子森已是敢怒不敢言的了。她却又最相信的是和尚、师姑、道士，凡是这一种人上了她的门，总没有空过的，一张符、一卷经，不是十元，便是八元，闹的子森所赚的几十两银子，不够她用的。连子森回家吃饭，一顿好饭也没得吃，两块咸萝卜，几根青菜，就是一顿。有时子森熬不住，说何不买点好些小菜来吃呢，只这一句话，便触动了老太太之怒，说儿子不知足，可知你今日有这碗饭吃，也是靠我拜菩萨保佑来的，唠叨的子森不亦乐乎。

"后来子森私下蓄了几个钱，便与人凑股开了一家报关行，倒也连年赚钱。这笔钱，子森却瞒了老太太，留以自用的了。外面做了生意，不免便有点应酬，被她老太太知道了，找到了妓院里去，把她捉回去了，关在家里，三天不放出门，几乎把新关的事也弄掉了。又有一回，子森在妓院里赴席，被她知道了，又找了去。子森听见说老太太又来了，吓得魂不附体，他老太太在后面上楼，她便在前窗跳了下去，把脚骨跌断了，把合妓院的人都吓坏了，恐怕闹出人命。那老太太却别有肺肠，非但不惊不吓，还要赶到房里，把席面扫个一空，骂了个无了无休。众朋友碍着子森，不便和她计较，只得劝了她回去。然而到底心里不甘，便有个促狭鬼，想法子收拾她。前两天找出一个人来，与子森有点相像的，瞒着子森，去骗她上套。子森的辫顶留得极小，那个朋友的辫顶也极小。那促狭鬼定下计策，布置妥当，便打发人往那位女魔王处报信，说子森又到妓院里去了，在哪一条巷，第几家，妓女叫甚么名字，都说得清清楚楚。那位老太太听了，便雄赳赳气昂昂的跑来，一直登楼入房。其时那促狭鬼约定的朋友，正坐在房里等做戏，听说是魔头到了，便伏在桌上，假装瞌睡，双手按在桌上，掩了面目，只把一个小辫顶露出来。那魔头跑到房里，不问情由，左手抓了辫子，提将起来，伸出右手，就是一个巴掌。这小辫顶朋友故意问甚么事情。那魔头见打错了人，翻身就跑，被隔房埋伏的一班人，一拥上前，把她围住，和她讲理，问她为甚么来打人。她起先还要硬挺，说是来找儿子的。众人问她儿子在哪里，你所打的可是你的儿子，她才没了说话，却又叫天叫地的哭起来。

　　"那促狭鬼布置得真好,不知到哪里去找出一个外国人,又找了两个探伙来,一味的吓她,要拉她到巡捕房里去。那魔头虽然凶横,一见了外国人,便吓得屁也不敢放了。于是乎一班人做夕做夕,要她点香烛赔礼,还要她烧路头(吴下风俗:凡开罪于人者,具香烛至人家燃点,叩头伏罪,谓之点香烛。烧路头,祀财神也,亦被除不祥之意。烧路头之典,妓院最盛)。定了今天晚上去点香烛,烧路头。上海妓院遇了烧路头的日子,便要客人去吃酒,叫做'绷场面'。那一家妓院里我本有一个相识的在里面,约了我今天去吃酒,我已经答应了。她们知道了这件事,便顶着我要吃花酒。"我道:"这一台花酒,不吃也罢。"德泉忙道:"这是甚么话!"我道:"辱人之母博来的花酒,吃了于心也不安。"继之道:"所以我说是干犯名教的。其实平心而论,辱人之母,吃一台花酒,自是不该;若说惩创一个魔头,吃一台花酒,也算得是一场快事。"我道:"她管儿子总是正事,不能全说是魔头。"德泉道:"她认真是拿了正理管儿子,自然不是魔头;须知她并不是管儿子,不过要多刮儿子几个钱去供应和尚师姑。这种人也应该要惩创惩创他才好。"

　　子安道:"这还是管儿子呢。我曾经见过一个管男人的,也闹过这么一回事。并且年纪不小了,老夫妻都上了五十多岁了。那位太太管男人,管得异常之严。男人备了一辆东洋车,自己用了车夫,凡是一个车夫到工,先要听太太吩咐。如果老爷到甚么妓院里去,必要回来告诉的;倘或瞒了,一经查出,马上就要赶滚蛋的。有一回,不知听了甚么人的说话,说她男人到哪里去嫖了,这位太太听了,便登时坐了自己包车寻了去。不知走到甚么地方,胡乱打人家的门。打开了,看见一个五六十岁的老妇人,她也不问情由,伸出手来就打。谁知那家人家是有体面的,一位老太太凭空受了这个奇辱,便大不答应起来。家人仆妇,一拥上前,把她捉住。她嘴里还是不干不净的乱骂,被人家打了几十个嘴巴,方才住口。那包车夫见闹出事来,便飞忙回家报信。他男人知道了,也是无可设法,只得出来打听,托了与那家人家相识的人去说情,方才得以点香烛服礼了事。"我道:"这种女子,真是戾气所钟!"

　　继之叹道:"岂但这两个女子! 我近来阅历又多了几年,见事也多了几件,总觉得无论何等人家,他那家庭之中,总有许多难言之隐的;若要问其所以然之故,却是给妇人女子弄出来的,居了百分之九十九。我看总而言之，是女子不学之过。"我听了这话，想起石映芝的事，因对继之等述了一遍，大家叹息一番。

到了晚上，继之便邀了我和德泉、子安一同到尚仁里去吃酒。那妓女叫金赛玉。继之又去请了两个客，一个陈伯琦，一个张理堂，都是生意交易上素有往来的人。我们这边才打算开席，忽然丫头们跑来说："快点看，快点看！马老太太来点香烛了。"于是众人都走到窗户上去看。只见一个大脚老婆子，生得又肥又矮，手里捧着一对大蜡烛，步履蹒跚的走了进来。他走到客堂之后，楼上便看她不见了，不知她如何叩头礼拜，我们也不去查考了。

忽然又听得隔房一阵人声，叽叽喳喳说的都是天津话。我在门帘缝里一张，原来也是一帮客人，在那里大说大笑，彼此称呼，却又都是大人、大老爷，觉得有点奇怪。一个本房的丫头，在我后面拉了一把道："看甚么？"我顺便问道："这是甚么客？"那丫头道："是一帮兵船上的客人。"我听他那边的说话，都是粗鄙不文的，甚以为奇。忽又听见他们叽哩咕噜的说起外国话来，我以为他们请了外国客来了，仔细一看，却又不然，两个对说外国话的，都是中国人。

我们这边席面已经摆好，继之催我坐席，随便拣了一个靠近那门帘的坐位坐下，不住的回头去张他们。忽然听见一个人叫道："把你们的帐房叫了来，我要请客了。"过了一会，又听得说道："写一张到同安里'都意芝'处请李大人；再写一张到法兰西大马路'老宜青'去。"又听见一个苏州口音的问道："'老宜青'是甚么地方？"这个人道："王大人，你可知李大人今天是到'老宜青'么？"又一个道："有甚么不是，张裁缝请他呢，他们宁波人最相信的是他家。"此时这边坐席已定，金赛玉已到那边去招呼。便听见赛玉道："只怕是老益庆楼酒馆。"那个人拍手道："可不是吗！我说了'老宜青'，'老宜青'，你们偏不懂。"赛玉道："张大人请客，为甚不自己写条子，却叫了相帮来坐在这里（苏、沪一带，称妓院之龟奴曰相帮）？"那个人道："我们在船上，向来用的是文案老夫子，哪怕开个条子买东西，自己都不动手的。今天没带文案来，就叫他暂时充一充罢。"

正说话间，楼下喊了一声"客来"，接着那边房里一阵声乱说道："李大人来了，李大人来了！客气不用写了，写局票罢。李大人自然还是叫'都意芝'了？"那李大人道："算了，你们不要乱说了。原来他不是叫'都意芝'，是叫'约意芝'的。那个字怎么念成'约'字，真是奇怪!"一个说道:"怎么要念成'约'字,只怕未必。"李大人道:"刚才我叫张裁缝给我写条子,我告诉他'都意芝',他茫然不懂,写了个'多意芝'。我说不是的,和他口讲指画,说了半天,才写了出来,他说那是个'约'字。"旁边一个道:"管他'都'字'约'字,既然上海人念成'约'字,我们就照着他写罢,同安里'约意芝',快写罢。"又一个道;"我叫公阳里'李流英'。那个'流'字,却不是三点水的,琐得很。"又听那龟奴道:"到底是哪个流? 我记得公阳里没有'李流英'。"一个说道:"我天天去的,为甚没有。"龟奴道:"不知在哪一家?"那个人道:"就是三马路走进去头一家。"龟奴道:"头一家有一个李毓英,不知是不是?"那人道:"管她是不是,你写出来看。"歇了一会,忽然听见说道:"是了,是了。这里的人很不通,为甚么任甚么字,都念成'约'字呢?"我听到这里,才恍然大悟,方才那个'约意芝',也是郁意芝之误,不觉好笑。

继之道:"你好好的酒不喝,菜不吃,尽着出甚么神?"我道:"你们只管谈天吃酒,我却听了不少的笑话了。"继之道:"我们都在这里应酬相好,招呼朋友,谁像你那个模样,放现成的酒不喝,却去听隔壁戏。到底听了些甚么来?"我便把方才留心听来的,悄悄说了一遍,说的众人都笑不可抑。继之道:"怪道他现成放着吃喝都不顾,原来听了这种好新闻来。"陈伯琦道:"这个不足为奇,我曾经见过最奇的一件事,也是出在兵船上的。"

正是:鹅鹳军中饶好汉,燕莺队里现奇形。未知陈伯琦还说出甚么奇事来,且待下回再记。

第七十八回

巧蒙蔽到处有机谋　报恩施沿街夸显耀

　　当下陈伯琦道："那边那一班人，一定是北洋来的。前一回放了几只北洋兵船到新加坡一带游历，恰好是这几天回到上海，想来一定是他们。他们虽然不识字，还是水师学堂出身，又在兵船上练习过，然后挨次推升的，所以一切风涛沙线，还是内行。至于一旦海疆有事，见仗起来是怎么样，那是要见了事才知道的了。至于南洋这边的兵船，那希奇古怪的笑话，也不知闹了多少。去年在旅顺南北洋会操，指定一个荒岛作为敌船，统领发下号令，放舢舨，抢敌船，于是各兵船都放了舢舨，到那岛上去。及至查点时，南洋各兵，没有一个带干粮的。操演本来就是预备做实事的规模，你想一旦有事也是如此，岂不是糟糕了么！操了一趟，闹的笑话也不知几次。这些且不要说他，单说那当管带的。有一位管带，也不知他是个甚么出身，莫说风涛沙线一些不懂，只怕连东南西北他还没有分得清楚呢。恰好遇了一位两江总督，最是以察察为明的，听见人说这管带不懂驾驶，便要亲身去考察。然而这位先生，向来最是容易蒙蔽的。他从前在广东时候，竭力提倡蚕桑，一个月里头，便动了十多回公事，催着兴办，动支的公款，也不知多少。若要问到究竟，那一个是实力奉行的，徒然添了一个题目，叫他们弄钱。过了半年光景，他忽然有事要到肇庆去巡阅，他便说出来要顺便踏勘桑田。这个风声传了出去，吓得那些承办蚕桑的乡绅，屎尿直流！这回是他老先生亲身查勘的，如何可以设法蒙蔽呢？内中却出来了一个人，出了一个好主意，只要三万银子，包办这件事。众人便集齐了这笔款，求他去办。他得了这笔款，便赶到西南(三水县乡名)上游两岸的荒田上，连夜叫人扎了篱笆，自西南上游,经过芦包以上,两岸三四百里路,都做起来。又在篱笆外面,涂了一块白灰,写了'桑园'两个字,每隔一里半里,便做一处。不消两天,就做好了。到得他老先生动身那天,他又用了点小费,打点了衙门里的人役,把他耽搁到黄昏时候,方才动身。恰好是夜月色甚好,他老先生高兴,便叫小火轮连夜开船,走到西南以上,只见两岸全是桑园,便欢喜得他手舞足蹈起来。你说这么一个混沌的人,他这回要考察那兵船管带,还不是一样被他瞒过么。”

我道:“他若要亲身到了船上看他驾驶,又将奈何!”伯琦道:“便亲看了又怎么。我还想起他一个笑话呢。他到了两江任上,便有一班商人具了一个禀帖,去告一个厘局委员。他接了禀帖,便大发雷霆。恰好藩台来禀见,他便立刻传见,拿了禀帖当面给藩台看了,交代即日马上立刻把那委员撤了差,调到省里来察看。藩台奉了宪谕,如何敢怠慢,回到衙门,便即刻备了公事,把那委员撤了。撤了之后,自然要另委一个人去接差的了。这个新奉委的委员接了札子之后,谢过藩台,便连忙到制台衙门去禀知、禀谢。他老先生看见了手本,便立刻传见。见面之后,人家还在那里行礼叩头谢委,未曾起来,他便拍手跳脚的大骂,说你在某处厘局,怎样营私舞弊,怎样被人告发,怎样辜负宪恩,怎样病商病民,'我昨天已经交代藩司撤你的差,你今天还有甚么脸面来见我!'从人家拜跪时骂起,直骂到人家起来,还不住口。等人家起来了,站在那里听他骂。他骂完了,又说:'你还站在这里做甚! 好糊涂的东西,还不给我滚出去!'那新奉委的直到此时才回说:'卑职昨天下午才奉到藩司大人的委札,今天特来叩谢大帅的。'他听了这话,才呆了半天,嘴里不住的荷荷荷荷乱叫,然后让坐。你想这种糊涂虫,叫他到船上去考验管带,那还不容易混过去么。然而他那回却考察得凶,这管带也对付得巧。他在南京要到镇江、苏州这边阅操,便先打电报到上海来调了那兵船去,他坐了兵船到镇江。船上本来备有上好办差的官舱,他不要坐,偏要坐到舵房里,要看管带把舵。那管带是预先得了信的,先就预备好了,所以在南京开行,一直把他送到镇江,非常安稳。骗得他呵呵大笑,握着管带的手说道:'我若是误信人言,便要委屈了你。'从此倒格外看重了这管带。你说奇不奇!”我道:“既然被他瞒过了,从此成了知遇,那倒不奇。只是他向来不懂驾驶的,忽然能在江面把舵,是用的甚么法子? 这倒有点奇呢!”继之道:“我也急于要问这个。”伯琦道:“兵船上的规矩，成天派一个兵背着一杆枪，在船头了望的，每四点钟一班；这个兵满了四点钟，又换上一个兵来，不问昼夜风雨，行驶停泊，总是一样的。这位管带自己虽不懂驾驶，那大副、二副等却是不能不懂的。他得了信，知道制台要来考察，他便出了一个好主意，预先约了大副，等制台叫他把舵时，那大副便扮了那个兵，站在船头上。舵房是正对船头的，应该向左扳舵时，那大副便走向左边；应该向右扳舵时，那大副便向右边走；暂时不用扳动时，那大副就站定在当中。如此一路由南京到了镇江，自然无事了。"众人听说，都赞道："妙计，妙计！莫说由南京到镇江，只怕走一趟海也瞒过了。"伯琦道："所以他才从此得了意，不到一年，便做了南洋水师统领啊。"

我道："照这样蒙蔽，自然任谁都被蒙蔽住了。"伯琦道："不然，那位制军是格外与人不同的。就是那回阅操，阅到一个甚么军，这甚么军是不归标的，另外立了名目，委了一个候补道去练起洋操来，说是练了这一军，中国就可以自强的。他阅到这甚么军时，那一位候补道要卖弄他的精神，请了许多外国人来陪制台看操。看过了操，就便在演武厅吃午饭，办的是西菜。谁知那位制军不善用刀叉，在席上对了别人发了一个小议论，说是西菜吃味很好，不过就是用刀叉不雅观。这句话被那位候补道听见了，到了晚上，便请制台吃饭，仍然办的是西菜，仍用的是西式盘子，却将一切牛排、鸡排是整的都切碎了，席上不放刀叉，只摆着筷子。那制台见了，倒也以为别致。他便说道：'凡善学者当取其所长，弃其所短。职道向来都很重西法，然而他那不合于我们中国所用的，未尝不有所弃取。就如吃东西用刀叉，他们是从小用惯了的，不觉得怎样；叫我们中国人用起来，未免总有点不便当。所以职道向来吃西菜，都是舍刀叉而用筷子的。'只这么一番说话，就博得那制军和他开了一个明保，那八个字的考语，非常之贴切，是'兼通中外，动合机宜'。"继之笑道："为了那一顿西菜出的考语，自然是确切不移的了。"说的大家一笑。大众一面谈天，一面吃喝，看着菜也上得差不多了，于是再喝过几杯，随意吃点饭就散了座。

赛玉忽向继之问道："你们明天可看大出丧（凡富家之丧，于出殡时多方铺排，卖弄阔绰者，沪谚谓之大出丧）？"继之道："我不知道。是谁家大出丧？"赛玉道："咦！哪个不知道金姨太太死了，明天大出丧，你怎么不知道！"金子安道："好好的你为甚要带了我姓说起来？"赛玉笑道："她是姓金的，我总不好说她姓银。"我道："大不了一个姨太太罢了,怎么便大出丧起来?"子安道:"这件事提起来,你要如遇故人的。然而说起来话长,我们回去再谈罢。"伯琦、理堂也同说道:"时候不早了,我们都散了罢。"于是一同出门,分路各回。

我回到号里,就问子安为甚么说这件事我要如遇故人。子安道:"你忘了么?我看见你从前的笔记,记着那年到汉口去,遇了甚么督办夫人吃醋,带了一个金姨太太从上海赶到汉口,难道你忘了么?"我道:"这件事,一碰好几年了,难道就是那位金姨太太么?那位夫人醋性如此之利害,一个姨太太死了,怎肯容她大铺排?"子安道:"你不曾知道这位姨太太的来历,自然那么说。须知她非但入门在这位继配夫人之前,并且她曾有大恩德于这位督办的。这位督办本来是个宦家公子出身。他老太爷做过一任抚台才告老回家。这督办二十多岁时,便捐了个佐杂,在外面当差。老人家是现任的大员,自然有人照应,等到他老太爷告老时,他已经连捐带保的弄到一个道台了,只差没有引见。因为老子回家享福了,他也就回家鬼混。不知怎样,弄得失爱于父,就跑到上海来,花天酒地的乱闹。那时候那金姨太太还在妓院里做生意呢,他两个就认识了。后来那位金姨太太嫁了一个绸庄的东家,姓蒯的,局面虽大,年纪可也不小了。况且又是一个鸦片烟鬼,一年到头,都是起居无节,饮食失时的。一个年纪轻轻的女人,况且又是出身妓院的,如何合他过得日子来,便不免与旧日情人,暗通来往。这位督办,那时候正在上海游手好闲,无所事事,正好有工夫做那些不相干的闲事。不知他两人怎样商通了,等到六月里,那位蒯老太太照例是要带了合家人等到普陀烧香的。本来那位姨太太也要跟着去的,他偏有计谋,悄悄地只对那鸦片鬼说,腹中震动,似是有喜。有了这个喜信,老太太自然要知道的,便说既是有喜,恐妨动了胎,就不要去了,留下她看家罢。这么一来,正中了她的下怀,等各人走过之后,她才不慌不忙的收拾了许多金珠物件,和那位督办大人坐了轮船,逃之夭夭的到天津去了。从天津进京,他两个一路上怎生的盟天誓地,这是我们旁人不得而知的。单知道那督办答应过她,以后如果得意,一定以嫡礼相待。"

我道:"这又怎么能知道的呢?"子安道:"你且莫问,听我说下去,自然有交代啊。他两个到京之后,就仗着蒯家带出来的金珠,各处去打点。天下事自然钱可通神,况且那督办又是前任二品大员之子,寅谊、世谊总还多。被他打通了路子,拜了两个阔老师,引见下来,就得了一个记名简放。他有了这个引子，就格外的打点，格外的应酬，不到半年便放了海关道，堂哉皇哉的带了家眷，出京赴任。到了地头，自然有人办差，打好了公馆。新道台择了接印日期，颁了红谕出去，到了良时吉日，便具了朝衣朝冠，到衙门接印。再过几天，前任的官眷搬出衙门，这边便打发轿子去接姨太太入衙。谁知去接一次不来，两次不来。新道台莫名其妙，只得亲身到公馆里，问是甚么事。

"那位金姨太太面罩重霜的不发一言，任凭这边赔尽小心，那边只是不理不睬。急得新道台没法，再三的柔声下气去问。姨太太恼过了半天，方才冷笑道：'好个嫡礼相待！不知我进衙门该用甚么礼，就这么一乘轿子就要抬了去！我以为就是个丫头，老远的跟了大人到任，也应该消受得起了，却原来是大人待嫡之礼！'新道台听了，连忙说道：'该死，该死！这是我的不是。'又回头骂伺候的家人道：'你这班奴才，为甚么办差办得那么糊涂？又不上来请示！一班忘八都是饭桶！还不过来认罪！'在那里伺候的家人有十来个，便一字儿排列在廊檐底下，行了个一跪三叩礼，起来又请了一个安。这一来，才得姨太太露齿一笑道：'没脸面的，自己做错了事，却压着奴才们代你赔礼。'新道台得了这一笑，如奉恩诏一般，马上吩咐备了执事及绿呢大轿，姨太太穿了披风红裙，到衙门去了。自从那回事出了之后，他那些家人传说出来，人家才知道他嫡礼相待之誓。"我道："这等相待，不怕僭越了么？"子安道："岂但如此，她在衙门里，一向都是穿的红裙。后来那督办的正室夫人也到了，倘使仍然如此，未免嫡庶不分；然而叫她不穿，她又不肯。后来想了一个变通办法，姨太太穿的裙，仍然用大红裙门，两旁打百裥的，用了青黄绿白各种艳色相间，叫做'月华裙'；还要满镶裙花，以掩那种杂色。此刻人家的姨娘都穿了月华裙，就是她起的头了。后来正室死了，在那督办的意思，是不再娶了，只把这一位受恩深重的姨太太扶正了，作为聊报涓埃。倒是他老太爷一定不肯，所以才续娶了吃大醋的那一位。那一位虽然醋心重，然而见了金姨太太，倒也让她三分，这也是她饮水思源的意思。此刻她死了，他更乐得做人情了，还争甚么呢。"我道："这位先生不料闹过这种笑话。"子安道："他在北边闹的笑话多呢。"我道："我最欢喜听笑话，何妨再告诉点给我听呢。"子安道："算了罢，他的事情要尽着说，只怕三天三夜都说不尽呢。时候不早了，要说，等明天空了再说罢。"当下各自归寝。

到了次日,我想甚么大出丧,向来在上海倒不曾留心看过,倒要去看看是甚么情形,便约定继之,要吃了早饭一同出去看看。继之道:"知他走哪条路,到哪里去碰他呢?"子安道:"不消问得,大马路、四马路是一定要走的。"于是我和继之吃过早饭,便步行出去,走到大马路,自西而东,慢慢的行去。一路走过,看见几处设路祭的,甚么油漆字号的,木匠作头的,煤行里的,洋货字号里的,各人分着帮,摆设了猪羊祭筵,衣冠济济的在那里伺候。走到石路口,便远远的望见从东面来了。我和继之便站定了。此时路旁看的,几于万人空巷,大马路虽宽,却也几乎有人满之患。只见当先是两个纸糊的开路神,几几乎高与檐齐。接着就是一对五彩龙凤灯笼。以后接二连三的旗锣扇伞,衔牌职事,那衔牌是甚么布政使司布政使,甚么海关道,甚么大臣,甚么侍郎,弄得人目迷五色。以后还有甚么顶马、素顶马、细乐、和尚、师姑、道士、万民伞、逍遥伞、铭旌亭、祭亭、香亭、喜神亭、功布、亚牌、马执事……等类,也记不尽许多。还有一队西乐。魂轿前面,居然用奉天诰命、诰封恭人、晋封夫人、累封一品夫人等素衔牌。魂轿过后,便是棺材,用了大红缎子平金的大棺罩,开了六十四抬。棺材之后,素衣冠送的,不计数,内眷轿子,足有四五百乘。过了半天,方才过完,还要等两旁看热闹的人散了,我们方才走得动。和继之绕行到四马路去,谁知四马路预备路祭的人家更多,甚么公司的,甚么局的,甚么栈的,一时也记不清楚。我和继之要找一家茶馆去歇歇脚,谁知从第一楼(当时四马路最东之茶馆)起,至三万昌(四马路最西之茶馆)止,没有一家不是挤满了人的,都是为看大出丧而来。我两个没法,只得顺着脚打算走回去。谁知走到转角去处,又遇见了他来了。我不觉笑道:"犯了法的,有游街示众之务。不料这位姨太太死了,也给人家抬了棺材去游街。"

正是:任尔铺张夸伐阅,有人指点笑游街。未知以后还有何事,且待下回再记。

第七十九回

论丧礼痛砭陋俗　祝冥寿惹出奇谈

　　继之笑道："自从有大出丧以来，不曾有过这样批评，却给你一语道着了。我们赶快转弯，避了他罢。"于是向北转弯，仍然走到大马路。此时大马路一带倒静了，我便和继之两个，到一壶春茶馆里泡一碗茶歇脚。只听得茶馆里议论纷纷，都是说这件事，有个夸赞他有钱的，有个羡慕死者有福的。我问继之道："别的都不管他，随便怎么说，总是个小老婆，又不曾说起有甚么儿子做官，那诰封恭人、晋封夫人的衔牌，怎么用得出？"继之笑道："你还不知道呢，小老婆用诰命衔牌，这件事已经通了天，皇帝都没有说话的了。"我道："哪里有这等事！"继之道："前年两江总督死了个小老婆，也这么大铺张起来，被京里御史上折子参了一本，说他滥用朝廷名器。须知这位总督是中兴名臣，圣眷极隆的，得了折子，便降旨着内阁抄给阅看，并着本人自己明白回奏。这位总督回奏，并不告辞，简直给他承认了，说：'臣妾病殁，即令家人等买棺盛殓，送回原籍。家人等循俗例为之延僧礼忏；僧人礼忏，例供亡者灵位，不知称谓，以问家人。家人无知，误写作诰封爵夫人'云云。末后自己引了一个失察之罪。这件事不是已经通了天的么。何况上海是个无法无天的地方。曾经见过一回，西合兴里死了一个老鸨，出殡起来，居然也是诰封宜人的衔牌。后来有人查考她，说她妍了一个县役（按：妍，古文嫔字，吴侬俗谚读若妍。不媒而合，无礼之娶，均谓之妍），这个县役因缉捕有功，曾经奖过五品功牌的。这一说虽是勉强，却还有勉强的说法。前一回死了一个妓女，她出殡起来，也用了诰封宜人、晋封恭人的衔牌，你说这还有甚么道理。"我笑道："妍了个五品功牌的捕役，可以称得宜人；做妓女的，难道就不许她有个四五品的嫖客么。"继之道:"若以嫖客而论,又何止四五品,她竟可用夫人的牌了。总而言之,上海地方久已没了王法,好好的一个人,倘使没有学问根底,只要到上海租界上混过两三年,便可以成了一个化外野人的。你说他们乱用衔位是僭越,试问他那'僭越'两个字,是怎么解? 非但他解说不出来,就是你解说给他听,说个三天三夜,他还不懂呢。"我道:"这个未免说得太过罢。"继之道:"你说是说得太过,我还以为未曾说得到家呢。"我道:"难道今日那大出丧之举,他既然是做着官的,难道还不解僭越么?"继之道:"正惟这一班明知故犯的忘八蛋做了出来,才使得那一班无知之徒跟着乱闹啊。你以为我说他们不解'僭越'二字,是说的太过了,还有一件三岁孩子都懂的事情,他们会不懂的,我等一会告诉你。"我道:"又何必等一会呢。"继之道:"我只知得一个大略,德泉他可以说得原原本本,你去问了他,好留着做笔记的材料。"我道:"既如此,回去罢。"于是给过茶钱,下楼回去。

到得号里,德泉、子安都在那里有事。我也写了几封信,去京里及天津、张家湾、河西务等处。一会儿便是午饭。饭后大家都空闲了,继之却已出门去了,我便问德泉说那一件事。德泉道:"到底是哪一件事? 这样茫无头绪的,叫我从何说起!"我回想一想,也觉可笑,于是把方才和继之的议论,告诉了他一遍。又道:"继之说三岁孩子都懂的事情,居然有人不懂的,你只向这个着想。"德泉道:"这又从何想起!"我又道:"继之说我听了又可以做笔记材料的。"德泉正在低头寻思,子安在旁道:"莫不是李雅琴的事?"德泉笑道:"只怕继翁是说的他。去年我们谈这件事时,就说过可惜你不在座,不然,又可以做得笔记材料的了。"我道:"既如此,不问是不是,你且说给我听。"

德泉道:"这李雅琴本来是一个著名的大滑头(滑头,沪谚。小滑头指轻薄少年而言,大滑头则指专以机械阴险应人,而又能自泯其迹,使人无如之何者而言),然而出身又极其寒苦,出世就没了老子。他母亲把他寄在人家哺养,自己从宁波走到上海,投在外国人家做奶妈。等把小孩子奶大了,外国人还留着她带那小孩子。他娘就和外国人说了个情,要把自己孩子带出来,在自己身边。外国人答应了,便托人从宁波把他带了到上海。这是他出身之始。他既天天在外国人家里,又和那小外国人在一起,就学上了几句外国话。到了十二三岁上,便托人荐到一家小钱庄去学生意。这年把里头,他的娘就死

了。等他在钱庄上学满了三年,不过才十五六岁,庄上便荐他到一家
洋货店里做个小伙计。他人还生得干净,做事也还灵变,那洋货店的
东家,很欢喜他;又见他没了父母,就认他做个干儿子。在那洋货店
里做了五六年,干老子慢慢的渐见信用了;他的本事也渐渐大了,背
着干老子,挪用了店里的钱做过几票私货,被他赚了几个。干老子又
帮他忙,于是娶了一房妻子,成了家。那年恰好上海闹时症,他干老
子自己的两个儿子都死了。不到一个月,他干老子也死了,只剩了一
个干娘。他就从中设法,把一家洋货店,全行干脆接了过来,就此发
起家,专门会做空架子。那洋货店自归了他之后,他便把门面装璜得
金碧辉煌,把些光怪陆离的洋货,罗列在外。内中便惊动了一个专办
进口杂货的外国人,看见他外局如此热闹,以为一定是个大商家了,
便托出人来,请他做买办。他得了那买办的头衔,又格外阔起来。本
事也真大,居然被他一帆风顺的混了这许多年。又捐了一个不知靠
得住靠不住的同知,加了个四品衔,便又戴了一个蓝顶子充官场。前
几年又弄着一个军装买办,走了一回南京,两回湖北,只怕做着了两
票买卖。这军装买卖,是最好赚钱的,不知被他捞了多少。去年又想
闹阔了,然而苦于没有题目,穷思极想,才想得一个法子,是给他娘做
阴寿。你想他从小不曾读过书的,不过在小钱庄时认识过几个数目
字,在洋货店时强记了几个洋货名目字,这等人如何会做事?所以他
一向结识了一个好友华伯明。这华伯明是苏州人,倒是个官家子弟。
他父亲是个榜下知县,在外面几十年,最后做过一任道台。六十岁开
外,告了病,带了家眷,住在上海。这两年只怕上七十岁了。只有伯
明一个儿子,却极不长进,文不能文,武不能武。只有一样长处,出来
见了人,那周旋揖让,是很在行的。所以李雅琴十分和他要好。凡遇
了要应酬官场的事,无不请他来牵线索,自己做傀儡。就是他到南
京,到湖北,要见大人先生,也先请了伯明来,请他指教一切;甚至于
在家先演过几次礼,盘算定应对的话,方才敢去。这一回要拜阴寿,
不免又去请伯明来主持一切。伯明便代他铺张扬厉起来,甚么白云
观七天道士忏,寿圣庵七天和尚忏,家里头却铺设起寿堂来,一样的
供如意,点寿烛。预先十天,到处去散帖。又算定到了那天,有几个
客来,屈着指头,算来算去,甚么都有了,连外国人都可以设法请几个
来撑持场面,炫耀邻里。只可惜计算定来客,无非是晶顶的居多,蓝
顶的已经有限,戴亮蓝顶的计算只有一个,却没有戴红顶的。一定要

伯明设法弄一个红顶的来。伯明笑道：'你本来没有戴红顶的朋友，叫我到哪里去设法。'雅琴便闷闷不乐起来。伯明所以结交雅琴之故，无非是贪他一点小便宜，有时还可以通融几文。有了这个贪念，就不免要竭力交结他。看见他闷闷不乐，便满肚里和他想法子。忽然得了一计道：'有便有一个人，只是难请。'雅琴便问甚么人。伯明道：'家父有个二品衔，倒是个红顶；只是他不见得肯来。'雅琴听说，欢喜得直跳起来道：'原是远在天边，近在眼前！无论如何，你总要代我拉了来的。'伯明道：'如何拉得来？'雅琴道：'是你老子，怎么拉不动？'伯明道：'你到底不懂事。若是设法求他请他，只怕还有法子好想。'雅琴道：'这又奇了！儿子和老子还要那么客气？'伯明笑道：'我们是父子，你一面也不曾见过，怎么不要客气。'雅琴道：'所以我叫你去拉，不是我自己去拉。'伯明道：'请教我怎么拉法呢？又不是我给母亲做阴寿。'雅琴愣了半天道：'依你说有甚么法子好想？'伯明道：'除非我引了你到我家里去，先见过他，然后再下一副帖子，我再从中设法，或者可以做得到。'雅琴大喜，即刻依计而行。伯明又教了他许多应对的话，以及见面行礼的规矩，雅琴要巴结这颗红顶子来装门面，便无不依从。果然伯明的老子华国章见了雅琴，甚是欢喜。于是雅琴回来，就连忙补送一份帖子去。

　　"此时日子更近了，陆续有人送礼来，一切都是伯明代他支应；又预备叫一班髦儿戏来，当日演唱。到了正日的头一天，便铺设起寿堂来，伯明亲自指挥督率，铺陈停妥，便向雅琴道：'此刻可请老伯母的喜神出来了。'雅琴道：'甚么喜神？'伯明道：'就是真容。'雅琴道：'是甚么样的？'伯明道：'一个人死了，总要照他的面庞，画一个真容出来，到了过年时，挂出来供奉，这拜阴寿更是必不可少的。'雅琴愕然道：'这是向来没有的。'伯明道：'这却怎么处？偏是到今天才讲起来；若是早几天，倒还可以找了百象图，赶追一个。'雅琴道：'买一个现成的也罢。'伯明道：'这东西哪里有现成的。'雅琴道：'难道是外国的定货？'伯明道：'你怎么死不明白！这喜容或者取生前的小照临下来的，或者生前没有小照，便是才死下来的时候对着死者追摹下来的。各人各象，哪里有现成的卖！'雅琴道：'死下来追摹，也得像么？'伯明道：'哪怕不像，他是各人自己的东西，哪里有拿出来卖的。'雅琴道：'那么说，不像的也可以充得过了？'伯明笑道：'你真是糊涂！谁管你像不像，只要有这样东西。'雅琴道：'我不是糊涂，我是要问明白了,倘使不像的也可以,倒有法子想。'伯明问甚么法子。雅琴道:'可以设法去借一个来。'伯明听说,倒也呆了一呆,暗暗服他聪明。因说道:'往哪里借呢?'雅琴道:'借到这样东西,并且非十分知己的不可,我想一客不烦二主,就求你借一借罢。无论你家哪一代的祖老太婆,暂时借来一用,好在只挂一天,用不坏的;就是坏了,我也赔得起。'伯明道:'祖上的都在家乡存在祠堂里,谁带了这家伙出门。只有先母是初到上海那年,在上海过的,有一轴在这里。'雅琴道:'那么就求你借一借罢。'伯明果然答应了,连忙回家,瞒着老子,把一轴喜神取了出来,还到老子跟前,代雅琴说了几句务求请去吃面的话,方才拿了喜神,径到李家,就把他挂起来。雅琴看见凤冠霞帔,画的十分庄严,便大喜道:'办过这件事之后,我要照样画一张,倒要你多借几天呢。'伯明一面叫人挂起来,一面心中暗暗好笑:明天他拜他娘的寿,不料却请了我的娘来享用。并且我明天行礼时,我拜我的娘,他倒在旁边还礼,岂不可笑。心里一面暗想,一面忍笑,却不曾听得雅琴说的话。

"到了次日,果然来拜寿的人不少,伯明又代他做了知客。到得十点钟时,那华国章果然具衣冠来了。在寿堂行过礼之后,抬头见了那幅喜神,不觉心中暗暗疑讶。此时伯明不便过来揖让,另外有知客的,招呼献茶。华老头子有心和那知客谈天,谈到李老太太,便问不知是几岁上过的,那知客回说不甚清楚,但知道雅翁是从小便父母双亡的。老头子一想,他既是从小没父母,他的父母总是年轻的了,何以所挂的喜神,画的是一个老婆。越想越疑心,不住的踱出寿堂观看,越看越像自己老婆的遗像,便连面桌也不曾好好的吃,匆匆辞了回去,叫人打开画箱一查,所有字画都不缺少,只少了那一轴喜神。不觉大怒起来,连忙叫人赶着把伯明叫回来。那伯明在李家正在应酬的高兴,忽然一连三次,家里人来叫快回去,老爷动了大气呢。伯明还莫名其妙,只得匆匆回家。入得门时,他老子正拄着拐杖,在那里动气呢。见了伯明,兜头就是一杖,骂道:'我今日便打死你这畜生! 你娘甚么对你不住,她六十多岁上才死的,你还不容她好好的在家,把她送到李家去,逼着你已死的母亲失节。害着我这个未死的老子,当一个活乌龟!'说着,又是一杖,又骂道:'还怕我不知道,故意引了那不相干的杂种来,千求万求,要我去,要我去! 我老糊涂,睡在梦里,却去露一张乌龟脸给人家看! 你这是甚么意思! 我还不打死你!'说着,雨点般打下来。打了一顿,喝家人押着去取了喜容回来。

伯明只得带了家人，仍到雅琴处，一面叫人赏酒赏面，给那家人，先安顿好了；然后拉了雅琴到僻静处，告诉了他，便要取下来。雅琴道：'这件事说不得你要担代这一天的了，此刻正要她装门面，如何拿得下来。'伯明正在踌躇，家里又打发人来催了，伯明、雅琴无可奈何，只得取下交来人带回去，换上一幅麻姑画像。继之对你说的，或者就是这件事。"

说声未绝，忽然继之在外间答道："正是这件事。"说着，走了进来。笑道："你们说到商量借喜神时，我已经回来了，因为你们说得高兴，我便不来惊动。"又对我说道："你想喜神这样东西能借不能借，不是三岁孩子都知道的么，他们居然不懂，你还想他们懂的甚么叫做'僭越'。"子安道："喜神这样东西虽然不能借，却能当得钱用。"我道："这更奇了！"子安道："并不奇。我从前在宁波，每每见他们拿了喜神去当的。"我道："不知能当多少钱？"子安道："哪里当得多少，不过当二三百文罢了。"我道："这就没法想了。倘是当得多的，那些画师没有生意，大可以胡乱画几张裱了去当；他只当得二三百文，连裱工都当不出来，那就不行了。但不知拿去当的，倘使不来赎，那当铺里要他那喜神作甚么？"继之笑道："想是预备李雅琴去买也。"说的众人一笑。

正是：无端市道开生面，肯代他人贮祖宗。未知典当里收当喜神，果然有甚么用，且待下回再记。

第八十回

贩丫头学政蒙羞　遇骗子富翁中计

　　子安道："哪里有不来取赎的道理。这东西又不是人人可当，家家收当的，不过有两个和那典伙相熟的，到了急用的时候，没有东西可当，就拿了这个去做个名色，等那典伙好有东西写在票上，总算不是白借的罢了。"各人听了，方才明白这真容可当的道理。

　　我从这一次回到上海之后，便就在上海住了半年。继之趁我在上海，便亲自到长江各处走了一趟，直到次年二月，方才回来。我等继之到了上海，便附轮船回家去走一转。喜得各人无恙，撤儿更加长大了。我姊姊已经择继了一个六岁大的侄儿子为嗣，改名念椿，天天和撤儿一起，跟着我姊姊认字。我在家又盘桓了半年光景，继之从上海回来了，我和继之叙了两天之后，便打算到上海去。继之对我说道："这一次你出去，或是烟台，或是宜昌，你拣一处去走走，看可有合宜的事业，不必拘定是甚么。"我道："亮臣在北边，料来总妥当；所用的李在兹，人也极老实，北边是暂时不必去的了。长江一带，不免总要去看看。几时到了汉口，或者走一趟宜昌，或者沙市也可以去得。"继之道："随便你罢。你爱怎样就怎样，我不过这么提一提。各处的当事人，我这几年虽然全用了自己兄弟子侄，至于他们到底靠得住靠不住，也要你随事随时去查察的。"我应允了。不到几天，便别过众人，仍旧回上海去。

　　刚去得上海，便接了芜湖的信，说被人倒了一笔帐，虽不甚大，却也得去设法。我就附了江轮到芜湖去，耽搁了十多天，吃点小亏，把事情弄妥了，便到九江走了一趟。见诸事都还妥当，没甚耽搁，便附了上水船到汉口。考察过一切之后，便打算去宜昌。这几年永远不曾接过我伯父一封信。从前听说在宜昌,此时不知还在那边不在。便托人过江到武昌各衙门里去打听,不两日,得了实信,说是在宜昌掣验局里。我便等到有宜昌船开行,附了船到宜昌去,就在南门外江边一家吉升栈住下,安顿好行李,便去找掣验局。

这个局就在城外,走不多路就到了。我抬头看时,只有一间房子,敞着大门,门外挂了一面掣验川盐局的牌子,两旁挂了两扇虎头牌,里面坐着两个穿号衣的局勇。我暗想,这么就算一个局了么。我伯父又在哪里呢。不免上前去问那局勇。谁知我问的这个,那一个答应起来了,说道:"他是个聋子。你问的是谁?"我就告诉他。那局勇听见说是本局老爷的侄少爷,便连忙站起来回说道:"老爷向来不在局里办事,住在公馆里。"我问公馆在甚么地方。局勇道:"就在南门里不远。少爷初到不认得路,我领了去罢。"我道:"那么甚好。"那局勇便走在前面。我看他走路时,却又是个跛的,不觉暗暗好笑。他一拐一拐的在前面走,我只得在后面跟着。进了城不多点路就到了。那局勇急拐了两步,先到门房去告诉。门房里家人听说,便通报进去。我跟着到了客堂站定。只见客堂东面辟了一座打横的花厅,西面是个书房,客堂前面的天井很大,种了许多花,颇有点小花园的景致,客堂后面还有一个天井,想是上房了。

不一会,我伯父出来,我便上前叩见。同入到花厅,伯父命坐,我便在一旁侍坐。伯父问道:"你这回来做甚么?"我道:"侄儿这几年总跟着继之,这回是继之打发来的。"伯父道:"继之撤了任之后,又开了缺了。近来他又有了差使么?"我道:"没有差使,近年来继之入了生意一途。侄儿这回来,是到此地看看市面的。"伯父道:"好好的缺,自己去干掉了,又闹甚么生意! 年轻人总欢喜胡闹! 那么说,你也跟着他学买卖了?"我道:"是。"伯父道:"宜昌是个穷地方,有甚么市面! 你们近来做买卖很发财?"我听了没有答话。伯父又道:"论理要发财,就做买卖也一样发财。然而我们世家子弟,总不宜下与市侩为伍,何况还不见得果然发财呢。像你父亲,一定不肯做官,跑到杭州去,绸庄咧、茶庄咧,一阵胡闹,究竟躺了下来剩了几个钱? 生下你来,又是这个样,真真是有其父就有其子。你此刻住在哪里?"我道:"住在城外吉升栈。"伯父道:"有几天耽搁?"我道:"说不定,大约也不过十天半月罢了。"伯父道:"没事可常到这里来谈。"说着,便站了起来。我只得辞了出来,依着来路出城。

回到吉升栈,只见栈门口挂着一条红彩绸,挤了十多个兵,那号衣是四川督学部院亲兵;又有几个东湖县民壮、东湖县的执事衔牌也在那里。我入到栈,开了房门,便有栈里的人来和我商量,要我另搬一个房,把这个房让出来。我本是无可无不可的,便问他搬到哪里,他带我到一个房里去看,却在最后面又黑又暗、逼近厨房的所在。我不肯要这个房。他一定要我搬来,说是四川学台要住。我便赌气搬到隔壁一家兴隆栈里去了。搬定之后,才写了几封信,发到帐房里,托他们代寄。

对房住了一个客,也是才到的,出入相见,便彼此交谈起来。那客姓丁,号作之,安徽人,向在四川做买卖,这回才从四川出来。我也告诉他由吉升栈搬过来的缘故。作之道:“不合他同一栈也罢。我合他同一船来的,一天到夜,一夜到天亮,不是骂这个,便是骂那个,弄得昼夜不宁。”我道:“怎的那么大的脾气?”作之道:“我起初也疑心,后来仔细打听了,才知道他原来是受了一场大气,没处发泄,才借骂人出气的。”我道:“他从四川到此地,自然是个交卸过的了。四川学政本来甚好,做满了一任,满载而归,还受甚么气呢。”作之道:“四川的女人便宜是著名的。省城里专有那贩人的事业,并且为了这事业,还专开了茶馆。要买人的,只要到那茶馆里拣了个座,叫泡两碗茶:一碗自己喝,一碗摆在旁边,由他空着。那些人贩看见,就知道你要买人了,就坐了过来,问你要买几岁的。你告诉了他,他便带你去看。看定了,当面议价,当面交价。你只告诉了他住址,他便给你送到。大约不过十吊、八吊钱,就可以买一个七八岁的了;十六七岁的是个闺女,不过四五十吊钱就买了来;如果是嫁过人的,那不过二十来吊钱也就买来了。这位学政大人在任上到处收买,统共买了七八十个,这回卸了事,便带着走。单是这班丫头就装了两号大船。走到嘉定,被一个厘局委员扣住了。”我道:“这委员倒是强项的。”作之道:“并不是强项,是有宿怨的。那学台初到任时,不知为的甚么事,大约总是为办差之类,说这个委员不周到,在上宪前说了他的坏话,这委员从此黑了一年多。去年换了藩台,这新藩台是和他有点渊源的,就得了这厘局差使。可巧他老先生赶在他管辖地方经过,所以就公报私仇起来。查着了之后,那委员还亲身到船上禀见,说:‘只求大人说明这七八十个女子的来历,卑职便可放行;卑职并不是有意苛求,但细想起来,就是大人官眷用的丫头,也没有如许之多,并且讯问起来,又全都是四川土音，只求大人交个谕单下来，说明白这七八十个女子从何处来，大人带她到何处去，卑职断不敢有丝毫留难。'那学台无可奈何，只得向他求情。谁知他一味的打官话，要公事公办。一面就打迭通禀上台，一面把官船扣住。那学台只得去央及嘉定府去说情。留难了十多天，到底被他把两船女子扣住，各各发回原籍，听其父母认领，不动通禀的公事，算卖了面情给嘉定府。禀上去只说缉获水贩船二艘，内有女子若干口，水贩某人，已乘隙逃遁。由嘉定府出了一角通缉文书，以掩耳目，这才罢了。他受了这一场大气，破了这一注大财，所以天天骂人出气。其实四川的大员，无论到任卸任，出境入境，夹带私货是相沿成例的了。便是我这回附他的船，也是为了几十担土。"我道："怎么那厘卡上没有查着你的土么？"作之道："他在嘉定出的事，我在重庆附他来的，我附他的船时，早已出过了那回事了。"谈了一回，各自回房。

我住了两天，到各处去走走。大约此地系川货出口的总汇，甚么楠木、阴沉木最多。川里的药材也甚多，甚至杜仲、厚朴之类，每每有乡下人挑着出来，沿街求卖的。得暇我便到作之房里去，问问四川市面情形，打算入川走一趟。作之道："四川此时到处风声鹤唳，没有要紧事，宁可缓一步去罢。"我道："有了乱事么？"作之道："乱事是没有，然而比有乱事还难过。"我道："这又是甚么道理呢？"作之道："因为出了一个骗子、一个蠢材，就闹到如此。那骗子扮了个算命看相之流，在成都也不知混了多少年了。忽然一天，遇了一个开酱园的东家来算命，他要运用那骗子手段，便恭维他是一个大贵之命，说是府上一定有一位贵人的，最好是把一个个的八字都算过。那酱园东家大喜，便邀他到家里去，把合家人的八字都写了出来请他算。"我道："这酱园东家姓甚么？"作之道："姓张，是一个大富翁，川里著名的张百万。那骗子算到张百万女儿的一个八字，便大惊道：'在这里了！这真是一位大贵人！'张百万问怎么贵法。他道：'是一位正宫娘娘的命！就是老翁的命，也是这一位的命带起来的。不知是府上哪一位？'张百万也大惊道：'这是甚么话！无论皇上大婚已经多年，况且满、汉没有联婚之例，哪里来的这个话！'骗子道：'这件事自然不是凡胎肉眼所能看得见。我早就算定真命天子已经降世。我早年在湖北，望见王气在四川，所以跟寻到川里来，要寻访着那位真命天子，做一个开国元勋。此刻皇帝不曾寻着，不料倒先寻见了娘娘。这位娘娘是府

上甚么人，千万不要待慢了她！'张百万听得半疑半信，答道：'这是我
小女的命。'骗子听说，慌忙跪下叩头道：'原来是国丈大人，恕罪，恕
罪！'吓得张百万连忙还礼。又问道：'依先生说，我女儿便是娘娘，但
不知这真命天子在哪里？我女儿又如何嫁得到他？近来虽有几家来
求亲，然而又都是生意人，哪里有个真命天子在内！'骗子道：'千万不
可胡乱答应！倘把娘娘误许了别人，其罪不小！大凡真龙降生，没有
一定之地。不信，你但看朱洪武皇帝，他看过牛，做过和尚，除了刘伯
温，哪个知道他是真命天子呢。'张百万道：'话虽如此，但是我又不是
刘伯温，哪里去寻个朱洪武出来呢？'骗子道：'国丈说的哪里话！生
命注定的，何必去寻。何况龙凤配合，自有一切神灵暗中指引；再加
我时时小心寻访，一经寻访着了，自然引驾到府上来。'张百万此时将
信将疑，便留那骗子在家住下。张家本有个花园，他每天晚上，约了
张百万在园里指天画地的，说望天子气。天天说些蛊惑的话，蛊惑得
张百万慢慢的信服起来，所有来求他女儿亲事的，一概回绝。混了一
年多，张百万又生起疑心来，说哪里有甚么真命天子。那骗子骗了一
年多的好吃好喝，恐怕一旦失了，遂造起谣言来，说是近日望见那天
子气到了成都了，我要亲身出去访查。于是日间扮得不尴不尬，在外
头乱跑；晚上回到张百万家里去睡，只说是出去访寻真命天子。如此
者，又好几个月。

　　"忽然一天，在市上遇了一个二十来岁的樵夫，那骗子把他一拉
拉到一个僻静去处，纳头便拜，说道：'臣接驾来迟，罪该万死！'那樵
夫是一条蠢汉，见他如此行为，也莫名其妙。问道：'你这先生，无端
对我叩头做甚么？'骗子悄悄说道：'陛下便是真命天子！臣到处访求
了好几年，今日得见圣驾，万千之幸！'樵夫道：'怎么我可以做得真命
天子？谁给我做的？'骗子道：'这是上天降生的。陛下跟了臣同到一
个去处，自然有人接驾。'那樵夫便跟了骗子到张百万家。骗子在前，
樵夫在后，一直引他入了花园，安置停当，然后叫张百万来，说：'皇帝
驾到了，快点去见驾！'张百万到得花园，看见那樵夫粗眉大目，面色
焦黄，心中暗暗疑讶，怎么这般一个人便是皇帝！一面想着，未免住
了脚步，迟疑不前。骗子连忙拉他到一边，和他说道：'这是你一生富
贵关头，快去叩头见驾，不可自误。'张百万道：'这个人面目也没甚奇
异之处，并且衣服褴褛，怎见得是个皇帝？先生，莫非你看差了！'骗
子道：'真龙未曾入海，你们凡人哪里看得出来。你如果不相信，我便

领了圣驾到别人家去,你将来错过了富贵,不要怨我。'张百万听了他的话,居然千真万真,便走过去,对了那樵夫叩头礼拜,口称'臣张某见驾'。

"那樵夫本是呆蠢一流人,见人对他叩头,他并不知道还礼,只呆呆的看着。张百万叩过了无数的头,才起来和骗子商量,怎样款待这皇帝。骗子道:'你看罢!你的命是大贵的,倘使不是真命天子,他如何受得起你的叩头呢。此刻且先请皇帝沐浴更衣,择一个洁净所在,暂时做了皇宫,禁止一切闲杂人等,不可叫他进来,以免时时惊驾。然后择了日子,请皇帝和娘娘成亲。'张百万道:'知道他几时才真个做皇帝呢,我就轻轻把女儿嫁他?'骗子道:'凡一个真命天子出世,天上便生了一条龙。要等那条龙鳞甲长齐了,在凡间的皇帝,才能被世上的能人看得出,去辅佐他;还等那条龙眼睛开了,在凡间的皇帝才能登位。这一个真命天子,向来在成都,我一向都看他不出,就是天上那条龙未曾长齐鳞甲之故。近来我夜观天象,知道那条龙鳞甲都长齐了,所以一看就看了出来。我劝你一不做,二不休。如果不相信,便由我带到别处去;如果相信了,便听我的指挥。'张百万听说,还只信得一半。"我道:"这件事要就全行误信了,要就登时拒绝他,怎么会信一半的呢?"

正是:唯有痴心能乱志,从来贪念易招殃。未知作之又说出甚么来,这件事闹到怎生了结,且待下回再记。

第八十一回

真愚昧惨陷官刑　假聪明赔讥外族

作之道："张百万依了他的话,拿几套衣服给那樵夫换过,留在花园住下。骗子见张百万还不死心塌地,便又生出一个计策来,对张百万说道:'凡是真命天子,到了吃醉酒睡着时,必有神光异彩现出来,直透到房顶上,但是必要在远处方才望见。你如果不相信,可试一试看。'张百万听说,果然当夜备了酒肴,请那樵夫吃酒,有意把他灌得烂醉。骗子也装做大醉模样,先自睡了。张百万灌醉了樵夫,打发他睡下,便急急忙忙跑回自己宅内的一座楼上凭栏远眺,要看那真命天子的神光异彩。那骗子假睡在床上,听得张百万已经去了,花园里伺候的人也陆续去睡了,方才慢慢起来,取出他所预备的松香末(这松香末,就是戏场上做天神出场时撒火用的),他又加上些硝磺药料,悄悄的取了一把短梯,爬到墙头上,点上了火,一连向上撒了四五把,方才下来。到了半夜时,又去撒了几把。然后收拾停当,安心睡觉。张百万在自己楼上,远远的望着花园里,忽然见起了一阵红光,不觉吃了一惊;谁知惊犹未了,接着又起了三四阵;不觉又惊又喜,呆呆的坐着,要等再看,谁知越等越看不见了。听一听四面寂无人声,正要起身去睡,忽然又看见起了四五阵。大凡一个人,心里有了疑念,眼里看见的东西,也会跟着他的疑念变幻的。撒那松香火,不过是一阵火光;火光熄了,便剩了一团烟。骗子一连撒了几把火,便有几团烟,看在张百万的眼里,便隐隐成了一条龙形。他还暗自揣测,哪里是龙头,哪里是龙尾,哪里是龙爪,越看越像。一时间那烟消灭了,他还闭着眼睛,暗中去想象呢。

"到了次日,一早便爬起来,到花园里去找骗子。骗子还在那里睡着呢,张百万把他叫醒了。他连忙一骨碌爬起来,说道:'甚时候了?我昨夜醉的了不得,一夜也不曾醒。'张百万便告以夜来所见。又道:'红光当中,隐隐还现了一条龙形呢!'骗子道:'可惜我也醉了,不曾看得见;不然,倒可以看看他开了眼睛不曾。'张百万道:'这个还不容易吗,今天晚上再请他吃一回酒,先生到我那边楼上去看便了。'骗子吐出了舌头道:'这是甚么话!昨天晚上一回,已经是冒险的了;倘使多出现了,被别人看见,还了得么!何况他已经现了龙形,更不相宜!他那原形,天天在那里长,必要长足了,才能登极。每出现一次,便阻他一次生机,长得慢了许多。所以从今以后,最要紧不可被他吃醉了。你已经见过一次就是了,要多见做甚么。'张百万果然听了他的话,从此便不设酒了,央骗子拣了黄道吉日,把女儿嫁给那樵夫,张灯结彩,邀请亲友,只说是招女婿,就把花园做了甥馆。一切都是骗子代他主张。成过亲之后,张百万便安心乐意做国丈,天天打算代女婿皇帝预备登极,买了些绫罗绸缎来,做了些不伦不类的龙袍。那樵夫此时养得又肥又白,腰圆背厚,穿起了龙袍,果然好看,喜欢的张百万便山呼万岁起来。骗子在旁指挥,便叫樵夫封张百万做国丈,自己又讨封了军师。几个人在花园里,就同做戏一般乱闹。这风声便渐渐传了出去,外面有人知道了。骗子也知道将近要败露了,便说:'我夜来望气,见犍为地方出有能人,我要亲去聘了他来,辅佐天子。'就向张百万讨了几百银子,只说置办聘礼,便就此去了。这里还是天天胡闹。那樵夫被那骗子教得说起话来,不是孤家,便是寡人。家里用人都叫他万岁。闹得地保知道了,便报了成都县。县官见报的是谋反大案,吓的先禀过首府,回过司道,又禀知了总督,才会同城守,带了兵役,把张百万家团团围住。男女老幼,尽行擒下,不曾走了一个。带回衙门,那樵夫身上还穿着龙袍,张百万的女儿头上还戴着凤冠。县官开堂审讯,他还在那里称孤道寡,嘴里胡说乱道,指东画西,说甚么我资州有多少兵,绵州有多少马,茂州有多少粮;甚么宁远、保宁、重庆、夔州、顺庆、叙永、酉阳、忠州、石砫,处处都有人马。这些话总是骗子天天拿来骗他的。他到了公堂,不知轻重,便一一照说出来。成都县听了,吓的魂不附体,连忙把他钉了镣铐,通禀了上台。上台委了委员来会审过两堂,他也是一样的胡说乱道。上台便通行了公事,到各府、厅、州、县,一律严密查拿。那一班无耻官吏,得了这个信息,便巴不得迎合上意,无中生有的找出两个人来去邀功,还想借此做一条升官发财的门路，就此把一个好好的四川省闹的阖属鸡犬不宁。这种呆子遇了骗子的一场笑话，还要费大吏的心，拿他专折入奏，并且随折开了不少的保举。只是苦了我们行客，入店设宿，出店上路，都要稽查，地保衙役便借端骚扰。你既然那边未曾立定事业，又何苦去招这个累呢。"

我道："听说四川地方，民风极是俭仆，出产又是富足，鱼米之类，都极便宜，不知可确？"作之道："这个可是的；然而近年以来，也一年不如一年了。据老辈人说的：道光以前，川米常常贩到两湖去卖；近来可是川里人要吃湖南米了。"我道："这都为何？"作之道："田里的罂粟越种越多，米麦自然越种越少了。我常代他们打算，现在种罂粟的利钱，自然是比种米麦的好；万一遇了水旱为灾，那个饥荒才有得闹呢！"我道："川里吃烟的人，只怕不少？"作之道："岂但不少，简直可以算得没有一个不吃烟的。也不必说川里，就是这里宜昌，你空了下来，我和你到街上去看看，那种吃烟情形，才有得好看呢！"我道："川里除了鸦片烟之外，还有甚么大出产呢？"作之道："那不消说，自然是以药料为大宗了。然而一切蚕桑矿产等类，也无一不备，也没有一样不便宜，所以在川里过日子是很好的，只有两吊多钱一石米，几十文钱一担煤，这是别省所无的。"我道："既然要吃到湖南米，哪能这样便宜？"作之道："那不过青黄不接之时，偶一为之罢了。倘使终年如此，那就不得了！"

我道："那煤价这等贱，何不运到外省来卖呢？"作之道："说起煤价贱，我却想起一个笑话来。有一位某观察，曾经被当道专折保举过的，说他留心时务，学贯中西。他本来一个通判，因为这一保，就奉旨交部带领引见；引见过后，就奉旨以道员用。他本是四川人，在外头混了几年，便仍旧回到四川去，住在重庆。一天，他忽然打发人到外头煤行里收买煤斤；又在他住宅旁边，租了一片四五十亩大的空地，买了煤来，都堆在那空地上头。不多几天，把重庆的煤价闹贵了，他又专人到各处矿山去买。"我道："他哪里有这许多钱？买那许多煤，又有甚用处呢？"作之道："你不知道，他一面买煤，一面在那里招股呢。"

我道："不知他招甚么股？"作之道："你且莫忙，等我说下去，有笑话呢！他打发人到四处矿里收买，一连三四个月，也不知收了多少煤，非但重庆煤贵了，便连四处的煤都贵了。在我们中国人，虽然吃了他的亏，也还不懂得去考问他为甚么收那许多煤，内中却惊动起外国人来了。驻重庆的外国领事，看得一天天的煤价贵了，便出来查考，知道有这么一位观察在那里收煤，不觉暗暗纳罕，便去拜会重庆道，问起这件事来。谁知重庆道也不晓得。领事道：'被他一个人收得各处的煤都贵了，在我们虽不大要紧，然而各处的穷人未免受他的累了。还求贵道台去问问那位某观察，他收来有甚用处；可以不收，就劝他不要收了，免得穷民受累。'重庆道答应了，等领事去后，便亲自去拜那位某观察，问起这收煤的缘故，并且说起外面煤价昂贵，小民受累的话。某观察却慎重其事的说道：'这是兄弟始创的一个大公司，将来非但富家，并且可以富国。兄弟此刻，非但在这里收煤，还到各处去找寻煤矿，要自己开采煤斤呢。至于小民吃亏受累，只好暂时难为他们几天，到后来我公司开了之后，还他们莫大的便宜。我劝老公祖不妨附点股份进来，这是我们相好的知己话。若是别人，他想来入股，兄弟还不答应，留着等自己相好来呢。'重庆道道：'说了半天，到底是甚么公司？甚么事业？'那位观察道：'这是一个提煤油的公司。大凡人家点洋灯用的煤油，都是外国来的，运到川里来，要卖到七十多文一斤。我到外国去办了机器来，在煤里面提取煤油，每一百斤煤，最少要提到五十斤油。我此刻收煤，最贵的是三百文一担，三百文作二钱五分银子算，可以提出五十斤油。趸卖出去，算他四十文一斤，这四十文算他三分二厘银子。照这样算起来，二钱五分银子的本钱，要卖到一两六钱银子，便是赚了一两三钱五分，每担油要赚到二两七钱。办了上等机器来，每天可以出五千担油，便是每天要赚到一万三千五百两；一年三百六十天，要有到四百八十六万的好处。内中提一百万报效国家，公司里还有三百八十六万。老公祖想想看，这不是富国富家，都在此一举么！所以别人的公司招股份，是各处登告白、散传单，惟恐别人不知。兄弟这个公司，却是惟恐别人知道，以便自己相好的亲戚朋友，多附几股。倘使老公祖不是自己人，兄弟也绝不肯说的。'重庆道听了他一番高论，也莫名其妙，又谈了几句别的话，就别去了。

"回到衙门里，暗想这等本轻利重的生意，怪不得他一向秘而不宣。他今日既然直言相告，不免附他几股，将来和他利益均沾，岂不是好。并且领事那里，也不必和他说穿，因为这等大利所在，外国人每每要来沾手，不如瞒他几时，等公司开了出来，那时候他要沾手也来不及了。定了主意，便先不回领事的信，等那位观察来回拜时，当面订定，附了五千两的股份。某观察收了银子，立刻填给收条，那收条上注明，俟公司开办日，凭条例换股票，每年官息八厘，以收到股银日起息云云。某观察更说了多少天花乱坠的话，说得那重庆道越发入了道儿。那领事来问了几次回信，只推说事忙不曾去问得。

"俄延了一个多月，那煤越发贵了，领事不能再耐，又亲自去拜重庆道。此时重庆道没得好推挡了，只得从实告诉，说：'是某观察招了股份，集成公司，收买这些煤，是要拿来提取煤油的。'领事愕然道：'甚么煤油？'重庆道道：'就是点洋灯的煤油。'领事听了，希奇的了不得，问道：'不知某观察的这个提油新法，是哪一国人，哪一个发明的？用的是哪一国、哪一个厂家的机器？倒要请教请教。'重庆道道：'这个本道也不甚了了。贵领事既然问到这一层，本道再向某观察问明白，或者他的机器，没有买定，本道叫他向贵国厂家购买也使得。'领事摇头道："敝国没有这种厂家，也没有这种机器。还是费心贵道台去问问某观察，是从哪一国得来的新法子，好叫本领事也长长见识。'重庆道到了此时，才有点惊讶，问道：'照贵领事那么说，贵国用的煤油，不是在煤里提出来的么？'领事道：'岂但敝国，就是欧、美各国，都没有提油之说。所有的煤油，都是开矿开出来的，煤里面哪里提得出油来！'重庆道大惊道：'照那么说，他简直在那里胡闹了！'领事冷笑道：'本领事久闻这位某观察，是曾经某制军保举过他留心时务，学贯中西的，只怕是某观察自己研究出来的，也未可知。'说罢，便辞了去。

"重庆道便忙忙传伺候，出门去拜某观察。偏偏某观察也拜客去了，重庆道只得留下话来，说有要紧事商量，回来时务必请到我衙门里去谈谈。直到了第二天，某观察才去拜重庆道。重庆道一见了他，也不暇多叙寒暄，便把领事的一番话述了出来。某观察听了，不觉张嘴挢舌。"

正是：忽从天外开奇想，要向玄中夺化机。未知他那提煤油的妙法，到底在哪里研究出来的，且待下回再记。

第八十二回

索伦常名分费商量　　报涓埃夫妻勤伺候

作云接着说道："某观察听重庆道述了一遍领事的话,不觉目瞪口呆,做声不得。歇了半晌,才说道:'哪里有这个话! 这是我在上海,识了一个宁波朋友,名叫时春甫,他告诉我的。他是个老洋行买办,还答应我合做这个生意。他答应购办机器,叫我担认收买煤斤,此时差不多机器要到上海了。我想起来,这是那领事妒忌我们的好生意,要轻轻拿一句话来吓退我们。天下事谈何容易! 我来上他这个当!'重庆道道:'话虽如此,阁下也何妨打个电报去问问,也不费甚么。'某观察道:'这个倒使得。'于是某观察别过重庆道,回来打了个电报到上海给时春甫,只说煤斤办妥,叫他速运机器来。去了五六天,不见回电。无奈又去一个电报,并且预付了复电费,也没有回电。这位观察大人急了,便亲自跑到上海,找着了时春甫,问他缘故。春甫道:'这件事,我们当日不过谈天谈起来,彼此并未订立合同,谁叫你冒冒失失就去收起煤斤来呢!'某观察:'此刻且不问这些话,只问这提煤油的机器,要向哪一国定买?'时春甫道:'这个要去问起来看,我也不过听得一个广东朋友说得这么一句话罢了。若要知道详细,除非再去找着那个广东人。'某观察便催他去找。找了几天,那广东人早不知到哪里去了。后来找着了那广东人的一个朋友,当日也是常在一起的,时春甫向他谈起这件事,细细的考问,方才悟过来。原来当日那广东人正打算在清江开个榨油公司,说的是榨油机器。春甫是宁波人,一边是广东人,彼此言语不通,所以误会了。大凡谈天的人,每每喜欢加些装点,等春甫与某观察谈起这件事时,不免又说得神奇点,以致弄出这一个误会。春甫问得明白,便去回明了某观察。某观察这才后悔不迭，不敢回四川，就在江南地方谋了个差使混起来。好在他是明保过人才的，又是个特旨班道台，督抚没有个看不起的，所以要得差使也容易，从此他就在江南一带混住了。"说到这里，客栈里招呼开饭，便彼此走开。

我在宜昌耽搁了十多天，到伯父处去过几次，总是在客堂里，或是花厅里坐，从不曾到上房去过。然而上房里总像有内眷声音。前几年在武昌打听，便有人说我伯父带了家眷到了此地，但是一向不曾听说他续弦。此时我来了，他又不叫我进去拜见，我又不便动问，心中十分疑惑。

有一天，我又到公馆里去，只见门房里坐了一个家人，说是老爷和小姐到上海去了。我问道："是哪一个小姐？是几时动身去的？"那家人道："就是上前年来的刘三小姐，前天动身去的。"我看那家人生得轻佻活动，似是容易探听说话的，一向的疑心，有意在他身上打听打听这件事情，便又问道："此刻上房里还有谁？"一面说着，一面往里走。那家人跟着进来，一面答应道："此刻上面卧房都锁着，没有人了，只有家人在这里看家。"我走到花厅里坐下，那家人送上一碗茶。我又问道："这刘三小姐，到底是个甚么人？在这里住了几年？你总该知道。"那家人看了我一眼，歇了一歇道："怎的侄少爷不知道？"我道："我一向在家乡没有出来，这里老爷我是不常见的，怎能知道。"那家人道："三小姐就是舅老爷的女儿。"我道："这更奇了！怎么又闹出个舅老爷来呢？"那家人道："那么说，侄少爷是不知道的了。舅老爷是亲的是疏的，家人也不得而知，一向在上海的，想是侄少爷向未见过。"我听了更觉诧异，我向在上海，何以不知道有这一门亲戚呢。因答他道："我可是未见过。"那家人道："上前年老爷在上海玩了大半年，天天和舅老爷一起。"我道："你且不要说这些，舅老爷住在上海哪里？是做甚么事的？"那家人道："那时候家人跟在老爷身边伺候，舅老爷公馆是常去的，在城里叫个甚么家街，却记不清楚了，那时候正当着甚么衙门的帮审差呢。"我回头细细一想，才知道这个人是自己亲戚，却是伯父向来没有对我说过，所以一向也没有往来，直到今日方知，真是奇事。因又问道："那三小姐跟老爷到这里来做甚么？这里又没个太太招呼。"那家人道："这个家人不知道，也不便说。"我道："这有甚么要紧！你说了，我又不和你搬弄是非。"那家人道："为甚么要来，家人也不知道。只是来的时候，三小姐舍不得父母，哭得泪人儿一般。她家还有一个极忠心的家人叫胡安,送三小姐到船上,一直抽抽咽咽的背着人哭。直等船开了,他还不曾上岸,只得把他载到镇江,才打发他上岸,等下水船回上海去的。"我听了不觉十分纳闷,怎么说了半天,都是些不痛不痒的话,内中不知到底有甚么缘故。因又问道:"那三小姐到这里,不过跟亲戚来玩玩罢了,怎么一住两三年呢?又没有太太招呼。"那家人道:"这个家人不知道。"我道:"这两三年当中,我不信老爷可以招呼得过来。就是用了老妈子,也怕不便当。"那家人听了,默默无言。

我道:"你好好的说了,我赏你。这是我问我自己家里的事,你说给我,又不是说给外人去,怕甚么呢。"那家人嗫嚅了半晌道:"三小姐到了这里,不到三个月,便生下个孩子。"我听了,不禁吃了一大惊,脑袋上轰的一声响了,两个脸蛋登时热了,出了一身冷汗。嘴里不觉说道:"吓!"忽又回想了一想道:"原来是已经出嫁的。"那家人笑道:"这回老爷送他回上海才是出嫁呢,听说嫁的还是山东方抚台的本家兄弟。"我听了,心中又不觉烦燥起来,问道:"那生的孩子呢?此刻可还在?"那家人道:"生下来,就送到育婴堂去了。"我道:"以后怎么耽搁住了还不走?"那家人道:"这个家人哪里得知。但知道舅老爷屡次有信来催回去,老爷总是留住。这回是有了两个电报来,说男家那边迎娶的日子近了,这才走的。"我道:"那三小姐在这里住得惯?"那家人想了一想,无端给我请了一个安道:"家人已经嘴快,把上项事情都说了,求少爷千万不要给老爷说!"我笑道:"我说这些做甚!我们家里的规矩严,就连正经话常常也来不及说,还说得到这个吗。"那家人道:"起先三小姐从生下孩子之后,不到一个月,就闹着要走,老爷只管留着不放,三小姐闹得个无了无休。有一天,好好的同桌吃饭,偶然说起要走,不知怎样闹起来,三小姐连饭碗都摔了,哭了整整一天。后来不知怎样,又无端的恼了一天,闹了一天。自从这天之后,便平静了,绝不哭闹了。家人们纳罕。私下向上房老妈子打听,才知道接了舅老爷的信,说胡安嫌工钱不够用,屡次告退,已经荐了他到甚么轮船去做帐房了。三小姐见了这封信,起先哭闹,后来就好了。"我听了这两句话,又是如芒在背,坐立不安。在身边取出两张钱票子,给了那家人,便走了。

一路走回兴隆栈,当头遇了丁作之,不觉心中又是一动,好像他知道我亲戚有这桩丑事的一般,十分难过。回头想定了,才觉着他是不知道的,心下始安。作之问我道:"今天晚上彝陵船开,我已经写定了船票,我们要下次会了。"我想了一想,此处虽是开了口岸,人家十分俭朴,没有甚么可销流的货物。至于这里的货物,只有木料、药材是办得的,然而若与在川里办的比较起来,又不及人家了。所以决意不在这里开号了,不如和作之做伴,先回汉口再说罢。定了主意,便告诉了作之,叫帐房写了船票,收拾行李,当夜用划子划到了彝陵船上,拣了一个地方,开了铺盖。

　　刚刚收拾停当,忽然我伯父的家人走在旁边,叫了我一声,说道:"少爷动身了。"我道:"你来作甚么?"那家人道:"送党老爷下船,因为老爷有两件行李,托党老爷带到南京的。"我心中暗想,既然送甚么小姐到上海,为甚又带行李到南京去呢? 真是行踪诡秘,令人莫测了。那家人又道:"方才少爷走了,家人想起来,舅老爷此刻不住在城里,已经搬到新闸长庆里去了。"我点了点头。那家人便走到那边去招呼一个搭客。原来这彝陵船没有房舱,一律是统舱,所以同舱之人,彼此都可以望见。我看着那家人所招呼的,谅来就是姓党的了,默默的记在心里。歇了一会,那家人又走过来,我问他道:"你对党老爷可曾说起我在这?"那家人道:"不曾说起。少爷可要拜他? 家人去回一声。"我道:"不要,不要。你并且不要提起我。"那家人答应了,站了一会,自去了。

　　半夜时,启轮动身。一宿无话。次日起来,觉得异常闷气,那一种鸦片烟的焦臭味,扑鼻而来,十分难受。原来同舱的搭客,除了我一个之外,竟是没有一个不吃烟的。我熬不住,便终日走到舱面上去眺望;舱里的人也有出来抒气的。到了下午时候,只见那姓党的也在舱面上站着,手里拿了一根水烟袋,一面吸烟,一面和一个人说话,说的是满嘴京腔。其时我手里也拿着烟袋,因想了一个主意,走到他身边,和他借火,乘势操了京话,和他问答起来。才知道他号叫不群,是一个湖北候补巡检,分到宜昌府差委的。我便和他七拉八扯的先谈起来。喜得他谈锋极好,和他谈谈,倒大可以解闷。过了一天,船已过了沙市,我和他谈得更熟了,我便作为无意中问起来,说道:"你宁在宜昌多年,可认得一位敝本家号叫子仁的?"党不群道:"你们可是一家?"我道:"不,同姓罢了。"不群道:"这回可见着他?"我道:"没见着呢。我去找他,他已经动身往上海去了。"不群道:"你们向来是相识的?"我道:"从先有过一笔交易,赶后来结帐的时候,有一点儿找零没弄清楚,所以这回顺便的看看他,其实没甚么大不了的事情。"不群道:"你宁再过两个月,到南京大香炉陈家打听他,就打听着了。"我道:"他住在那边么?"不群道:"不,他下月续弦,娶的是陈府上的姑娘。"我听了这话,不觉心下十分怀疑,因问道:"他既然到南京续娶,为甚又到上海去呢?"不群笑道:"他这一门亲已经定了三四年了,被他的情人盘踞住他,不能迎娶。他这回送他情人到上海去了,回来就到南京娶亲。"我听了这话,心里兀的一跳,又问道:"这情人是谁? 为甚老远的要送到上海去?"不群道:"他情人本是住在上海的,自然要送回上海去。"我道:"是个甚么样人?"不群道:"这个不便说他了。"我听了这话,也不便细问,也不必细问了。忽然不群仰着面,哈哈的笑了两声,自言自语道:"料不到如今晚儿,人伦上都有升迁的,好好的一个大舅子,升做了丈人!"我听了这话,也不去细问,胡乱谈了些别的话,敷衍过去。不一天,船到了汉口,各自登岸。我自到号里去,也不问党不群的下落了。

　　我到了号里之后,照例料理了几条帐目。歇了两天,管事的吴作猷,便要置酒为我接风。这吴作猷是继之的本家叔父,一向在家乡经商。因为继之的意思,要将自己所开各号,都要用自己人经管,所以邀了出来,派在汉口,已经有了两年了。当下作猷约定明日下午在一品香请我。我道:"这又何必呢,我是常常往来的。"作猷道:"明日一则是吃酒,二来是看迎亲的灯船,所以我预早就定了靠江边的一个座儿,我们只当是看灯船罢了。"我道:"是甚么人迎亲? 有多少灯船,也值得这么一看?"作猷道:"阔得很呢! 是现任的镇台娶现任抚台的小姐。"我道:"是甚么镇台娶甚么抚台的小姐,值得那么热闹?"作猷道:"是郧阳镇娶本省抚台的小姐,还不阔么!"我摇头道:"我于这里官场踪迹都不甚了了,要就你告诉我,我才明白呢。"作猷道:"你不厌烦,我就一一告诉你。"我道:"你有本事说他十天十夜,我总不厌烦就是了。"

　　作猷道:"如此,我就说起来罢。这一位郧阳总镇姓朱,名叫阿狗,是福建人氏。那年有一位京官新放了福建巡抚,是姓侯的。这位侯中丞是北边人,本有北边的嗜好;到了福建,闻说福建恰有此风,那真是投其所好了。及至到任之后,却为官体所拘,不能放恣,因此心中闷闷不乐。到任半年之后,忽然他签押房里所糊的花纸霉坏了,便叫人重裱。叫了两个裱糊匠来,裱了两天,方才裱得妥当。到了第二天下午，两个裱糊匠走了，只留下一个学徒在那里收拾家伙。这位侯中丞进来察看，只见那学徒生得眉清目秀，唇红齿白，不觉动了怜惜之心。因问他：'姓甚名谁？有几岁了？"那学徒说道：'小人姓朱，名叫阿狗，人家都叫小的做朱狗，今年十三岁。'侯中丞见他说话伶俐，更觉喜欢。又问他道：'你在那裱糊店里，赚几个钱一月？'朱狗道：'不瞒大人说，小的们学生意是没有工钱的。到了年下，师傅喜欢，便给几百文鞋袜钱。若是不喜欢，一文也没有呢。'侯中丞眉花眼笑的道：'既是这么样，你何苦来当徒弟呢？'朱狗笑道：'大人不知道，我们穷人家都是如此。'侯中丞道：'我不信穷人家都是如此，我却叫你不如此。你不要当这学徒了，就在这里伺候我。我给你的工钱，总比师傅的鞋袜钱好看些。'那朱狗真是福至心灵，听了这话，连忙趴在地下，咯嗵咯嗵的磕了三个响头，说道：'谢大人恩典！'侯中丞大喜，便叫人带他去剃头，打辫，洗澡，换衣服。一会儿，他整个人便变了样子。穿了一身时式衣服，剃光了头，打了一条油松辫子，越显得光华夺目。侯中丞益发欢喜，把他留在身边伺候。坐下时，叫他装烟；躺下时，叫他捶腿。一边是福建人的惯家，一边是北直人的风尚，其中的事情，就有许多不堪闻问的了。两个的恩爱，日益加深。侯中丞便借端代他开了个保举，和他改了姓侯名虎，弄了一个外委把总，从此他就叫侯虎了。侯中丞把他派了辕下一个武巡捕的差使，在福建着实弄了几文。后来侯中丞调任广东，带了他去，又委他署了一任西关千总，因此更发了财。但只可怜他白天虽然出来当差做官，晚上依然要进去伺候。侯中丞念他一点忠心，便把一名丫头指给他做老婆。侯虎却不敢怠慢，备了三书六礼，迎娶过来。夫妻两个，饮水思源，却还是常常进去伺候，所以侯中丞也一时少不了他夫妻两个。前两年升了两湖总督，仍然把他奏调过来。他一连几年，连捐带保的，弄到了一个总兵。侯制军爱他忠心，便代他设法补了郧阳镇。他却不去到任，仍旧跟着侯制军统带戈什哈。"

正是：改头换面夸奇遇，浃髓沦肌感大恩。未知后事如何，且待下回再记。

第八十三回

误联婚家庭闹意见　施诡计幕客逞机谋

　　作猷又道:"这一位侯总镇的太太,身子本不甚好,加以日夕随了总镇伺候制军,不觉积劳成疾,呜呼哀哉了。侯总镇自是伤心。那侯制军虽然未曾亲临吊奠,却也落了不少的眼泪。到此刻只怕有了一年多了,侯总镇却也优俪情深,一向不肯续娶。倒是侯制军屡次劝他,他却是说到续娶的话,并不赞一词,只有垂泪。侯制军也说他是个情种。一天,武昌各官在黄鹤楼宴会,侯制军偶然说起侯总镇的情景来,又说道:'看不出这么一个赳赳武夫,倒是一个旖旎多情的男子!'其时巡抚言中丞也在坐。这位言中丞的科第却出在侯制军门下,一向十分敬服,十分恭顺的。此时虽是同城督抚,礼当平行,言中丞却是除了咨移公事外,仍旧执他的弟子礼。一向知道侯总镇是老师的心腹人,向来对于侯总镇也十分另眼。此时被了两杯酒,巴结老师的心,格外勃勃,听了制军这句话,便道:"师帅赏拔的人,自然是出色的。门生有个息女,生得虽不十分怎样,却还略知大义,意思想仰攀这门亲,不知师帅可肯作伐?'此时侯总镇正在侯制军后面伺候,侯制军便呵呵大笑,回头叫侯总镇道:'虎儿,还不过来谢过丈人么!'侯总镇连忙过来,对着言中丞恭恭敬敬叩下头去。言中丞眉花眼笑的还了半礼。侯总镇又向侯制军叩谢过了,仍到后面去伺候。侯制军道:'你此刻是大中丞的门婿了,怎么还在这里伺候? 你去罢。'侯总镇一面答应着,却只不动身,俄延到散了席,仍然伺候侯制军到衙门里去,请示制军,应该如何行聘。侯制军道:'这个自然不能过于俭啬,你自己斟酌就是了。'侯总镇欢欢喜喜的回到公馆里,已是车马盈门了。

原来当席定亲一节,早已哄传开去。官场中的人物,没有半个不是势利鬼,侯总镇向来是制军言听计从的心腹,此刻又做了中丞门下新婚,哪一个不想巴结!所以阖城文武印委各员,都纷纷前来道贺。就是藩臬两司,也亲到投片,由家丁挡过驾。有几个相识的,便都列坐在花厅上,专等面贺。侯总镇入得门来,招呼不迭,一个个纷纷道喜,侯总镇一一招呼让坐送茶。送去了一班,又来了一班,倒把个侯总镇闹乏了。忽然一个戈什哈,捧了一角文书,进来献上。总镇接在手里,便叫家人请赵师爷来。一会儿,赵师爷出来了,不免先向众客相见,然后总镇递给他文书看。赵师爷拆去文书套,抽出来一看,不觉满脸堆下笑来,对着总镇深深一揖道:'恭喜大人,贺喜大人!又高升了!督帅札委了大人做督标统领呢。'于是众客一齐站起来,又是一番揖恭道喜。一个个嘴里都说道:'这才是双喜临门呢!'总镇也自扬扬得意。送过众客,便骑上了马,上院谢委。吩咐家丁,凡来道喜的,都一律挡驾。自家到得督辕,见了制军,便叩头谢委。制军笑道:'这算是我送给你的一份贺礼,倒反劳动你了。'总镇道:'恩帅的恩典,就和天地父母一般,真正不知做几世狗马,才报得尽!奴才只有天天多烧几炉香,叩祝恩帅长春不老罢了。'侯制军道:'罢了!你这点孝心,我久已生受你的了。你赶紧回去,打点行聘接差的事罢。'总镇又请了个安,谢过了恩帅,然后出辕上马,回到公馆。不料仍然是车马盈门的,几乎挤拥不开。原来是督标各营的管带、帮带,以及各营官等,都来参谒。总镇下马,入得门来,各人已是分列两行,垂手站班。总镇只呵着腰,向两面点点头,吩咐改天再见。径自到书房里,和赵师爷商量,择日行聘去了。

"只苦了言中丞,席散之后,回到衙门,进入内室,被言夫人劈头唾了几口,吓得言中丞酒也醒了。原来席间订婚之事,早被家人们回来报知,这也是小人们讨好的意思。谁知言夫人听了,便怒不可压,气的一言不发,直等到中丞回来,方才一连唾了他几口。言中丞愕然道:'夫人为何如此?'言夫人怒道:'女儿虽是姓言,却是我生下来的,须知并不是你一个人的女儿。是关着女儿的,无论甚么事,也应该和我商量商量,何况她的终身大事!你便老贱不拣人家,我的女儿虽是生得十分丑陋,也不至于给兔崽子做老婆!更不至于去填那臭丫头的房!你为甚便轻轻的把女儿许了这种人?须知儿女大事,我也要做一半主。你此刻就轻轻许了,我看你怎样对她的一辈子!'一席话,骂得言中丞嘿嘿无言。半晌方才说道：'许也许了，此刻悔也悔不过来。况且又是师帅做的媒，你叫我怎样推托！'言夫人啐道：'你师帅叫你吃屎，你为甚不吃给他看！幸而你的师帅做个媒人，不过叫女儿嫁个兔崽子；倘使你师帅叫你女儿当娼去，你也情愿做老乌龟，拿着绿帽子往自己头上去磕了！'说话时，又听得那位小姐在房里嘤嘤啜泣。言夫人叹了一口气，说声'作孽'，便自到房里去了。

　　"言中丞此时失了主意，从此夫妻反目。过得两天，营务处总办陆观察来上辕，禀知奉了督帅之命，代侯总镇作伐，已定于某日行聘。言中丞只得也请了本辕文案洪太守做女媒。一面到里面来告诉言夫人说：'你闹了这几天，也就够了。此刻人家行聘日子都定了，你也应该预备点。'言夫人道："我早就预备好了，每一个丫头、老妈子都派一根棒，来了便打出去！'言中丞道：'夫人，你这又何苦！生米已成了熟饭。'言夫人道：'谁管你的饭熟不熟，我的女儿是不嫁他的！你给我闹狠了，我便定了两条主意。"言中丞道：'事情已经如此了，还有甚么主意？'言夫人道：'等你们有了迎娶的日子，我带了女儿回家乡去；不啊，我就到你那甚么师帅的地方去和他评理，问他强逼人家婚嫁，在《大清律例》哪一条上？'言中丞听了，暗暗吃了一惊，他果然闹到师帅那边，如何是好呢。一时没了主意，因为是家事，又不便和外人商量。身边有一个四姨太太，生来最为机警，便去和四姨太太商量。四姨太太道：'太太既然这么执性，也不可不防备着。回家乡啊，见师帅啊，这倒是第二着；她说聘礼来了要打出去一层，倒是最要紧。并且没有几天了，回盘东西，一点也没预备，也得要张罗起来。'言中丞道：'我给她闹的没了主意了，你替我想想罢。'四姨太太道：'别的都好打算，只有那回盘礼物，要上紧的办起来。'言中丞道：'你就叫人去办罢。一切都从丰点，不要叫人家笑寒碜。要钱用，打发人到帐房里去要。'四姨太太道：'办了来，都放在哪里？叫太太看见了，又生出气来。'言中丞道：'罢了！我就拨了外书房给你办这件事罢。我自到花厅里设个外书房。'四姨太太道：'这么说，到了行聘那天也不必惊动上房罢，都在外书房办事就完了。'言中丞点头答应。于是四姨太太登时忙起来。倒也亏她，一切都办的妥妥当当。到了行聘的前一天，一一请言中丞过目。叫书启老夫子写了礼单、礼书，一切都安排好了。到了这天，竟是瞒着上房办起事来，总算没闹笑话。侯家送过来的聘礼，也暂时归四姨太太收贮。不料事机不密，到了下晚时候，被言夫人知道了，叫人请了言中丞来大闹。闹得中丞没了法子，便赌着气道：'算了！我明日就退了他的聘礼，留着这女孩子老死在你身边罢！'言夫人得了这句话，方才罢休。这一夜，言中丞便和四姨太太商量，有甚法子可以挽回。两个人商量了一夜，仍是没有主意。

"次日言中丞见了洪太守，便和他商量。原来洪太守是言中丞的心腹，向来总办本辕文案，这回小姐的媒人是叫他做的。所以言中丞将一切细情告诉了他，请他想个主意，洪太过想了半天道：'这件事只有劝转宪太太之一法，除此之外，实在没有主意。'言中丞无奈，也只得按住脾气，随时解劝。无奈这位言夫人，一听到这件事便闹起来，任是甚么说话都说不上去。足足闹了一个多月，绝无转机。偏偏侯制军要凑高兴，催着侯统领（委了督标统领，故改称统领也）早日完娶。侯统领便择了日子，央陆观察送过去。言中丞见时机已迫，没了法，又和洪太守商量了几天，总议不出一个办法。洪太守道：'或者请少爷向宪太太处求情，母子之间，或可以说得拢。'言中丞道：'不要说起！大小儿、二小儿都不在身边，这是你知道的；只有三小儿在这里，这孩子不大怕我，倒是怕娘，娘跟前他哪里敢哼一个字！'洪太守道：'这就真真难了！'大家对想了一回，仍是四目相看，无可为计。须知这是一件秘密之事，不能同大众商量的，只有知己的一两个人可以说得，所以总想不出一条妙计。到后来洪太守道：'卑府实在想不出法子，除非请了陆道来，和他商量。他素来有鬼神不测之机，巧夺造化之妙，和他商量，必有法子。但是这个人很贪，无论何人求他设一个法子，他总先要讲价钱。前回侯制军被言官参了一本，有旨交他明白回奏。文案上各委员拟的奏稿都不合意，后来请他起了个稿。他也托人对制军说：一分钱，一分货，甚么价钱是甚么货色。侯制军甚是恼他放恣，然而用人之际，无可奈何，送了他一千银子。本打算得了他的稿子之后，借别样事情参了他；谁知他的稿子送上去，侯制军看了，果然是好，又动了怜才之念，倒反信用他来。'言中丞道：'果然他有好法子，说不得破费点也不能吝惜的了。但是商量这件事，兄弟当面不好说，还是老哥去拜他一次，和他商议，就是他有点贪念，也可以转圆。若是兄弟当了面，他倒不好说了。'洪太守依言，便去拜陆观察。

"你道那陆观察有甚么鬼神不测之机，巧夺造化之妙？原来他是一个江南不第秀才，捐了个二百五的同知，在外面瞎混。头一件精明的是打得一手好麻雀牌，大家同是十三张牌，他却有本事拿了十六张，就连坐在他后面观局的人，也看他不穿的。这是他天字第一号的本事！前两年北洋那边有一位叶军门，请了他做文案。恰好为了朝鲜的事，中日失和，叶军门奉调带兵驻扎平壤。后来日本兵到了，把平壤围住；围虽围了，其时军饷尚足，倘能守待外援，未尝不可以一战。这位陆观察却对叶军门说得日本兵怎生利害，不难杀得我们片甲不留，那时军门的处分怎生担得起！说得叶军门害怕了，求他设法，他便说：'好在平壤不是朝廷土地，纵然失了，也没甚大处分。不如把平壤让与日本人，还可以全军退出，不伤士卒，保全军饷。'叶军门道：'但是怎样对上头说呢？'陆观察道：'对上头只报一个败仗罢了。打了败仗，还能保全士卒，不失军火，总没甚大处分，较之全军覆没总好得多。'叶军门被他说得没了主意。大约总是恋禄固位，贪生怕死之心太重了，不然，就和日本见一仗，胜败尚未可知；就是果然全军复没，连自己也死了，乐得谥法上坐一个忠字，何致上这种小人的当呢。当时叶军门被生死荣辱关头吓住了，便说道：'但是怎生使得日本兵退呢。'陆观察道：'这有何难！只要军门写一封信给日本的兵官，求他让我们一条出路，把平壤送给他。他不费一枪一弹得了平壤，还可以回去报捷，何乐不为呢。'叶军门道：'既如此，就请你写一封信去罢。'陆观察道：'这个是军务大事，别人如何好代，必要军门亲笔的。'叶军门道：'我如何会写字！'陆观察道：'等我写好一张样子，军门照着写就是了。'叶军门无奈，只得依他。他便用八行书，写了两张纸。起头无非是几句恭维话，中间说了几句卑污苟贱，摇尾乞怜的话，落后便叙明求退开一路，让我兵士走出，保全性命，情愿将平壤奉送的话。叶军门便也拿了纸，蒙在他的信上写起来，犹如小孩子写仿影一般。可怜叶军门是拿长矛子出身的，就是近日的洋枪也还勉强拿得来，此刻叫他拿起一枝绝没分量的笔向纸上去写字，他就犹如拿了几百斤东西一般，撇也撇不开，捺也捺不下，不是画粗了，便是竖细了。好容易捱了起来，画过押，放下笔，觉得手也颤了。陆观察拿过来仔细看过一遍，忽然说道：'不好，不好！中间落了一句要紧话不曾写上，还得另写一封。'叶军门道：'算了罢，我写不动了！'陆观察道：'这封信去，他不肯退兵，依然要再写的，不如此刻添上一两句写去的爽快。'叶军门万分没法，由得他再写一通，照样又描了一遍。签过押之后，非但是手颤，简直腰也酸了，腿也痛了，两面肩膀，就和拉弓

拉伤一般。放下了笔，便向炕上一躺道：'再要不对，是要了我命了！'
陆观察道：'对了，对了，不必再写了。可要发了去罢？'叶军门道：'请
你发一发罢。'陆观察便拿去加了封，标了封面，糊了口，叫一个兵卒
拿去日本营投递。日本兵官接到了这封信，还以为支那人来投战书
呢；及至拆开一看，原来如此，不觉好笑。说道：'也罢！我也体上天
好生之德，不打你们，就照来书行事罢。'那投书人回去报知，叶军门
就下令准备动身。

　　"到了次日，日本兵果然让开一条大路，叶军门一马当先，领了全
军，排齐了队伍，浩浩荡荡，离开平壤，退到三十里之外，扎下行营。
一面捏了败仗情形，分电京、津各处。此时到处沸沸扬扬，都传说平
壤打了败仗，哪里知道其中是这么一件事。当夜夜静时，陆观察便到
叶军门行帐里辞行，说道：'兵凶战危，我实在不敢在这里伺候军门
了。求军门借给我五万银子盘费。'叶军门惊道：'盘费哪里用得许
多！'陆观察道：'盘费数目本来没有一定，送多送少，看各人的交情罢
了。'叶军门道：'我哪里有许多银子送人！'陆观察道：'军门牛庄、天
津、烟台各处都有寄顿，怎说没有。'叶军门是个武夫，听到此处，不觉
大怒道：'我有我的钱，为甚要送给你！'陆观察道：'送不送本由军门，
我不过这么一问罢了，何必动怒。'说罢，在怀里取出叶军门昨天亲笔
所写那第二封信来。原来他第二封信，加了'久思归化，惜乏机缘'两
句，可怜叶军门不识字，就是模糊影响认得几个，也不解字义，糊里糊
涂照样描了。他却仍把第一封信发了，留下这第二封，此时拿出来逐
句解给叶军门听。解说已毕，仍旧揣在怀里，说道：'有了五万银子，
我便到外国游历一趟；没有五万银子，我便就近点到北京玩玩，顺便
拿这封信出个首，也不无小补。'说罢起身告辞。吓得叶军门连忙拦
住。"

　　正是：最是小人难与伍，从来大盗不操戈。未知叶军门到底如何
对付他，且待下回再记。

第八十四回

接木移花丫环充小姐　　弄巧成拙牯岭属他人

作歉又道："这件事，到底被他诈了三万银子，方才把那封信取回。然而叶军门到底不免于罪。他却拿了三万银子到京里去，用了几吊，弄了一个道台，居然当起观察大人了。有人知道他这件事，就说他足智多谋，有鬼神不测之机了。当日洪太守奉了言中丞之命，专诚到营务处去拜陆观察，闲闲的说起儿女姻亲的事情来，又慢慢的说到侯、言两家一段姻缘，一说即合，我两个倒做了个现成媒人。说笑一番，方才渐渐露出言夫人不满意这头亲事的意思。陆观察道：'这个大约嫌他是个武官，等将来过了门，见了新婿的丰采，自然就没有话说了。'洪太守道：'不呢！听说这位宪太太，竟有誓死不放女儿嫁人家填房之说。这位抚帅是个惧内的，急得没有法子，跑来和我商量。'陆观察道：'既是那么着，总不是一天的说话，为甚么不早点说，还受他的聘呢？'洪太守道：'这亲事当日席上一言为定的，怎么能够不受聘。'陆观察笑道：'本来当日定亲的地方不好，跑到那'黄鹤一去不复返'的去处定个亲，此刻闹得新娘变了黄鹤了，为之奈何！'洪太守道：'我们虽是他们请出来的现成货，却也担着个媒人名色，将来怕不免费手脚代他们调停呢。'陆观察道：'说是督帅的意思，只怕言夫人也不好过于怎样。'洪太守道：'当日的情形，登时就有人报到内署，明明是抚帅自己先说起的，怎样能够赖到督帅身上；何况言夫人还说过，要到督帅那边，问为甚要把我女儿许做人家填房呢。'陆观察道：'这就难了！据阁下这么说，言夫人的意思，竟是不能挽回的了？'洪太守道：'果然不能挽回。请教有甚妙策？'陆观察道：'这又何难！拣一个有点姿色的丫头，替了小姐就是了。'洪太守道：'这个如何使得！

万一闹穿了,非但侯统领那边下不去,就是督帅那边也难为情。'嘴里虽这么说,心里却暗暗佩服他的妙计。但是此计是他说出来的,不免要拉他做了一党,方才妥当。陆观察道:'除此之外,再没有别的法子。除非抚帅的姨太太连夜再生一位小姐下来,然而也来不及长大啊。'洪太守一面低头寻思,有甚妙策可以拉他做同党。陆观察也在那里默默无言,肚子里不知打算些甚么。

"歇了好一会,忽然说道:'法子便有一个,只是我也要破费点,代人家设法,未免犯不着。'洪太守道:'是甚么妙计?倘是面面周到的,破费一层,倒好商量。'陆观察又沉吟了一会道:'兄弟有个小女,今年十八岁,叫她去拜在抚帅膝下做个女儿,代了小姐,岂不是好。'洪太守大喜道:'得观察如此,是好极的了!'陆观察道:'但是如此一来,我把小女白白送掉了,将来亲戚也认不得一门。'洪太守道:'这个倒不必过虑。令千金果然拜在抚帅膝下,对人家说,只说是抚帅小姐,却是观察的干女儿,将来不是一样的往来么。'陆观察道:'我赔了小女不要紧,虽说是妆奁一切都有抚帅办理,然而我做老子的不能一点东西不给她。近年来这营务处的差使,是有名无实的,想阁下也都知道。'洪太守道:'这个更不必过虑。要代令千金添置东西,大约要用多少,抚帅那边尽可以先送过来。'陆观察道:'这是我们知己之谈,我并不是卖女儿,这一两吊银子的东西是要给她的。"洪太守道:'这都好商量。但不知尊夫人肯不肯?'陆观察道:'内人总好商量,大约不至于像言宪太太那么利害。'洪太守道:'那么兄弟就去回抚帅照办就是了'。

"说罢,辞了回去,一五一十的照回了言中丞。中丞正在万分为难之际,得了这个解纷之法,如何不答应。一面进去告诉言夫人,说:'现在营务处陆道的闺女,要来拜在夫人膝下,将来侯家那门亲,就叫她去对,夫人可以不必恼了。'言夫人道:'甚么浪蹄子,肯替人家嫁!肯嫁给兔崽子,有甚么好东西!我没那么大的福气,认不得那么个好女儿!你干,你们干去,叫她别来见我!'言中丞碰了这个钉子,默默无言。只得又去和洪太守商量。洪太守道:'既然宪太太不愿意,就拜在姨太太膝下,也是一样。'言中丞道:'但不知陆道怎样?'洪太守道:'据卑府看,陆道这个人,只要有了钱,甚么都办得到的。就不知他家里头怎样,等卑府再去试探他来。'于是又坐了轿子到营务处,谁知陆观察已回公馆去了。原来陆观察送过洪太守之后,便回到公馆,往上房转了一转，望着大丫头碧莲丢了个眼色，便往书房里去。原来陆观察除正室夫人之外，也有两房姨太太。这碧莲是个大丫头，已经十八岁了，陆观察最是宠爱她，已经和她鬼混得不少，就差没有光明正大的收房。这天看见陆观察向她使眼色，不知又有甚么事，便跟到书房里去。陆观察拉她的手，在身边坐下，说道：'我问你一句话，你可老实答应我。'碧莲道：'有甚么话只管说。'陆观察道：'你到底愿意嫁甚么人？'碧莲伸手把陆观察的胡子一拉，瞟了一眼道：'我还嫁谁！'陆观察道：'我送你到一个好地方去，嫁一个红顶花翎的镇台做正室夫人，可好不好？'碧莲道：'我没有这么个福气，你别呕我！'陆观察道：'不是呕你，是一句正经话。'说罢，便把言中丞一节事情，仔细说了一遍。又道：'此刻没了法子，要找一个人做言小姐的替身。我在言中丞跟前，说有个女儿，情愿拜在中丞膝下，替他的小姐，意思就叫你去。'碧莲道：'那么你又要做起我老子来了！'陆观察道：'这个自然。你如果答应了，我和太太说好，即刻就改起口来。不过两三天，就要到抚台衙门里去了。'碧莲道：'你也糊涂了！还当我是个孩子，好充闺女去嫁人？'陆观察道：'你才糊涂！须知你是抚台的小姐，制台做的媒人，他敢怎样！何况他前头的老婆……'说到这里，附着碧莲的耳朵，悄悄的说了两句。碧莲笑道：'原来是个张着眼睛的乌龟！我可不干这个。'陆观察道：'你真是傻子！他又怎敢要你干这个，便是制台也不好意思啊。'碧莲道：'你好会占便宜！开坛的酒，自己喝的不要喝，才拿来送人。还不知道是拿我卖了不是呢。'陆观察道：'我卖你，还要认你做女儿呢！'正说话时，家人报洪大人来了。陆观察叫请。又对碧莲道：'这是讨回信的来了，你肯不肯，快说一声，我好答应人家。'碧莲道：'由得你摆弄就是了，我怎敢做主。'陆观察便到客堂里会洪太守。洪太守难于措词，只得把言夫人的情形，及自己的意思说了。陆观察故意沉吟了一会，叹一口气道：'为上司的事情，说不得委屈点也要干的了！'洪太守得了这句话，便去回复言中丞。陆观察便回到上房，对他夫人说知此事。陆太太笑对碧莲道：'这丫头居然是一品夫人了！'碧莲道：'这是老爷太太的抬举！其实到了别人家去，不能终身伏侍老爷太太，丫头心里着实难过。求老爷另外叫一个去罢。'说着，流下两点眼泪来。陆太太道：'胡说！难道做丫头的，应该伏侍主人一辈子的么。'陆观察道：'叫人预备香烛，明天早起，叫她拜拜祖宗，大家改个称呼。言中丞那边，不知几时来接呢。'

到了明天，果然点起蜡烛来，碧莲拜过陆氏祖宗，又拜过陆观察夫妻两个，改口叫爹爹妈妈；又向两位姨娘行过礼；然后一众家人、仆妇、丫头们都来叩见，一律改称小姐。陆观察又悄悄地嘱咐她，到了言家，便是我的亲女，言氏是寄父母；到了侯家，便是言氏亲女，我这边是寄父母。碧莲一一领会。这天下午，洪太守送了二千银子的票子来，顺便说明天来接小姐过去认亲。陆观察有了银子，莫说是认亲，就是断送了，也未尝不可，何况是个丫头。过了一天，言中丞那边打发了轿子来接，碧莲充了小姐，到抚台衙门里去。原来言中丞被他夫人闹得慌了，索性把四姨太太搬到花园里去住，就在花园里接待干女儿；将来出嫁时，也打算在花园里办事，省得惊动上房。这天碧莲到来，一群丫头仆妇，早在二门迎着，引到花园里去。四姨太太迎将出来，搀了手，同到堂屋里。抬头看见点着明晃晃的一对大蜡烛，碧莲先向上拜过言氏祖宗，请言中丞出来拜见，又拜了四姨太太，爹爹妈妈叫得十分亲热。又要拜见言夫人，言中丞只推说有病，改日再见罢。又因为喜期不远，叫人去和陆观察说知，留小姐在这边住下。碧莲本来生得伶牙俐齿，最会随机应变，把个言中丞及四姨太太巴结得十分欢喜，赛如亲生女儿一般。丫头们三三两两个的便传说到上房里去。言夫人忽发奇想，叫人到冥器店里定做了一百根哭丧棒。家人们奉命去做，也莫名奇妙。便是冥器店里也觉得奇怪，不知是哪个有福的人死了，足足一百个儿子。买回来堆在上房里。言中丞过来看见了，问是甚么事弄了这个东西来。言夫人道：'我有用处，你休管我！'言中丞道：'这些不祥之物，怎么凭空堆了一屋子？'喝叫家人：'快拿去烧了！'言夫人怒道：'哪个敢动！我预备着要打花轿的！'言中丞道：'夫人！你这个是何苦！此刻不要你的女儿了，你算是事不干己的了，何必苦苦作对呢？'言夫人道：'我这个办法，是代你言氏祖宗争气。女儿的事，是叫我扳住了；偏不死心，哪里去弄个浪蹄子来充女儿，是要抬一个兔崽子的女婿，辱到你言氏祖宗！你自己想想，你心里过得去过不去？'言中丞说：'此刻是别姓的女儿了，我只当代人嫁女儿，夫人又何必多管呢。'言夫人道：'他可不要到我衙门里来娶；他若进我辕门，我便拿哭丧棒打出来！'言中丞知道她不可以理喻的了，因定了个主意，说衙门的方向冲犯了小姐的八字，要另外找房子出嫁。又想到在武昌办事，还怕被夫人侦知去胡闹，索性到汉口来，租了南城公所相近的一处房子，打发几位姨太太及三少爷陪了小姐过来。明日是亲迎喜期,拜堂的吉时听说在晚上十二点钟,这边新人也要晚上上轿,所以用了灯船。"

我道:"看灯船是小事,倒是听了这段新闻有趣。但是这件事,外面人都知得这么明亮透彻,难道那侯统领是个聋子瞎子,一点风声都没有么?"作猷道:"你又来了!有了风声便怎样?此刻做官的哪一个不是自欺欺人,掩耳盗铃的故智?揭穿了底子,哪一个是能见人的?此刻武昌、汉口一带,大家都说是言中丞的小姐嫁郧阳镇台,就大家都知道花轿里面的是个替身,侯统领纵使也明知是个替身,只要言中丞肯认他做女婿,哪怕替身的是个丫头也罢,婊子也罢,都不必论的了。就如那侯统领,哪个不知他是个兔崽子?就是他手下所带的兵弁,也没有一个不知他是兔崽子,他自己也明知自己是个兔崽子,并且明知人人知道他是个兔崽子。无奈他的老子阔,要抬举他做统领,那些兵弁,就只好对他站班唱名了,他自己也就把那回身就抱的旖旎风情藏起来,换一副冠冕堂皇的面目了。说的是侯统领一个,其实如今做官的人,无非与侯统领大同小异罢了。"大家闲谈一回,各自走开。

到了次日下午,作猷约了早点到一品香去眺望江景。到了一品香之后,又写了条子去邀客。我自在露台上凭栏闲眺,颇觉得心胸开豁。等到客齐入席,闹了一回酒,席散时已是七点多钟。忽听得远远一阵鼓乐之声,大家赶到露台看时,只见招商局码头,泊了二三十号长龙舢舨,船上灯球火把,照耀得如同白日。另外有四五号大船,船上一律的披红挂彩,灯烛辉煌,鼓乐并作,陆续由小火轮拖了开行。就是长龙舢舨,也用了小火轮拖带,船上人并不打桨,只在那里作军乐。一时开到江心,只见旌旗招展,各舢舨上的兵士,不住的燃放鞭炮及高升炮。远远望去,犹如一条火龙一般,果然热闹。直望他到了武昌汉阳门那边停泊了,还望得见灯火闪烁。作猷笑道:"这也算得大观了!"我道:"我来的时候,就看见那些长龙舢舨,停在招商局码头,旗帜格外鲜明。我还以为是甚么大员过境来伺候的,不料却是迎亲之用。然而迎亲用了兵船兵队,似乎不甚相宜。"作猷道:"岂但迎亲,他那边来迎的是督标兵,这边送亲的是抚标兵呢!"我笑道:"自有兵以来,未有遭如是之用者!"作猷道:"在外面如是之用,还不为奇;只怕两个开战时,还要他们摇旗呐喊,遥助声威呢!"说得众人大笑。闲谈一回,各自散了。

　　我又住了十多天，做了几次无谓的应酬，便到九江去走一次。管事的吴味辛接着，我清查了一向帐目。我因为到了九江好几次，却没有进过城，这天没事，邀了味辛到城里去看看。地方异常龌龊，也与汉口内地差不多。却有一样与他省不同之处，大凡人家住宅房屋，多半是歪的，绝少看见有端端正正的一方天井，不是三角的，便是斜方的。问起来，才知道江西人极信风水，其房屋之所以歪斜，都为限于方向与地势不合之故。

　　走到道台衙门前面，忽见里面一顶绿呢大轿，抬了一个外国人出来。味辛道："这件交涉只怕还未得了，不知争得怎样呢。"我道："是甚么交涉？"味辛道："好好的一座庐山，送给外国人了！"我吃惊道："是谁送的？"味辛道："前两年有个外国人，跑到庐山牯牛岭去逛。这外国人懂了中国话，还认得两个中国字。看见山明水秀，便有意要买一片地，盖所房子，做夏天避暑的地方。不知哪里来了个流痞，串通了山上一个甚么庙里的和尚，冒充做地主。那外国人肯出四十元洋银，买一指地。那和尚与流痞以为一只指头大的地，卖他四十元，很是上算的。便与他成交，写了一张契据给他，也写的是一指地。他便拿了这个契据，到道署里转道契。道台看了不懂，问他：'甚么叫一指地？'他说：'用手一指，指到哪里，就是那里。'道台吃了一惊道：'用手一指，可以指到地平线上去，那可不知是哪里地界了！我一个九江道，如何做得主填给你道契呢！'连忙即叫德化县和他去勘验，并去提那流痞及和尚来。谁知他二人先得了信，早已逃走了。那外国人还有良心，所说的一指地，只指了一座牯牛岭去。从此起了交涉，随便怎样，争不回来。闹到详了省，省里达到总理衙门，在京里交涉，也争不回来。此时那坐轿子出来的，就是领事官，就怕的是为这件事了。"我叹道："我们和外国人办交涉，总是有败无胜的，自从中日一役之后，越发被外人看穿了！"味辛道："你还不知那一班外交家的老主意呢！前一向传说总理衙门里一位大臣，写一封私函给这里抚台，那才说得好呢。"

　　正是：一纸私函将意去，五中深虑向君披。未知那总理衙门大臣的信说些甚么，且待下回再记。

第八十五回

恋花丛公子扶丧　定药方医生论病

辛味道:"这封信,你道他说些甚么? 他说:'台湾一省地方,朝廷尚且拿他送给日本,何况区区一座牯牛岭,值得甚么! 将就送了他罢! 况且争回来,又不是你的产业,何苦呢!'这里抚台见了他的信,就冷了许多,由得这里九江道去搅,不大理会了。不然,只怕还不至于如此呢。"我听了这一番话,没得好说,只有叹一口气罢了。逛了一回,便出城去。

看看没甚事,我便坐了下水船,到芜湖、南京、镇江各处走了一趟,没甚耽搁,回到上海。恰好继之也到了,彼此相见。我把各处的正事述了一遍,检出各处帐略,交给管德泉收贮。说话间,有人来访金子安,问那一单白铜到底要不要。子安回说价钱不对,前路肯让点价,再作商量。那人道:"比市面价钱已经低了一两多了。"子安道:"我也明知道。不过我们买来又不是自己用,依然是要卖出去的,是个生意经,自然想多赚几文。"那人又谈了几句闲话,自去了。我问:"是甚么白铜? 有多少货?"子安道:"大约有五六百担。我已经打听过,苏州、上海两处的脚炉作、烟筒店,尽有销路,所以和继翁商量,打算买下来。"我道:"是哪里来的货,可以比市面上少了一两多一担?"子安道:"听说是云南藩台的少爷,从云南带来的。"我道:"方才来的是谁?"子安道:"是个捎客(经手买卖者之称,沪语也)。"我道:"用不着他,我明天当面去定了来。"继之道:"你认得前路么?"我道:"陈稚农,我在汉口认得他,说是云南藩台的儿子,不是他还有哪个。是他的东西,自然该便宜的。"子安道:"何以见得?"我道:"他这回是运他娘的灵柩回福建原籍的,他带的东西,自然各处关卡都不完厘上税的了。从云南到这里,就是那一笔厘税，就便宜不少。我在汉口和他同过好几回席，总没有谈到这个上头。"继之道："他是个官家子弟，扶丧回里，怎么沿途赴席起来？"我道："岂但赴席，我和他同席几回，都是花酒呢。终日沉迷在南城公所一带。他比我先离汉口的，不知几时到的上海？"子安道："这倒不了解，并且也不知他住在哪里。"我道："这个容易，一打听就着了。"说罢，叫一个会干事的茶房来，叫他去各家大客栈里去打听云南藩台的少大人住在哪里。那茶房道："我有个亲戚，在天顺祥票号里做出店的，前回他来说过，有个陈少大人住在那边。此刻不知在那里不在，一问便知道了。"说罢自去。过了一会来说："陈少大人只在那里歇一歇脚，就搬到集贤里天保栈去了，住在楼上第五、第六、第七号。"

我听了，等到第二天饭后，便到天保栈去找他。谁知他并不在栈里，只有几个家人在那里。回我说："少爷这几天有病，在美仁里林慧卿家养病呢。"我听了，便记了地方，先自回去。等吃过晚饭，再到美仁里林慧卿处，问了龟奴，说房间在楼上，我便登楼，说是看陈老爷的。那丫头招呼到房里。慧卿站起来招呼："陈老爷，朋友来了。"我却看不见他。回转头来，原来他拥了一床大红绉纱被窝，坐在床上。欠身道："失迎，失迎！恕我不能下床！阁下几时到的？"我道："昨天才到的。白天里到天保栈去拜访。"稚农又忙道："失迎，失迎！"我接着道："贵管家说是在这里，所以特来拜望。"说着，又看了慧卿一眼道："顺便瞻仰瞻仰贵相好。"慧卿笑道："这位老爷倒会说！来看朋友罢了，偏要拿旁人带一带。还不曾请教贵姓啊？"我笑道："方才我坐车子到这里来，忘了带车钱，无可奈何，拿我的姓到当铺里当了。"慧卿笑道："当了多少钱？我借给你去赎出来罢。不然，没了姓，不像个老爷。"我道："原来老爷要带着姓做的，今天又长了见识了。"稚农道："阁下来了就热闹。我这几天正想着你的谈锋。自从到了这里，所见的无非是几个掮客，说出话来，无非是肉麻到入骨的恭维话，听了就要恶心，恨的我誓不见他们的面了，只叫法人、醉公两个招呼他们。"

原来稚农带了两个人同行：一个姓计，号醉公；一个姓缪，号法人。大抵是他门下清客一流人，我在汉口也同过两回席的。我听说，便问道："此刻缪、计二公在哪里？"稚农问慧卿道："出去了么？"慧卿用手一指道："在那边呢。"稚农推开被窝下床。我道："稚翁不要客气，何必起来招呼。"稚农道："不，我本要起来了。"慧卿忙过去招呼伺候，稚农早立起来。我看他身上穿的洋灰色的外国绉纱袍子，玄色外国花缎马褂,羽缎瓜皮小帽,核桃大的一个白丝线帽结,钉了一颗明晃晃白果大的钻石帽准。较之在汉口时打扮,又自不同。走到烟炕一边坐下,招呼我过去谈天。我此时留神打量一切,只见房里放着一口保险铁柜,这东西是向来妓院里没有的,不觉暗暗称奇。

谈了几句应酬话,忽然计醉公从那边房里跑了过来,手里拿着一个钻戒。见了我便彼此招呼,一面把戒指递给稚农道:"这一颗足有三厘重。"稚农接来一看道:"几个钱?"醉公道:"四百块。"慧卿在稚农手里拿过来一道:"是个男装的,我不要。"醉公道:"男装女装好改的。"慧卿道:"这里首饰店没有好样式,是要外国来的才好。"醉公便拿了过去。一面招呼我道:"没事到这边来谈谈。"我顺口答应了。稚农对我道:"这回亏了他两个,不然,我就麻烦死了!"一言未了,醉公又跑了过来道:"昨天那挂朝珠,来收钱了。"稚农道:"到底多少钱?"醉公道:"五百四十两。"稚农道:"你打给他票子。"醉公又过去了,一会儿拿了一张支票过来。稚农在身边掏出一个钥匙来交给慧卿,慧卿拿去把那保险铁柜开了,取出一个小小拜匣来。稚农打开,取出一方小小的水晶图书,盖在支票上面。醉公拿了过去,慧卿把拜匣仍放到铁柜里去,锁好了,把钥匙交还稚农。我才知道这铁匣是稚农的东西。

和他又谈了几句,就问起白铜的事。稚农道:"是有几担铜,带在路上压船的。不知卖了没有,也要问他们两个。"我道:"如此,我过去问问看。"说罢,走了过去,先与缪法人打招呼。原来林慧卿三个房间,都叫稚农占住了。他起坐的是东面一间,当中一间空着做个过路,缪、计二人在西边一间。我走过去一看,只见当中放着一张西式大餐台子,铺了白台布,上面七横八竖的,放着许多古鼎、如意、玉器之类。除了缪、计二人之外,还坐了七八个人,都是宁波、绍兴一路口气,醉公正和他们说话。我就单向法人招呼了,说了几句套话,便问起白铜一节。法人道:"就是这一件东西也很讨厌,他们天天来问,又知道我们不是经商的,胡乱还价。阁下倘是有销路最好了。"我道:"不知共有多少?如果价钱差不多,我小号里可以代劳。"法人道:"东西共是五百担,存在招商局栈里。至于价钱一层,我有云南的原货单在这里,大家商量加点运费就是了。"说罢,检出一张票子,给我看过,又商定了每担加多少运费。我道:"既这么着,我明天打票子来换提货单便了。但不知甚么时候可来?"法人道:"随便下午甚时候都可以。"

商定了,我又过去看稚农,只见一个医生在那里和他诊脉,开了脉

案,定了一个十全大补汤加减,便去了。稚农问道:"说好了么?"我道:
"说好了,明天过来交易。"慧卿拿了小小的一把银壶过来道:"酒烫了,
可要吃?"稚农点点头。慧卿拿过一个银杯,在一个洋瓶里,倾了些末
子在杯里,冲上了酒,又在头上拔下一根金簪子,用手巾揩拭干净,在
酒杯里调了几下,递给稚农,稚农一吸而尽。还剩些末子在杯底,慧卿
又冲了半杯酒下去,稚农又吃了。对我说道:"算算年纪并不大,身子
不知怎会那么虚,天天在这里参啊、茸啊乱闹,还要吃药。"我道:"出门
人本来保重点的好。"稚农道:"我在云南从来不是这样,这还是在汉口
得的病。"我道:"总是在路上劳顿了。"慧卿道:"可不是。这几天算好
得多了,初来那两天还要利害呢。"我随便应酬了几句,便作别走了。
回到号里,和子安说知,已经成交了。所定的价钱,比那捎客要的,差
了四两五钱银子一担。子安道:"好狠心!少赚点也罢了。"一宿无话。

到了次日下午,我打了票子,便到林慧卿家去,和法人换了提单。
走到东面房里,看看稚农。稚农道:"阁下在上海久,可知道有甚么好
医生? 我的病实在了不得,今天早起下地,一个头晕就栽下来!"我道:
"这还了得! 可是要赶紧调理的了。从前我有个朋友叫王端甫,医道
甚好,但是多年不见了,不知可还在上海。回来我打听着了送信来。"
稚农道:"晚上有个小宴,务请屈尊。"我道:"阁下身子不好,何必又宴
客?"稚农道:"不过谈谈罢了。"说罢,略谈了几句,便作别回来,把提单
交给子安,验货出栈的事,由他们干去,我不管了。因问起王端甫不知
可在上海。管德泉道:"自从你识了王端甫,我便同他成了老交易,家
里有了毛病总是请他。他此刻搬到四马路胡家宅,为甚不在上海。"我
道:"在甚么巷子里?"德泉道:"就在马路上,好找得很。"过了一会,稚农
那边送了请客帖子来,还有一张知单。我看时,上面第一个是祥少大
人云甫,第二个便是我,还有两个都士雁、褚迻三,以后就是计醉公、缪
法人两个。打了知字,交来人去了。我问继之道:"那里有个姓祥的,
只怕是旗人?"继之道:"可不是。就是这里道台的儿子,前两天还到这
里来。"我道:"大哥认得他么?"继之道:"怎么不认得! 年纪比你还轻
得多。在南京时,他还是个小孩子,我还常常抚摩玩弄他呢。怪不得
我们老了,眼看见的小孩子,都成了大人了。"

大家闲谈了一会,没到五点钟,稚农的催请条子已经来了,并注了
两句"有事奉商,务请即临"的话。我便前去走一趟。稚农接着道:"恕
我有病,不能回候,倒屡次屈驾!"我笑道:"倒是我未尽点地主之谊,先

来奉扰，未免惭愧！"稚农道："彼此熟人，何必客气！早点请过来，是兄弟急于要问方才说的那位医生。"我道："我也方才问了来，他就住在四马路胡家宅。"稚农道："不知可以随时请他不？"我道："尽可以。这个人绝没有一点上海市医习气，如果要请，兄弟再加个条子，包管即刻就来。"稚农便央我写了条子，叫人拿了医金去请，果然不到一点钟时候就来了。先向我道了阔别。我和他二人代通了姓名，然后坐定诊脉。诊完之后，端甫道："不知稚翁可常住在上海？"稚农道："不，本来有事要回福建原籍，就叫这个病耽误住了。"端甫点头道："据兄弟愚见，还是早点回府上去，容易调理点；上海水土寒，恐怕于贵体不甚相宜。"说罢，定了脉案，开了个方子，却是人参养荣汤的加减。说道："这个方子只管可以服几剂。但是第一件最要静养。多服些血肉之品，似乎较之草根树皮有用。"稚农道："鹿茸可服得么？"端甫道："服鹿茸……"说到这里，便顿住了。未尝没点功效，但是总以静养为宜。"说罢，又问我道："可常在号里？我明日来望你呢。"我道："我常在号里，没事只管请过来谈。"端甫便辞去了。

　　我又和稚农谈了许久。祥云甫来了，通过姓名。我细细打量他，只见他生得唇红齿白，瘦削身材。穿一件银白花缎棉袍，罩一件夹桃灰线缎马褂；鼻子上架一副金丝小眼镜；右手无名指上，套了一个镶钻戒指；说的一口京腔。再过了一会，外面便招呼坐席。原来都、褚两个早来了，不过在西面房里坐，没有过来。稚农起身，招呼到当中一间去，亲自筛了一轮酒，定了坐。便叫醉公代做主人，自己仍到房里歇息。醉公便叫写了局票发出去。坐定了，慧卿也来周旋了一会，筛了一轮酒，唱了一支曲子，也到房里去了。我和都、褚两个通起姓名，才知都士雁是骨董铺东家，褚迭三是药房东家。数巡酒后，各人的局陆续都来了。祥云甫身边的一个，也不知她叫甚名字，生得也还过得去。一只手搭在云甫肩膀上，只管唧唧哝哝地说话。忽然看见云甫的戒指，便脱了下来，在自己中指上一套，说道："送给我罢。"云甫道："这个不能，明日另送你一个罢。"那妓女再三不肯还他，并说道："我要转到褚老爷那边了。"说罢，便走到褚迭三旁边坐下。迭三身边本有一个，看见有人转过来，含了一脸的醋意，不多一会便起身去了。恰好外面传进来一张条子，是请云甫的，云甫答应就来，随向那妓女讨戒指。那妓女道："你去赴席，左右是要叫局的，难道带在我手里，就会没了你的吗？"云甫便起身向席上说声"少陪"，一面要到房里向稚农道谢告辞。

醉公兀的一下跳起来,向房里便跑。不料门房口立了个大丫头,双手下死劲把醉公一推道:"冒冒失失的,做甚么啊!"回身对云甫道:"陈老爷刚才睡着了。他几夜没睡了,祥大人不要客气罢。"云甫道:"那么他醒了,你代我说一声。"那丫头答应了,又叫慧卿送客。慧卿在房里一面答应,一面说:"祥大人走好啊!待慢啊!明天请过来啊!"却只不出来。云甫又对众人拱拱手自去了。这里醉公便和众人豁拳闹酒,甚么摆庄咧,通关咧,众人都有点陶然了,慧卿才从房里亭亭款款的出来,右手理着鬓发,左手搭在醉公的椅子靠背上,说道:"黄汤又灌多了!"醉公道:"我不……"说到这里,便顿住了。众人都说酒多了,于是吃了稀饭散坐。

我问慧卿:"陈老爷可醒着?"慧卿道:"醒着呢。"我便到房里去,只见稚农盘膝坐在烟炕上,下身围了一床鹦哥绿绉纱被窝。我向他道了谢,又略谈了几句,便辞了过来,和众人作别,他们还不知在那里议论甚么价钱呢,我便先走了。回到号里,才十点钟,继之他们还在那里谈天呢。我觉得有点醉了,便先去睡觉。一宿无话。

次日饭后,王端甫果然来访我,彼此又畅谈了许多别后的事。又问起陈稚农可是我的好友。我道:"不过在汉口萍水相识,这回不过要买他的一单铜,所以才去访他,并非好友。"端甫道:"这个人不久的了!犯的毛病,是个色痨。你看他一般的起行坐立,不过动生厌倦,似乎无甚大病。其实他全靠点补药在那里撑持住,一旦溃裂起来,要措手不及的。"我道:"你看得准他医得好医不好呢?"端甫道:"我昨天说叫他回去调理的话,就是叫他早点归正首邱了。"我道:"这么说,犯了这个病,是一定要死的了?"端甫道:"他从此能守身如玉起来,好好的调理两个月后,再行决定。你可知他一面在这里服药,一面在那边戕伐,碰了个不知起倒的医生,还给他服点燥烈之品,正是'泼油救火',恐怕他死得不快罢了。"我道:"他还高兴得很,请客呢。"端甫道:"他昨天的花酒有你吗?"我道:"你怎么知道?"端甫道:"你可知这一台花酒,吃出事情来了。"

正是:杯酒联欢才昨夜,缄书挑衅遽今朝。未知出了甚么事,端甫又从何晓得,且待下回再记。

第八十六回

旌孝子瞒天撒大谎　洞世故透底论人情

我连忙问道："出了甚么事？你怎生得知？"端甫道："席上可有个褚迭三？"我道："有的。"端甫道："可有个道台的少爷？"我道："也有的。"端甫道："那褚迭三最是一个不堪的下流东西！从前在城里充医生，甚么妇科、儿科、眼科、痘科，嘴里说得天花乱坠。有一回，不知怎样，把人家的一个小孩子医死了。人家请了上海县官医来，评论他的医方，指出他药不对症的凭据，便要去告他；吓得他请了人出来求情，情愿受罚。那家人家是有钱的，罚钱，人家并不要。后来旁人定了个调停之法，要他披麻带孝，扮了孝子去送殡。前头抬的棺材不满三尺长，后头送的孝子倒是昂昂七尺的，路上的人没有不称奇道怪的。及至问出情由，又都好笑起来。自从那回之后，他便收了医生招牌，搜罗些方书，照方合了几种药，卖起药来。后来药品越弄越多了，又不知在哪里弄了几个房药的方子，合起来，堂哉皇哉，挂起招牌，专卖这种东西。叫一个姓苏的，代他做几个仿单。那姓苏的本来是个无赖文人，便代他作得淋漓尽致，他就喜欢的了不得，拿出去用起来。那姓苏的就借端常常向他借钱。久而久之，他有点厌烦了，拒绝了两回。姓苏的就恨起来，做了一个禀帖，夹了他的房药仿单，向地方衙门一告。恰好那位官儿有个儿子，是在外头滥嫖，新近脱阳死的，看了禀帖，疑心到自己儿子也是误用他的药所致。即刻批准了，出差去把迭三提了来，说他败坏人心风俗，伪药害人，把他当堂的打了五百小板子，打得他皮开肉绽；枷号了三个月，还把他递解回籍。那杂种也不知他是哪里人，他到堂上时供的是湖北人，就把他递解到湖北。不多几时，他又逃回上海，不敢再住城里，就在租界上混。又不知弄了个甚么方子，熬了些药膏，挂了招牌，上了告白，卖戒烟药。大凡吸鸦片烟的人，劝他戒烟，他未尝不肯戒；多半是为的从上瘾之后，每日有几点钟是吃烟的，成了个日常功课，一旦叫他丢了烟枪，未免无所事事，因此就因循下去了。迭三这宝货，他揣摩到了这一层，却异想天开，夸说他的药膏，可以在枪上戒烟：譬如吃一钱烟的，只要秤出九分烟，加一分药膏在烟里，如此逐渐减烟加膏，至将烟减尽为止，自然断瘾。一班吃烟的人，信了他这句话，去买来试戒。他那药膏要卖四块洋钱一两，比鸦片烟贵了三倍多。大凡买来试的，等试到烟药各半之后，才觉得越吃越贵了，看看那情形，又不像可以戒脱的，便不用他的药了。谁知烟瘾并未戒脱丝毫，却又上了他的药瘾了。从此之后，非用他的药搀在烟里，不能过瘾。你道他的心计毒么！"

我听到这里，笑道："你说了半天，还不曾到题。这些闲话，与昨夜吃花酒的事，有甚干涉？"端甫道："本是没干涉，不过我先谈谈迭三的行径罢了。他近年这戒烟药一层弄穿了，人家都知道他是卖假药的了，他却又卖起外国药来了，店里弄得不中不西，样样都有点。这回只怕陈稚农又把他的牛尾巴当血片鹿茸买了，请他吃起花酒来，却闹出这件事。他叫的那个局，名字叫林蕙卿，相识了有两三年的了。后来那祥少大人到了上海，也看上了蕙卿，他便有点醋意，要想设法收拾人家，可巧碰了昨天那个机会。祥云甫所带的那个戒指，并不是自己的东西，是他老子的。"我道："他老子不是现任的道台么？"端甫道："那还用说。这位道台，和现在的江苏抚台是换过帖的。那位抚台，从前放过一任外国钦差，从外国买了这戒指回来，送给老把弟。这戒指上面，还雇了巧匠来，刻了细如牛毛的上下款的。他少爷见了欢喜，便向老子求了来带上。昨夜吃酒的时候，被蕙卿闹着玩，要了去带在手上，这本是常有之事。谁知蕙卿却被迭三骗了去，今天他要写信向祥云甫借三千银子呢。"我道："他骗了人家的戒指，还要向人家借银子，这是甚么说话？"端甫道："须知云甫没了这个戒指，不能见他老子，这明明是讹诈，还是借钱么！"我笑道："你又是哪里来的耳报神？我昨夜当面的还没有知道，你倒知的这么详细？"端甫道："这也是应该的。我因为天气冷了，买了点心来家吃，吃得暖和些；今天早起，刚刚又来了个朋友，便同到馆子里吃点心。我们刚到了，恰好他也和了两三个人同来，在那里高谈阔论，商量这件事，被我尽情听了。"我道："原来你也认得他？"端甫道："我和他并不招呼，不过认得他那副尊容罢了。"我道:"这是秘密的事,他敢在大庭广众之下喧扬起来?"端甫道:"他正要闹的通国皆知,才得云甫怕他呢。我今日来是专诚奉托一件事,请你对稚农说一声,叫他不要请我罢。他现在的病情,去死期还有几天,又不便回绝他,何苦叫我白赚他的医金呢。"我道:"你放心。他那种人有甚长性,吃过你两服药不见效,他自然就不请你了。"端甫又谈了一会,自去了。

到了晚上,我想起端甫何以说得稚农的病如此利害,我看他不过身子弱点罢了,不免再去看看他是何情景。想罢出门,走到林慧卿家,与稚农周旋了一会,问他的病如何,吃了端甫的药怎样。稚农道:"总是那样不好不坏的。此刻除非有个神仙来医我,或者就好了。"慧卿在旁边插嘴道:"胡说! 不过身子弱点罢了,将息几天,自然会好的。你总是这种胡思乱想,那病更难好了。稚农道:"方才又请了端甫来,他还是劝我早点回去,说上海水土寒。"慧卿又插嘴道:"郎中嘴是□(吴人称医生为郎中),说到哪里是那里。据他说上海水土寒,上海住的人,早就一个个寒的死完了。你的病不好,我第一个不放你走。已经有病的人,再在轮船上去受几天颠簸,还了得么!"说罢,又回头对我道:"老爷,你说是不是?"我只含笑点点头。稚农又道:"便是我也怕到这一层。早年进京会试,走过两次海船,晕船晕的了不得。"我故意向慧卿看了一眼,对稚农道:"我看暂时回天保栈去调养几时也好。"慧卿抢着道:"老爷,你不要疑心我们怎样。我不过看见他用的都是男底下人,笨手笨脚,伏伺得不称心,所以留他在这里住下。这是我一片好心,难道怎样了他么!"我笑道:"我也不过说说罢了,难道我不知道他离不了你。"慧卿笑道:"我说你不过。"

正说话时,外面报客来,大家定神一看,却是祥云甫。招呼坐定,便走近稚农身边,附着耳要说话。我见此情形,便走到西面房里,去看缪、计二人。只见另有一个人,拿了许多裙门、裙花、挽袖之类,在那里议价,旁边还堆了好几匹绸绉之类。我坐了一会,也不惊动稚农,就从这边走了。从此我三天五天,总来看看他。此时他早已转了医生,大剂参、茸、锁阳、肉苁蓉专服下去。确见他精神好了许多,只是比从前更瘦了,两颧上现了点绯红颜色。如此,又过了半个多月。

一天,我下午无事,又走到慧卿处,却不见了稚农。我问时,慧卿道:"回栈房去了。"我道:"为甚么忽然回去了呢?"慧卿道:"他今天早起,病的太重了! 他两个朋友说在这里不便当,便用轿子抬回去了。"

我心中暗想,莫非端甫的说话应验了。我回号里,左右要走过大马路,便顺到天保栈一看。他已经不住在楼上了,因为扶他上楼不便,就在底下开了个房间。房间里齐集了七八个医生,缪、计二人忙做一团。稚农仰躺在床上,一个家人在那里用银匙灌他吃参汤。我走过去望他,他看了我一眼,微微点了点头。众医生在那里七张八嘴,有说用参的,有说用桂的。我问法人道:"我前天看他还好好的,怎么变动起来?"法人道:"今天早起,天还没亮,忽然那边慧卿怪叫起来。我两个衣服也来不及披,跑过去一看,只见他直挺挺的躺在地下。连忙扶他起来,躺在醉翁椅上,话也不会说了。我们问慧卿是怎生的。她说:'起来小便,立脚不稳,栽了一交,并没甚事。近来常常如此的,不过一挽他就起来,今天挽了半天挽他不动才叫的。'我们没了主意,姜汤、参汤,胡乱灌救。到天色大亮时,他能说话了,自己说是冷得很。我们要和他加一床被窝,他说不是,是肚子里冷。我伸手到他口边一摸,谁知他喷出来的气,都是冷的。我才慌了,叫人背了他下楼,用轿子抬了回来。"我道:"请过几个医生? 吃过甚么药了?"法人道:"今天的医生,只怕不下三四十个了。吃了五钱肉桂下去,喷出气来和暖些。此刻又是一个医生的主意,用乾姜煎了参汤在那里吃着。"说话时,又来了两个医生,向法人查问病情。我便到床前再看看,只见他两颧的红色,格外利害,才悟到前几天见他的颜色是个病容。因问他道:"此刻可好点?"稚农道:"稍为好点。"我便说了声"保重",走了回去。和继之说起,果然不出端甫所料,陈稚农大约是不中用的了。

到了明天早起,他的报丧条已经到了,我便循着俗例,送点蜡烛、长锭过去。又过了十来天,忽然又送来一份讣帖,封面上刻着"幕设寿圣庵"的字样。便抽出来一看,讣帖当中,还夹了一扣哀启。及至仔细看时,却不是哀启,是个知启。此时继之在旁边见了道:"这倒是个创见。谁代他出面? 又'知'些甚么呢?"我便摊开了,先看是甚么人具名的,谁知竟是本地印委各员,用了全衔姓名同具的,不禁更觉奇怪。及至看那文字时,只看得我和继之两个,几乎笑破了肚子! 你道那知启当中,说些甚么? 且待我将原文照写出来,大家看看,其文如下:

　　　　稚农孝廉,某某方伯之公子也。生而聪颖,从幼
　　即得父母欢;稍长,即知孝父母,敬兄爱弟。以故孝弟之

声,闻于闾里。方伯历仕各省,孝廉均随任,服劳奉养无稍间,以故未得预童子试。某科,方伯方任某省监司,为之援例入监,令回籍应乡试。孝廉雅不欲曰:"科名事小,事亲事大,儿不欲暂违色笑也。"方伯责以大义,始勉强首涂。榜发,登贤书。孝廉泣曰:"科名虽侥幸,然违色笑已半年余矣。"其真挚之情如此。越岁,入都应礼闱试,沿途作《思亲诗》八十章,一时传诵遍都下,故又有才子之目。及报罢,即驰驿返署,问安侍膳,较之夙昔,益加敬谨。语人曰:"将以补前此之阙于万一也。"以故数年来,非有事故,未尝离寝门一步。去秋,其母某夫人示疾,孝廉侍奉汤药,衣不解带,目不交睫者三阅月。及冬,遭大故。孝廉恸绝者屡矣,赖救得苏,哀毁骨立。潜告其兄曰:"弟当以身殉母,兄宜善自珍卫,以奉严亲。"兄大惊,以告方伯,方伯复责以大义,始不敢言,然其殉母之心已决矣。故今年禀于方伯,独任奉丧归里,沿途哀泣,路人为之动容。甫抵上海,已哀毁成病,不克前进。奉母夫人柩,暂厝于某某山庄。己则暂寓旅舍,仍朝夕扶病,亲至厝所哭奠,风雨无间,家人苦劝力阻不听也。至某月某日,竟遂其殉母之志矣!临终遗言,以衰绖殓。呜呼!如孝廉者,诚可谓孝思不匮矣!查例载:孝子顺孙,果有瑰行奇节,得详具事略,奏请旌表。某等躬预斯事,不便湮没,除具详督、抚、学宪外,谨草具事略,伏望海内文坛,俯赐鸿文巨制,以彰风化,无论诗文词诔,将来汇刻成书,共垂不朽。无任盼切!

继之看了还好,我已是笑得伏在桌上,差不多肠都笑断了!继之道:"你只管笑甚么?"我道:"大哥没有亲见他在妓院里那个情形,对了这一篇知启,自然没得好笑。"继之道:"我虽没有看见,也听你说的不少了。其实并不可笑。照你这种笑法,把天下事都揭穿了,你一辈子也笑不完呢。何况他所重的,就是一个'殉'字。古人有个成例,'醇酒妇人'也是一个殉法。"我听了,又笑起来道:"这个代他辩的好得很。但可惜他不曾变做人虾;如果也变了人虾,就没有这段公案了。"继之道:"人家说少见多怪,你多见了还是那么多怪。你可记得那年你从广东回来说的,有个甚么淫妇建牌坊的事,同这个不是恰成一对么。依我看,不止这两件事,大凡天下事,没有一件不是这样的。总而言之,世界上无非一个骗局。你看到了妓院里,她们应酬你起来,何等情殷谊挚;你问她的心里,都是假的。我们打破了这个关子,是知道她是假的;至于那当局者迷一流,他却偏要信是真的。你须知妓院的关子容易打破,至于世界上的关子就不容易破了。惟其不能破,所以世界上的人还那么熙来攘往。若是都破了,那就没了世界了。”

我道:“这一说,只能比人情上的情伪,与这行事上不相干。”继之道:“行事与人情,有甚么两样。你不想想:南京那块血迹碑,当年慎而重之的,说是方孝孺的血荫成的,特为造一座亭子嵌起来。其实还不是红纹大理石,哪有血迹可以荫透石头的道理。不过他们要如此说,我们也只好如此说,万不宜揭破他;揭破他,就叫做煞风景;煞风景,就讨人嫌;处处讨了人嫌,就不能在世界上混,如此而已。这血迹碑是一件死物,我还说一件活人做的笑话给你听。有一个乡下人极怕官。他看见官出来总是袍、褂、靴、帽、翎子、顶子,以为那做官的也和庙里菩萨一般,无昼无夜,都是这样打扮起来的。有一回,这乡下人犯了点小事,捉到官里去,提到案下听审。他抬头一看,只见那官果然是袍儿、褂儿、翎子、顶子,不曾缺了一样。高高地坐在上面,把惊堂木一拍,喝他招拱。旁边的差役,也帮着一阵叱喝。他心中暗想,果然不差,做老爷的在家里,也打扮得这么光鲜。正在胡思乱想的时候,忽然一阵旋风,把公案的桌帷吹开了,那乡下人仔细往里一看,原来老爷脱了一只靴子,脚上没有穿袜,一只手在那里抠脚丫呢。”说得我不觉笑了,旁边德泉、子安等,都一齐笑起来。继之道:“统共是他一个人,同在一个时候,看他的外面何等威严,揭起桌帷一看原来如此。可见得天下事,没有一件不如此的了。不过我是揭起桌帷看过的,你们都还隔着一幅桌帷罢了。”

我们谈天是在厢房里,正说话之间,忽见门外跨进一个人,直向客堂里去。我一眼瞥见这个人,十分面善,却一时想不起来。正要问继之,只见一个茶房走进来道:“苟大人来了。”我听得这话,不觉恍然大悟,这个人是许多年前见过的苟才。继之当时即到外面去招呼他。

正是:座中方论欺天事,户外何来阔别人?不知苟才来有何事,且待下回再记。

第八十七回

遇恶姑淑媛受苦　设密计观察谋差

原来苟才的故事,先两天继之说过,说他自从那年贿通了督宪亲兵,得了个营务处差事,阔了几年。就这几年里头,弥补以前的亏空,添置些排场衣服,还要外面应酬,面子上看得是极阔;无奈他空了太多,穷得太久,他的手笔又大,因此也未见得十分裕如。何况这几年当中,他又替他一个十六岁的大儿子娶了亲。

这媳妇是杭州驻防旗人。父亲本是一个骁骑校,早年已经去世,只有母亲在侍。凭媒说合,把女儿嫁给苟大少爷。过门那年,只有十五岁,却生得有沉鱼落雁之容,闭月羞花之貌。苟观察带了大少爷到杭州就亲。喜期过后,回门、会亲,诸事停当,便带了大少爷、少奶奶,一同回了南京。少奶奶拜见了婆婆,三天里头,还没话说。过了三天之后,那苟太太便慢慢发作起来:起初还是指桑骂槐,指东骂西;再过几天,便渐渐骂到媳妇脸上来了。少奶奶早起请早安,上去早了,便骂"大清老早的,跑来闹不清楚,我不要受你那许多礼法规矩,也用不着你的假惺惺"。少奶奶听说,到明天便捱得时候晏点才上去,她又骂"小蹄子不害臊,搂着汉子睡到这时才起来! 咱们家的规矩,一辈比一辈坏了! 我伏侍老太爷、老太太的时候,早上、中上、晚上,三次请安,哪里有不按着时候的,早晚两顿饭,还要站在后头伏侍添饭、送茶、送手巾。如今晚儿是少爷咧、少奶奶咧,都藏到自己屋里享福了,老两口子,管他咽住了也罢,呛出来了也罢,谁还管谁的死活! 我看,这早安免了罢,到了晚上一起来罢,省得少奶奶从南院里跑到北院里,一天到晚,辛苦几回"。苟才在旁,也听不过了,便说道:"夫人算了罢! 你昨天嫌她早;她今天上来迟些,就算听你命令的了。她有甚

么不懂之处,慢慢的教起来。"苟太太听了,兀的跳起来骂道:"连你也
帮着派我的不是了!这公馆里都是你们的世界,我在这里是你们的
眼中钉!我也犯不上死赖在这里讨人嫌,明儿你就打发我回去罢!"
苟才也怒道:"我在这里好好儿的劝你!大凡一家人家过日子,总得
要和和气气,从来说'家和万事兴',何况媳妇又没犯甚么事!"这句话
还未说完,苟太太早伸手在桌子上一拍,大吼道:"吓!你简直的帮着
他们派我犯法了!"少奶奶看见公公、婆婆一齐反目,连忙跪在地下告
求。那边少爷听见了,吓得自己不敢过来见面,却从一个夹道里绕到
后面,找他姨妈。

　　原来这一位姨妈,便是苟太太的嫡亲姊姊。嫁的丈夫,也是一个
知县,早年亡故了。身后只剩了两吊银子,又没个儿子。那年恰好是
苟才过了道班,要办引见,凑不出费用,便托苟太太去和他借了来凑
数。说明白到省之后,迎她到公馆同住。除了一得了差缺,即连本带
利清还外,还答应养老她。将来大家有福同享,有祸同当。那位姨妈
自己想想,举目无亲,就是搂了这两吊银子,也怕过不了一辈子,没个
亲人照应,还怕要被人欺负呢。因此答应了。等苟才办过引见之后,
便一同到了南京。苟才穷到吃尽当光的那两年,苟太太偶然有应酬
出门,或有个女客来,这位姨妈曾经践了有祸同当之约,充过几回老
妈子的了。此刻苟才有了差使,便拨了后面一间房子,给他居住。

　　当下大少爷找到姨妈跟前,叫声:"姨妈,我爹合我妈,不知为甚
吵嘴。小丫头来告诉我,说媳妇跪在地下求告,求不下来。我不敢过
去碰钉子,请姨妈出去劝劝罢。"说着,请了一个安。姨妈道:"哼!你
娘的脾气啊!"只说了这一句,便往前面去了。大少爷仍旧从夹道绕
到自己院里,悄悄地打发小丫头去打听。直等到十点多钟,才看见少
奶奶回房。大少爷接着问道:"怎样了?"少奶奶一言不发,只管抽抽
噎噎的哭。大少爷坐在旁边,温存了一会。少奶奶良久收了眼泪,仍
是默默无言。大少爷轻轻说道:"我娘脾气不好,你受了委屈,少不得
我来陪你的不是。你心里总得看开些,不要郁出病来。照这个样子,
将来贤孝两个字的名气,是有得你享的。"大少爷只管汩汩而谈,不料
有一个十二岁的小少爷——就是那年吃了油麻团,一双油手抓脏了
赁来衣服的那宝货——在旁边听了去,便飞跑到娘跟前,一五一十的
尽情告诉了。苟太太手里正拿着茶碗喝茶,听了这话,恨得把茶碗向
地下尽命的一摔,豁啷一声,茶碗摔得粉碎。跳起来道:"这还了得!"

又喝叫小丫头："快给我叫他来！"小丫头站着，垂手不动。苟太太道："还不去吗！"小丫头垂手道："请太太的示，叫谁？"苟太太伸手劈拍的打了一个巴掌道："你益发糊涂了！"此时幸得姨妈尚在旁边，因劝道："妹妹你的火性也太利害了！是叫大少爷，是叫少奶奶，也得你吩咐一声；你单说叫他来，她知道叫谁呢。"苟太太这才喝道："给我叫那畜生过来！"姨妈又加了一句道："快去请大少爷来，说太太叫。"那小丫头才回身去了。

一会儿，大少爷过来，知道母亲动了怒，一进了堂屋，便双膝跪下。苟太太伸手向他脸蛋上劈劈拍拍的先打了十多下；打完了，又用右手将他的左耳，尽力的扭住，说道："今天先扭死了你这小崽子再说！我问你：是《大清律例》上哪一条的例，你家祖宗留下来的哪一条家法，宠着媳妇儿，派娘的罪案？你老子宠媳灭妻，你还要宠妻灭母，你们倒是父是子！"说到这里，指着姨妈道："须知我娘家有人在这里，你们须灭我不得！"一面说，一面下死劲往大少爷耳朵上拧。拧得大少爷痛很了，不免两泪交流，又不敢分辩一句。幸得姨妈在旁边，竭力解劝，方才放手。大少爷仍旧屈膝低头跪着，一动也不敢动，从十点多钟跪起，足足跪到十二点钟。

小丫头来禀命开饭，苟太太点点头。一会儿先端出杯、筷、调羹、小碟之类，少奶奶也过来了。原来少奶奶一向和大少爷两个在自己房里另外开饭，苟才和太太、姨妈，另在一所屋子里同吃。今天早起，少奶奶听了婆婆说她伏侍老太爷、老太太时，要站在后头伺候的，所以也要还她公婆这个规矩，吩咐丫头们打听，上头要开饭，赶来告诉；此刻得了信，赶着过来伺候。仍是和颜悦色的，见过姨妈、婆婆，便走近饭桌旁边，分派杯筷小碟，在怀里取出雪白的丝巾，一样样的擦过。苟太太大喝道："滚你妈的蛋！我这里用不着你在这里献假殷勤！"吓得少奶奶连忙垂手站立，没了主意。姨妈道："少奶奶先过去罢。等晚上太太气平了，再过来招呼罢。"少奶奶听说，便退了出来。

苟才今天闹过一会之后，就到差上去了。他每每早起到了差上，便不回来吃午饭，因此只有姨妈、苟太太两个带着小少爷同吃。及至开出饭来，大少爷仍是跪着。姨妈道："饶他起来吃饭去罢。我们在这里吃饭，边旁跪着个人，算甚么样子！"苟太太道："怕甚么！饿他一顿，未见得就饿死他！"姨妈道："旁边跪着个人，我实在吃不下去。"苟太太道："那么看姨妈的脸，放他起来罢。"姨妈忙接着道："那么快起来罢。"大少爷对苟太太磕了三个头,方才起来。又向姨妈叩谢了。苟太太道:"要吃饭在我这里吃,不准你到那边去!"大少爷道:"儿子这会还不饿,吃不下。"苟太太猛的把桌子一拍道:"敢再给我赌气!"姨妈忙劝道:"算了罢!吃不下,少吃一口儿。丫头,给大少爷端座过来。"大少爷只得坐下吃饭。

一时饭毕,大少爷仍不敢告退。苟太太却叫大丫头、老妈子们捡出一份被褥来,到姨妈的住房对过一间房里,铺设下来。姨妈也不知他是何用意。一天足足扣留住大少爷,不曾放宽一步。到了晚上九点钟时候,姨妈要睡觉了,她方才把大少爷亲自送到姨妈对过的房里,叫他从此之后,在这里睡。又叫人把夹弄门锁了,自己掌了钥匙。可怜一对小夫妻,成婚不及数月,从此便咫尺天涯了。

可巧这位大少爷,犯了个童子痨的毛病。这个毛病,说也奇怪,无论男女,当童子之时,一无所觉;及至男的娶了,或者女的嫁了,不过三五个月,那病就发作起来,任是甚么药都治不好,一定是要死的。并且差不多的医生,还看不出他的病源,回报不出他的病名来,不过单知道他是个痨病罢了。这位大少爷从小得了这个毛病,娶亲之后,久要发作,恰好这天当着一众丫头、仆妇、家人们,受了这一番挫辱,又活活的把一对热刺刺的恩爱夫妻拆开,这一夜睡到姨妈对过房里,便在枕上饮泣了一夜。到得下半夜,便觉得遍身潮热。及至天亮,要起来时,只觉头重脚轻,抬身不得,只得仍旧睡下。丫头们报与苟太太。苟太太还当他是假装的,不去理会他。姨妈来看过,说是真病了,苟太太还不在意。倒是姨妈不住过来问长问短,又叫人代他熬了两回稀饭,劝他吃下。足足耽误了一天。直到晚上十点多钟,苟才回来问起,亲到后面一看,只见他当真病了,周身上下,烧得就和火炭一般。不觉着急起来,立刻叫请医生,连夜诊了,连夜服药,足足忙了一夜。苟太太却行所无事,仍旧睡她的觉。

有话便长,无话便短。大少爷一病三月,从来没有退过烧。医生换过二三十个,非但不能愈病,并且日见消瘦。那苟太太仍然向少奶奶吹毛求疵,但遇了少奶奶过来,总是笑啼皆怒;又不准少奶奶到后头看病,一心一意,只要隔绝他小夫妻。究竟不知她是何用意,做书人未曾钻到她肚子里去看过,也不便妄作悬拟之词。只可怜那位少奶奶,日夕以眼泪洗面罢了。又过了几天,大少爷的病越发沉重,已经晕厥过两次。经姨妈几番求情,苟太太才允了,由得少奶奶到后头看病。少奶奶一看病情凶险，便暗地里哀求姨妈，求她在婆婆跟前再求一个天高地厚之恩，准她昼夜侍疾。姨妈应允，也不知费了多少唇舌，方才说得准了。从此又是一个来月，任凭少奶奶衣不解带，目不交睫，无奈大少爷寿元已尽，参术无灵，竟就呜呼哀哉了！

少奶奶伤心哀毁，自不必说。苟才痛子心切，也哭了两三天。惟有苟太太，虽是以头抢地大哭，那嘴里却还是骂人。苟才因是个卑幼之丧，不肯发讣成礼。谁知同寅当中，一人传十，十人传百，已经有许多人知道他遭了丧明之痛。及至第二天，辕门抄上刻出了"苟某人请期服假数天"，大家都知道他儿子病了半年，这一下更是通国皆知了，于是送奠礼的，送祭幛的，都纷纷来了。这是他遇了红点子，当了阔差使之故；若在数年以前，他在黑路上的时候，莫说死儿子，只怕死了爹娘，还没人理他呢。

闲话少提。且说苟才料理过一场丧事之后，又遇了一件意外之事，真是福无重至，祸不单行！你道遇了一件甚么事？原来京城里面有一位都老爷，是南边人，这年春上，曾经请假回籍省亲，在江南一带，很采了些舆论，察得江南军政、财政两项，都腐败不堪，回京销假之后，便参了一本，军政参了十八款，财政参了十二款。奉旨派了钦差，驰驿到江南查办。钦差到了南京，照例按着所参务员，咨行总督，一律先行撤差、撤任，听候查办。苟才恰在先行撤差之列。他自入仕途以来，只会耍牌子，讲应酬，至于这等风险，却向来没有经过。这回碰了这件事情，犹如当头打了个闷雷一般，吓得他魂不附体！幸而不在看管之列，躲在公馆里，如坐针毡一般，没了主意。

一连过了三四天，才想起一个人来。你道这人是谁？是一个候补州同，现当着督辕文巡捕的，姓解，号叫芬臣。这个人向来与苟才要好。芬臣是个极活动的人，大凡省里当着大差的道府大人们，他没有一个不拉拢的，苟才自然也在拉拢之列。苟才却因他是个巡捕，乐得亲近亲近他，四面消息都可以灵通点。这回却因芬臣足智多谋，机变百出，而且交游极广，托他或有法子好想。定了主意，等到约莫散辕之后，便到芬臣公馆里来，将来意说知。芬臣道："大人来得正好。卑职正要代某大人去斡旋这件事，就可以顺便带着办了；但是这里头总得要点缀点缀。"苟才道："这个自然。但不知道要多少？"芬臣道："他们也是看货要价的：一，看官价大小；二，看原参的轻重；三，他们也查访差缺的肥瘠。"苟才道："如此，一切费心了。"说罢辞去。

　　从此之后，苟才便一心一意，重托了解芬臣，到底化了几万银子，把个功名保全了。从此和芬臣更成知己。只是功名虽然保全，差事到底撤了。他一向手笔大，不解理财之法，今番再干掉了几万，虽不至于像从前吃尽当光光景，然而不免有点外强中干了。所以等到事情平静以后，苟才便天天和解芬臣在一起，钉着他想法子弄差使。芬臣道："这个时候最难。合城官经了一番大调动，为日未久，就是那钦差临行时交了两个条子，至今也还想不出一个安插之法，这是一层；第二层是最标致、最得宠的五姨太太，前天死了。"苟才惊道："怎么外面一点信息没有？是几时死的？"芬臣道："大人千万不要提起这件事。老师就恐怕人家和他举动起来，所以一概不叫知道。前天过去了，昨天晚上成的殓；在花园里那竹林子旁边，盖一个小房子停放着，也不抬出来，就是恐怕人知的意思。为了此事，他心上正自烦恼，昨天今天，连客也没会，不要说没有机会，就是有机会，也碰不进去。"苟才道："我也不急在一时，不过能够快点得个差使，面子上好看点罢了。"又问："这五姨太太生得怎么个脸蛋？老帅共有几房姨太太？何以单单宠她？"芬臣道："姨太太共是六位。那五姨太太，其实她没有大不了的姿色，我看也不过情人眼里出西施罢了；不过有个人情在里面。"苟才道："有甚人情？"芬臣道："这位五姨太太是现任广东藩台鲁大人送的。那时候老帅做两广，鲁大人是广西候补府。自从送了这位姨太太之后，便官运亨通起来，一帆顺风，直到此刻地位。"苟才听了，默默如有所思。闲谈一会，便起身告辞。

　　回到公馆，苟太太正在那里骂媳妇呢，骂道："你这个小贱人，命带扫帚星！进门不到一年，先扫死了丈夫，再把公公的差使扫掉了！"刚刚骂到这里，苟才回来，接口道："算了罢！这一案南京城里撤差的，单是道班的也七八个，全案算起来，有三四十人，难道都讨了命带扫帚星的媳妇么？"苟太太道："没有她，我没得好赖；有了她，我就要赖她！"苟才也不再多说，由她骂去。到了晚上，夫妻两个，切切私议了一夜。

　　次日是辕期，苟才照例上辕，却先找着了芬臣，和他说道："今日一点钟，我具了个小东，叫个小船，喝口酒去，你我之外，并不请第三个人。在问柳（酒店名）下船。我也不客气，不具帖子了。"芬臣听说，知道他有机密事，点头答应。到了散辕之后，便回公馆，胡乱吃点饭，便坐轿子到问柳去。进得门来，苟才先已在那里，便起来招呼，一同在后面下船。把自己带来的家人留下，道："你和解老爷的管家，都在这里伺候罢，不用跟来了。解老爷管家，怕没吃饭，就在这里叫饭叫菜请他吃，可别走开。"说罢，挽了芬臣，一同跨上船去。酒菜自有伙食船跟去。苟才吩咐船家，就近点把船放到夫子庙对岸那棵柳树底下停着。芬臣心中暗想，是何机密大事，要跑到那人走不到的地方去。

正是：要从地僻人稀处，设出神机鬼械谋。未知苟才邀了芬臣，有何秘密事情商量，且待下回再记。

第八十八回

劝堕节翁姑齐屈膝　谐好事媒妁得甜头

当下苟才一面叫船上人剪好烟灯，通好烟枪，和芬臣两个对躺下来，先说些别样闲话。苟才的谈锋，本来没有一定。碰了他心事不宁的时候，就是和他相对终日，他也只默默无言；若是遇到他高兴头上，那就滔滔汩汩，词源不竭的了。他盘算了一天一夜，得了一个妙计，以为非但得差，就是得缺升官，也就是在此一举的了。今天邀了芬臣来，就是要商量一个行这妙法的线索。大凡一个人心里想到得意之处，虽是未曾成事，他那心中一定打算这件事情一成之后，便当如何布置，如何享用，如何酬恩，如何报怨，越想越远，就忘了这件事未曾成功，好像已经成了功的一般。世上痴人，每每如此，也不必细细表他。

单表苟才原是痴人一流，他的心中，此时已经无限得意，因此对着芬臣，东拉西扯，无话不谈。芬臣见他说了半天，仍然不曾说到正题上去，忍耐不住，因问道："大人今天约到此地，想是有甚正事赐教？"苟才道："正是。我是有一件事要和阁下商量，务乞助我一臂之力，将来一定重重的酬谢！"芬臣道："大人委办的事，倘是卑职办得到的，无有不尽力报效。此刻事情还没办，又何必先说酬谢呢。先请示是一件甚么事情？"苟才便附到他耳边去，如此这般的说了一遍。芬臣听了，心中暗暗佩服他的法子想得到。这件事如果办成了功，不到两三年，说不定也陈臬开藩的了。因说道："事情是一件好事，不知大人可曾预备了人？"苟才道："不预备了，怎好冒昧奉托。"又附着耳，悄悄地说了几句。又道："咱们是骨肉至亲，所以直说了，千万不要告诉外人！"芬臣道："卑职自当效力。但恐怕卑职一个人办不过来，不免还要走内线。"苟才道:"只求事情成功,但凭大人调度就是了。"芬臣见他不省,只得直说道:"走了内线,恐怕不免要多少点缀些。虽然用不着也说不定,但卑职不能不声明在前。"苟才道:"这个自然是不可少的,从来说'欲成大事者,不惜小费'啊。"两个谈完了这一段正事,苟才便叫把酒菜拿上来,两个人一面对酌,一面谈天,倒是一个静局。等饮到兴尽,已是四点多钟,两个又叫船户,仍放到问柳登岸。苟才再三叮嘱,务乞鼎力,一有好消息,望即刻给我个信。芬臣一一答应。方才各自上轿分路而别。

苟才回到公馆,心中上下打算。一会儿又想发作,一会儿又想到万一芬臣办不到,我这里冒冒失失的发作了,将来难以为情,不如且忍耐一两天再说。从这天起,他便如油锅上蚂蚁一般,行坐不安。一连两天,不见芬臣消息,便以上辕为由,去找芬臣探问。芬臣让他到巡捕处坐下,悄悄说道:"卑职再三想过,我们倒底说不上去;无奈去找了小跟班祁福,祁福是天天在身边的,说起来希冀容易点。谁知那小子不受抬举,他说是包可以成功,但是他要三千银子,方才肯说。"苟才听了,不觉一愣。慢慢的说道:"少点呢,未尝不可以答应他;太多了,我如何拿得出!就是七拼八凑给了他,我的日子又怎生过呢!不如就费老哥的心,简直的说上去罢。"芬臣道:"大人的事,卑职哪有个不尽心之理。并且事成之后,大人步步高升,扶摇直上,还望大人栽培呢。但是我们说上去,得成功最好。万一碰了,连弯都没得转,岂不是弄僵了么。还是他们帮忙容易点,就是一下子碰了,他们意有所图,不消大人吩咐,他们自会想法子再说上去。卑职这两天所以不给大人回信的缘故,就因和那小子商量少点,无奈他丝毫不肯退让。到底怎样办法?请大人的示。在卑职愚见,只是可惜这个小费,恐怕反误了大事。"苟才听了,默默寻思了一会道:"既如此,就答应了他罢。但必要事情成了,赏收了,才能给他呢。"芬臣道:"这个自然。"苟才便辞了回去。

又等了两天,接到芬臣一封密信,说"事情已妥,帅座已经首肯。惟事不宜迟,因帅意急欲得人,以慰岑寂也"云。苟才得信大喜,便匆匆回了个信,略谓"此等事亦当择一黄道吉日。况置办佥具等,亦略须时日,当于十天之内办妥"云云。打发去后,便到上房来,径到卧室里去,招呼苟太太也到屋子里,悄悄的说道:"外头是弄妥了,此刻赶紧要说破了。但是一层:必要依我的办法,方才妥当,万万不能用强的。你可千万牢记了我的说话，不要又动起火来，那就僵了。"苟太太道："这个我知道。"便叫小丫头去请少奶奶来。一会儿，少奶奶来了，照常请安侍立。苟太太无中生有的找些闲话来说两句，一面支使开小丫头。再说不到几句话，自己也走出房外去了。房中只剩了翁媳二人，苟才忽然间立起来，对着少奶奶双膝跪下。

这一下子，把个少奶奶吓的昏了！不知是何事故，自己跪下也不是，站着又不是，走开又不是，当了面又不是，背转身又不是，又说不出一句话来。苟才更磕下头去道："贤媳，求你救我一命！"少奶奶见此情形，猛然想起莫非他不怀好意，要学那新台故事。想到这里，心中十分着急。要想走出去，怎奈他跪在当路，在他身边走过时，万一被他缠住，岂不是更不成事体。急到无可如何，便颤声叫了一声婆婆。苟太太本在门外，并未远去，听得叫，便一步跨了进去。大少奶奶正要说话，谁知她进得门来，翻身把门关上，走到苟才身边，也对着少奶奶扑咚一声双膝跪下。少奶奶又是一惊，这才忙忙对跪下来道："公公婆婆有甚么事，快请起来说。"苟太太道："没有甚么话，只求贤媳救我两个的命！"少奶奶道："公公婆婆有甚差事，只管吩咐。快请起来！这总不成个样子！"苟才道："求贤媳先答应了，肯救我一家性命，我两个才敢起来。"少奶奶道："公公婆婆的命令，媳妇怎敢不遵！"苟才夫妇两个，方才站了起来。苟太太一面搀起了少奶奶，捺她坐下，苟才也凑近一步坐下，倒弄得少奶奶局促不安起来。

苟才道："自从你男人得病之后，迁延了半年，医药之费，化了几千。得他好了倒也罢了，无奈又死了。唉！难为贤媳青年守寡！但得我差使好呢，倒也不必说他了，无端的又把差使弄掉了。我有差使的时候，已是寅支卯粮的了；此刻没了差使才得几个月，已经弄得百孔千疮，背了一身亏累。家中亲丁虽然不多，然而穷苦亲戚弄了一大窝子，这是贤媳知道的。你说再没差使，叫我以后的日子怎生得过！所以求贤媳救我一救！"少奶奶当是一件甚么事，苟才说话时，便拉长了耳朵去听。听他说头一段自己丈夫病死的话，不觉扑簌簌的泪落不止。听他说到诉穷一段，觉得莫名其妙，自己一家人，何以忽然诉起穷来！听到末后一段，心里觉得奇怪，莫不是要我代他谋差使！这件事我如何会办呢。听完了便道："媳妇一个弱女子，能办得了甚么事！就是办得到的，也要公公说出个办法来，媳妇才可以照办。"

苟才向婆子丢个眼色，苟太太会意，走近少奶奶身边，猝然把少奶奶搿住，苟才正对了少奶奶，又跪下去。吓得少奶奶要起身时，却早被苟太太搿住了。况且苟太太也顺势跪下，两只手抱住了少奶奶双膝。苟才却摘下帽子，放在地下，然后咚咚咚的，碰了三个响头。原来本朝制度，见了皇帝，是要免冠叩首的，所以在旗的仕宦人家，遇了元旦祭祖，也免冠叩首，以表敬意。除此之外，随便对了甚么人，也没有行这个大礼的。所以当下少奶奶一见如此，自己又动弹不得，便颤声道："公公这是甚么事？可不要折死儿媳啊！"苟才道："我此刻明告诉了媳妇，望媳妇大发慈悲，救我一救！这件事除了媳妇，没有第二个可做的。"少奶奶急道："你两位老人家怎样啊？哪怕要媳妇死，媳妇也去死，媳妇就遵命去死就是了！总得要起来好好的说啊。"苟才仍是跪着不动道："这里的大帅，前个月没了个姨太太，心中十分不乐，常对人说，怎生再得一个佳人，方才快活。我想媳妇生就的沉鱼落雁之容，闭月羞花之貌，大帅见了，一定欢喜的，所以我前两天托人对大帅说定，将媳妇送去给他做了姨太太，大帅已经答应下来。务乞媳妇屈节顺从，这便是救我一家性命了。"少奶奶听了这几句话，犹如天雷击顶一般，头上轰的响了一声，两眼顿时漆黑，身子冷了半截，四肢登时麻木起来。歇了半晌方定，不觉抽抽咽咽地哭起来。苟才还只在地下磕头。少奶奶起先见两老对她下跪，心中着实惊慌不安，及至听了这话，倒不以为意了。苟才只管磕头，少奶奶只管哭，犹如没有看见一般。苟太太扶着少奶奶的双膝劝道："媳妇不要伤心。求你看我死儿子的脸，委屈点救我们一家，便是我那死儿子，在地底下也感激你的大恩啊！"少奶奶听到这里，索性放声大哭起来。一面哭，一面说："天啊，我的命好苦啊！爸爸啊，你撇得我好苦啊！"苟才听了，在地下又咚咚咚的碰起头来，双眼垂泪道："媳妇啊！这件事办的原是我的不是；但是此刻已经说了上去，万难挽回的了，无论怎样，总求媳妇委屈点，将就下去。"

此时少奶奶哭诉之声，早被门外的丫头老妈子听见，推了推房门，是关着的，只得都伏在窗外偷听。有个寻着窗缝往里张的，看见少奶奶坐着，老爷、太太都跪着，不觉好笑，暗暗招手，叫别个来看。内中有个有年纪的老妈子，恐怕是闹了甚么事，便到后头去请姨妈出来解劝。姨妈听说，也莫名其妙，只得跟到前面来，叩了叩门道："妹妹开门！甚么事啊？"苟太太听得是姨妈声音，便起来开门。苟才也只得站了起来。少奶奶兀自哭个不止。姨妈跨进来便问道："你们这是唱的甚么戏啊?"苟太太一面仍关上门,一面请姨妈坐下,一面如此这般,这般如此的告诉了一遍。又道:"这都是天杀的在外头干下来的事,我一点也不晓得;我要是早点知道,哪里肯由得他去干! 此刻事已如此,只有委屈我的媳妇就是了。"姨妈沉吟道:"这件事怕不是我们做官人家所做的罢。"苟才道:"我岂不知道! 但是一时糊涂,已经做了出去,如果媳妇一定不答应,那就不好说了。大人先生的事情,岂可以和他取笑! 答应了他,送不出人来,万一他动了气,说我拿他开心,做上司的要抓我们的错处容易得很,不难栽上一个罪名,拿来参了,那才糟糕到底呢!"说着,叹了一口气。姨妈看见房门关着,便道:"你们真干的好事! 大白天的把个房门关上,好看呢!"苟太太听说,便开了房门。当下四个人相对,默默无言。丫头们便进来伺候,装烟沿茶。少奶奶看见开了门,站起来只向姨妈告辞了一声,便扬长而去了。

苟太太对苟才道:"说她不下来,这便怎样?"苟才道:"还得请姨妈去劝劝她,她向来听姨妈说话的。"说罢,向姨妈请了一个安道:"诸事拜托了。"姨妈道:"你们干得好事,却要我去劝! 这是各人的志向,如果她立志不肯,又怎样呢? 我可不耽这个干系。"苟才道:"这件事,她如果一定不肯,认真于我功名有碍的。还得姨妈费心。我此刻出去,还有别的事呢。"说罢,便叫预备轿子,一面又央及了姨妈几句。姨妈只得答应了。苟才便出来上轿,吩咐到票号里去。

且说这票号生意,专代人家汇划银钱及寄顿银钱的。凡是这些票号,都是西帮所开。这里头的人最是势利,只要你有二钱银子存在他那里,他见了你时,便老爷咧、大人咧,叫得应天响;你若是欠上他一厘银子,他向你讨起来,你没得还他,看他那副面目,就是你反叫他老爷、大人,他也不理你呢。当时苟才虽说是撤了差穷了,然而还有几百两银子存在一家票号里。这天前去,本是要和他别有商量的。票号里的当手姓多,叫多祝三,见苟才到了,便亲自迎了出来,让到客座里请坐。一面招呼烟茶,一面说:"大人好几天没请过来了,公事忙?"苟才道:"差也撤了,还忙甚么! 穷忙罢咧。"多祝三道:"这是哪里的话! 看你老人家的气色,红光满面,还怕不马上就有差使,不定还放缺呢。小号这里总得求大人照应照应。"苟才道:"咱们不说闲话。我今日来要和你商量,借一万两银子,利息呢,一分也罢,八厘也罢,左右我半年之内,就要还的。"多祝三道:"小号的钱,大人要用,只管拿去好了，还甚么利不利。但是上前天才把今年派着的外国赔款，垫解到上海，今天又承解了一笔京款，藩台那边的存款，又提了好些去，一时之间，恐怕调动不转呢。"苟才道："你是知道我的，向来不肯乱花钱。头回存在宝号的几万，不是为这个功名，甚么查办不查办，我也不至于尽情提了去，只剩得几百零头，今天也不必和你商量了。因为我的一个丫头，要送给大帅做姨太太，由文巡厅解芬臣解大老爷做的媒人，一切都说妥了。你想给大帅的，与给别人的又自不同，咱们老实说话，我也望她进去之后，和我做一个内线，所以这一份妆奁，是万不能不从丰的。我打算赔个二万，无奈自己只有一万，才来和你商量。宝号既然不便，我到别处张罗就是了。"苟才说这番话时，祝三已拉长了耳朵去听。听完了，忙道："不，因为这两天，东家派了一个伙计来查帐。大人的明见，做晚的虽然在这里当手，然而他是东家特派来的人，既在这里，做晚的凡事不能不和他商量商量。他此刻出去了，等他回来，做晚的和他说一声，先尽了我的道理，想来总可以办得到的；办到了，给大人送来。"苟才道："那么，行不行你给我一个回信，好待我到别处去张罗。"祝三一连答应了无数的"是"字，苟才自上轿回去。

那多祝三送过苟才之后，也坐了轿子，飞忙到解芬臣公馆里来。原来那解芬臣自受了苟才所托之后，不过没有机会进言，何尝托甚么小跟班。不过遇了他来讨回信，顺口把这句话搪塞他，也就顺便诈他几文用用罢了。在芬臣看来，不过诈得着最好，诈不着也就罢了。谁知苟才那厮，心急如焚，一诈就着。芬臣越发上紧，因为办成了，可以捞他三千；又是小跟班扛的名气，自己又还送了交情，所以日夕在那里体察动静。那天他正到签押房里要回公事，才揭起门帘，只见大帅拿一张纸片往桌子上一丢，重重的叹了一口气。芬臣回公事时，便偷眼去瞧那纸片，原来不是别的，正是那死了的五姨太太的照片儿。芬臣心中暗喜。回过了公事，仍旧垂手站立。大帅道："还有甚么事？"芬臣道："苟道苟某人，他听说五姨太太过了，很代大帅伤心。因为大帅不叫外人知道，所以不敢说起。"大帅拿眼睛看了芬臣一眼，道："那也值得一回。"芬臣道："苟道还说已经替大帅物色着一个人，因为未曾请示，不敢冒昧送进来。"大帅道："这倒费他的心。但不知生得怎样？"芬臣道："倘不是绝色的，苟道未必在心。"这位大帅，本是个色中饿鬼，上房里的大丫头，凡是稍为生得干净点的，他总有点不干不净的事干下去,此刻听得是个绝色,如何不欢喜? 便道:"那么你和他说,叫他送进来就是了。"芬臣应了两个"是"字,退了出去,便给信与苟才。此时正在盘算那三千两,可以稳到手了。

正在出神之际,忽然家人报说票号里的多老办来了,芬臣便出去会他。先说了几句照例的套话,祝三便说道:"听说解老爷代大帅做了个好媒人。这媒人做得好,将来姨太太对了大帅的劲儿,媒人也要有好处的呢。我看谢媒的礼,少不了一个缺。应得先给解老爷道个喜。"说罢,连连作揖。芬臣听了,吃了一惊。一面还礼不迭,一面暗想,这件事除了我和大帅及苟观察之外,再没有第四个人知道。我回这话时,并且旁边的家人也没有一个,他却从何得知呢。因问道:"你在哪里听来的? 好快的消息!"祝三道:"姨太太还是苟大人那边的人呢,如何瞒得了我!"芬臣是个极机警的人,一闻此语,早已了然胸中。因说道:"我是媒人,尚且可望得缺,苟大人应该怎样呢? 你和苟大人道了喜没有?"祝三道:"没有呢。因为解老爷这边顺路,所以先到这边来。"芬臣正色道:"苟大人这回只怕官运通了,前回的参案参他不动,此刻又遇了这么个机会。那女子长得实在好,大帅一定得意的。"祝三听了,敷衍了几句,辞了出来,坐上轿子,飞也似的回到号里,打了一张一万两的票子,亲自送给苟才。

正是:奸刁市侩眼一孔,势利人情纸半张。未知祝三送了银票与苟才之后,还有何事,且待下回再记。

第八十九回

舌剑唇枪难回节烈　忿深怨绝顿改坚贞

　　南京地方辽阔,苟才接得芬臣的信,已是中午时候。在家里胡闹了半天,才到票号里去。多祝三再到芬臣处转了一转,又回号里打票子,再赶到苟才公馆,已是掌灯时候了。苟才回到家中,先向婆子问:"劝得怎样子?"苟太太摇摇头。苟才道:"可对姨妈说,今天晚上起,请她把铺盖搬到那边去。一则晚上劝劝她;二则要防到她有甚意外。"苟太太此时,自是千依百顺,连忙请姨妈来,悄悄说知,姨妈自无不依之理。

　　苟才正在安排一切,家人报说票号里多先生来了,苟才连忙出来会他。祝三一见面,就连连作揖道:"耽误了大人的事,十分抱歉!我们那伙计方才回来,做晚的就忙着和他商量大人这边的事。大人猜我们那伙计说甚么来?"苟才道:"不过不肯信付我们这背时的人罢了。"祝三拍手道:"正是,大人猜着了也!做晚的倒狠狠地给他埋怨一顿,说:'亏你是一号的当手,眼睛也没生好!像苟大人那种主儿,咱们求他用钱,还怕苟大人不肯用;此刻苟大人亲自赏光,你还要活活的把一个主儿推出去!就是现的垫空了,咱们哪里调不动万把银子,还不赶着给苟大人送去!'大人,你老人家替我想想,做晚的不过小心点待他,倒反受了他的一阵埋怨,这不是冤枉吗!做晚的并没有丝毫不放心大人的意思,这是大人可以谅解我的。下回如果大人驾到小号,见着了他,还得请大人代做晚的表白表白。"说罢,在怀里掏出一个洋皮夹子,在里面取出一张票子来,双手递与苟才道:"这是一万两,请大人先收了;如果再要用时,再由小号里送过来。"苟才道:"这个我用不着,你先拿了回去罢。"祝三吃了一惊,道:"想大人已经向别家用了?"苟才道:"并不。"祝三道:"那么还是请大人赏用了,左右谁家的都是一样用。"苟才道:"我用这个钱,并不是今天一下子就要用一万,是要来置备东西用的,三千一处也不定,二千一处也不定,就是几百一处、几十一处,都是论不定的;你给我这一张整票子,明天还是要到你那边打散,何必多此一举呢。"祝三道:"是,是,是,这是做晚的糊涂。请大人的示,要用多少一张的?或者开个横单子下来,做晚的好去照办。"苟才道:"这个哪里论得定。"祝三道:"这样罢,做晚的回去,送一份三联支票过来罢,大人要用多少支多少,这就便当了。"苟才道:"我起意是要这样办,你却要推三阻四的,所以我就没脸说下去了。"祝三道:"大人说这是哪里话来!大人不怪小人错,准定就照那么办,明天一早,再送过来就是了。"苟才点头答应,祝三便自去了。苟才回到上房,恰好是开饭时候,却不见姨妈。苟才问起时,才知道在那边陪少奶奶吃去了。原来少奶奶当日,本是夫妻同吃的,自从苟太太拆散他夫妻之后,便只有少奶奶一个人独吃。那时候,已是早一顿、迟一顿的了;到后来大少爷死了,更是冷一顿、热一顿,甚至有不能下箸的时候,少奶奶却从来没过半句怨言,甘之若素。却从苟才起了不良之心之后,忽然改了观,管厨房的老妈,每天还过来请示吃甚么菜,少奶奶也不过如此。这天中上,闹了事之后,少奶奶一直在房里嘤嘤啜泣。姨妈坐在旁边,劝了一天。等到开出饭来,丫头过来请用饭。少奶奶说:"不吃了,收去罢。"姨妈道:"我在这里陪少奶奶呢,快请过来用点。"少奶奶道:"我委实吃不下,姨妈请用罢。"姨妈一定不依,劝死劝活,才劝得她用茶泡了一口饭,勉强咽下去。饭后,姨妈又复百般劝慰。

今天一天,姨妈所劝的话,无非是埋怨苟才夫妻岂有此理的话,绝不敢提到劝她依从的一句。直到晚饭之后,少奶奶的哭慢慢停住了,姨妈才渐渐入起彀来,说道:"我们这个妹夫,实在是个糊涂虫!娶了你这么个贤德媳妇,再明白点的人,岂有不疼爱得和自己女儿一般的,却在外头去干下这没天理的事情来!亏他有脸,当面说得出!我那妹子呢,更不用说,平常甚么规矩咧、礼节咧,一天到晚闹不清楚,我看她向来没有把好脸色给媳妇瞧一瞧。她男人要干这没天理的事情,她就帮着腔,也柔声下气起来了。"少奶奶道:"岂但柔声下气,今天不是姨妈来救我,几乎把我活活的急死了!他两老还双双的跪在地下呢;公公还摘下小帽,咯嘣咯嘣的碰头。"姨妈听了笑道:"只要你点一点头,便是他的宠太太了,再多碰几个,也受得他起。"少奶奶道:"姨妈不要取笑,这等事岂是我们这等人家做出来的!"姨妈道:"啊哼!不要说起!越是官宦人家,规矩越严,内里头的笑话越多。我还是小时候听说的:苏州一家甚么人家,上代也是甚么状元宰相,家里秀才举人,几几乎数不过来。有一天,报到他家的大少爷点了探花了,家中自然欢喜热闹,开发报子赏钱,忙个不了。谁知这个当刻,家人又来报三少奶奶跟马夫逃走了。你想这不是做官人家的故事?直到前几年,那位大少爷早就扶摇直上,做了军机大臣了。那位三少奶奶,年纪也大了,买了七八个女儿,在山塘灯船上当老鸨,口口声声还说我是某家的少奶奶,军机大臣某人,是我的大伯爷。有个人在外面这样胡闹,他家里做官的还是做官。如今晚儿的世界,是只能看外面,不能问底子的了。"

少奶奶道:"这是看各人的志气,不能拿人家来讲的。"姨妈道:"天哼!天底下有几个及得来我的少奶奶的!哼!老天爷也实在糊涂!越是好人,他越给他磨折得利害!像少奶奶这么个人,长得又好,脾气又好,规矩、礼法、女红、活计,哪一样输给人家,真正是谁见谁爱,谁见谁疼的了,却碰了我妹子那么个糊涂蛋的婆婆。一年到头,我看你受的那些委屈,我也不知陪你淌了多少眼泪!他们索性玩出这个把戏来了!少奶奶啊,方才我替你打算过来,不知你这一辈子的人怎么过呢!他们在外头丧良心、没天理的干出这件事来,我听说已经把你的小照送给制台看过,又求了制台身边的人上去回过,制台点了头,并且交代早晚就要送进去的,这件事就算已经成功的了。少奶奶却依着正大道理做事,不依从他,这个自是神人共敬的。但是你公公这一下子交不出人来,这个钉子怕不碰得他头破血流!如今晚儿做官的,哪里还讲甚么能耐,讲甚么才情。会拉拢、会花钱就是能耐,会巴结就是才情。你向来不来拉拢,不来巴结,倒也罢了;拉拢上了,巴结上了,却叫他落一个空,晓得他动的是甚么气!不要说是差缺永远没望,说不定还要干掉他的功名。他的功名干掉了,是他的自作自受,极应该的。少奶奶啊,这可是苦了你了!他功名干掉了,差使不能当了,人家是穷了,这里没面子再住了,少不得要回旗去。咱们是京旗,一到了京里,离你的娘家更远了。你婆婆的脾气,是你知道的,不必再说了。到了那时候,说起来,公公好好的功名,全是给你干掉的,你这一辈子的磨折,只怕到死还受不尽呢!"说着,便倘下泪来。

少奶奶道："关到名节上的事情,就是死也不怕,何况受点折磨?"姨妈道:"能死得去倒也罢了,只怕死不去呢!老实对你说,我到这里陪你,就是要监守住你,防到你有三长两短的意思。你想我手里的几千银子,被他们用了,到此刻不曾还我,他委托我一点事情,我哪里敢不尽心!你又从何死起?唉!总是运气的原故。你们这件事闹翻了,他们穷了,又是终年的闹饥荒,连我养老的几吊棺材本,只怕从此拉倒了,这才是'城门失火,殃及池鱼'呢!"少奶奶听了这些话,只是默默无言。姨妈又道:"我呢,大半辈子的人了,就是没了这几吊养老本钱,好在有他们养活着我。我死了下来,这几根骨头,怕他们不替我收拾!"说到这里,也淌下眼泪来。又道:"只是苦了少奶奶,年纪轻轻的,又没生下一男半女,将来谁是可靠的?你看那小子(指小少爷也),已经长到十二岁了,一本《中庸》还没念到一半,又顽皮又笨,哪里像个有出息的样子!将来还能指望他看顾嫂嫂?"说到这里,少奶奶也抽抽咽咽的哭了。姨妈道:"少奶奶,这是你一辈子的事,你自己过细想想看。"当时夜色已深,大众安排睡觉。一宵晚景休提。

且说次日,苟才起来,梳洗已毕,便到书房里找出一个小小的文具箱,用钥匙开了锁,翻腾了许久,翻出一个小包、一个纸卷儿,拿到上房里来。先把那小包递给婆子道:"这一包东西,是我从前引见的时候,在京城里同仁堂买的。你可交给姨妈,叫她吃晚饭时候,随便酒里茶里,弄些下去,叫她吃了。"说罢,又附耳悄悄的说了那功用。苟太太道:"怪道呢!怨不得一天到晚在外头胡闹,原来是备了这些东西。"苟才道:"你不要这么大惊小怪,这回也算得着了正用。"说罢,又把那纸卷儿递过去道:"这东西也交代姨妈,叫她放在一个容易看见的地方。左右姨妈能说能话,叫她随机应变罢了。"苟太太接过纸卷,要打开看看;才开了一开,便涨红了脸,把东西一丢道:"老不要脸的!哪里弄了这东西?"苟才道:"你哪里知道!大凡官照、札子、银票等要紧东西里头,必要放了这个,作为镇压之用。凡我们做官的人,是个个备有这样东西的。"苟太太也不多辩论,先把东西收下。觑个便,邀了姨妈过来,和她细细说知,把东西交给她。姨妈一一领会。

这一天,苟才在外头置备了二三千银子的衣服首饰之类,作为妆奁。到得晚饭时,姨妈便蹑手蹑脚,把那小包子里的混帐东西,放些在茶里面。饭后仍和昨天一般,用一番说话去旁敲侧击。少奶奶自觉得神思昏昏，老早就睡下了。姨妈觑个便，悄悄的把那个小纸卷儿，放在少奶奶的梳妆抽屉里。这一夜，少奶奶竟没有好好的睡，翻来复去，短叹长吁，直到天亮，只觉得人神困倦。盥洗已毕，临镜理妆，猛然在梳妆抽屉里看见一个纸卷儿，打开一看，只羞得满脸通红，连忙卷起来。草草梳妆已毕，终日纳闷。姨妈又故意在旁边说些今日打听得制军如何催逼，苟才如何焦急等说话，翻来复去的说了又说。到了晚上，又如法泡制，给她点混帐东西吃下。自己又故意吃两盅酒，借着点酒意，厚着脸面，说些不相干的话。又说："这件事，我也望少奶奶到底不要依从。万一依从了，我们要再见一面，就难上加难了。做了制台的姨太太，只怕候补道的老太太还不及他的威风呢！何况我们穷亲戚，要求见一面，自然难上加难了。"少奶奶只不做声。如此一连四五天，苟才的妆奁也办好了，芬臣也来催过两次了。

　　姨妈看见这两天少奶奶不言不语，似乎有点转机了，便出来和苟太太说知，如此如此。苟太太告诉了苟才，苟才立刻和婆子两个过来，也不再讲甚么规矩，也不避甚么丫头老妈，夫妻两个，直走到少奶奶房里，双双跪下。吓得少奶奶也只好陪着跪下，嘴里说道："公公婆婆，快点请起，有话好说。"苟才双眼垂泪道："媳妇啊！这两天里头，叫人家逼死我了！我托了人和制台说成功了，制台就要人，天天逼着那代我说的人。他交不出人，只得来逼我，这个是要活活逼死我的了！救人一命，胜造七级浮屠，望媳妇大发慈悲罢！"少奶奶到了此时，真是无可如何，只得说道："公公婆婆，且先请起，凡事都可以从长计议。"苟才夫妇才起来。姨妈便连忙来搀少奶奶起来，一同坐下。苟才先说道："这件事本来是我错在前头，此刻悔也来不及了。古人说的：一失足成千古恨，再回头是百年身。我也明知道对不住人，但是叫我也无法补救。"少奶奶道："媳妇从小就知妇人从一而终的大义，所以自从寡居以后，便立志守节终身。况且这个也无须立志的，做妇人的规矩，本是这样，原是一件照例之事。却不料变生意外！"说到这里，不说了。

　　苟才站起来，便请了一个安道："只望媳妇顺变达权，成全了我这件事，我苟氏生生世世，不忘大恩！"少奶奶掩面大哭道："只是我的天唷！"说着，便大放悲声。姨妈连忙过来解劝。苟太太一面和她拍着背，一面说道："少奶奶别哭，恐怕哭坏了身子啊。"少奶奶听说，咬牙切齿的跺着脚道："我此刻还是谁的少奶奶唷！"苟太太听了，也自觉得无味,要待发作她两句,无奈此时功名性命,都靠在她身上,只得忍气吞声,咽了一口气下去。少奶奶哭够多时,方才住哭,望着姨妈道:"我恨的父母生我不是个男子,凡事自己作不动主,只得听从人家摆布。此刻我也没有话说了,由得人家拿我怎样便怎样就是了。但是我再到别家人家去,实在没脸再认是某人之女了。我爸爸死了,不用说他;我妈呢,苦守了几年,把我嫁了。我只有一个遗腹兄弟,常说长大起来,要靠亲戚照应的,我这一去,就和死一样,我的娘家叫我交付给谁! 我是死也张着眼儿的!"苟才站起来,把腰子一挺道:"都是我的!"

　　少奶奶也不答话,站起来往外就走,走到大少爷的神主前面,自己把头上簪子拔了下来,把头一颠,头发都散了,一弯腰,坐在地下,放声大哭起来。一面哭,一面诉,这一哭,直是哭得"一佛出世,二佛涅槃"! 任凭姨妈、丫头、老妈子苦苦相劝,如何劝得住,一口气便哭了两个时辰。哭得伤心过度了,忽然晕厥过去。吓的众人七手八脚,先把她抬到床上,掐人中,灌开水,灌姜汤,一阵子乱救,才救了过来。一醒了,便一咕噜爬起来坐着,叫声:"姨妈! 我此刻不伤心了。甚么三贞九烈,都是哄人的说话;甚么断鼻割耳,都是古人的呆气! 唱一出戏出来,也要听戏的人懂得,那唱戏的才有精神,有意思;戏台下坐了一班又瞎又聋的,他还尽着在台上拚命的唱,不是个呆子么! 叫他们预备香蜡,我要脱孝了。几时叫我进去,叫他们快快回我。"苟才此时还在房外等候消息,听了这话,连忙走近门口垂手道:"宪太太再将息两天,等把哭的嗓子养好了,就好进去。"少奶奶道:"哼! 只要炖得浓浓儿的燕窝,吃上两顿就好了,还有工夫慢慢的将息!"苟太太在旁边,便一迭连声叫:"快拣燕窝! 要拣得干净,落了一根小毛毛儿在里头,你们小心抠眼睛、拶指头!"丫头们答应去了。这里姨妈招呼着和少奶奶重新梳洗已毕。少奶奶到大少爷神主前,行过四跪八肃礼,便脱去素服,换上绸衣,独自一个在那里傻笑。

　　过得一天,苟才便托芬臣上去请示。谁知那制台已是急得了不得,一听见请示,便说是:"今天晚上抬了进来就完了,还请甚么,示甚么!"苟才得了信,这一天下午,便备了极丰盛的筵席,饯送宪太太,先是苟才,次是苟太太和姨妈,捱次把盏。宪太太此时乐得开怀畅饮,以待新欢。等到筵席将散时,已将交二炮时候,苟才重新起来,把了一盏。宪太太接杯在手,往桌上一搁道:"从古用计,最利害的是美人计。你们要拿我去换差换缺,自然是一条妙计;但是你们知其一,不知其二,可知道古来祸水也是美人做的? 我这回进去了,得了宠,哼!不是我说甚么……"苟才连忙接着道:"总求宪太太栽培!"宪太太道:"看着罢咧! 碰了我高兴的时候,把这件事的始末,哭诉一遍,怕不断送你们一辈子!"说着,拿苟才把的一盏酒,一吸而尽。苟才听了这个话,犹如天雷击顶一般。苟太太早已当地跪下。姨妈连忙道:"宪太太大人大量,断不至于如此,何况这里还答应招呼宪太太的令弟呢。"

原来苟才也防到宪太太到了衙门时,贞烈之性复起,弄出事情来,所以后来把那一盏酒,重重的和了些那混帐东西在里面。宪太太一口吸尽,慢慢的觉得心上有点与平日不同。勉强坐定了一回,双眼一扬,说道:"酒也够了,东西也吃饱了,用不着吃饭了。要我走,我就走罢!"说着,站起来,站不稳,重又坐下。姨妈忙道:"可是醉了?"宪太太道:"不,打轿子罢。"苟才便喝叫轿子打进来。苟太太还兀自跪在地下呢,宪太太早登舆去了,所有妆奁也纷纷跟着轿子抬去。

这一去,有分教:宦海风涛惊起落,侯门显赫任铺张。不知后事如何,且待下回再记。

第九十回

差池臭味郎舅成仇　巴结功深葭莩复合

苟才自从送了自己媳妇去做制台姨太太之后，因为她临行忽然有祸水出自美人之说，心中着实后悔，夫妻两个，互相埋怨。从此便怀了鬼胎，恐怕媳妇认真做弄手脚，那时候真是"赔了夫人又折兵"了。一会儿，又转念媳妇不是这等人，断不至于如此。只要媳妇不说穿了，大帅一定欢喜的，那就或差或缺，必不落空。如此一想，心中又快活起来。

次日，解芬臣又来说，那小跟班祁福要那三千头了。苟才本待要反悔，又恐怕内中多一个作梗的，只得打了三千票子，递给芬臣。说道："费心转交过去。并求转致前路，内中有甚消息，大帅还对劲不，随时给我个信。"芬臣道："这还有甚不对劲的！今天本是辕期，忽然止了辕。九点钟时候，祁福到卑职那里要这个，卑职问他：'为甚么事止的辕？'祁福说：'并没有甚么事，我也不知道为甚止辕的。'卑职又问：'大帅此刻做甚么？'祁福说：'在那里看新姨太太梳头呢。'大人的明见，想来就是为这件事止的辕了，还有不得意的么！"苟才听了，又是忧喜交集。官场的事情，也真是有天没日，只要贿赂通了，甚么事都办得到的。不出十天，苟才早奉委了筹防局、牙厘局两个差使。苟才忙得又要谢委，又要拜客，又要到差，自以为从此一帆顺风，扶摇直上的了。却又恰好遇了苏州抚台要参江宁藩台的故事，苟才在旁边倒得了个署缺。这件事是个甚么原因？先要把苏州抚台的来历表白了，再好叙下文。

这苏州抚台姓叶，号叫伯芬，本是赫赫侯门的一位郡马。起先捐了个京职，在京里住过几年，学了一身的京油子气。他有一位大舅爷,是个京堂,到是一位严正君子,每日做事,必写日记。那日记当中,提到他那位叶妹夫,便说他年轻而纨袴习气太重。除应酬外,乃一无所长,又性根未定,喜怒无常云云。伯芬的为人,也就可想而知了。他在京里住的厌烦了,大舅爷又不肯照应,他便忿忿出京,仗着一个部曹,要在外省谋差事。一位赫赫侯府郡马,自然有人照应,委了他一个军装局的会办。这军装局局面极阔,向来一个总办,一个会办,一个襄办,还有两个提调。总办向来是道台,便是会办、襄办也是个道台,就连两个提调都是府班的。他一个部曹,戴了个水晶顶子去当会办,比着那红蓝色的顶子,未免相形见绌。何况这局里的委员,蓝顶子的也很有两个,有甚么事聚会起来,如新年团拜之类,他总不免局促不安,人家也就看他不起。那总办更是当他小孩子一般看待。伯芬在局里觉得难以自容,便收拾行李,请了个假,出门去了。

　　你道他往哪里去来? 原来他的大舅爷放了外国钦差,到外国去了,所以他也跟踪而去。以为在京时你不肯照应我罢了,此刻万里重洋的寻了去,虽然参赞、领事所不敢望,一个随员总要安置我的。谁知千辛万苦,寻到了外洋,访到中国钦差衙门,投了帖子进去,里面马上传出来请,伯芬便进去相见。钦差一见了他,行礼未完,便问道:“你来做甚么?”伯芬道:“特地来给大哥请安。”钦差道:“哼! 万里重洋的,特地为了请安而来,头一句就是撒谎!”伯芬道:“顺便就在这里伺候大哥,有甚么差使,求赏一个。”钦差道:“亏你还是仕宦人家出身,怎么连这一点节目都不懂得! 这钦差的随员,是在中国时逐名奏调的,等到了此地,还有前任移交下来的人员,应去应留,又须奏明在案,某人派某事,都要据实奏明的。你当是和中国督抚一般,可以随时调剂私人的么?”伯芬愣了半天,说不出话来。此时他带来的行李,早已纷纷发到,家人上来请钦差的示,放在哪里。钦差道:“我这衙门里没地方放,由他搁过一边,回来等他找定了客店搬去。”伯芬听说,更觉愣了。钦差道:“我这里,一来地方小,住不下闲人;二来我定的例,早晚各处都要点名,早上点过名才开大门,晚上也点过名才关门,不许有半个闲人在衙门里面。所以你这回来了,就是门房里也住不下,你可赶紧到外头去找地方。你要是聪明的,就附了原船回去;要是不知好歹,当作在中国候差委一般候着,我可不理的。这里消费又大,较之中国要顶到一百几十倍,你自己打算便了。我这里有公事,不能陪你,你去罢。”伯芬无奈,只得退了出来。便拿片子,去拜衙门里的各随员；谁知各随员都受了钦差严谕，不敢招呼，一个个都回出来说挡驾。伯芬此时急的要哭出来，又是悔，又是恨，又是恼，又是急，一时心中把酸咸苦辣都涌了上来。到了此地，人生路不熟，又不懂话，正不知如何是好。幸得带来的家人曾贵，和一个钦差大臣带来的二手厨子认得，由曾贵去央了那二手厨子出来，代他主仆两个，找定了一所客店，才把行李搬了过来住下。天天仍然到钦差衙门来求见，钦差只管不见他。到第三天去见时，那号房简直不代他传帖子了，说是："递了上去就碰钉子，还责骂我们，说为甚不打出去。姑老爷，你何苦害我们捱骂呢！"伯芬听了，真是有苦无处诉。带来的盘费，看看用尽了。恰好那坐来的船，又要开到中国去。伯芬发了急，便写一封信给钦差，求他借盘缠回去。到了下午，钦差打发人送了回信来，却是两张三等舱的船票。

伯芬真是气得涨破了肚皮！只得忍辱受了，附了船仍回中国，便去销假，仍旧到他军装局的差。在老婆跟前又不便把大舅爷待自己的情形说出，更不敢露出忿恨之色，那心中却把大舅爷恨的犹如不共戴天一般。又因为局里众人看不起他是个部曹，好得他家里有的是钱，他老太爷做过两任广东知县，很刮了些广东地皮回家，便向家里搬这银子出来，去捐了个候补道，加了个二品顶戴，入京引过见，从此他的顶子也红了。人情势利，大抵如此，局里的人看见他头上换了颜色，也不敢看他不起了。伯芬却是恨他大舅爷的心事，一天甚似一天。每每到睡不着觉时，便打算，我有了个道班做底子，怎样可以谋放缺，怎样可以升官，几年可以望到督抚。怎样设法，可以调入军机。那时候大舅爷的辫子自然在我手里，那时便可以如何报仇，如何雪恨了。每每如此胡思乱想，想到彻夜不寐。

他却又一面广交朋友，凡是有个红点子的人，他无有不交结的。一天正在局子里闲坐，忽然家人送上一张帖子，说是赵大人来拜。这赵大人也是一个江南候补道，号叫啸存，这回进京引见，得了内记名出来。从前在京时，叶伯芬本来是相识的，这回出京路过上海，便来拜访。伯芬见了片子，连忙叫请。两人相见之下，照例寒暄几句，说些契阔的话。在赵啸存无非是照例应酬，在叶伯芬看见赵啸存新得记名，便极力拉拢。等啸存去后，便连忙叫人到聚丰园定了座位，一面坐了马车去回拜啸存，当面约了明日聚丰园。及至回到局里，又连忙备了帖子，开了知单送去，啸存打了知字回来。

伯芬到了次日下午五点钟时，便到聚丰园去等候。他所请的，虽不止赵啸存一人，然而其余的人都是与这书上无干的，所以我也没工夫去记他的贵姓台甫了。客齐之后，伯芬把酒入席。坐席既定，伯芬便说闷饮寡欢，不如叫两个局来谈谈，同席的人，自然都应允。只有啸存道："兄弟是个过路客，又是前天才到，意中实在无人。不啊，就请伯翁给我代一个罢。"伯芬一想，自己只有两个人：一个是西荟芳陆蘅舫，一个是东棋盘街吴小红。蘅舫是一向有了交情的，誓海盟山，已有白头之约，并且蘅舫又亲自到过伯芬公馆，叩见过叶太太。叶太太虽是满肚醋意，十分不高兴，面子上却还不十分露出来；倒是叶老太太十分要好，大约年老人欢喜打扮得好的，自己终年在公馆里，所见的无非丫头老妈，忽然来了个花枝招展的，自是高兴，因此和她十分亲热。这些闲话，表过不提。且说伯芬当时暗想吴小红到底是个么二，又只得十三岁，若荐给啸存，恐怕他不高兴。好在他是个过客，不多几天就要走的，不如把蘅舫荐给他罢。想定了主意，便提笔写了局票发出去。一会儿各人的局，陆续来了。陆蘅舫来到，伯芬指给啸存，啸存一见，十分赏识，赞不绝口。伯芬又使个眼色给蘅舫，叫她不要转局，蘅舫是吃甚么饭的人，自然会意。席散之后，啸存定要到蘅舫处坐坐，伯芬只得奉陪。啸存高兴，又在那里开起宴来。席中与伯芬十分投契，便商量要换帖。伯芬暗想，他是个新得记名的人，不久就可望得缺的；并且他这回的记名，是从制台密保上来的，纵使一时不能得缺，他总是制台的一个红人，将来用他之处正多呢。想到这里，自然无不乐从。互相问了年纪，等到席散，伯芬便连忙回到公馆，将一分帖子写好。次日一早，便差一个家人送到啸存寓所。又另外备了一分请帖知单，请今天晚上在吴小红处。不一会，啸存在单上打了知字回来。

叶伯芬他虽不肖，也还是一个军装局会办，虽是纯乎用钱买来的，却叫名儿也还是个监司大员，何以玩到么二上去？这么二妓院人物，都是些三四等货，局面尤其狭小，只有几个店家的小伙计们去走动走动的。岂不是做书的人撒谎也撒得不像么？不知非也！这吴小红本是姊妹两个：小红居长，那小的叫吴小芳。小红十一岁，小芳十岁的时候，便出来应局；有叫局的，她姊妹两个总是一对儿同来，却只算一个局钱，这名目叫做小双挡。此时已经长到十六七岁了，却都出落得秋瞳剪水，春黛衔山。小红更是生得粉脸窝圆，朱唇樱小。那时候东棋盘街有一座两楼两底的精巧房子,房子里面,门扇窗格,一律是西洋款式;房子外面,却是短墙曲绕,芳草平铺,还种了一棵枇杷树,一棵七里香。小红的娘,带着两个女儿,就租了那所房子,自开门户。这是当时出名的叫做小花园。因为东西棋盘街都是幺二妓女麇聚之所,众人也误认了她做幺二,其实她与那一个妓院聚了四五十个妓女的幺二妓院,有天渊之隔呢。不信,但问老于上海的人,总还有记得的。表过不提。

且说啸存下午也把帖子送到伯芬那里。到了晚上,便在吴小红那里畅叙了一宵。啸存年长,做了盟兄,伯芬年少,做了盟弟,非常热闹。到了次日,啸存又请在陆蕙舫处闹了一天。这两天闹下来,大哥老弟,已叫得十分亲热的了。加以旁边的朋友,以贺喜为名,设席相请,于是又一连吃了十多天花酒。每有酒局,啸存总是带蕙舫,伯芬总是叫小红。他两个也是你叫我大伯娘,我叫你小婶婶的,好不有趣。一连二十多天混下来,啸存便和蕙舫落了交情,两个十分要好。啸存便打算要娶她,来和伯芬商量。伯芬和蕙舫虽曾订约,却没有说定,此时听得啸存要娶,也就只好由他。况且官场中纷纷传说,肃存有放缺消息,便索性把醋意捐却,帮着他办事,一面托人和老鸨说定了身价,一面和啸存租定公馆。到了吉期那天,非但自己穿了花衣前去道喜,并且因为啸存客居上海,没有内眷,便叫自己那位郡主太太,奉了老太太,到赵公馆里去招呼一切。等新姨太太到来,不免逐一向众客见礼。到得上房,便先向叶老太太和叶太太行礼。这一双婆媳,因她是勾阑出身,嘴里虽连说“不敢当,还礼还礼”,却并不曾还礼。忙了一天,成其好事,不多几时,啸存便带了新姨太太晋省。得过记名的人,真是了不得,不上一年多,啸存便奉旨放了上海道。伯芬应酬得更为忙碌。

可巧这个时候,他的大舅爷钦差任满回华,路过上海。此时伯芬的主意,早已改换了。从前把大舅爷恨入骨髓,后来屡阅京报,见大舅爷虽在外洋钦差任上,内里面却是接二连三的升官,此时已升到侍郎了。伯芬心上一想,要想报仇是万不能的了,不如还是借着他的势子,升我的官。主意打定,等大舅爷到了上海之后,便天天到行辕里伺候。大舅爷本来挈眷同行的,伯芬是郎舅至亲,与别的官员不同,上房咧、签押房咧,他都可以任意穿插。又先把自己太太送到行辕里去,兄妹相见,自有一番友于之谊。伯芬又设法先把一位舅嫂巴结上了,没事的时候,便依到上房,他便拿出手段去伺候,比自己伺候老太太还殷勤,茶咧、烟咧,一天要送过十多次。舅太太是个妇道人家,懂得甚么,便口口声声总说姑老爷是个独一无二的好人。他在外面巴结大舅爷呢,却又另外一副手段,见了大舅爷,不是请教些政治学问,便是请教些文章学问。大舅爷写字是写魏碑的,他写起字来,也往魏碑一路摹仿。大舅爷欢喜做诗,近体欢喜学老杜,古体欢喜学晋、魏、六朝;他大舅爷偶然把自己诗稿给他看,他便和了两首律诗,专摹少陵,又和了两首古风,专仿晋、魏。大舅爷能画画,花卉、翎毛、山水,样样都来;他虽不懂画,却去买了两部《画征录》来,连夜去看,及至大舅爷和他谈及画理,他也略能回报一二。因此也骗动了大舅爷,说他与前大不相同了。

他得了大舅爷这点颜色,便又另外生出一番议论来,做一个不巴结之巴结,不要求之要求。他说:"做小兄弟的这几年来,每每想到少年时候的行径,便深自怨艾,赶忙要学好,已经觉得来不及了,只好求点实学,以赎前愆。军装局总办某道,化学很精通的,兄弟天天跟他学点。上海道赵道,政治一道,很有把握,兄弟也时时前去讨教的。细想起来,我们世受国恩的,若不及早出来报效国家,便是自暴自弃。大哥这回进京复命,好歹要求大哥代兄弟图个出身。做小兄弟的并不是要干求躁进,其实我们先人受恩深重,做子孙的若不图个出身报效,非但无以对皇上,亦且无以对先人。此时年力正壮,若不及早出来,等将来老大徒伤,纵使出身,也怕精力有限,非但不能图报微末,而且还怕陨越贻羞了。"那位大舅爷的老子,便是伯芬的丈人,是一生讲究理学的。大舅爷虽没有老子讲的利害,却也是岸然道貌的。伯芬真会揣摩,他说这一番话时,每说到甚么世受国恩咧、复命咧、先人咧、皇上咧这些话,必定垂了手,挺着腰,站起来才说的。起先一下子,大舅爷还不觉得;到后来觉着了,他站起来说,大舅爷也只得站起来听了。只他这一番言语举动,便把个大舅爷骗得心花怒放,说士三日不见,当刮目相待,这句话古人真是说得不错。这也是叶伯芬升官的运到了,所以一个极精明、极细心、极燎亮的大舅爷,被他一骗即上。

正是:世上如今无直道,只须狐媚善逢迎。不知叶伯芬到底如何升官,且待下回再记。

第九十一回

老夫人舌端调反目　赵师母手版误呈词

叶伯芬自从巴结上大舅爷之后,京里便多了个照应,禁得他又百般打点,逢人巴结,慢慢的也就起了红点子了。此时军装局的总办因事撤了差,上峰便以"以资熟手"为名,把他委了总办。啸存任满之后,便陈臬开藩,连升上去。几年功夫,伯芬也居然放了海关道。恰好同一日的上谕,赵啸存由福建藩司坐升了福建巡抚。伯芬一面写了禀帖去贺任,顺便缴还宪帖,另外备了一份门生帖子,夹在里面寄去,算是拜门。这是官场习气,向来如此,不必提他。

且说赵啸存出仕以来,一向未曾带得家眷,只有那年在上海娶陆蘅舫,一向带在任上。升了福建抚台,不多几时,便接着家中电报,知道太太死了。啸存因为上了年纪,也不思续娶,蘅舫一向得宠,就把她扶正了,作为太太。从此陆蘅舫便居然夫人了。

又过得几时,江西巡抚被京里都老爷参了一本,降了四品京堂,奉旨把福建巡抚调了江西。啸存交卸过后,便带了夫人,乘坐海船,到了上海,以便取道江西。上海官场早得了电报,预备了行辕。啸存到时,自然是印委各员,都去迎接。等宪驾到了行辕之后,又纷纷去禀安、禀见。啸存抚军传令一概挡驾,单请道台相见。伯芬整整衣冠,便跟着巡捕进内。行礼已毕,啸存先说道:"老弟,我们是至好朋友,你又何必客气,一定学那俗套,缴起帖来,还要加上一副门生帖子,叫我怎么敢当!一向想寄过来恭缴,因为路远不便。此刻我亲自来了,明日找了出来,再亲自面缴罢。"伯芬道:"承师帅不弃,收在门下,职道感激的了不得!师帅客气,职道不敢当!"啸存道:"这两年上海的交涉,还好办么?"伯芬道:"涉及外国人的事,总有点烦琐,但求师帅教训。"伯芬的话还未说完，啸存已是举茶送客了。伯芬站起来，啸存送至廊檐底下，又说道："一两天里，内人要过来给老太太请安。"伯芬连忙回道："职道母亲不敢当。师母驾到，职道例当扫径恭迎。"说罢，便辞了出来，上了绿呢大轿，鸣锣开道，径回衙门。

一直走到上房，便叫他太太预备着，一两天里头，师母要来呢。那位郡主太太便问甚么师母。伯芬道："就是赵师帅的夫人。"太太道："他夫人不早就说不在了，记得我们还送奠礼的，以后又没有听见他续娶，此刻又哪里来的夫人？"伯芬道："他虽然没有续娶，却把那年讨的一位姨太太扶正了。"夫人道："是那一年讨的那一位姨太太？"伯芬笑道："夫人还去吃喜酒的，怎么忘了？"太太道："你叫她师母？"伯芬道："拜了师帅的门，自然应该叫她师母。"太太道："我呢？"伯芬笑道："夫人又来了，你我还有甚分别？"太太道："几时来？"伯芬道"方才师帅交代的，说一两天就来，说不定明天就来的。"太太回头对一个老妈子道："周妈，你到外头去，叫他们赶紧到外头去打听，今天可有天津船开。有啊，就定一个大菜间；没有呢，就叫他打听今天长江是甚么船，也定一个大菜间，是到汉口去的。"周妈答应要走。伯芬觉得诧异道："周妈，且慢着。夫人，你这是甚么意思？"那位郡主夫人，脸罩重霜的说道："有天津船啊，我进京看我哥哥去；不啊，我就走长江回娘家。你少来管我！"伯芬心中恍然大悟，便说道："夫人，这个又何必认真，糊里糊涂应酬她一次就完了。"夫人道："'完了，完了！'我进了你叶家的门，一点光也没有沾着，希罕过你的两轴诰命！这东西我家多的拿竹箱子装着，一箱一箱的喂蠹鱼，你自看得希罕！我看的拿钱买来的东西，不是香货！我们家的，不是男子们一榜两榜博到的，就是丈夫们一刀一枪挣来的。我从小儿就看到大，希罕了你这点东西！开口夫人，闭口夫人，却叫我拜臭婊子做师母！甚么赵小子长得那个村样儿，字也不多认得一个，居然也当起抚台了！叫他到我们家去舀夜壶，看用得着他不！居然也不要脸，受人家的门生帖子！也有那一种不长进的下流东西，去拜他的门！周妈，快去交代来！我年纪虽然不大，也上三四十岁了，不能再当婊子，用不着认婊子作师母！"伯芬道："夫人，你且息怒。须知道做此官，行此礼。况且现在的官场，在外头总要融和一点，才处得下去。如果处处认真，处处要摆身分，只怕寸步也难行呢。"太太道："我摆甚么身分来！你不要看得我是摆身分，我不是摆身分的人家出身。我老人家带了多少年兵，顶子一直是红的，在营里头哪一天不是与士卒同甘苦。我当儿女的敢摆身分吗！"伯芬道："那么就请夫人通融点罢，何苦呢！"夫人道："你叫我和谁通融？我代你当了多少年家，调和里外，体恤下情，哪一样不通融来！"伯芬道："一向多承夫人贤慧……"说到这里，底下还没说出来，夫人把嘴一撇道："免恭维罢！少糟蹋点就够了！"伯芬道："我又何敢糟蹋夫人？"夫人道："不糟蹋，你叫我认婊子做师母？"伯芬道："唉！不是这样说。我不在场上做官呢，要怎样就怎样；既然出来做到官，就不能依着自己性子了，要应酬的地方，万不能不应酬。我再说破一句直捷痛快的话，简直叫做要巴结的地方，万不能不巴结！你想我从前出洋去的时候，大哥把我糟蹋得何等利害，闹的几几乎回不得中国，到末了给我一张三等船票，叫我回来。这算叫他糟蹋得够了罢！论理，这种大舅子，一辈子不见他也罢了。这些事情，我一向并不敢向夫人提起，就是知道夫人脾气大，恐怕伤了兄妹之情；今天不谈起来，我还是闷在肚里。后来等到大哥从外洋回来，你看我何等巴结他，如果不是这样，哪里……"这句话还没说完，太太把桌子一拍道："吓！这是甚么话！你今天怕是犯了疯病了！怎么拿婊子比起我哥哥来！再不口稳些，也不该说这么一句话！你这不是要糟蹋我娘家全家么！我娘家没人在这里，我和你见老太太去，评评这个理看，我哥哥可是和婊子打比较的？"

伯芬还没有答话，丫头来报道："老太太来了。"夫妻两个，连忙起身相迎。原来他夫妻两个斗嘴，有人通报了老太太，所以老太太来了。好个叶太太，到底是诗礼人家出身，知道规矩礼法，和丈夫拌嘴时，虽闹着说要去见老太太评理，等到老太太来了，她却把一天怒气一齐收拾起来，不知放到哪里去了，现出一脸的和颜悦色来，送茶装烟。伯芬见他夫人如此，也便敛起那悻悻之色。老太太道："他们告诉我，说你们在这里吵嘴，吓得我忙着出来看，谁知原是好好儿的，是他们骗我。"伯芬心中定了主意，要趁老太太在这里把这件事商量妥当，省得被老婆横亘在当中，弄出笑话。因说道："儿子正在这里和媳妇吵嘴呢。"老太太道："好好的吵甚么来！你好好的告诉我，我给你们判断是非曲直。"伯芬便把上文所叙他夫妻两个吵闹的话，一字不漏的述了一遍。老太太坐在当中，两手挂着拐杖，侧着脑袋，细细的听了一遍。叹了一口气，对太太道："唉！媳妇啊！你是个金枝玉叶的贵小姐，嫁了我们这么个人家，自然是委屈你了！"太太吓得连忙站起来道："老太太言重了！媳妇虽不敢说知书识礼，然而'嫁鸡随鸡，嫁狗随狗'这句俗话，是从小儿听到大的，哪里有甚么叫做委屈！"说罢，连忙跪下。老太太连忙扶她起来，道："媳妇，你且坐下，听我细说。这件事，气呢，原怪不得你气，就是我也要生气的。然而要顾全大局呢，也有个无可奈何的时候；到了无可奈何的时候，就不能不自己开解自己。我此刻把最高的一个开解，说给你听。我一生最信服的是佛门，我佛说一切众生，皆是平等。我们便有人畜之分，到了我佛慧眼里头，无论是人，是鸡，是狗，是龟，是鱼，是蛇虫鼠蚁，是虱子蛽蚤，总是一律平等。既然是平等，哪怕他认真是鳖是龟，我佛都看得是平等，我们就何妨也看得平等呢；何况还是个人。这是从佛法上说起的，怕你们不信服。你两口子都是做官人家出身，应该信服皇上。你们可知道皇上眼里，看得一切百姓，都是一样的么？那做官的人，不过皇上因为他能办事，或者立过功，所以给他功名，赏他俸禄罢了；如果他不能立功，不能办事，还不同平常百姓一样么。你不要看着外面的威风势力是两样的，其实骨子里头，一样的是皇上家的百姓，并不曾说做官的有个官种，做平常百姓的有个平常百姓种，这就不应该谁看不起谁。譬如人家生了几个儿子，做父母的总有点偏心，或者疼这个，或者疼那个，然而他们的兄弟还是兄弟。难道那父母疼的就可以看不起那父母不疼的么。这是从人道上说起的。然而你们心中总不免有个贵贱之分，我索性和你们开解到底。媳妇啊！你不要说我袒护儿子，我这是平情酌理的说话，如果说得不对，你只管驳我，并不是我说的话都合道理的。陆蕙舫呢，不错，她是个婊子出身。然而伯芬并不是在妓院里拜她做师母的，亦并不是做赵家姨太太的时候拜她做师母的，甚至赵啸存升了抚台，这边壁帖拜门，那时还有个真正师母在头上；直等到真正师母死了，啸存把她扶正了，她才是师母。须知这个师母不是你们拜认的，是她的运气好，恰恰碰上的。何况堂堂封疆，也认了她做老婆，非但主中馈，主苹蘩，居然和她请了诰命，做了朝廷命妇。你想，皇上家的诰命都给了她，还有甚门生、师母的一句空话呢？媳妇，你懂得嫁鸡随鸡，嫁狗随狗，须知她此刻是嫁龙随龙，嫁虎随虎了。暂时位分所在，要顾全大局，我请媳妇你委屈一回罢。"

太太起先听到不是在妓院拜师母的一番议论，已经局促不安；听得老太太说完了，越觉得脸红耳热，连忙跪下道："老太太息怒。这都是媳妇一时偏执，惹出老太太气来。"老太太连忙揽起来道："唉！我怒甚么？气甚么？你太多礼了。你只说我的话错不错？"太太道："老太太教训的是。"老太太道："伯芬呢，也有不是之处。"伯芬听见老太太派他不是，连忙站了起来。老太太道："我亲家是何等人家！你大舅爷是何等身分！你却轻嘴薄舌，拿婊子和大舅爷打起比较来！"说着，抡起拐杖，往伯芬腿上就打，伯芬见老太太动气，正要跪下领责，谁知太太早飞步上前，一手接住拐杖，跪下道："老太太息怒。他……他……他这话是分两段说的，并没有打甚么比较；是媳妇不合，使性冤他的。老太太要打，把媳妇打几下罢。"老太太道："唉！你真正太多礼了。我揽你不动了，伯芬，快来代我揽你媳妇起来。"伯芬便叫丫头们快揽太太起来。老太太拿拐杖在地下一拄道："我要你揽！"伯芬便要走过来揽，吓得太太连忙站了起来，往后退了几步。老太太呵呵大笑道："你们的一场恶闹，给我一席话，弄得瓦解冰销。我的嘴也说干了，你们且慢忙着请师母，先弄一盅酒，替我解解渴罢。"伯芬看着太太陪笑道："儿子当得孝敬。"太太也看着伯芬陪笑道："媳妇当得伺候。"老太太便拄了拐杖，扶了丫头，由伯芬夫妻送回上头去了。自有老太太这一番调和，才把事情弄妥了。

过了一天，啸存打发人来知会，说明日我们太太过来，给老太太请安。伯芬便叫人把阍衙门里里外外，一齐张灯挂彩。饬下厨房，备了上等满汉酒席。又打发人去探听明天师母进城的路由，回报说是进小东门，直到道署。伯芬便传了保甲东局委员来，交代明天赣抚宪太太到我这里来，从小东门起到这里，沿道要派人伺候，局勇一律换上鲜明号衣；又传了本辕督带亲兵的哨弁来，交代明日各亲兵一个不准告假，在辕门里面，站队伺候；又调了沪军营两哨勇，在辕门外站队。一切都预备妥当。

到了这天，诰封夫人、晋封一品夫人、赵宪太太陆夫人，在天妃宫行辕坐了绿呢大轿登程。前头顶马，后头跟马，轿前高高的一项日照，十六名江西巡抚部院的亲兵，轿旁四名戴顶拖貂佩刀的戈什，簇着过了天妃宫桥，由大马路出黄浦滩，迤逦到十六铺外滩。转弯进了小东门，便看见沿路都是些巡防局勇丁，往来逡巡。这一天城里的街道，居然也打扫干净了，只怕从有上海城以来，也不曾有过这个干净的劲儿。

走不多时，忽见前面一排兵勇，扛着大旗，在那里站队。有一个穿了灰布缺襟袍,天青羽纱马褂,头戴水晶顶,拖着蓝翎,脚穿抓地虎快靴的,手里捧着手版。宪太太的轿离着他还有二三丈路,那个人便跪下,对着宪太太的轿子,吱啊、咕啊、咕啊、吱啊的,不知他说些甚么东西,宪太太一声也不懂他的。肚子里还想道:格格人朝仔倪痴形怪状格做啥介? 想犹未了,又听得一声怪叫,那路旁站的兵队,便都一齐屈了一条腿,作请安式蹲下。一路都是如此。过了旗队,便是刀叉队、长矛队、洋枪队。忽见路旁又是一个人,手里捧着手版跪着,说些甚么,宪太太心中十分纳闷。过去之后,还是旗队、刀叉队、洋枪队。抬头一看,已到辕门,又是一个捧着手版的东西,跪在那里吱咕。宪太太忽然想道:"这些人手里都拿着禀帖,莫非是要拦舆告状的,看见我护卫人多,不敢过来?"越想越像,要待喝令停轿收他状子,无奈轿子已经抬过了。耳边忽又听得轰轰轰三声大炮,接着一阵鼓吹,又听得一声"门生叶某,恭迎师母大驾"。宪太太猛然一惊,转眼一望。原来已经到了仪门外面。

　　叶伯芬身穿蟒袍补褂,头戴红顶花翎,在仪门外垂手站立。等轿子走近,一手搭在轿杠上,扶着轿杠往里去,一直抬上大堂,穿过暖阁,进了麒麟门,到二堂下轿。叶老太太、叶太太早已穿了披风红裙,迎到二堂上,让到上房。宪太太向老太太行礼,老太太连忙回礼不迭。礼毕之后,又对叶太太福了一福。叶太太却要拜见师母,叫人另铺拜毡,请师母上坐。宪太太连说"不敢当",叶太太已经拜了下去。宪太太嘴里连说"不敢当,不敢当,还礼还礼",却并不曾还礼,三句话一说,叶太太已拜罢起身了。然后叶伯芬进来叩见师母,居然也是一跪三叩首,宪太太却还了个半礼,伯芬退了出去。这里是老太太让坐,太太送茶,分宾主坐定,无非说几句寒暄客套的话。略坐了一会,老太太便请升珠,请宽衣,摆上点心用过。宪太太又谈谈福建的景致,又说这上房收拾得比我们住的时候好了。七拉八扯,谈了半天,就摆上酒席。老太太定席,请宪太太当中坐下,婆媳两人,一面一个相陪。宪太太从前给人家代酒代惯的,著名洪量,便一杯一杯吃起来。叶伯芬具了衣冠,来上过一道鱼翅,一道燕窝;停了一会,又亲来上烧烤。宪太太倒也站了起来,说道:"耐太客气哉!"原来宪太太出身是苏州人,一向说的是苏州话,及至嫁与赵啸存,又是浙东出干菜地方的人氏,所以家庭之中,宪太太仍是说苏州话,啸存自说家乡话,彼此可以相通的,因此宪太太一向不会说官话,随任几年,有时官眷往来,勉强说几句,还要带着一大半苏州土话呢。就是此次和老太太们说官话,也是不三不四,词不能达意的。至于叶伯芬能打两句强苏白,是久在宪太太洞鉴之中的,所以冲口而出,就说了一句苏州话。伯芬未及回答,宪太太又道:"划一(划一,吴谚有此语。惟揣其语意,当非此二字。近人著《海上花列传》,作此二字,姑从之)今早奴进城格辰光,倒说有两三起拦舆喊冤格呀!"伯芬吃了一惊道:"来浪啥场化?"宪太太道:"就来浪路浪向唅。问倪啥场化,倪是弗认得格唅。"伯芬道:"师母阿曾收俚格呈子?"宪太太道:"是打算收俚格,轿子跑得快弗过咯,来弗及哉。"伯芬道:"是格啥底样格人?"宪太太道:"好笑得势! 俚告到状子哉,还要箭衣方马褂,还戴起仔红缨帽子。"伯芬恍然大悟道:"格个弗是告状格,是营里格哨官来浪接师母,跪来浪唱名,是俚笃格规矩。"宪太太听了,方才明白。如此一趟应酬,把江西巡抚打发过去。叶伯芬的曳尾泥涂,大都如此,这回事情,不过略表一二。

　　正是:泥涂便是终南径,几辈凭渠达帝阍。不知叶伯芬后来怎样做了抚台,为何要参藩台,且待下回再记。

第九十二回

谋保全拟参僚属　巧运动赶出冤家

如今晚儿的官场,只要会逢迎,会巴结,没有不红的。你想像叶伯芬那种卑污苟贱的行径,上司焉有不喜欢他的道理?上司喜欢了,便是升官的捷径。从此不到五六年,便陈臬开藩,扶摇直上,一直升到苏州抚台。因为老太太信佛念经,伯芬也跟着拿一部《金刚经》,朝夕唪诵。此时他那位大舅爷,早已死了,没了京里的照应,做官本就难点;加之他诵经成了功课,一天到晚,躲在上房念经,公事自然废弃了许多,会客的时候也极少,因此外头名声也就差了。慢慢的传到京里去,有几个江苏京官,便商量要参他一本。因未曾得着实据,未曾动手,各各写了家信回家,要查他的实在劣迹。恰好伯芬妻党,还有几个在京供职的,得了这个风声,连忙打个电报给他,叫他小心准备。伯芬得了这个消息。心中十分纳闷,思量要怎样一个办法,方可挽回,意思要专折严参几个属员,貌为风厉,或可以息了这件事。无奈看看苏州合城文武印委各员,不是有奥援的,便是平日政绩超著的;在黑路里的各候补人员,便再多参几个也不中用;至于外府州县,自己又没有那么长的耳目去觑他的破绽。正在不得主意,忽然巡捕拿了手本上来,说时某人禀见,说有公事面回,伯芬连忙叫请。

原来这姓时的,号叫肖臣,原是军装局的一个司事,当日只赚得六两银子薪水一月。那时候伯芬正当总办,不知怎样看上了他,便竭力栽培他,把他调到帐房里做总管帐。因此,时肖臣便大得其法起来,捐了个知县,照例引见,指省江苏,分宁候补。恰好那时候伯芬放了江海关道,肖臣由南京来贺任,伯芬便重重的托他,在南京做个坐探,所有南京官场一举一动,随时报知。肖臣是受恩深重的人,自然竭力报效。从此时肖臣便是伯芬的坐探。也是事有凑巧，伯芬官阶的升转，总不出江苏、江西、安徽三省，处处都用得着南京消息的，所以时肖臣便代他当了若干年的坐探。此次专到苏州来，却是为了他自己的私事。凡上衙门的规矩，是一定要求见的，无论为了甚么事，都说是有公事面回的。这时肖臣是伯芬的私人，所以见了手版就叫请。

巡捕去领了肖臣进来，行礼已毕，伯芬便问道："你近来差事还好么？"肖臣道："大帅明见，一则卑职自从交卸扬州厘局下来，已经六个月了，此刻还是赋闲着，所以特为到这边来给大帅请安；二则求大帅赏封信给江宁惠藩台，吹嘘吹嘘，希冀望个署缺。"伯芬道："署缺，那边的吏治近来怎样了？"肖臣道："吏治不过如此罢了。近来贿赂之风极盛，无论差缺，非打点不得到手。"伯芬道："那么你也去打点打点就行了，还要我的信做甚。"肖臣道："大帅栽培的，较之鬼鬼祟祟弄来的，那就差到天上地下了。"伯芬心中忽然有所触，因说道："你说差缺都要打点，这件事可抓得住凭据么？"肖臣道："卑职动身来的那两天，一个姓张的署了山阳县，挂出牌来，合省哗然。无人不知那姓张的，是去年在保甲局内得了记大过三次、停委两年处分的，此时才过了一年，忽然得了缺，这里头的毛病，就不必细问了。有人说是化了三千得的，有人说是化了五千得的。卑职以为事不干己，也没有去细查。"伯芬道："要细查起来，你可以查得着么？"肖臣道："要认真查起来，总可以查得着。"伯芬道："那么写信的事且慢着谈，你的差缺，我另外给你留心，你赶紧回去，把他那卖差卖缺的实据，查几件来。这件事第一要机密，第二要神速。你去罢。"说罢，照例端茶送客。肖臣道："那么卑职就动身，不再过来禀辞了。"伯芬点点头。肖臣辞了出来，赶忙赶回南京去，四面八方的打听，却被他打听了十来起，某人署某缺，费用若干，某人得某差，费用若干，开了一张单，写了禀函，寄给伯芬。

伯芬得了这个函，便详详细细写了一封信给南京制台，胪陈惠藩台的劣迹，要和制台会衔奏参。制台得了信，不觉付之一笑。原来这惠藩台是个旗籍，名叫惠福，号叫锡五，制台也是旗籍，和他带点姻亲，并且惠藩台是拜过制台门的。有了这等渊源，旁人如何说得动坏话，何况还说参他呢。好笑叶伯芬聪明一世，糊涂一时，同在一省做官，也不知道同寅这些底细，又不打听打听，便贸贸然写了信去。制台接信的第二天，等藩台上辕，便把那封信给藩台看了。藩台道："既是抚帅动怒，司时听参就是了。"制台一笑道："叶伯芬近来念《金刚经》念糊涂了，要办一件事情，也不知道过细想想，难道咱们俩的交情，还是旁人唆得动的吗。"藩台谢过了，回到自己衙门，动了半天的气。一个转念，想道："我徒然自己动气，也无济无事。古人说得好：无毒不丈夫。且待我干他一干，等你知道我的手段！"打定了主意，便亲自起了个一百多字的电稿，用他自己私家的密码译了出来，送到电局，打给他胞弟惠禄。

这惠禄号叫受百，是个户部员外郎。拜在当朝最有权势的一位老公公膝下做个干孙子，十分得宠，无论京外各官，有要走内线的，若得着了受百这条门路，无有不通的。京官的俸禄有限，他便专靠这个营生，居然臣门如市起来。便是他哥哥锡五放了江宁藩台，也是因为走路子起见，以为江南是财富之区，做官的容易赚钱，南京是个大省会，候补班的道府，较他处为多，所以弄了这个缺，要和他兄弟狼狈为奸。有要进京引见的，他总代他写个信给兄弟，叫他照应。如此弄起来，每年也多了无限若干的生意。这回因为叶伯芬要参他，他便打了个电报给兄弟，要设法收拾叶伯芬，并须……如此如此。

受百接了电报，见是哥哥的事情，不敢怠慢，便坐了车子，一径到他干祖父宅子里去求见，由一个小内侍引了到上房。只见他干祖父正躺在一张醉翁椅上，双眼迷蒙，像是要磕睡的光景，便不敢惊动，垂手屏息，站在半边。站了足足半个钟头，才见他干祖父打了个翻身，嘴里含糊说道："三十万便宜了那小子！"说着，又朦胧睡去。又睡了一刻多钟，才伸了伸懒腰，打个呵欠坐起来。受百走近一步，跪了下来，恭恭敬敬叩了三个头，说道："孙儿惠禄，请祖爷爷的金安。"他干祖父道："你进来了。"受百道："孙儿进来一会了。"他干祖父道："外头有甚么事？"受百道："没有甚么事。"他干祖父道："乌将军的礼送来没有？"受百道："孙儿没经手，不知他有送宅上来没有。"他干祖父道："有你经着手，他敢吗！他别装糊涂，仗着老佛爷腰把子硬，叫他看！"受百道："这个谅他不敢，内中总还有甚么别的事情。"他干祖父就不言语了。歇了半天才道："你还有甚么事？"受百走近一步，跪了下来道："孙儿的哥哥惠福，有点小事，求祖爷爷做主。"他那干祖父低头沉吟了一会道："你们总是有了事情，就到我这里麻烦。你说罢，是甚么事情？"受百道："江苏巡抚叶某人，要参惠福。"他干祖父道："参出来没有？"受百道："没有。"他干祖父说道："那忙甚么，等他参出来再说罢咧。"受百听了，不敢多说，便叩了个头道："谢过祖爷爷的恩典。"叩罢了起来，站立一旁，直等他干祖父叫他"你没事去罢"，他方才退了出来，一径回自己宅子里去。入门，只见兴隆金子店掌柜的徐老二在座。

原来这徐老二，是一个专门代人家走路子的，有名的徐二滑子，后来给人家叫浑了，叫成个徐二化子。大凡到京里来要走路子的，他代为经手过付银钱，从中赚点扣头过活，所开的金子店，不过是个名色罢了。这回是代乌将军经手，求受百走干祖父路子的。当下受百见了徐二化子，便仰着脸摆出一副冷淡之色来。徐二化子走上前请了个安，受百把身子一歪，右手往下一拖，就算还了礼。徐二化子歇上一会，才开口问道："二爷这两天忙？"受百冷笑道："空得很呢！空得没事情做，去代你们碰钉子！"徐二化子道："可是上头还不答应？"受百道："你们自己去算罢！乌某人是叫八个都老爷联名参的，罪款至七十多条，赃款八百多万。牛中堂的查办，有了凭据的罪款，已经五十几条，查出的赃款，已经五百多万。要你们三百万没事，那别说我，就是我祖爷爷也没落着一个，大不过代你们在堂官大人们、司官老爷们处，打点打点罢了。你们总是那么推三阻四！咱们又不做甚么买卖，论价钱，对就对，不对咱们撒手，何苦那么一天推一天的，叫我代你们碰钉子！"徐二化子忙道："这个呢，怨不得二爷动气，就是我也叫他们闹的厌烦了。但是君子成人之美，求二爷担代点罢。我才到刑部里去来，还是没个实在。我也劝他，说已经出到了二百四十万了，还有那六十万，值得了多少，马马虎虎拿了出来，好歹顾全个大局。无奈乌老头子，总像仗了甚么腰把子似的。"受百道："叫他仗腰把子罢！已经交代出去，说我并不经管这件事，上头又催着要早点结案，叫从明天起，只管动刑罢！"徐二化子大惊道："这可是今天的话？"受百不理他，径自到上房去了。

徐二化子无可奈何，只得出了惠宅，干他的事去。到了下午，又来求见，受百出来会他。徐二化子道："前路呢，三百万并不是不肯出，实在因为筹不出来，所以不敢胡乱答应。我才去对他说过，他也打了半天的算盘，说七拼八凑，还勉强凑得上来，三天之内，一定交到，只要上头知道他冤枉就是了。可否求二爷再劳一回驾，进去说说，免了明天动刑的事？"受百道："老实说，我祖爷爷要是肯要人家的钱，二十年头里早就发了财了，还等到今天！这不过代你们打点的罢了。要我去说是可以的，就是动刑一节话，已经说了出去，只怕不便就那么收回来，也要有个办法罢。"徐二化子听了，默默无言，歇了一会道："罢，罢！无非我们做中人的晦气罢了！我再走一回罢。二爷，你伫等我来了再去。"说罢，匆匆而去。歇了一大会，又匆匆来了，又跟着一个人，捧了一大包东西。徐二化子亲自打开包裹，里面是一个紫檀玻璃匣，当中放着一柄羊脂白玉如意。匣子里还有一个圆锦匣子，徐二化子取了出来，打开一看，却是一挂朝珠，一百零八颗都是指顶大的珍珠穿成的。徐二化子又在身边取出两个小小锦匣来，道："这如意、朝珠，费心代送到令祖老太爷处，是不成个礼的，不过见个意罢了。"说罢，递过那两个小匣子道："这点点小意思，是孝敬二爷的，务乞笑纳。"受百接过，也不开看，只往桌上一放道："你看天气已经要黑下来了，闹到这会才来，又要我连夜的走一趟！你们差使人，也得有个分寸！"徐二化子连忙请了个安道："我的二爷！你伫那里不行个方便，这个简直是作好事！二爷把他办妥了，就是救了他一家四五十个人的性命，还不感动神佛，保佑二爷升官发财吗？"受百道："一个人总不要太好说话，像我就叫你们麻烦死了！"徐二化子又请了一个安道："务求二爷方便这一回，我们随后补报就是。我呢，以后再有这种烦琐事情，我也不敢再经手了。"受百哼了一声，又叹了一口气，便直着嗓子喊套车子，徐二化子又连忙请了个安道："谢二爷。"方才辞了出去。忽然又回转来道："那两样东西，请二爷过目。"受百道："谁要他的东西！你给他拿回去罢。"徐二化子道："请二爷留着赏人罢。"一面说，一面把两个小匣子打开，等受百过了目，方才出去。受百看那两样东西，一个是玻璃绿的老式班指，一个是铜钱大的一座钻石帽花。仍旧把匣子盖好，揣在怀里。叫家人把如意、朝珠拿到上房里去。一面心中盘算，这如意可以留着做礼物送人；帽花、班指留下自用；只有这挂朝珠，就是留着他也挂不出去，不如拿去孝敬了祖爷爷，和哥哥斡旋那件事，左右是我动刑的一句话吓出来的。定了主意，专等明天行事，一夜无话。

次日，赶一个早，约莫是他干祖父下值的时候，便怀了朝珠，赶到他宅子里去。叩过头，请过安，便禀道："乌将军那里，一向并不是悭吝，实在一时凑不上来。昨天孙儿去责备过了，他说三天之内，照着祖爷爷的吩咐送过来。请祖爷爷大发慈悲，代他们打点打点。"他干祖父道："可不是吗？我眼睛里还看得见他的钱吗！现在那些中堂大人们,哪一个不是棺材里伸出手来——死要的!"受百跪下来磕了个头道:"孙儿孝敬祖爷爷的。"一面将一匣朝珠呈上。他干祖父并不接受道:"你揭开看。"受百揭开匣盖,他干祖父定睛一看,见是一挂珍珠朝珠。暗想老佛爷现在用的虽然有这个圆,却还没有这个大;我一向要弄这么一挂,无奈总配不匀停,今天可遇见了。想罢,才接在手里道:"怎好生受你的?"受百又磕了一个头,谢过赏收,才站起来道:"这个不是孙儿的,是孙儿哥哥差人连夜赶送进来,叫孙儿代献祖爷爷的。"他干祖父道:"是啊,你昨天说甚么人要参你哥哥?"受百道:"是江苏巡抚。"他干祖父道:"你哥哥在哪里?"受百道:"是江宁藩司。"他干祖父想了一想道:"江宁藩司,江苏巡抚,不对啊,他怎么可以参他呢?"受百道:"他终究是个上司,打起官话来,他要参就参了。"他干祖父道:"岂有此理!你哥哥也是我孙子一样,咱家的小孩子出去,都叫人家欺负了,那还成个话!你想个甚么法子惩治惩治那姓叶的,我替你办。"受百道:"孙儿不敢放恣,只求把姓叶的调开了就好。"他干祖父道:"你有甚么主意,和军机上华中堂说去,就说是我的主意。"受百又叩头谢过,辞了出来,就去谒见华中堂,把主意说了,只说是祖爷爷交代如此办法。华中堂自然唯唯应命。

过了几天,新疆巡抚出了缺,军机处奉了谕旨,新疆巡抚着叶某人调补,江苏巡抚着惠福补授,却把一个顺天府府尹放了江宁藩司,另外在京员当中,捡了个顺天府府尹。这一个电报到了南京,头一个是藩台快活,阖城文武印委各员,纷纷禀贺。制台因为新藩台来,尚须时日,便先委巡道署理了藩台,好等升抚交代藩篆,先去接印,却委苟才署了巡道。

苟才这一喜,正是:宪恩深望知鳌戴,金事威严展狗才。未知苟才署了巡道之后,又复如何,且听下回再记。

第九十三回

调度才高抚台运泥土　　被参冤抑观察走津门

　　苟才得署了巡道，那且不必说。只说惠升抚交卸了藩篆，便到各处辞行。乘坐了钧和差船，到了镇江起岸，自常镇道、镇江府以下文武印委各员，都到江边恭迓宪节。丹徒、丹阳两县，早已预备行辕。新抚台舍舟登陆，坐了八抬绿呢大轿，到行辕里去。轿子走过一处地方，是个河边，只见河岸上的土，堆积如山，沿岸迤逦不绝。惠抚台坐在轿子里，默默寻思：这镇江地方，想不到倒是出土的去处。一路思思想想，不觉已到行辕，徒、阳两县，已在那里伺候。惠抚台便叫两县上来见。两县连忙进内，行礼已毕，惠抚台问道："方才兄弟走过一处地方，看见一条河道，两岸上的土却堆放得不少，那是甚么地方？"丹阳县一想，回道："那条河便是丹徒、丹阳的分界，叫做徒阳河。因为年久淤塞，近来雇工挑浚，两岸的土都是从河底挖上来的，一时没地方送，暂时堆在那里的。"惠抚台大喜道："兄弟倒代你们想了一个送处。南京现在开辟马路，满到四处的找土填地，谁知南京的土少得很。这里有了那么许多土，从明日起，就陆续把土送到南京去，以为填马路之用。"徒、阳两县，一时未便禀驳，只得应了几个"是"字下来。恰好遇了开浚徒阳工程委员进去，两县便把上项话告诉了他。委员道："这个办不到。为了那不相干的泥土，还出了运费，运到南京呢！"说罢，自跟了手版上去谒见。

　　原来惠抚台的意思，到了镇江，只传见几个现任官，那地方上一切委员，都不见的。因为看了这个手版，是开浚徒阳河的工程委员，他心中有了运土往南京的一篇得意文章，恰好这是个工程委员，便传见了。委员行过礼之后，抚台先开口道："那甚么河的工程，是你老哥办着?"委员道:"是卑职办着徒阳河工程。"抚台道:"我不管'徒羊'也罢,'徒牛'也罢,河里挖出来的土,都给我送到南京去。因为南京此刻要修马路没土,这里挖出来的土太多,又没个地方存放,往南京一送,岂不是两得其便吗。"委员道:"这里的土往南京送,恐怕雇不出那许多船;并且船价贵了,怕不合算。"抚台道:"何必要雇船,就由轮船运去就行了,又快。"委员不敢多说,只得答应了几个"是"字。抚台也就端茶送客。

委员退了出来,一肚子又好气又好笑,一径到镇江府去上衙门,禀知这件事,求府尊明日谒见时转个圈。府尊道:"这个怎样办得到!那稀脏的,人家外国人的轮船肯装吗。我明日代你们回就是了。"委员退了出来,又到常镇道衙门去求见,禀知这件事。道台听了,不觉好笑起来道:"好了! 有了这种精明上司,咱们将来有得伺候呢。你老哥也太不懂事了,这是抚宪委办的,你不就照办,将来报销多少,是这一笔运费,都注着'奉抚宪谕'的,款子不够,管上头领,也说是'奉抚宪谕'的,咱们好驳你吗。"委员听了道台一番气话,默默无言。道台又道:"赶明天见了再说罢。"一面拿起茶碗,一面又道:"还是你们当小差使的好。像这种事情,到兄弟这里一回,老兄的干系就都卸了,钉子由得我去碰。"委员也无言可答,又不便说是是是,只得一言不发,退了出来。

到了第二天,道、府两位,一同到行辕禀安、禀见。及至相见之下,抚台又说起要运土往南京的话。府尊道:"昨天委员已经到卑府这边说过,用民船运呢,怕没那么些民船;要用轮船运罢,这个稀脏的东西,怕轮船不肯装。"抚台道:"外国人的轮船不肯罢了,咱们招商局的船呢,也不肯装,说不过去罢。"府尊道:"招商局船,也是外国人在那里管事。"抚宪道:"他们嫌脏,也有个法子:弄了麻布袋来,一袋一袋的都盛起来,缝了口,不就装去了吗。"府尊道:"那么一来,费用更大了,恐怕不上算,到底不过是点土罢了。"抚台怒道:"你们怎都没听见,南京地方没土,这会儿等土用,化了钱还没地方买! 你当兄弟真糊涂了!"

府尊和抚台答话时,道台坐在半边,一言不发,只冷眼看着府尊去碰钉子。此时抚台却对道台说道:"凡是办事的人,全靠一个调度。你老哥想,这里挖出来的土,堆得漫到四处都是,走路也不便当,南京恰在那里等土用,这么一调度,不是两得其益么。"道台道:"往常职道晋省,看见南京城里的河道也淤塞的了不得,其实也很可以开浚开浚,那土就怕要用不完了。"抚台一想,这话不错,然而又不肯认错,便道:"那么这边的土,就由他那么堆着?"道台道:"这边租界上有人造房子,要来垫地基,叫他们挑去,非但不化挑费,多少还可以卖几个钱呢。"抚台道:"南京此刻没有开河的工程。咱们既然办到这个工程,也不在乎卖土那点小费,叫人家听着笑话。还是照兄弟的办法罢。"道府二人,无可奈何,只得传知工程委员去办。

那工程委员听说用麻袋装土,乐得从中捞点好处,便打发人去办,登时把镇江府城厢内外各麻包店的麻包、席包买个一空。雇了无限若干人,在那里一包一包的盛起来。又用了麻线缝针,一律的缝了口。从徒阳河边一直运送到江边,上了招商趸船。这东西虽然不要完税,却是出口货物,照例要报关的,又要忙着报关。等上水船到了,便往船上送。船上人问知是烂泥,便不肯放在舱里,只叫放在舱面上,把一个舱面,堆积如山的堆起来。到了南京,又要在下关运到城里,闹的南京城厢内外的人,都引为笑话,说新抚台一到镇江,便刮了多少地皮,却往南京来送。如此装运了三四回,还运不到十分之一。

恰好一回土包上齐了船之后,船便开行,却遇了一阵狂风暴雨,那舱面的土包,一齐湿透了,慢慢的溶化起来。加之船上搭客,看见船上堆了那许多麻包,不知是些甚么东西,挖破了看,看见是土,还以为土里藏着甚么呢,又要挖进去看,那窟窿便越挖越大;又有些是缝口时候,没有缝好的,遇了这一阵狂风大雨,便溶化得一齐卸了下来,闹得满舱面都是泥浆。船主恨极了,叫了买办来骂。买办告诉他这是苏州抚台叫运往南京去的,外国人最是势利,听说是抚台的东西,他就不敢多说了。一面叫人洗。那里禁得黄豆般大的雨点,四面八方打过来,如何洗得干净,只好由他。等赶到南京时,天色还没大亮。轮船刚靠了趸船,便有一班挑夫、车夫,以及客栈里接客的,一齐拥上船来。有个喊的是"挑子要罢",有个喊的是"车子要罢",有两个是"大观楼啊"、"名利栈啊",不道一律的声犹未了,或是仰跌的,或是扑跌的。更有一班挑夫,手里拿着扁担扛棒,打在别人身上的;及至爬起来,立脚未定,又是一跌;那站得稳,不至于跌的,被旁边的人一碰,也跌下去了。登时大乱起来。不上一会功夫,带得满舱里面都是泥浆。

恰好这一回有一位松江提督,附了船来,要到南京见制台的。船到时,便换了行装衣帽,预备登岸。这里南京自然也有一班营弁接他的差,无奈到了船上,一个个都跌得头晕眼花,到官舱里禀见时,没有一个不是泥蛋似的。那提督大人便起身上岸。不料出了官舱,一脚踏到外面,仰面就是一个跟斗,把他一半跌在里面,一半跌在外面。吓得一众家人,连忙赶来搀扶。谁知一个站脚不稳,恰恰一跌,趴在提督身上,赶忙爬起来时,已被提督大骂不止。一面起来重新到舱里去开衣箱换衣服,一根花翎幸而未曾跌断。更衣既毕,方才出来。这回却是战战兢兢的,低下头一步一步的捱着走,不敢摆他那昂藏气概了。那一班在舱外站班的,见他老人家出来,军营里的规矩,总是请一个安。谁知这一请安,又跌下了四五个人。那提督也不暇理会,慢慢的一步一步捱到趸船上,又从趸船上捱到码头上。这一回幸未陨越,方才上轿而去。

再说船上那些烂泥包儿,一个个多已瘪了,用手提一提,便挤出无限泥浆,码头上小工都不肯搬。闹了一会,船上买办急了,通知了岸上巡防局,派了局勇到船上来弹压,众小工无奈,只得连拖带拽的,起到趸船上。好好的一座趸船,又变成一只泥船了。趸船上人急了,只得又叫人拖到岸上去。偏偏连日大雨不止,闹得招商局码头,泥深没踝。只这一下子,便闹到怨声载道,以后招商船也不肯装运了,方才罢休。

且说惠抚台在镇江耽搁了两天,游过金山、焦山、北固山等名胜,便坐了官船,用小火轮拖带,向苏州进发。一面颁出红谕,定期接印。苏州那边,合城文武,自然一体恭迎。在八旗会馆备了行辕。抚台接见过僚属之后,次日便去拜前任抚台,无非说几句寒暄套话。到了接印那天,新抚台传谕,因为前任官眷未曾出署,就在行辕接印。旧抚台便委了中军,赍了抚台印信及旗牌、令箭等,排齐了职事,送至八旗会馆。新抚台接印、谢恩、受贺等烦文,不必细表。

且说旧抚台叶伯芬交过印之后,便到新抚台惠锡五处辞行。坐谈了一会,伯芬欲辞。锡五道:“兄弟有一句临别赠言的话,不知阁下可肯听受?”伯芬当他是甚么好话,连忙应道:“当得领教。”锡五道:“阁下到了新疆那边,正好多参两个藩司!”伯芬听了,不觉目瞪口呆,涨红了脸,回答不上来,只好搭讪着走了。到了动身那天,锡五只差人拿个片子去送行,伯芬也自觉得无味。这里锡五却又专人到京里去和他兄弟受百商量,罗织了伯芬前任若干款,买出两个都老爷参出去。有旨即交惠福查明复奏。他那复奏中,自然又加了些油盐酱醋在里面,叶伯芬便奉旨革职。可怜他万里长征的到了新疆,上任不到半年,便碰了这一下子,好不气恼!却又无可出气,只拣了几十个属员,有的没的,出了些恶毒考语,缮成奏折,倒填日子,奏参出去,以泄其忿。等他交卸去了之后,过了若干日子,才奉了上谕:"叶某奏参某某等,着照所请,该部知道。"这一个大参案出了来,新疆官场,无不恨如切骨,无奈他已去的远了,奈何他不得。只此一端,亦可见叶伯芬的为人了。

且说苟才自从署了巡道之后,因为是个短局,却还带着那筹防局、牙厘局的差使。署了两个多月,新任藩台到了,接过了印。那原任巡道,应该要回本任的了,因为制台要栽培苟才,就委原任巡道去署淮扬道。传见的时候,便说道:"老兄交卸藩篆下来,极应该就回本任。无奈扬州近日出了一起盐务讼案,连盐运司都被他们控到兄弟案下。兄弟意思要委员前去查办。无奈此时第一要机密,若是委员前去,恐怕他们得了信息,倒查不出个实情来,并且兄弟意中,也没有第二个能办事的人,所以奉托辛苦一趟。务请到任之后,暗暗查访,务得实情,以凭照办。所有那讼案的公事,回来叫他们点查清楚,送过来就是了。"巡道受了这个米汤,自然是觉得宪恩高厚,宪眷优隆了,奉了公事,便到署任去了。这里苟才便安安稳稳署他的巡道。此时一班候补道见苟才的署缺变了个长局,便有许多人钻谋他的筹防局、牙厘局了;制台也觉得说不过去,便委了别人。苟才虽然不高兴,然而自己现成抓了印把子,也就罢了。

谁知这个当刻儿,又出了调动。那位两江制台调了直隶总督,并且有"迅速来京陛见"字样;两湖总督调了两江。电报一到,那南京城里的官场,忙了个奔走汗流,顿时禀贺的轿马,把"两江保障"、"三省钧衡"两面辕门,都塞满了。制台忙着交卸进京,照例是藩台护理总督,巡道署理藩台。苟才这一乐,登时就同成了天仙一般!虽然是看几天印把,没有甚么大不了的好处,面子上却增了多少威风,因此十分得意。

谁料他所用的一个家人,名叫张福的,系湖北江夏人。他初署巡道时,正是气焰初张的时候,那张福忽然偷了他一点甚么东西,他便拿一张片子,叫人把张福送到首县去叫办,首县便把张福打了两百小板子,递解回籍。张福是个在衙门公馆当差惯了的人,自有他的路子,递回江夏之后,他便央人荐到总督衙门文案委员赵老爷处做家人。他心中把苟才恨如彻骨,没有事时,便把苟才送少奶奶给制台的话,加点材料,对同事各人淋漓尽致的说起来,大家传作新闻。久而久之,给赵老爷听见了,便把张福叫上去问。张福见主人问到这一节,便尽情倾吐。赵老爷听了,也当作新闻,茶余酒后,未免向各同事谈起。久而久之,连两湖督宪都知道了,说南京道员当中有这么一个人,还叫他署事,那吏治就可想了。加以他的大名叫得别致,大家都叫别了,总是叫他“狗才”,所以一入耳之后,便不会忘记的。因此苟才的行为,久已在两湖督宪洞鉴之中的了。

两湖督宪奉了上谕,调补两江之后,便料理交代,这边的印务是奉旨交湖北巡抚兼署的。交代过后,便料理起程,坐了一号浅水兵轮,到了南京,颁出红谕,定期接印。那时离原任总督交卸的日子,虽然不过十多天,然而苟才已经心满意足了。却是新制台初到时,各官到码头迎迓,新制台见了苟才手版,心中已是一条刺;及至延见之时,不住的把双眼向苟才钉住。苟才哪里知道这里面的原委,还以为新制台赏识他的相貌呢。

及至新制台接印之后,苟才也交卸藩篆,仍回署任。不出三日之内,忽然新制台一个札子下来,另委一个候补道去署淮扬道篆;却饬令原署淮扬道,仍回巡道本任;现署巡道苟才,着另候差委。这么一个札子下来,别人犹可,惟有苟才犹如打了个闷雷一般,正不知是何缘故。要想走走路子,无奈此时督辕内外各人,都已换了,重新交结起来,很要费些日子。有两个新督宪奏调过来的人,明知他是红的,要去结交他时,他却有点像要理不理的样子。苟才心中满腹狐疑,无从打听。不料新督宪到任三个月之后,照例甄别属员,便把苟才插入当中,用了“行止龌龊,无耻之尤”八个字考语,把他参掉了。这一气,把苟才气的直跳起来!骂道:“从他到任之后,我统共不过见了他三次,他从哪里看见我的‘行止龌龊’,从何知道我是‘无耻之尤’!我这官司要和他到都察院里打去!”骂了一顿,于事无济,又不免拿家人仆妇去出气。那些家人仆妇看见主人已经革职,便有点看不在眼里的样子。从前受了主人的骂,无非逆来顺受;此时受骂,未免就有点退有后言了。何况他是借此出气的,骂得不在理上,便有两个借此推辞,另投别人的了。苟才也无可如何,回到上房,无非是唉声叹气。

还是姨妈有主意,说道:“自从我们把少奶奶送给前任制台之后,也不曾得着她甚么好处,她便走了。"苟才忙道:"可不是。早知道这样,我不会留下,等送这一个!"姨妈道:"不是这样说。你要送姨太太给他,也要探听着他的脾气,是对这一路的,才送得着;要是不对这一路的,送他也不受呢。"苟太太道:"罢,罢!我看他们男人们,没有一个不对这一路的,随便甚么臭婊子都拿着当宝贝,何况是人家送的呢!"姨妈道:"你们都不知说些甚么,我在这里替你们打算正经事呢。大凡人总有一个情字,前任制台白受了我们一位姨太太,我们并未得着他甚么好处,他便走了。此时妹夫坏了功名,这边是站不住的了。我看不如到北洋走一趟,求求他,总应该有个下文。你们看我的话怎样?"只这一句话,便提醒了苟才道:"是呀,我到天津伸冤去。"即日料理到北洋去。

正是:三窟未能师狡兔,一枝尚欲学鹪鹩。不知苟才到北洋去后如何,且待下回再记。

第九十四回

图恢复冒当河工差　巧逢迎垄断银元局

苟才自从听了姨妈的话，便料理起程到天津去。却是苟太太不答应，说是要去大家一股脑儿去，你走了，把我们丢在这里做甚么。苟才道："我这回去，不过是尽人事以听天命罢了，说不定有差使没差使。要是大家同去，万一到了那边没有事情，岂不又是个累。好歹我一个人去，有了差使，仍旧接了你们去；谋不着差事，我总要回来打算的。一个人往来的浇裹轻，要是一家子同去，有那浇裹，就可以过几个月的日子了，何苦呢！"姨妈也从旁相劝。苟太太道："你不知道，放他一个人出去，又是他的世界了，甚么浪蹄子，臭婊子，弄个一大堆还不算数，还要叫她们充太太呢。"姨妈道："此刻他又多了好几年的年纪了，断不至于这样了。你放心罢。"苟太太仍是不肯。苟才道："如果必要全眷同行，我就情愿住在南京饿死，也不出门去了。"还是亏得姨妈从旁百般解劝，劝的苟太太点了头，苟才方才收拾行李，打点动身。

附了江轮，到得上海，暂时住在长发栈。却在栈里认得一个人。这个人姓童，号叫佐闳，原是广东人氏；在广东银元局里做过几天工匠，犯了事革出来，便专门做假洋钱，向市上混用，被他骗着的钱不少。此时因为事情穿了，被人告发，地方官要拿他，他带了家眷，逃到上海，也住在长发栈。恰好苟才来了，住在他隔壁房间，两人招呼起来，从此相识。苟才问起他到上海何事的，佐闳随口答道："不要说起！是兄弟前几年向制台处上了一个条陈，说：现在我们中国所用的全是墨西哥银圆，利权外溢，莫此为甚！不如办了机器来，我们设局自铸。制台总算给我脸，批准了，办了机器来，开了个银元局鼓铸，委

了总办、会办、提调。因为兄弟上的条陈,机器化学一道,兄弟也向来
考究的,就委了兄弟做总监工。当时兄弟曾经和总办说明白,所有局
中出息,兄弟要用二成;余下八成,归总办、会办、提调,以及各司事等
人闰分。办了两年,相安无事。不料前一向换了个总办,他却要把那
出息一股脑提去,只给我五厘,因此我不愿意,辞了差到上海玩一
玩。"苟才道:"那银元局总办,一年的出息有多少呢?"佐闰道:"那就
看他派几成给人家了。我拿他二成,一年就是八十万。"苟才听了,暗
暗把舌头一伸。从此天天应酬佐闰。佐闰到上海,原是为的避地而
来,住栈究非长策,便在虹口篷路地方,租了一所洋房,置备家私,搬
了进去。在新赁房子里,也请苟才吃过两顿。苟才有事在身,究竟不
便过于耽搁,便到天津去了。

　　到得天津,下了客栈,将息一天,便到总督衙门去禀见。制台见
了手本,触起前情,便叫请。苟才进去,行礼之后,制台先问道:"几时
来的?"苟才道:"昨天才到。"制台道:"我走了之后,你到底怎么揽的,
把功名也弄掉了?"苟才道:"革道一向当差谨慎,是大帅明鉴的。从
大帅荣升之后,不到半个月,就奉札交卸巡道印务,以后并没得过差
使。究竟怎样被革的,革道实在不明白。"制台道:"你这回来有甚么
意思没有?"苟才道:"求大帅栽培!"制台道:"北洋这边呢,不错,局面
是大,然而人也不少。现在候差的人,兄弟也记不了许多。况且你老
哥是个被议的人。你只管候着罢,有了机会,我再来知照。"说罢,端
茶送客。苟才只得告辞出来。从此苟才十天八天去上一趟辕,朔望
照例挂号请安。上辕的日子未必都见着,然而十回当中,也有五六回
见着的。幸得他这回带得浇裹丰足,在天津一耽搁就是大半年,还不
至于拮据。而且制台幕里,一个代笔文案,姓冒,号叫士珍,被他拉拢
得极要好,两人居然换了帖,苟才是把兄,冒士珍是把弟,因此又多一
条内线。看看候到八个月光景,仍无消息,又不敢当面尽着催。

　　正想托冒士珍在旁边探一探声口,忽然来了个戈什,说是大帅传
见。苟才连忙换了衣冠,坐轿上辕。手版上去,马上就请。制台一见
面,便道:"你老兄来了,差不多半年了罢?"苟才想了一想,回道;"革
道到这边八个多月了。"制台道:"我一点事没给你,也抱歉得很!"苟
才道:"革道当得伺候大帅。"制台道:"今天早起,来了个电报,河工上
出了事了,口子决得不小。兄弟今天忙了半天,人都差不多委定了,
才想起你老兄来。"苟才道:"这是大帅栽培!"制台道:"你虽是个被议

的人员，我要委你个差使呢，未尝不可以；但是无端多你一个人去分他们的好处，未免犯不上。你晓得他们巴了多少年，就望这一点工程上捞两个，此刻仗了我的面子，多压你一个人下去，在我固然犯不上，在你老哥，也好像……"说到这里，就停住了口。苟才道："只求大帅的栽培，甚么都是一样。"制台道："所以啊，我想只管给你一个河工上的公事，你也不必到差，我也不批薪水，就近点就在这里善后局领点夫马费，暂时混着。等将来合龙的时候，我随折开复你的功名。"苟才听到这里，连忙爬在地下叩了三个头道："谢大帅恩典！"制台道："这么一来啊，我免了人家的闲话，你老哥也得了实在了。"苟才连连称"是"。制台端茶送客。苟才回到下处，心中十分得意。到了第二天，辕上便送了札子来。苟才照例赏了札费，打发去了。看那札子时，虽不曾批薪水，却批了每月一百两的夫马费，也就乐得拿来往侯家后去送。

　　光阴似箭，日月如梭，早又过了三四个月，河工合龙了，制台的保折出去了。不多几日，批回到了。别的与这书上不相干的，不要提他，单说苟才是赏还原官、原衔，并赏了一枝花翎。苟才这一乐，乐得他心花怒放！连忙上辕去叩谢宪恩，一面打电报到南京，叫汇银来，要进京引见。不日银子汇到，便上辕禀见请容，恭辞北上。到京之后，他原想指到直隶省的，因为此时京里京外，沸沸扬扬的传说，北洋大臣某人，圣眷优隆，有召入军机之议，苟才恐怕此信果确，不难北洋一席，又是调来南京那魔头，我若指了直隶，岂非自己碰到太岁头上去。因此进京之后，未曾引见，先走路子，拜了华中堂的门。心中一算，安徽抚台华筱池，是华中堂的堂兄弟，并且是现任北洋大臣的门生，因此引见指省，便指了安徽。在京求了新拜老师华中堂一封信；到了天津，又求了制台一封信。对制台只说浇裹带得少，短少指省费，是掣签掣了安徽的。制军自然给他一封信。苟才得了这封信，却去和冒士珍商量，不知鬼鬼祟祟的送了他多少，叫他再另写一封。原来大人先生荐人的信，若是泛泛的，不过由文案上写一封楷书八行就算了；要是亲切的，便是亲笔信。但是说虽说是亲笔，仍由代笔文案写的。这回制台给他的信，已是冒士珍代笔的了，他却还嫌保举他的字眼不甚着实，所以不惜工本，央求冒士珍另写一封异常着实的，方才上辕辞行，仍走海道，到了上海。先去访着了童佐闰，查考了银元局的章程，机器的价钱，用人多少，每天能造多少，官中余利多少，一一问个详细。便和童佐闰商定,有事大家招呼。方才回南京去,见了婆子,把这一年多的事情,约略述了一遍。消停几天,便到安庆去到省。

安徽抚台华熙,本是军机华中堂的远房兄弟,号叫筱池。因他欢喜傻笑,人家就把他叫浑了,叫他做"笑痴"。当下苟才照例穿了花衣禀到,一面缴凭投信,一面递履历。抚台见有了一封军机哥哥的信,一封老师的信,自然另眼相看。并且老师那封信,还说得他"品端学粹,才识深长",更是十分器重。当下无非说两句客套话,问问老中堂好啊,老师帅好啊,京里近来光景怎样啊,兄弟在外头,一碰又七八年没进京了,你老哥的才具是素仰的,这回到这里帮忙,将来仰仗的地方多着呢,照例说了一番过去。不上半个月,便委了他一个善后局总办。苟才一面谢委,拜客,到差;一面租定公馆,专人到南京去接取眷属。一面又自己做了一个条陈底稿。自到差之后,本来请的有现成老夫子,便叫老夫子修改。老夫子又代他斟酌了几条,又把他连篇的白字改正了,文理改顺了,方才誊正,到明日上辕,便递了上去。他是北洋大臣保说过"才识深长"的,他的条陈抚台自然要格外当心去看。当下只揭了一揭,看了大略,便道:"等兄弟空了,慢慢细看罢。"苟才又回了几件公事,方才退出。

又过了两天,他南京家眷到了,正在忙的不堪,忽然来了个戈什,说院上传见。苟才立刻换了衣冠上院。抚台一见了便道:"老兄的才具,着实可以! 我们安徽本来是个穷省分,要说到理财呢,无非是往百姓身上想法子。安徽百姓穷,禁得住几回敲剥。难为老兄想得到!"苟才一听,知道是说的条陈上的事情。便道:"大帅过奖了! 其实这件事,首先是广东办开的头,其次是湖北,此刻江南也办了,职道不过步趋他人后尘罢了。"抚台道:"是啊。兄弟从前也想办过来,问问各人,都是说好的,甚么'裕国便民'啊,'收回利权'啊,说得天花乱坠;等问到他们诀窍的话,却都愣住了。你老哥想,没一个内行懂得的人,单靠兄弟一个,哪里担代得许多。老哥的手折,兄弟足足看了两天,要找一件事再问问都没有了,都叫老哥说完了。"苟才此时心中十分得意,因说道:"便是职道承大帅栽培,到了善后局差之后,细细的把历年公事看了一遍,这安徽公事,实在难办! 在底下当差的,原是奉命而行,没有责任的,就难为上头的筹划;所以不能不想个法子出来,活动活动。"抚台道:"是啊。这句话对极了! 当差的人要都跟老哥一样，还有办不下来的事情吗。但是这件事情，必要奏准了，才可以开办。你老兄肯担了这个干系，兄弟就马上拜折了。"苟才道："大帅的栽培，职道自然有一份心，尽一份力。"抚台喜孜孜的，送客之后，便去和奏折老夫子商量，缮了个奏折，次日清晨，拜发出去。

苟才上院回家之后，满面得意，自不必说。忙了两天，才把一座公馆收拾停当。那位苟太太却在路上受了风寒，得了感冒，延医调治，迄不见效，缠绵了一个多月，竟呜呼哀哉了。苟才平日本是厌恶她悍妒泼辣，样样俱全，巴不得她早死了，不过有姨妈在旁，不能不干号两声罢了。苟才一面料理后事，一面叫家人拿手版上辕去请十天期服假。可巧这天那奏折的批回到了，居然准了。抚台要传苟才来见，偏偏他又在假内，把个抚台急的了不得。苟才是抚帅的红人，同寅中哪个不巴结！出了个丧事，吊唁的人，自然不少。忙过了盛殓之后，便又商量刻讣，择日开吊，又到城外一个甚么庙里商量寄放棺木。

诸事办妥，假期已满，上院销假。抚台便和他说："上头准了，这件事要仰仗老兄的了。兄弟的意思，要连工程建造的事，都烦了老兄。"苟才道："这一着且慢一慢，先要到上海定了机器，看了机器样子，量了尺寸，才可以造房子呢。"抚台见他样样在行，越觉欢喜，又说了两句唁慰的话，苟才便辞了回家。到下晚时，院上已送了一个札子来，原来是委他到上海办机器的。苟才便连忙上院谢委辞行，乘轮到了上海，先找着了童佐闱，和他说知办机器一事。童佐闱在上海已经差不多两年了，一切情形，都甚熟悉，便带苟才到洋行里去，商量了两天，妥妥当当的定了一份机器，订好了合同，交付过定银。他上条陈时，原是看定了一片官地，可以作为基址的；此番他来时，又叫人把那片地皮量了尺寸四至，草草画了一个图带来的；又托佐闱找一个工程师，按着地势打了一个厂房图样。凡以上种种，无非是童佐闱教他的，他哪里懂得许多。事情已毕，还不到二十天功夫，他便忙着赶回安庆，给死老婆开吊。一面和童佐闱商定，一面在抚台跟前保举他，叫他一得信就要赶来的。童佐闱自然答应。

苟才回到安庆之后，上院销差，顺便请了五天假，因为后天便是他老婆五七开吊之期。到了那天，却也热闹异常，便是抚院也亲临吊奠，当由家丁慌忙挡驾。忙过了一天，次日便出殡；出殡之后，又谢了一天客，方才停当，上院销差。顺便就保举了童佐闱，说他熟悉机器工艺，又深通化学。抚台就答应了将来用他，先叫他来见。苟才又呈上那张厂房图。抚台看过道:"这可是老兄自己画的?"苟才道:"不,职道不过草创了个大概,这回奉差到上海,请外国工程师画的。"抚台道:"有了这个,工程可以动手了罢?"苟才道:"是。"抚台送过客之后,跟着就是一个督办银元局房屋工程的札子下来。苟才一面打电报给童佐闻,叫他即日动身前来,抚院立等传见。不多几天,佐闻到了,苟才便和他一同上辕,抚院也都一齐请见,无非问了几句机器制造的话,便下来了。

从此苟才专仗了佐闻做线索,自己不过当个傀儡,一面招募水木匠前来估价,起造房屋,有应该包工做的,有应该点工造的。

又捡几个平素肯巴结他的佐贰,禀请下来,派做了甚么木料处、砖料处、灰料处的委员,便连他自己公馆里一班不识字、没出息、永远荐不出事情的穷亲戚都有了事了,甚么督工司事、监工司事、某处司事,胡乱装些名目,一个个都支领起薪水来了。

谁知他当日画那片地图时,画拧了一笔,稍为画开了二三分;那个打样的工程师,是照他的地势打的,此时按图布置起来,却少了一个犄角,约莫有四尺多长,是个三角式。虽然照面积算起来,不到十方尺的地皮,然而那边却是人家的一座祠堂。若把那房子挪过点来,这边又没出路。承造的工匠,便来请示。苟才也无法可想,只得和佐闻商量。佐闻自去看过,又把这图样再三审度,也无法可想,道:"为今之计,只有再画清楚地图,再叫人打样的了。"苟才道:"已经动了工了,哪里来得及。"佐闻道:"不然,就把他那房子买了下来。"苟才一想,这个法子还可以使得,便亲自去拜怀宁县,告知要买那祠堂的缘故,请他传了地保来查明祠主,给价买他的。怀宁县见是省里第一个红人委的,如何敢不答应,便传地保,叫了那业主来,说明要买他祠堂的话。那业主不肯道:"我这个是七八代的祠堂,如何卖得!"县主道:"你看筑起铁路来,坟墓也要迁让呢,何况祠堂!这个银元局是奏明开办的,是朝廷的工程。此刻要买你的,是和你客气办法;不啊,就硬拆了你的,你往哪里告去!"那业主慌道:"这不是我一个人的事,这是合族的祠堂,就是卖,也要和我族人父老商量妥了,才卖得啊。"怀宁县道:"那么,限你明天回话,下去罢。"那人回去,只好惊动了族人父老商量。他以官势压来,无可抵抗,只得卖了,含泪到祠堂里请出神主。至于业主到底得了多少价,那是著书的无从查考,不能造他谣言的。不过这笔钱苟才是不能报销的,不知他在哪一项上的中饱提出来弥补的就是了。

　　从此之后，直到厂房落成，机器运到，他便一连当了两年银元局总办。直到第三个年头，却出了钦差查办的事。正是：追风莫漫夸良骥，失火须防困跃龙。

　　从第八十六回之末，苟才出现，到八十七回起，便叙苟才的事，直到此处九十四回已终，还不知苟才为了何事，再到上海。谁知他这回到上海，又演出一场大怪剧来，且待下回再记。

第九十五回

苟观察就医游上海　少夫人拜佛到西湖

苟才自从当了两年银元局总办之后，腰缠也满了。这两年当中，弄了五六个姨太太。等那小儿子服满之后，也长到十七八岁了，又娶了一房媳妇。此时银子弄得多，他也不想升官得缺了，只要这个银元局总办由得他多当几年，他便心满意足了。

不料当到第三年上，忽然来了个九省钦差，是奉旨到九省地方清理财赋的。那钦差奉旨之后，便按省去查。这一天到了安庆，自抚台以下各官，无不颤颤栗栗。第一是个藩台，被他缠了又缠，弄得走头无路，甚么厘金咧、杂捐咧、钱粮咧，查了又查，驳了又驳。后来藩台走了小路子，向他随员当中去打听消息，才知道他是个色厉内荏之流，外面虽是雷厉风行，装模作样，其实说到他的内情，只要有钱送给他，便万事全休的了。藩台得了这个消息，便如法泡制，果然那钦差马上就圆通了，回上去的公事，怎样说怎样好，再没有一件驳下来的了。

钦差初到的时候，苟才也不免栗栗危惧，后来见他专门和藩台为难，方才放心。后来藩司那边设法调和了，他却才一封咨文到抚台处，叫把银元局总办苟道先行撤差，交府厅看管，俟本大臣彻底清查后，再行参办。这一下子，把苟才吓得三魂去了二魂，六魄剩了一魄！他此时功名倒也不在心上，一心只愁两年多与童佐闱狼狈为奸所积聚的一注大钱，万一给他查抄了去，以后便难于得此机会了。当时奉了札子，府经厅便来请了他到衙门里去。他那位小少爷，名叫龙光，此时已长到十七八岁了，虽是娶了亲的人，却是字也不曾多认识几个，除了吃喝嫖赌之外，一样也不懂得。此刻他老子苟才撤差看管，他倘是有点出息的，就应该出来张罗打点了；他却还是昏天黑地的，一天到晚，躲在赌场妓馆里胡闹。苟才打发人把他找来，和他商量，叫他到外头打听打听消息。龙光道："银元局差事又不是我当的，怎么样的做弊，我又没经过手，这会儿出了事，叫我出来打听些甚么！"苟才大怒，着实把他骂了一顿；然而于实事到底无济，只好另外托人打听。幸得他这两年出息的好，他又向来手笔是阔的，所有在省印委候补各员，他都应酬得面面周到，所以他的人缘还好。自从他落了府经厅之后，来探望他、安慰他的人，倒也络绎不绝。便有人暗中把藩台如何了事的一节，悄悄的告诉他。苟才便托了这个人，去代他竭力斡旋，足足忙了二十多天，苟才化了六十万两银子，好钦差，就此偃旗息鼓的去了。苟才把事情了结之后，虽说免了查办，功名亦保住了，然而一个银元局差使却弄掉了。化的六十万虽多，幸得他还不在乎此，每每自己宽慰自己道："我只当代他白当了三个月差使罢了。"

幸得抚台宪眷还好，钦差走后，不到一个月，又委了他两三个差使，虽是远不及银元局的出息，面子上却是很过得去的了。如此又混了两年，抚台调了去，换了新抚台来，苟才便慢慢的不似从前的红了。幸得他宦囊丰满，不在乎差使的了。闲闲荡荡的过了几年，觉得住在省里没甚趣味，兼且得了个怔忡之症，夜不成寐，闻声则惊，在安庆医了半年，不见有效，便带了全眷，来到上海，在静安寺路租了一所洋房住下，遍处访问名医；医了两个月也不见效，所以又来访继之，也是求荐名医的意思。已经来过多次，我却没有遇着，不过就听得继之谈起罢了。

当下继之到外面去应酬他，我自办我的正事；等我的正事办完，还听得他在外面高谈阔论。我不知他谈些甚么，心里熬不住，便走到外面与他相见。他已经不认得我了，重新谈起，他方才省悟，又和我拉拉扯扯，说些客气话。我道："你们两位在这里高谈阔论，不要因我出来了打断了话头，让我也好领教领教。"苟才听说，又回身向继之汩汩而谈，直谈到将近断黑时，方才起去。我又问了继之他所谈的上半截，方才知道是苟才那年带了大儿子到杭州去就亲，听来的一段故事，今日偶然提起了，所以谈了一天。

你道他谈的是谁？原来是当日做两广总督汪中堂的故事。那位汪中堂是钱塘县人，正室夫人早已没了，只带了两个姨太太赴任，其余全眷人等，都住在钱塘原籍。把自己的一个妹子，接到家里来当家。他那位妹子,是个老寡妇了,夫家没甚家累,哥哥请她回去当家,自然乐从。汪府中上下人等,自然都称他为姑太太。中堂的大少爷早已亡故,只剩下一个大少奶奶,还有一个孙少爷,年纪已经不小,已娶过孙少奶奶的了。那位大少奶奶,向来治家严肃,内外界限极清,是男底下人,都不准到上房里去,丫头们除了有事跟上人出门之外,不准出上房一步。因此家人们给她一个徽号,叫她迁奶奶。自从中堂接了姑太太来家之后,迁奶奶把她待得如同婆婆一般,万事都禀命而行,教训儿子也极有义方,因此内外上下,都有个贤名。只有一样未能免俗之外,是最相信的菩萨,除了家中香火之外,还天天要入庙烧香。别的妇女入庙烧香起来,是无论甚么庙都要到的;迁奶奶却不然,只认定了一个甚么寺,是她烧香所在,其余各庙,她是永远不去的。

有一天,她去烧香回来,轿子进门时,看见大门上家里所用的裁缝,手里做着一件实地纱披风,便喝停住了轿,问那披风是谁叫做的。裁缝连忙垂手,禀称是孙少爷叫做的,大约是孙少奶奶用的。迁奶奶便不言语。等轿子抬了进去,回到上房之后,把儿子叫来。孙少爷不知就里,连忙走到。迁奶奶见了,劈面就是一个巴掌,问道:"你做纱披风给谁?"孙少爷被打了一下,吃了一惊,不知何故;及至迁奶奶问了出来,方才知道。回道:"这是媳妇要用的,并不是给谁。"迁奶奶道:"她没有这个?"孙少爷道:"有是有的,不过是三年前的东西,不大时式了,所以再做一件。"迁奶奶听说,劈面又是一个巴掌。吓得孙少爷连忙跪下。孙少奶奶知道了,也连忙过来跪着陪不是。迁奶奶只是不理。旁边的丫头、老妈子看见了,便悄悄的去报知姑太太。姑太太听了,便过来说情。迁奶奶道:"这些贱孩子,我平日并不是不教训他,他总拿我的话当做耳边风!出去应酬的衣裳,有了一件就是了,偏是时式咧,不时式咧,做了又做。三年前的衣服,就说不时式了;我穿的还是二十年前的呢!不要说是自己没能耐,不能进学中举,自己混个出身去赚钱,吃的穿的,都是祖老太爷的;就是自己有能耐,做了官,赚了钱,也要想想朱柏庐先生《治家格言》的话,'一丝一缕,当思来处不易'。这些话,我少说点,一天也有四五遍教他们,他们拿我的话不当话,你说气人不气人!"姑太太道:"少奶奶说了半天,倒底谁做了甚么来啊?"迁奶奶道:"那年办喜事,我们盘里是四季衣服都全的。她那边陪嫁过来的,完全不完全,我可没留神。就算不完全罢,有了我们盘里的,也就够穿了。叫甚么少奶奶嫌式子老了,又在那里做甚么实地纱披风了。你说他们阔不阔!"

姑太太道:"年轻孩子们,要时式,要好看,是有的。少奶奶教训过就是了,饶了他们叫起去罢,叫他们下回不要做就是了。"迂奶奶道:"呀,姑太太!这句话可宠起他们来了!甚么叫做年轻小孩子,就应该要时式,要好看?我也从年轻小孩子上过来的,不是下娘胎就老的,我可没那样过。我偏不饶他们,看拿我怎么!"姑太太无端碰了这么个钉子,心里老大不快活,冷笑道:"不要说我们这种人家,多件把披风算不了甚么;就是再次一等的人家,只要做起来,不拿他瞎糟蹋,也就算得一丝一缕,想到来处不易的了。要是天下人都像少奶奶的脾气,只怕那开绸缎铺子的人,都要饿死了!"迂奶奶听了,并不答姑太太的话,却对着儿子、媳妇道:"好,好!怨得呢,你们是仗了硬腰把子来的!可知道你们终究是我的儿子、媳妇,凭你腰把子再硬点,是没用的!"姑太太听了,越发气了上来,说道:"少奶奶这是甚么话!他是姓汪的人,化他姓汪的钱,再化多点,也用不着我旁人做甚么腰把子!"迂奶奶道:"就是这个话!我嫁到了姓汪的就是姓汪的人,管得着姓汪的事,我可没管到别姓人家的去。"姑太太这一气,更是非同小可!要待和她发作起来,又碍着家人仆妇们看着不像样,暂时忍了这口气不再理她。回到自己房里,把迂奶奶近年的所为,起了个电稿,用自己家里的密码,编了电报,叫家人们送到电报局发到广东。

那位两广制军得了电报,心里闷闷不乐,想了半天,才发一个电报给钱塘县。这里钱塘县知县,无端接了广东一个头等印电,心中惊疑不定,不知是何事故,连忙叫师爷译了出来。原来是:"某寺僧名某某,不守清规,祈速访闻,提案严办,余俟函详。"共是二十二个字。其余便是收电人名、发电人名及一个印字。知县看了,十分惶惑,不知这位老先生为了甚事,老远的从广东打个电报来办一个和尚?这和尚又犯了甚么事,杭州城里多少绅士都不来告发,却要劳动他老先生老远的告起来?又叫我作为访案,又叫我严办,却又只说得他"不守清规"四个字,叫我怎样严办法呢?办到甚么地步才算严呢?便拿了这封电报,和刑名老夫子商量。老夫子道:"据晚生看来,我们这位老中堂,是一位阿弥陀佛的人。听说他在广东杀一回强盗,他还代那强盗念一天《往生咒》呢。他有到电报要办的人,所犯的罪,一定是大的;不啊,便怕有关涉到他汪府上的事。据晚生的意思,不如一面先把和尚提了来，一面打个电报，请示办法。好得他有'余俟函详'一句，他墨信里头，总有一个办法在内，我们就照他办就是了。老父台以为如何？"知县也没甚说得，只好照他的办法，立刻出了票子，传了值日差役，去提和尚，说马上要人问话。不一会提到了，知县意思要先问一堂，回想这件事又没个原告，那电报又叫我作为访案的，叫我拿甚么话问他呢。没奈何，叫把他先押起来，明天再问。

谁知到了第二天，大清老早，知县才起来，门上来报汪府上大少奶奶来了。知县吃了一惊，便叫自己孺人迎接款待。迁奶奶行过礼之后，便请见老父台。知县在房中听见，十分诧异，只得出来相见。见礼已毕，迁奶奶先开口道："听说老父台昨天把某寺的某和尚提了来，不知他犯了甚么事？"知县听说，心中暗想，刑席昨天料说这和尚关涉他家的事，这句话想是对了。此刻她问到了，叫我如何回答呢。若说是我访拿的，她更要钉着问他犯的是甚么罪，那更没得回答了。迁奶奶见知县不答话，又追问一句道："这个案，又是谁的原告？"知县道："原告么，大得很呢！"嘴里这么说，心里想道，不如推说上司叫拿的，他便不好再问。回想又不好，他们那等人家，哪个衙门她不好去，我顶多不过说抚台叫拿的，万一她走到抚台那里去问，我岂不是白碰钉子！迁奶奶又顶着问道："到底哪个的原告？大到那么个样子，也有个名儿？"知县此时主意已定，便道："是闽浙总督，昨天电札叫拿的。"迁奶奶吃了一惊道："他有甚么事犯到福建去，要那边电札来拿他？"知县道："这个侍生哪里知道，大约福建那边有人把他告发了。"迁奶奶低头一想道："不见得。"知县道："没有人告发，何至于惊动到督帅呢。"迁奶奶道："这么罢，此刻还不知道他犯的是甚么罪，老父台也不便问他，拿他搁在衙门里，倒是个累赘。念他是个佛门子弟，准他交了保罢。"知县道："这是上宪电拿的犯人，似乎不便交保。"迁奶奶道："交一个靠得住的保人，随时要人，随时交案，似乎也不要紧。"知县道："那么侍生回来叫保出去就是。"迁奶奶道："叫谁保呢？"知县道："那得要他自己找出人来。"迁奶奶道："就是我来保了他罢。"知县心中只觉好笑，因说道："府上这等人家，少夫人出面保个和尚，似乎叫旁人看着不大好看；不如少夫人回去，叫府上一个管家来保去罢。"迁奶奶脸上也不觉一红，说道："那就叫我的轿夫具个名，可使得？"知县道："这也使得。"

迁奶奶便叫跟来的老妈子，出去叫轿夫阿三具保状，马上保了知尚出去。知县便道："如此,少夫人请宽坐,侍生出去发落了他们。"说罢,便到外头去,叫传地保。原来知县心中早就打了主意,知道这里面一定有点跷蹊;不过看着那奶奶也差不多有五十岁的人,疑心不到那里去就是了。但是叫他们保了去,万一将来汪中堂一定要人,他们又不肯交,未免要怪我办理不善。所以特地出来传了地保,硬要他在保状上也具个名字,并交代他切要留心,"如果被他走了,追你的狗命!"那地保无端背了这个干系,只得自认晦气,领命下去。

这件事,早又传到姑太太耳朵里去了,不觉又动了怒,详详细细的,又是一个电报到广东去。此时钱塘县也有电报去了。不一日,就有回电来,和尚仍请拿办,并请到西湖边某图某堡地方,额镌某某精舍屋内,查抄本宅失赃,并将房屋发封云云。知县一见,有了把握,立刻饬差去提和尚,立时三刻就要人。一面亲自坐了轿子,带了差役书吏,叫地保领路,去查赃封屋。到得那里,入门一看,原来是三间两进的一所精致房屋,后面还有一座两亩多地的小花园。外进当中,供了一尊哥窑观音大士像,有几件木鱼钟磬之类。入到内进,只见一律都是红木家伙,摆设的都是夏鼎商彝。墙上的字画,十居其九,是汪中堂的上款。再到房里看时,红木大床,流苏熟罗帐子,妆奁器具,应有尽有,甚至便壶马桶,也不遗一件。衣架上挂着一领袈裟,一顶僧帽,床下又放着一双女鞋。还有一面小镜架子,挂着一张小照,仔细一看,正是那个迁奶奶!知县先拿过来,揣在怀里。书吏便一一查点东西登记。差役早把一个十二三岁的小和尚,及两个老妈,一个丫头拿下了。查点已毕,便打道回衙,一面发出封条,把房屋发封。

知县回到衙门时,谁知迁奶奶已在上房了。见了面,就问道:"听说老父台把我西湖边上一所别墅封了,不知为着何事?"知县回来时,本要到上房更衣歇息,及见了迁奶奶,不觉想起一桩心事来。便道:"侍生是奉了老中堂之命而行;回来问过了,果然是少夫人的,自然要送还。此刻侍生要出去发落一件希奇古怪的案件,就在二堂上问话。"又对孺人道:"你们可以到屏风后面看看。"说着,匆匆出去了。

正是:只为遭逢强令尹,顿教愧煞少夫人。不知那钱塘县出去发落甚么希奇古怪案件,且待下回再记。

第九十六回

教供辞巧存体面　写借据别出心裁

　　原来那钱塘县知县未发迹时，他的正室太太不知与和尚有了甚么事，被他查着凭据。欲待声张，却又怕于面子有碍，只得咽一口气，写一纸休书，把老婆休了，再娶这一位孺人的。此刻恰好遇了这个案子，那迁奶奶又自己碰了来，他便要借这个和尚出那个和尚的气，借迁奶奶出他那已休了的老婆的丑。

　　当时坐了二堂，先问"和尚提到了没有"，回说"提到了"。又叫先提小和尚上来，问道："你有师父没有？"回说："有。"又问："叫甚名字？"回说："叫某某。"又问："你还有甚么人？"回说："有个师太。"问："师太是甚么人？"回说："师太就是师太，不知道是甚么人。"问："师父师太，可是常住在那里？"回说："不是，他两个天天来一遍就去了。"问："天天甚时候来？"回说："或早上，或午上，说不定的。"问："他们住在哪里？"回说："师父住在某庙里，师太不知道住在哪里。"问："他们天天来做甚么？"回说："不知道。来了便都到里面去了，我们都赶在外面，不许进去，不知他们做甚么。有一回，我要偷进去看看，老妈妈还喝住我，不许我进去，说师父和师太□□呢。"知县喝道："胡说！"随在身边取出那张小照，叫衙役递给小和尚，问他："这是谁？"小和尚一看见，便道："这就是我的师太。"知县叫把小和尚带下去，把和尚带上来。知县叫抬起头来。和尚抬起头，知县把他仔细一端详，只见他生得一张白净面孔，一双乌溜溜的色眼，倒也唇红齿白。知县把惊堂一拍道："你知罪么？"和尚道："僧人不知罪。"知县冷笑道："好个不知罪！本县要打到你知罪呢！"把签子往下一撒，差役便把和尚按倒，褪下裤子，一啊，二啊的打起来。打到二十多下，知县喝叫停住了。问那行刑的差役道："你们受了那和尚多少钱，打那个虚板子？"差役吓得连忙跪下道："小的不敢，没有这件事。"知县道："哼！我做了二十多年老州县，你敢在我跟前捣鬼呢！"喝叫先把他每人先打五十大杖，锁起来；打得他两个皮开肉绽，锁了下去。知县喝叫再打和尚。这回行刑的，虽是受了钱，也不敢做手脚了，用尽平生之力，没命的打下去，打得那和尚杀猪般乱叫。一口气打了五百板，打得他血肉横飞，这才退堂。入到上房，只见那迁奶奶脸色青得和铁一般，上下三十二个牙齿一齐叩动，浑身瑟瑟乱抖。

原来知县说是发落希奇古怪案子，又叫他孺人去看，孺人便拉了迁奶奶同去。迁奶奶就有点疑心，不肯去，无奈一边尽管相让。迁奶奶回念一想，那和尚已经在保，今天未听见提到，或者不是这件事也未可知，不妨同去看看。原来那和尚被捉时，他一党的人都不在寺里，所以没人通信。及至同党的人回来知道了，赶去报信，迁奶奶已先得了封房子的信，赶到衙门里来了，所以不知那和尚已经提到。当下走到屏风后头，往外一张，见只问那小和尚。心中虽然吃了一惊，回想小和尚不知我的姓氏，问他，我倒不怕，谅他也不敢叫我去对质。后来见知县拿小照给小和尚看，方才颜色大变，身上发起抖来。孺人不知就里，见此情形，也吃了一惊，忙叫丫头仍扶了到上房去。再三问她觉得怎么，她总是一言不发。又叫打轿子回去。谁知这县衙门宅门在二堂之后，若要出去，必须经过二堂，堂上有了堂事，是不便出去的。迁奶奶愈加惊怪，以为知县故意和她为难。又听得老妈子们来说："老爷好古怪！问了小和尚的话，却拿一个大和尚打起来，此刻打的快要死了！"迁奶奶听了，更是心如刀刺，又是羞，又是恼，又是痛，又是怕。羞的是自己不该到这里来当场出丑；恼的是这个狗官不知听了谁的唆使，毫不留情；痛的是那和尚的精皮嫩肉，受此毒刑；怕的是那知县虽然不敢拿我怎样，然而他退堂进来，着实拿我挖苦一顿，又何以为情呢！有了这几个心事，不觉越抖越利害，越见得脸青唇白，慢慢的通身抖动起来。吓得孺人没了主意。恰好知县退堂进来，他的本意是要说两句挖苦话给她受受的，及至见了她如此光景，也就不便说了。连忙叫人去拿姜汤来，调了定惊丸灌下去。歇了半晌，方才定了，又不觉一阵阵的脸红耳热起来。知县道："少夫人放心！这件事只怪和尚不好。别人不打紧，老中堂脸上，侍生是要顾着的，将来办下去，包管不碍着府上丝毫的体面。"迁奶奶此时，说谢也不是,说感激也不是,不知说甚么好,把一张脸直红到颈脖子上去。知县便到房里换衣去了。迂奶奶无奈,只得搭讪着坐轿回府。

这边知县却叫人拿了伤药去替和尚敷治,说用完了再来拿,他的伤好了来回我。家人拿了出去,交代明白。过了几天,却不见来取伤药。知县心里疑惑,打发人去问,回说是已经有人从外头请了伤科医生,天天来诊治了。知县不觉一笑。等过了半个月,人来说和尚的伤好了,他又去坐堂,提上来喝叫打,又打了一百板押下去。那边又请医调治,等治得差不多好了,他又提上来打。如此四五次,那知县借这个和尚出那个和尚的气,也差不多了,然后叫人去给那和尚说:“你犯的罪,你自己知道。你到了堂上,如果供出实情,你须知汪府上是甚么人家,只怕你要死无葬身之地呢!我此刻教你一个供法:你只说向来以化斋为名,去偷人家的东西;并且不要说都是偷姓汪的,只拣那有款的字画,说是偷姓汪的,其余一切东西,偷张家的,偷李家的,胡乱供一阵。如此,不过办你一个积窃,顶多不过枷几天就没事了。”和尚道:“他提了我上去,一问也不问就是打,打完了就带下来,叫我从何供起!”那人道:“包你下次上去不打了。你只照我所教的供,是不错的。”和尚果然听了他的话,等明日问起来,便照那人教的供了。知县也不再问,只说道:“据你所供东西是偷来的,是个贼;但是你做和尚的,为甚又置备起妇人家的妆奁用具来,又有女鞋在床底下? 显见得是不守清规了。”喝叫拖下去打,又打了三百板,然后判了个永远监禁。一面叫人去招呼汪家,叫人来领赃,只把几张时人字画领了去。一面写个禀帖禀复汪中堂,也只含含糊糊的,说和尚所偷赃物,已讯明由府上领去;和尚不守清规,已判永远监禁。汪中堂还感激他办得干净呢。他却是除了汪府领去几张字画之外,其余各赃,无人来领,他便声称存库,其实自行享用了。更把那一所甚么精舍,充公召卖,却又自己出了二百吊钱,用一个旁人出面来买了,以为他将来致仕时的菟裘。

苟才和继之谈的,就是这么一桩故事。我分两橛听了,便拿我的日记簿子记了起来。

天已入黑了。我问继之道:“苟才那厮,说起话来,没有从前那么乱了。”继之道:“上了年纪了,又经过多少阅历,自然就差得多了。”我道:“他来求荐医生,不知大哥可曾把端甫荐出去?”继之道:“早十多天我就荐了,吃了端甫的药,说是安静了好些。他今天来算是谢我的意思。"说话间,已开夜饭,忽然端甫走了来。继之便问吃过饭没有。端甫道:"没有呢。"继之道:"那么不客气,就在这里便饭罢。"端甫也就不客气,坐下同吃。

饭后,端甫对继之道:"今天我来,有一件奇事奉告。"继之忙问:"甚么事?"端甫道:"自从继翁荐我给苟观察看病后,不到两三天,就有一个人来门诊,说是有了个怔忡之症,夜不成寐,闻声则惊,求我诊脉开方。我看他六脉调和,不像有病的,便说你六脉里面,都没有病象,何以说有病呢。他一定说是晚上睡不着,有一点点小响动,就要吓的了不得。我想这个人或者胆子太小之过,这胆小可是无从医起的,虽然药书上或有此一说,我看也不过说说罢了,未必靠得住,就随便开了个安神定魄的方子给他。他又问这个怔忡之症会死不会。我对他说:'就是真正得了怔忡之症,也不见得一时就死,何况你还不是怔忡之症呢。'他又问忌嘴不忌,我回他说不要忌的,他才去了。不料明天他又来,仍旧是烦烦琐琐的问,要忌嘴不要,怕有甚么吃了要死的不。我只当他一心怕死,就安慰他几句。谁知他第三天又来了,无非是那几句话,我倒疑心他得了痰病了。及至细细的诊他脉象,却又不是,仍旧胡乱开了个宁神方子给他。叫他缠了我六七天。上前天我到苟公馆里去,可巧巧儿碰了那个人。他一见了我,就涨红了脸,回身去了。当时我还不以为意,后来仔细一想,这个情形不对,我来看病时,口口声声说的病情,和苟观察一样的,却又口口声声只问要忌嘴不要,吃了甚么是要死的,从来没问过吃了甚么快好的话,这个人又是苟公馆里的人,不觉十分疑惑起来。要等他明天再来问他,谁知他从那天碰了我之后,就一连两天没来了。真是一件怪事!我今天又细细的想了一天,忽然又想起一个疑窦来:他天天来诊病,所带来的原方,从来是没有抓过药的。大凡到药铺里抓药,药铺里总在药方上盖个戳子,打个码子的;我最留神这个,因为常有开了要紧的药,那病人到那小药铺子里去抓,我常常知照病人,谁家的药靠得住,谁家的靠不住,所以我留神到这个。继翁,你看这件事奇不奇!"我和继之听了,都不觉愣住了。我想了一想道:"这个是他家甚么人,倒不得明白。"端甫道:"他家一个少爷,一个书启老夫子,一个帐房,我都见过的。并且我和他帐房谈过,问他有几位同事,他说只有一个书启,并无他人。"我道:"这样说来,难道是底下人?"端甫道:"那天我在他们厅上碰见他,他还手里捧着个水烟袋抽烟,并不像是个下人。"继之道:"他跟来的穷亲戚本来极多,然而据他说,早都打发完了。"端甫道:"不问他是谁,我今天是过来给继翁告个罪,那个病我可不敢看了。他家有了这种人,不定早晚要出个甚么岔子,不要怪到医生头上来。"继之道:"这又何必呢。端翁只管就病治病,再知照他忌吃甚么,他要在旁边出个甚么岔子,可与你医生是不相干的。"端甫道:"好在他的病,也不差甚么要痊愈了。明天他再请我,我告诉他要出门去了,叫他吃点丸药。他那种阔佬,知道我动了身,自然去请别人;等别人看熟了,他自然就不请我了。"说罢,又谈了些别的话,方才辞去。

我和继之参详这个到底是甚么人,听那个声口,简直是要探听了一个吃得死的东西,好送他终呢。继之道:"谁肯作这种事情,要就是他的儿子。"我道:"旁人是不肯干这个的。干到这个,无非为的是钱,旁人干了下来,钱总还在他家里,未必拿得动他的。要说是儿子呢,未必世上真有这种枭獍。"继之道:"这也难说,我已经见过一个差不多的了。这里上海有一个富商,是从极贫寒、极微贱起家的。年轻时候,不过提个竹筐子,在街上叫卖洋货,那出身就可想而知了。不多几时便发了财,到此刻是七八家大洋货铺子开着,其余大行大店,他有股分的,也不知多少。生下几个儿子,都长大成人了。内中有一个最不成器的,终年在外头非嫖即赌,他老子知道了,便限定他的用钱,每月叫帐房支给他二百洋钱。这二百块钱,不定他两三个时辰就化完了,哪里够他一个月的用。闹到不得了,便在外头借债用。起初的时候,仗着他老子的脸,人家都相信他,商定了利息,订定了日期,写了借据;及至到期向他讨时,非但本钱讨不着,便连一分几厘的利钱也付不出。如此搅得多了,人家便不相信他了。

"他可又闹急了,找着一个专门重利盘剥的老西儿,要和他借钱,老西儿道:'咱借钱给你是容易的,但是你没有还期,咱有点不放心,所以啊,咱就不借了。'他说道:'我和你订定一个日子,说明到期还你;如果不还,凭你到官去告。好了罢?'老西儿道:'哈哈!咱老子上你的当呢!打到官司,多少总要化两文,这个钱叫谁出啊!你说罢,你说订个甚期限罢?'他说道:'一年如何?'老西儿摇头不说话。他道:'半年如何?'老西儿道:'不对,不对。'他道:'那么准定三个月还你。'老西儿哈哈大笑:'你越说越不对了。'他想这个老西儿,倒不信我短期还他,我就约他一个远期,看他如何。他要我订远期,无非是要多刮我几个利钱罢了,好在我不在乎此。因说:'短期你不肯,我就约你的长期,三年五年,随便你说罢.'老西儿摇摇头。他急道:'那么十年八年,再长久了,恐怕你没命等呢!'老西儿仍是摇头不语。他着了气道:'长期又不是,短期又不是,你不过不肯借罢了。你既然不肯借,为甚不早说,耽搁我这半天!'老西儿道:'咱老子本说过不借的啊。但是看你这个急法儿,也实在可怜,咱就借给你;但是还钱的日期,要我定的。'他道:'如此要哪一天还? 你说。'老西儿道:'咱也不要你一定的日子,你只在借据上写得明明白白的,说我借到某人多少银子,每月行息多少,这笔款子等你的爸爸死了,就本利一律清算归还,咱就借给你了。'他听了一时不懂,问道:'我借你的钱,怎么要等你的爸爸死了还钱? 莫非你这一笔款子,是专预备着办你爸爸丧事用的么?'老西儿道:'呸! 咱说是等你的爸爸死了,怎么错到咱的爸爸头上来! 呸,呸,呸!'他心中一想,这老西儿的主意却打得不错,我老头子不死,无论约的哪一年哪一月,都是靠不住的,不如依了他罢。想罢,便道:'这倒依得你。你可以借一万给我么?'老西儿道:'你依了咱,咱就借你一万,可要五分利的。'他嫌利息太大。老西儿说道:'咱这个是看见款子大,格外相让的;咱平常借小款子给人家,总是加一加二的利钱呢。'两个人你争多,我论少,好容易磋磨到三分息。那老西儿又要逐月滚息,一面不肯,于是又重新磋磨,说到逐年滚息,方才取出纸笔写借据。

　　"可怜那位富翁的儿子,从小不曾好好的读书,提起笔来,要有十来斤重。平常写十来个字的一张请客条子,也要费他七八分钟时候,内中还要犯了四五个别字。笔画多点的字,还要拿一个字来对着临仿。及至仿了下来,还不免有一两笔装错的。此刻要他写一张借据,那可就比新贡士殿试写一本策还难点了。好容易写出了'某人借到某人银一万两'几个字,以后便不知怎样写法。没奈何,请教老西儿。老西儿道:'咱是不懂的,你只写上等爸爸死了还钱就是。'他一想,先是爸爸两个字,非但不会写,并且生平没有见过。不要管他,就写了父亲罢。提起笔来先写了一个'父'字,却不曾写成'艾'字,总算他本事的了。又写了半天,写出一个'亲'字来,却把左半边写了个'幸'字底下多了两点,右半边写成一个'页'字,又把底下两点变成个'兀'字。自己看看有点不像,也似乎可以将就混过去了。又想一想,就写'死了'两个字,总不成文理,却又想不出个甚么字眼来。拿着笔,先把写好的念了一遍。偏又在'父'字上头,漏写了个'等'字,只急得他满头大汗。没奈何，放下笔来说道：'我写不出来，等我去找一个朋友商量好稿子，再来写罢。'老西儿没奈何，由他去。

　　"他一走走到一家烟馆里，是他们日常聚会所在，自有他的一班嫖朋赌友。他先把缘由叙了出来，叫众人代他想个字眼。一个道：'这有甚么难！只要写"等父亲死后"便了。'一个说：'不对，不对。他原是要避这个死字，不如用"等父亲殁后"。'一个道：'也不好。我往常看见人家死了父母，刻起讣帖来，必称孤哀子，不如写"等做孤哀子后"罢'。"

　　正是：局外莫讥墙面子，此中都是富家郎。不知到底闹出个甚么笑话，且待下回再记。

第九十七回

孝堂上伺候竞奔忙　亲族中冒名巧顶替

　　继之又道："内中有一个稍为读过两天书的,却是这一班人的篾片,起来说道:'列位所说的几个字眼,都是很通的,但是都有点不很对。'众人忙问何故。那人道:'他因为死了两个字不好听,才来和我们商量改个字眼,是嫌那死字的字面不好看之故。诸位所说的,还是不免死啊、殁啊的;至于那孤哀子三个字,也嫌不祥。我倒想了四个字很好的,包你合用。但是古人一字值千金,我虽不及古人,打个对折是要的。'他屈指一算,四个字是二千银子。便说道:'承你的情,打了对折,却累我借来的款就打了八折了,如何使得!'于是众人做好做歹,和他两个说定,这四个字,一百元一个字,还要那人跟了他去代笔。那人应充了,才说出是'待父天年'四个字。众人当中还有不懂的,那人早拉了他同去见老西儿了。那人代笔写了,老西儿又不答应,说一定要亲笔写的,方能作数。他无奈又辛辛苦苦的对临了一张,签名画押,式式齐备。老西儿自己不认得字,一定要拿去给人家看过,方才放心。他又恐怕老西儿拿了借据去,不给他钱,不肯放手。于是又商定了,三人同去。他自己拿着那张借据,走到胡同口,有一个测字的,老西儿叫给他看。测字的看了道:'这是一张写据。'又颠来倒去看了几遍,说道:'不通,不通! 甚么父天年! 老子年纪和天一般大,也写在上头做甚么!'老西儿听了,就不答应。那人道:"这测字的不懂,这个你要找读书人去请教的。'老西儿道:'有了,我们到票号里去,那里的先生们,自然都是通通儿的了。'于是一起同行,到得一家票号,各人看了,都是不懂。偏偏那个写往来书信的先生,又不在家。老西儿便嚷靠不住:'你们这些人串通了,做手脚骗咱老子的钱,那可不行！'其时票号里有一个来提款子的客人，老西儿觉得票号里各人都看过了，惟有这个客人没有看过，何不请教请教他呢。便取了那借据，请那客人看。那客人看了一遍，把借据向桌子上一拍道：'这是哪一个没天理、没王法、不入人类的混帐畜生忘八旦干出来的！'老西儿未及开口，票号里的先生见那客人忽然如此臭骂，当是一张甚么东西，连忙拿起来再看。一面问道：'到底写的是甚么？我们看好像是一张借据啊。'那客人道："可不是个借据！他却拿老子的性命抵钱用了，这不是放他妈的狗臭大驴屁！'票号里的先生不懂道：'是谁的老子，可以把性命抵得钱用？'客人道：'我知道是哪个枭獍干出来的！他这借据上写着等他老子死了还钱，这不是拿他老子性命抵钱吗！唉！外国人常说雷打是没有的，不过偶然触着电气罢了，唉！雷神爷爷不打这种人，只怕外国人的话有点意思的。'一席话，当面骂得他置身无地，要走又走不得。幸得老西儿听了，知道写的不错，连忙取回借据，辞了出来，去划了一万银子给他。那人坐地分了四百元。他还问道：'方才那客人拿我这样臭骂，为甚又忽然说我孝敬呢？'那人不懂道：'他几时说你孝敬？'他道：'他明明说着孝敬两个字，不过我学不上他那句话罢了。'那人低头细想，方悟到'枭獍'二字被他误作'孝敬'，不觉好笑，也不和他多辩，乐得拿了四百元去享用。这个风声传了出去，凡是曾经借过钱给他的，一律都拿了票子来，要他改做了待父天年的期，他也无不乐从，免得人家时常向他催讨。据说他写出去的这种票子，已经有七八万了。"

我听了不禁吐舌道："他老子有多少钱，禁得他这等胡闹！"继之道："大约分到他名下，几十万总还有。然而照他这样闹，等他老子死下来，分到他名下的家当，只怕也不够还债了。"说话时夜色已深，各自安歇。

过得几天，便是那陈稚农开吊之期。我和他虽然没甚大不了的交情，但是从他到上海以来，我因为买铜的事，也和他混熟了。况且他临终那天，我还去看过他，所以他讣帖来了，我亦已备了奠礼过去。到了这天，不免也要去磕个头应酬他，借此也看看他是甚么场面。吃过点心之后，便换了衣服，坐个马车，到寿圣庵去。我一径先到孝堂去行礼。只见那孝帐上面，七长八短，挂满了挽联；当中供着一幅电光放大的小照。可是没个亲人，却由缪法人穿了白衣，束了白带，戴了摘缨帽子，在旁边还礼谢奠。我行过礼之后，回转身，便见计醉公穿了行装衣服，迎面一揖；我连忙还礼，同到客座里去。座中先有两个人，由醉公代通姓名，一个是莫可文，一个是卜子修。这两位的大名，我是久仰得很的，今日相遇了，真是闻名不如见面。可惜我一枝笔不能叙两件事，一张嘴不能说两面话，只能把这开吊的事叙完了，再补叙他们来历的了。

当下计醉公让坐送茶之后，又说道："当日我们东家躺了下来，这里道台知道稚翁在客边，没有人照应，就派了卜子翁来帮忙。子翁从那天来了之后，一直到今天，调排一切，都是他一人之力，实在感激得很！"卜子修接口道："哪里的话！上头委下来的差事，是应该效力的。"我道："子翁自然是能者多劳。"醉公又道："今天开吊，子翁又荐了莫可翁来，同做知客。一时可未想到，今天有好些官场要来的，他二位都是分道差委的人员，上司来了，他二位招呼，不大便当。阁下来了最好，就奉屈在这边多坐半天，吃过便饭去，代招呼几个客。"说罢，连连作揖道："没送帖子，不恭得很。"我道："不敢，不敢。左右我是没事的人，就在这里多坐一会，是不要紧的。"卜子修连说："费心，费心。"我一面和他们周旋，一面叫家人打发马车先去，下半天再来；一面卸下玄青罩褂，一面端详这客座。只见四面挂的都是挽幛、挽联之类，却有一处墙上，粘着许多五色笺纸。我既在这里和他做了知客，此刻没有客的时候，自然随意起坐。因走到那边仔细一看，原来都是些挽诗，诗中无非是赞叹他以身殉母的意思。我道："讣帖散出去没有几天，外头吊挽的倒不少了。"醉公道："我是初到上海，不懂此地的风土人情。幸得卜子翁指教，略略吹了个风到外面去。如果有人作了挽诗来的，一律从丰送润笔。这个风声一出去，便天天有得来，或诗，或词，或歌，或曲，色色都有。就是所挂的挽联，多半也是外头来的，他用诗笺写了来，我们自备绫绸重写起来的。"我道："这件事情办得好，陈稚翁从此不朽了！"醉公道："这件事已经由督、抚、学三大宪联衔出奏，请宣付史馆，大约可望准的。"

说话之间，外面投进帖子来，是上海县到了，卜、莫两个，便连忙跑到门外去站班。我做知客的，自不免代他迎了出去，先让到客座里。这位县尊是穿了补褂来的，便在客座里罩上玄青外褂，方到灵前行礼。卜、莫两个，早跑到孝堂里，笔直的垂手挺腰站着班。上海县行过礼之后，仍到客座里，脱去罩褂坐下，才向我招呼，问贵姓台甫。此时我和上海县对坐在炕上。卜、莫两个，在下面交椅上，斜签着身子,把脸儿身子向里,只坐了半个屁股。上海县问:"道台来过没有?"
他两个齐齐回道:"还没有来。"忽然外面轰轰放了三声大炮,把云板
声音都盖住了,人报淞沪厘捐局总办周观察、糖捐局总办蔡观察同到
了。上海县便站起来到外头去站班迎接,卜、莫两个,更不必说了。
这两位观察却是罩了玄青褂来的,径到孝堂行礼,他三个早在孝帐前
站着班了。行礼过后,我招呼着让到客座升炕;他两个就在炕上脱去
罩褂,自有家人接去。略谈了几句套话,便起身辞去。大家一齐起身
相送。到得大门口时,上海县和卜、莫两个先跨了出去,垂手站了个
出班;等他两个轿子去后,上海县也就此上轿去了,卜、莫两个,仍旧
是站班相送。从此接连着是会审委员、海防同知、上海道,及各局总
办、委员等,纷纷来吊。卜、莫两个,但是遇了州县班以上的,都是照
例站班,计醉公又未免有些琐事,所以这知客竟是我一个人当了。幸
喜来客无多,除了上海几个官场之外,就没有甚么人了。

　　忙到十二点钟之后,差不多客都到过了。开上饭来,醉公便招呼
升冠升珠,于是大众换过小帽,脱去外褂,法人也脱去白袍。因为人
少,只开了一个方桌,我和卜、莫两个各坐了一面,缪、计二人同坐了
一面。醉公起身把酒。我正和莫可文对坐着,忽见他襟头上垂下了
一个二寸来长的纸条儿,上头还好像有字,因为近视眼,看不清楚,故
意带上眼镜,仔细一看,上头确是有字的,并且有小小的一个红字,像
是木头戳子印上去的。我心中莫名其妙,只是不便做声。席间谈起
来,才知道莫可文现在新得了货捐局稽查委员的差使。卜子修是城
里东局保甲委员,这是我知道的。大家因是午饭,只喝了几杯酒就算
了。

　　吃过饭后,莫可文先辞了去。我便向卜子修问道:"方才可翁那
件袍子襟上,拴着一个纸条儿,上头还有几个字,不知是甚道理?"卜
子修愕然,愣了一愣,才笑道:"我倒不留神,他把那个东西露出来
了。"醉公道:"正是。我也不懂,正要请教呢。那纸条儿上的字,都是
不可解的,末末了还有个甚么四十八两五钱的码子。"卜子修只是笑。
我此时倒省悟过来了。禁不住醉公钉着要问,卜子修道:"莫可翁他
空了多年下来了,每有应酬,都是到兄弟那边借衣服用。今天的事,
兄弟自己也要用,怎么能够再借给他呢。兄弟除了这一身灰鼠之外,
便是羔皮的。褂子是个小羔,还可以将就用得,就借给了他。那件袍
子,可是毛头太大了,这个天气穿不住。叫他到别处去借罢,他偏又

交游极少,借不出来。幸得兄弟在东局多年,彩衣街一带的衣庄都认得的,同他出法子,昨天去拿了两件灰鼠袍子来,说是代朋友买的,先要拿去看过,看对了才要;可是这个朋友在吴淞,要送到吴淞去看,今天来不及送回来,要耽搁一天的。那衣庄上看兄弟的面子,自然无有不肯的;不过交代说,钮绊上的码子是不能解下来的,解了下来,是一定要买的。其实解了下来,穿过之后,仍旧替他拴上,有甚要紧。这位莫可翁太老实了,恐怕他们拴的有暗记,便不敢解下来。大约因为有外褂罩住,想不到要宽衣吃饭,穿衣时又不曾掖进去,就露了人眼。真是笑话!"醉公听了方才明白。

坐了一会,家人来说马车来了,我也辞了回去。换过衣服,说起今天的情形,又提到陈稚农要宣付史馆一节,不禁叹道:"从此是连正史都不足信的了!"继之道:"你这样说,可当《二十四史》都是信史了?"我道:"除他之外,难道还有比他可信的么?"继之道:"你只要去检出《南北史》来看便知,尽有一个人的列传,在这一朝是老早死了,在那一朝却又寿登耄耋的,你信哪一面的好? 就举此一端,已可概其余了。后人每每白费精神,往往引经注史,引史证经,生在几千年之后,瞎论几千年以前的事,还以为我说得比古人的确。其实极显浅的史事,随便一个小学生都知道的,倒没有人肯去考正他。"我道:"是一件甚么史事?"继之道:"天下最可信的书莫如经。《礼记》上载的:'文王九十七乃终,武王九十三而终。'这可是读过《礼记》的小孩子都知道的,武王十三年伐纣,十九年崩;文王是九十七岁死的,再加十九年,是一百十六岁;以此算去,文王二十三岁就生武王的了。《通鉴》却载武王生于帝乙二十三祀,计算起来,这一年文王六十三岁。请教依哪一说的好? 还有一层:依了《通鉴》,武王十九年崩,那年才得五十四岁;那又列入六经的《礼记》,反以不足信了。有一说,说是五十四岁是依《竹书纪年》的。《竹书纪年》托称晋太康二年,发魏襄王墓所得的,其书未经秦火,自是可信。然而我看了几部版子的《竹书纪年》,都载的是武王九十四岁,并无五十四岁之说。据此看来,九十三、九十四,差得一年,似是可信的了,似乎可以印证《礼记》的了;然而武王死了下来,他的长子成王,何以又只得十三岁? 难道武忘八十一岁才生长子的么? 你只管拿这个翻来复去去反复印证,看可能寻得出一个可信之说来? 这还是上古的事。最近的莫如明朝,并且明朝遗老,国初尚不乏人,只一个建文皇帝的踪迹,你从那里去寻得出信史来！再近点的，莫如明末，只一个弘光皇帝，就有人说他是个假的，说是张献忠捉住了老福王宰了，和鹿肉一起煮了下酒，叫做'福禄酒'；那时候福王世子，亦已被害了，家散人亡，库藏亦已散失，这厮在冷摊上买着了福王那颗印，便冒起福王来。亦有人说，是福王府中奴仆等辈冒的。但是当时南都许多人，难道竟没有一个人认得他的，贸贸然推戴他起来，要我们后人瞎议论，瞎猜摩？但是看他童妃一案，始终未曾当面，又令人不能不生疑心。像这么种种的事情，又从哪里去寻一个信据？"我道："据此看来，经史都不能信的了？"继之道："这又不然。总而言之，不能泥信的就是了。大凡有一篇本纪，或世家，或列传的，总有这个人；但不过有这个人就是了，至于那本纪、世家、列传所说的事迹，只能当小说看，何必去问他真假。他那内中或有装点出来的，或有传闻失实的，或有故为隐讳的，怎么能信呢。譬如陈稚农宣付史馆，将来一定入《孝子传》的了。你生在今日，自然知道他不是孝子；百年以后的人，那就都当他孝子了。就如我们今日看古史，那些《孝子传》，谁敢保他那里头没有陈稚农其人呢。"

说话之间，外面有人来请继之去有事。继之去了，我又和金子安他们说起今天莫可文袍子上带着纸条儿的事，大家说笑一番。我又道："这两个人，我都是久仰大名的，今日见了，真是闻名不如见面！"子安道："据此说来，那两个人又是一定有甚故事的。你每每叫人家说故事，今天你何妨说点给我们听呢。"我道。"说是可以，叫我先说哪一个呢？"德泉道："你爱先说谁就说谁，何必问我们呢。"

我道："我头一次到杭州，就听得这莫可文的故事。原来他不叫莫可文，叫莫可基。十八岁上便进了学，一直不得中举；保过两回廪，都被革了。他的行为，便不必说了。一向以训蒙为业；但是训蒙不过是个名色，骨子里头，唆揽词讼，鱼肉乡民，大约无所不为的了。到三十岁头上，又死了个老婆，便又借着死老婆为名，硬派人家送奠分，捞了几十吊钱。可巧出了那莫可文的事。可文是可基的嫡堂兄弟。可文的老子，是一个江西候补县丞，候了不知若干年，得着过两次寻常保举；好容易捱得过了班，满指望署缺抓印把子，谁知得了一病，就此呜呼了。可文年纪尚轻，等到三年服满之后，才得二十岁左右，一面娶亲，一面想克承父志，便写信到京城，托人代捐了一个巡检，并代办验看，指省江苏，到部领凭。领到之后，便寄到杭州来。谁知可文连一个巡检都消受不起！部凭寄到后，正要商量动身到省禀到，不料得了个急痧症死了。可基是嫡堂哥哥,至亲骨肉无多,不免要过来帮忙,料理丧事。亏得他足智多谋,见景生情,便想出一个法子来,去和弟妇商量说:此刻兄弟已经死了,又没留下一男半女,弟妇将来的事,我做大伯子的自然不能置身事外。但是我只靠着教几个小学生度日,如何来得及呢。兄弟捐官的凭照,放在家里,左右是没用的,白糟蹋了;不如拿来给我,等我拿了他去到省,弄个把差使,也可以雇家,总比在家里坐蒙馆好上几倍。他弟妇见人已死了,果然留着也没用,又不能抵钱用的,就拿来给了他。他得了这个,便马上收拾趁船,到苏州冒了莫可文名字去禀到。"

正是:源流虽一派,泾渭竟难分。未知假莫可文禀到之后,尚有何事,且待下回再记。

第九十八回

巧攘夺弟妇做夫人　遇机缘僚属充西席

　　我接着说道:"从此之后,莫可基便变成了莫可文了。从此之后,我也只说莫可文,不再说莫可基了。莫可文到了苏州,照例禀到缴凭,自不必说。他又求上头分到镇江府当差,上头自然无有不准的。他领到札子,又忙到镇江去禀到。你道他这个是甚么意思?原来镇江府王太尊是他同乡,并且太尊的公子号叫伯丹,小时候曾经从他读过两三年书的,他向来虽未见过王太尊,却有个宾东之分在那里。所以莫可文到得镇江,禀见过本府下来,就拿帖子去拜少爷,片子后面,注明'原名可基'。王伯丹见是先生来了,倒也知道敬重,亲自迎了出来,先行下拜。行礼已毕,便让可文上坐。可文也十分客气,口口声声只称少爷,只得分宾坐了。说来说去,无非说些套话。在可文的意思,是要求伯丹在老子跟前吹嘘,给个差使。但是初见面,又不便直说,只说得一句'此次到这边来,都是仰仗尊大人栽培'。伯丹还是个十七八岁的孩子,只当他是客气话,也支些客气话回答他。

　　可文住在客栈里十多天,不见动静,又去拜过两次伯丹。伯丹请他吃过一回馆子,却是个早局,又叫了四五个局来,都是牛鬼蛇神一般的,伯丹却倾倒的了不得。可文很以为奇,暗暗的打听,才知道王太尊自从断弦之后,并未续娶,又没有个姨太太,衙门里头,并无内眷。管儿子极严,平常不准出衙门一步,闲话也不敢多说一句。伯丹要出来玩玩,无非是推说哪里文会、哪里诗会,出来玩个半天,不到太阳下山,就急急地回去了。就是今天的请客,也是禀过命,说出去会文,才得出来的。所以虽是牛鬼蛇神的妓女,他见了就如海上神山一般,可望不可即的了。可文得了这个消息,知道伯丹还纯乎是个孩子家,虽托了他也是没用。据如此说,太尊还不知我和他是宾东呢。要想当面说,自己又初入仕途,不知这话说得说不得。踌躇了两天,忽然想了一个办法,便请了几天假,赶回杭州去。

此时,他住的两间屋,早已租了给人家住了。这一次回来,便把行李搬到弟妇家去。告诉弟妇:'已经禀过到了,此刻分在镇江,不日就可以有差使了。我此刻回来,接你到镇江同住。从此就一心一意在镇江当差候补,免得我身子在那边,心在这边,又不晓得你几时没了钱用,又恐怕不能按着时候给你。因此想把你接了去,同住在一起,我赚了钱,便交给你替我当家。有是有的过法,没有是没有的过法,自己一家人,那是总好说话的。'弟妇听了他这个话,自然是感激他,便问几时动身。可文道:'我来时只请了十五天的假,自然越赶快越好。今天不算数,我们明天收拾起来罢。'弟妇答应了。因为他远道回来,便打了二斤散白酒,请他吃晚饭。居乡的人不甚讲究规矩,便同桌吃起饭来。可文自吃酒,让弟妇先吃饭。

"等弟妇饭吃完了,他的酒还只吃了一半。却仗着点酒意,便和弟妇取笑起来,说了几句不三不四的话。他弟妇本是个乡下人,虽然长得相貌极好,却是不大懂得道理,听了他那不三不四的话,虽然知道涨红了脸,却不解得回避开去。可文见她如此,便索性道:'弟妇,我和你说一句知己话。你今年才二十岁……'弟妇道:'只有十九岁,你兄弟才二十岁呢。'可文道:'那更不对了!你十九岁便做了寡妇,往后的日子怎样过?虽说是吃的穿的有我大伯子当头,但是人生一世,并不是吃了穿了,就可以过去的啊。并且还有一层,我虽说带了你去同住,但是一个公馆里面,只有一个大伯子带着一个小婶,人家看着也不雅相。我想了一个两得其便的法子,但不知你肯不肯?'弟妇道:'怎样的法子呢?'可文道:'如果要两得其便,不如我们从权做了夫妻。'

弟妇听了这句话,不觉登时满面通红,连颈脖子也红透了,却只低了头不言语。可文又连喝了两杯酒道:'你如果不肯呢,我断不能勉强你。不过有一句话,你要明白:你要替我兄弟守节,那是再好没有的事;不过像你那个守法,就守到头发白了,那节孝牌坊都轮不到你的头上。街邻人等,都知道你是莫可文的老婆。我此刻到了省,通江苏的大小官员,都知道我叫莫可文。两面证起来,你还是个有夫之妇。你这个节,岂不是白过了的么?可巧我的婆子死在前头,我和你做了夫妻,岂不是两得其便？并且你肯依了,跟我到得镇江,便是一位太太。我亦并不拘束你,你欢喜怎样就怎样,出去看戏咧、上馆子咧,只要我差使好,化得起,尽你去化,我断不来拘管你的。你看好么？'他弟妇始终不曾答得一句话,还伏侍他吃过了酒饭,两个人大约就此苟且了。几日之间,收拾好家私行李,雇了一号船,由内河到了镇江,仍旧上了客栈。忙着在府署左近,找了一所房子,前进一间,后进两间,另外还有个小小厨房,甚为合式,便搬了进去。喜得木器家私,在杭州带来不少,稍为添买,便够用了。搬进去之后,又用起人来:用了一个老妈子;又化几百文一月,用了一个十四五岁的男孩子,便当是家人。弟妇此时便升了太太。安排妥当,明日便上衙门销假,又去拜少爷。

消停了两天,自己家里弄了两样菜,打了些酒,自己一早专诚去请王伯丹来吃饭。说是前回扰了少爷的,一向未曾还东,心上十分不安;此刻舍眷搬了来,今日特为备了几样菜,请少爷赏光去吃顿晚饭。伯丹道:'先生赏饭,自当奉陪;怎奈家君向来不准晚上在外面,天未入黑,便要回署的,因此不便。'可文道:'那么就改作午饭罢,务乞赏光!'伯丹只得答应了。不知又向老子捣个甚么鬼,早上溜了出来,到可文家去。可文接着,自然又是一番恭维。又说道:'兄弟初入仕途,到此地又没得着差使,所以租不出好地方,这房子小,简慢得很。好在我们同砚,彼此不必客气,回来请到里面去坐,就是内人也无容回避。'伯丹连称:'好说,好说。门生本当要拜见师母。'坐了一会,可文又到里面走了两趟,方才让伯丹到里面去。到得里面,伯丹便先请见师母。可文揭开门帘,到房里一会,便带了太太出来。伯丹连忙跪下叩头,太太也忙说:'不敢当,还礼,还礼。'一面说,一面还过礼。可文便让坐,太太也陪在一旁坐下,先开口说道:'少爷,我们都同一家人一般,没有事时候,不嫌简慢,不妨常请过来坐坐。'伯丹道:'门生应该常来给师母请安。'闲话片时,老妈子端上酒菜来,太太在旁边也帮着摆设。一面是可文敬酒,伯丹谦让入座。又说'师母也请喝杯酒'。可文也道:'少爷不是外人,你也来陪着吃罢。'太太也就不客气,坐了过来,敬菜敬酒,有说有笑。畅饮了一回,方才吃饭。饭后,就在上房散坐。可文方才问道:'兄弟到了这里,不知少爷可曾对尊大人提起我们是同过砚的话？'伯丹道:'这个倒不曾。'原来伯丹这个人有点傻气,他老子恐怕他学坏了,不许他在外交结朋友。其时有几个客籍的文人,在镇江开了个文会,他老子只准他到文会上去,与一班文人结交。所以他在外头识了朋友,回去绝不敢提起;这回他先生来了,也绝不敢提起。在可文是以为与太尊有个宾东之分,自己虽不便面陈,幸得学生是随任的,可以借他说上去,所以禀到之后,就去拜少爷。谁知碰了这么个傻货!今天请他吃饭,正是想透达这个下情。当下又说道:‘少爷何妨提一提呢?’伯丹道:‘家君向来不准学生在外面交结朋友,所以不便提起。’可文道:‘这个又当别论。尊大人不准少爷在这里交结朋友,是恐怕少爷误交损友,尊大人是个官身,不便在外面体察的原故。像我们是在家乡认得的,务请提一提。’伯丹答应了,回去果然向太尊提起。又说这位莫可文先生是进过学的。太尊道:‘原来是先生,你为甚不早点说。我还当是一个平常的同乡,想随便安插他一个差使呢。你是几岁上从他读书的?’伯丹道:‘十二三四岁那几年。’太尊道:‘你几岁上完篇的?’伯丹道:‘十三岁上。’太尊道:‘那么你还是他手上完的篇。’随手又检出莫可文的履历一看,道:‘他何尝在庠,是个监生报捐的功名。’伯丹道:‘孩儿记得清清楚楚,先生是个秀才。’太尊道:‘我是出外几十年的人,家乡的事,全都糊里糊涂的了。你既然在他手下完篇的,明天把你文会上作的文章誊一两篇去,请他改改看,可不必说是我叫的。’伯丹答应了,回到书房,誊好了一篇文章,明日便拿去请可文改。可文读了一遍,摇头摆尾的,不住赞好道:‘少爷的文章进境,真是了不得!这个叫兄弟从何改起,只有五体投地的了!’伯丹道:‘先生不要客气,这是家君叫请先生改的。’可文兀的一惊道:‘少爷昨天回去,可是提起来了?’伯丹道:‘是的。’可文丢下了文章不看,一直钉住问,如何提起,如何对答,尊大人的颜色如何。伯丹不会撒谎,只得一一实说。可文听到秀才、监生一说,不觉呆了一呆,低头默默寻思,如果问起来,如何对答,须要预先打定主意。到底包揽词讼的先生,主意想得快,一会儿的功夫,早想定了。并且也料到叫改文章的意思,便不再和少爷客气,拿起笔来,飕飕飕的一阵改好了,加了眉批、总批,双手递与伯丹道:‘放恣放恣!尊大人跟前,务求吹嘘吹嘘!’伯丹连连答应。坐了一会,便去了。

“第二天是十五,一班佐杂太爷,站过香班,上过道台衙门,又上本府衙门。太爷们见太尊,向来是班见,没有坐位的。这一天,号房拿了一大叠手版上去。一会儿下来,把手版往桌上一丢,却早抽出一个来道:‘单请莫可文莫太爷。’众佐杂太爷们听了这句话,都把眼睛向莫可文脸上一望,觉得他脸上的气色是异常光彩,运气自然与众不同,无怪他独荷垂青了。莫可文也觉得洋洋得意,对众同寅拱拱手,说声'失陪',便跟了手版进去。走到花厅,见了太尊,可文自然常礼请安。太尊居然问安拉他上炕,可文哪里敢坐,只在第二把交椅上坐下。太尊先开口道:'小儿久被化雨,费心得很。老夫子到这边来,又不提起,一向失敬;还是昨天小儿说起,方才知道。'可文听了这番话,又居然称他老夫子,真是受宠若惊,不知怎样才好,答应也答应不出来,末末了只应得两个'是'字。太尊又道:'听小儿说,老夫子在庠?'可文道:'卑职侥幸补过廪,此次为贫而仕,是不得已之举,所以没有用廪名报捐。到了乡试年份,还打算请假下场。'太尊点头道:'足见志气远大!'说罢,举茶送客。可文辞了出来。只见一班太爷们还在大堂底下,东站两个,西站三个的,在那里谈天。见了可文,便都一哄上前围住,问见了太尊说些甚,想来一定得意的。可文洋洋得意地说道:'无意可得。至于太尊传见,不过谈谈家乡旧事,并没有甚么意思。'内中一个便道:'阁下和太尊想来必有点渊源?'可文道:'没有,没有,不过同乡罢了。'说着,便除下大帽子,自有他带来那小家人接去,送上小帽换上;他又卸下了外褂,交给小家人。他的公馆近在咫尺,也不换衣服,就这么走回去了。

"从此之后,伯丹是奉了父命的,常常到可文公馆里去。每去,必在上房谈天,那师母也绝不回避,一会儿送茶,一会儿送点心,十分殷勤。久而久之,可文不在家,伯丹也这样直出直进的了。

"可文又打听得本府的一个帐房师爷,姓危号叫瑚斋的,是太尊心腹,言听计从的,于是央伯丹介绍了见过几面之后,又请瑚斋来家里吃饭,也和请伯丹一般,出妻见子的,绝无回避。那位太太近来越发出落得风骚,逢人都有说有笑,因此危瑚斋也常常往来。如此又过了一个来月,可文才求瑚斋向太尊说项。太太从旁也插嘴道:'正是。总要求危老爷想法子,替他弄个差使当当才好。照这样子空下去,是要不得的了!这里镇江的开销,样样比我们杭州贵,要是闹到不得了,我们只好回杭州去的了。'说罢,嫣然一笑。危瑚斋受了他夫妻嘱托,便向太尊处代他说项。太尊道:'这个人啊,我久已在心的了。因为不知他的人品如何,还要打听打听,所以一直没给他的事。只叫小儿仍然请他改改课卷,我节下送他点节敬罢了。'瑚斋道:'莫某人的人品,倒也没甚么。'太尊道:'你不知道:我看读书人当中,要就是中了进士，点了翰林，飞黄腾达上去的，十人之中，还有五六是个好人；若是但进了个学，补了个廪，以后便蹭蹬住的，那里头，简直要找半个好人都没有。他们也有不得不做坏人之势。单靠着坐馆，能混得了几个钱，自然不够他用；不够用起来，自然要设法去弄钱。你想他们有甚弄钱之法？无非是包揽词讼，干预公事，鱼肉乡里，倾轧善类，布散谣言，混淆是非，甚至窝娼庇赌，暗通匪类，那一种奇奇怪怪的事，他们无做不到。我府底下虽然没有甚么重要差使，然而委出去的人，也要拣个好人，免得出了岔子，叫本道说话。莫某人他是个廪生，他捐功名，又不从廪贡上报捐，另外弄个监生，我很怀疑他在家乡干了甚么事，是个被革的廪生，那就好人有限了。'瑚斋道：'依晚生看去，莫某人还不至于如此；不过头巾气太重，有点迂腐腾腾的罢了。晚生看他世情都还不甚了了，太尊所说种种，他未必去做。'太尊道：'既然你保举他，我就留心给他个事情罢了。'既而又说道：'他既是世情都不甚了了的，如何能当得差呢。我看他笔墨还好，我这里的书启张某人，他屡次接到家信，说他令兄病重，一定要辞馆回去省亲。我因为一时找不出人来，没放他走，不如就请了莫某人罢。好在他本是小儿的先生，一则小儿还好早晚请教他，二来也叫他在公事上历练历练。'瑚斋道：'这是太尊的格外栽培。如此一来，他虽是个坏人，也要感激的学好了。'说罢，辞了出来，挥个条子，叫人送给莫可文，通知他。可文一见了信，直把他喜得赛如登仙一般。"

　　正是：任尔端严衡品行，奈渠机智善欺蒙。不知莫可文当了镇江府书启之后，尚有何事，且待下回再记。

第九十九回

老叔祖娓娓讲官箴　少大人股股求仆从

"莫可文自从做了王太尊书启之后，办事十分巴结；王伯丹的文章，也改得十分周到；对同事各人，也十分和气。并备了一份铺盖，在衙门里设一个床铺，每每公事忙时，就在衙门里下榻。人家都说他过于巴结了，自己公馆近在咫尺，何必如此；王太尊也是说他办事可靠，哪里知道他是别有用心的呢。他书启一席，就有了二十两的薪水；王太尊喜他勤慎，又在道台那边，代他求了一个洋务局挂名差使，也有十多两银子一月；连他自己鬼鬼祟祟做手脚弄的，一个月也不在少处。后来太湖捕获盐枭案内，太尊代他开个名字，向太湖水师统领处说个人情，列入保举案内，居然过了县丞班。过得两年，太尊调了苏州首府，他也跟了进省。不幸太尊调任未久，就得病死了。那时候，他手边已经积了几文，想要捐过知县班，到京办引见，算来算去，还缺少一点。

正在踌躇设法，他那位弟妇过班的太太，不知和哪一个情人一同逃走了，把他几年的积蓄，虽未尽行卷逃，却已经十去六七了。他那位夫人，一向本来已是公诸同好，作为谋差门路的，一旦失了，就同失了靠山一般。何况又把他积年心血弄来的，卷了一大半去！只气得他一个半死！自己是个在官人员，家里出了这个丑事，又不便声张，真是哑子吃黄连，自家心里苦。久而久之，同寅中渐渐有人知道了，指前指后，引为笑话。他在苏州蹲不住了，才求分了上海道差遣，跑到上海来。因为没了美人局，只怕是一直瘪到此刻的。这是莫可文的来历。至于那卜子修呢，他的出身更奇了。他是宁波人，姓卜，却不叫子修，叫做卜通。小时候在宁波府城里一家杂货店当学徒。有一天，他在店楼上洗东西，洗完了，拿一盆脏水，从楼窗上泼出去。不料鄞县县大老爷从门前经过，这盆水不偏不倚，恰恰泼在县大老爷的轿子顶上。"

金子安听我说到这里，忙道："不对，不对，他在楼上看不见底下。容或有之，大凡官府出街，一定是鸣锣开道的，难道他聋了，听不见？"我道："你且慢着驳，这一天恰好是忌辰，官府例不开道鸣锣呢。县大老爷大怒，喝叫停轿，要捉那泼水的人。众差役如狼似虎般拥到店里，店里众伙计谁敢怠慢，连忙从楼上叫了他下来。那差役便横拖竖曳，把他抓到轿前。县大老爷喝叫打，差役便把他按倒在地，褪下裤子，当街打了五十小板子。"金子安道："忌辰例不理刑名，怎么他动起刑来？"

我道："这就叫做只许州官放火，不准百姓点灯。当时把他打得血流漂杵！只这一打，把他的官兴打动了。他暗想：做了官便如此威风，可以任意打人。若是我们被人泼点水在头上，顶多不过骂两声，他还可以和我对骂；我如果打他，他也就不客气，和我对打了。此刻我的水不过泼在他轿子上，并没有泼湿他的身，他便把我打得这么利害！一面想，一面喊痛，哼声不绝。一面又想道：几时得我做了官，也拿人家这样打打，才出了今日的气。可怜这几下板子，把他打得溃烂了一个多月，方才得好。东家因为他犯了官刑，便把他辞歇了。

"他本是一个已无父母，不曾娶妻的人，被东家辞了，便无家可归。想起有个远房叔祖，曾经做过一任那里典史的，刻下住在镇海，不免去投奔他，请教请教，做官是怎样做的；像我们这样人，不知可以去做官不可以。如果可以的，我便上天入地，也去弄个官做做，方才遂心。主意打定，便跑到镇海去。不一日到了，找到他叔祖家去。他叔祖名叫卜士仁，曾经做过几年溧阳县典史。后来因为受了人家二百文铜钱，私和了一条命案，偏偏弄得不周到，苦主那边因止泪费上吃了点亏，告发起来，便把他功名干掉了，他才回到镇海，其时已经七十多岁了。儿子卜仲容，在乡间的土财主家里，管理杂务，因此不常在家。孙子卜才，在府城里当裁缝。还有个曾孙，叫做卜兑，只有八岁，代人家放牛去了。卜士仁一个老头子，在家里甚是闷气，虽然媳妇、孙媳妇都在身边，然而和女人们总觉没有甚么谈头。

"忽看见侄孙卜通来了，自是欢喜，问长问短，十分亲热。卜通也一一告诉，只瞒起了被鄞县大老爷打屁股的事。他谈谈便问起做官的事,说道:'叔公是做了几十年官的了,外头做官的规矩,总是十分熟的了。不知怎样才能有个官做? 不瞒叔公说,侄孙此刻也很想做官,所以特地到叔公跟前求教的。'卜士仁道:'你的志气倒也不小,将来一定有出息的。至于官,是拿钱捐来的,钱多官就大点,钱少官就小点;你要做大官小官,只要问你的钱有多少。至于说是做官的规矩,那不过是叩头、请安、站班,却都要历练出来的。任你在家学得怎么纯熟,初出去的时候,总有点蹑手蹑脚的;等历练得多了,自然纯熟了。这是外面的话。至于骨子里头,第一个秘诀是要巴结。只要人家巴结不到的,你巴结得到;人家做不出的,你做得出。我明给你说穿了,你此刻没有娶亲,没有老婆;如果有了老婆,上司叫你老婆进去当差,你送了进去,那是有缺的马上可以过班,候补的马上可以得缺,不消说的了。次一等的,是上司叫你呵□□,你便马上遵命,还要在这□□上头加点恭维话,这也是升官的吉兆。你不要说做这些事难为情,你须知他也有上司,他巴结起上司来,也是和你巴结他一般的,没甚难为情。譬如我是个典史,巴结起知县来是这样;那知县巴结知府,也是这样;知府巴结司道,也是这样;司道巴结督抚,也是这样。总而言之,大家都是一样,没甚难为情。你千万记着不怕难为情五个字的秘诀,做官是一定得法的。如果心中存了难为情三个字,那是非但不能做官,连官场的气味也闻不得一闻的了。这是我几十年老阅历得来的,此刻传授给你。但不知你想做个甚么官?'卜通道:'其实侄孙也不知做甚么官好。譬如要做个县大老爷,不知要多少钱捐来?'

"卜士仁道:'好,好! 好大的志气! 那个叫做知县,是我的堂翁了。'又问:'你读过几年书了?'卜通道:'读书几年! 一天也没有读过! 不过在学堂门口听听,听熟了"赵钱孙李,周吴郑王"两句罢了。'卜士仁道:'没有读过书,怎样做得文官。你看我足足读了五年书,破承题也作过十多次,出起身来不过是个捕厅。像你这不读书的,只好充地保罢了。'卜通不觉愣住了,说道:'不读书,不能做官的么?'卜士仁道:'如果没读过书都可以做官的,哪个还去读书呢?'又沉吟了一会道:'我看你志气甚高,你文官一途虽然做不得,但是武弁一路还不妨事。我有一张六品蓝翎的功牌,从前我出一块洋钱买来的,本来打算给我孙子去用的,怎奈他没志气,学了裁缝。我此刻拿来给了你,你只要还我一块洋钱就是了。'卜通道:'六品蓝翎的功牌,是个甚么官?'卜士仁道:'不是官,是个顶戴;你有了他,便可以戴个白石顶子,拖根蓝翎,到营里去当差。'卜通道:'此刻侄孙有了这个,可是跑到营里,就有人给我差使?'卜士仁道:'哪里有这么容易! 就有了这个,也要有人举荐的。'卜通道:'那么侄孙有了这个,到哪里去找人荐事情呢?'

"卜士仁又沉吟了一会道:'路呢,是有一条,不过是要我走一趟。'卜通道:'如果叔公可以荐我差使,我便要了那张甚么功牌。'卜士仁道:'这么说罢,我们大家赌个运气,我们做伴到定海去走一趟。定海镇的门政大爷,是我拜把子的兄弟,我去托他,把你荐在那里,吃一份口粮。这一趟的船钱,是各人各出。事情不成,我白赔了来回盘缠;如果事成了,你怎样谢我?'卜通道:'叔公怎说怎好,只请叔公吩咐就是了。'卜士仁道:'如果我荐成功了你的差使,我要用你三个月口粮的。但是你每月的口粮都给了我,你自己一个钱都没了,如何过得? 我和你想一个两得其便的法子:三个月的口粮,你分六个月给我,这六个月之中,每月大家用半个月的钱,你不至于吃亏,我也得了实惠了。你看如何?'卜通道:'不知每月的口粮是多少?'卜士仁道:'多多少少是大家的运气,你此刻何必多问呢。'卜通道:'那么就依叔公就是了。'卜士仁道:'那功牌可是一块钱,我是照本卖的,你不能少给一文。'卜通道:'去吃一份口粮,也要用那功牌么?'卜士仁道:'暂时用不着,你带在身边,总是有用的。将来高升上去,做百长,做哨官,有了这个,就便宜许多。'卜通道:'这样罢,侄孙身边实在不多几个钱,来不及买了。此刻一块洋钱兑一千零二十文铜钱,我出了一千二百文。如果事情成功,我便要了,也照着分六个月拨还,每月还二百文罢。可有一层:事情不成功,我是不要他的。'卜士仁见有利可图,便应允了。当日卜士仁叫添了一块臭豆腐,留侄孙吃了晚饭。晚上又教他叩头、请安、站班,各种规矩,卜通果然聪明,一学便会。

"次日一早,公孙两个,附了船到定海去。在路上,卜士仁悄悄对卜通道:'你要得这功牌的用处,你就不要做我侄孙。'卜通吃惊道:'这话怎讲?'卜士仁道:'这张功牌填的名字叫做贾冲,你要了他,就要用他名字,不能再叫卜通了。'卜通还不懂其中玄妙,卜士仁逐一解说给他听了,他方才明白。说道:'那么我一辈子要姓贾,不能姓卜的了?'卜士仁道:'只要你果然官做大了,可以呈请归宗的。'卜通又不懂那归宗是甚么东西,卜士仁又再三和他解说,他才明白。卜士仁道:'有此一层道理,所以你不能做我的侄孙了。回来到了那边,你叫我一声外公,我认你做外孙罢。'两个商量停当,又把功牌交给卜通收好。

"到了定海,卜士仁带着卜通,问到了镇台衙门。挨到门房前面,探头探脑的张望。便有人问找哪个的。卜士仁忙道:'在下要拜望张大爷,不知可在家里?'那人道:'那么你请里面坐坐,他就下来的。'卜士仁便带了卜通到里面坐下。歇了一会,张大爷下来了,见了卜士仁,便笑吟吟的问道:'老大哥,是甚么风吹你到这里的? 许久不见了。'卜士仁也谦让了两句,便道:'我有个外孙,名叫贾冲,特为带他来叩见你。'说罢,便叫假贾冲过来叩见。贾冲是前一夜已经演习过的,就走过来跪下,恭恭敬敬叩了三个头,起来又请了一个安。张大爷道:'好漂亮的孩子!'卜士仁道:'过奖了。'又交代贾冲道:'张大爷是我的把兄,论规矩,你是称呼太老伯的;然而太烦琐了,我们索性亲热点,你就叫一声叔公罢。'张大爷道:'不敢当,不敢当!'一面问:'几岁了? 一向办甚么事?'卜士仁道:'一向在乡下,不曾办过甚么。我在江苏的时候,曾经代他弄了个六品功牌,打算拜托老弟,代他谋个差使当当,等他小孙子历练历练。'张大爷道:'老大哥,你也是官场中过来人,文武两途总是一样的,此刻的世界,唉! 还成个说话吗! 游击、都司,空着的一大堆;守备、千总,求当个什长,都比登天还难;靠着一个功牌,想当差使,不是做兄弟的说句荒唐话,免了罢。'卜士仁忙道:'不是这么说。但求鼎力位置一件事,或者派一份口粮,至于事情,是无论甚么都不拘的。'张大爷道:'那么或者还有个商量。'卜士仁连连作揖道谢。

"贾冲此时真是福至心灵,看见卜士仁作揖,他也走前一步,请了个安,口称:'谢叔公大人栽培。'张大爷想了一会道:'事情呢,是现成有一个在这里,但是我的意思,是要留着给一个人的。'卜士仁连忙道:'求老弟台栽培了罢。左右老弟台这边衙门大,机会多,再拣好的栽培那一位罢。'说时,贾冲又是一个安。张大爷道:'但不知你们可嫌委屈?'卜士仁道:'岂有此理! 你老弟台肯栽培,那是求之不得的,哪里有甚委屈的话!'张大爷道:'可巧昨天晚上,上头撺走了一个小跟班。方才我上去,正是上头和我要人。这个差使,只要当得好,出息也不算坏。现在的世界,随便甚么事,都是事在人为的了。但不知老大哥意下如何。'卜士仁道:'我当是一件甚么事,老弟台要说委屈。

这是面子上的差使，便连我愚兄也求之不得，何况他小孩子，就怕他初出茅庐，不懂规矩，当不来是真的。'张大爷道：'这个差使没有甚么难当，不过就是跟在身边，伺候茶烟，及一切零碎的事。不过就是一样，一天到晚是走不开的，除了上头到了姨太太房里去睡了，方才走得开一步。'卜士仁道：'这是当差的一定的道理，何须说得。但怕他有多少规矩礼法，都不懂得，还求老弟台教训教训。'张大爷道：'这个他很够的了，但是穿的衣服不对。'低头想了一想道：'我暂时借一身给他穿罢。'贾冲又忙忙过来请安谢了。张大爷就叫三小子去取了一身衣服，一双挖花双梁鞋子来，叫他穿上。那身衣服，是一件嫩蓝竹布长衫，二蓝宁绸一字肩的背心。贾冲换上了，又换鞋子。张大爷道：'衣服长短倒对了，鞋子的大小对不对？'贾冲道：'小一点，不要紧的，还穿得上。'穿上了，又向张大爷打了个扦谢过，张大爷笑道：'这身衣服还是我五小儿的，你就穿两天罢。'贾冲又道了谢。卜士仁道：'穿得小心点，不要弄坏了，弄脏了，那时候赔还新的，你叔公还不愿意呢。'张大爷又道：'你的帽子也不对，不要戴罢，左右天气不十分冷。还要重打个辫子。'三小子在旁边听了，连忙叫了剃头的来，和他打了一根油松辫子。张大爷端详一会道：'很过得去了。'

"这时候，已是吃中饭的时候了，便留他祖孙两个便饭。吃饭中间，张大爷又教了贾冲多少说话；又叫他买点好牙粉，把牙齿刷白了；又交代葱蒜是千万吃不得的。卜士仁在旁又插嘴道：'叔公教你的，都是金石良言，务必一一记了，不可有负栽培。'一时饭罢，略为散坐一会，张大爷便领了贾冲上去。贾冲因为鞋子小，走起路来，一扭一捏的，甚为好看。果然总镇李大人一见便合，叫权且留下，试用三天再说。三天过后，李大人便把他用定了，批了一份口粮给他。

"他从此之后，便一心一意的伺候李大人，又十分会巴结，大凡别人做不到的事，他无有做不到的。李大人站起来，把长衣一撩，他已是双手捧了便壶，屈了一膝，把便壶送到李大人胯下。李大人偶然出恭，他便拿了水烟袋，半跪在跟前装烟；李大人一面才起来，他早已把马子捧到外间去了；连忙回转来，接了手纸，才带马子盖出去；跟着就是捧了热水进来，请李大人洗手。凡此种种，虽然是他叔祖教导有方，也是他福至心灵，官星透露，才得一变而为闻一知十的聪明人。所以不到两个月功夫，他竟做了李大人跟前第一个得意的人，无论坐着睡着，寸步离他不得。又多赏了他一份什长口粮，他越是感激厚恩的了不得。却有一层,他面子上虽在这里当差,心里却是做官之念不肯稍歇,没事的时候和同事的谈天,不出几句话,不是打听捐官的价钱,便是请教做官的规矩。同事的既妒他的专宠,又嫌他的呆气,便相约叫他'贾老爷'。他道:'你们莫笑我,我贾冲未必没有做老爷的时候。'同事的都不理他。

"光阴似箭,不觉在李大人那里伺候了三四个年头,他手下也积了有几个钱了。李大人有个儿子,捐了个同知,从京里引见了回来,向李大人要了若干钱,要到河南到省去。这位少大人是有点放纵不羁的,暗想此次去河南,行李带的多,自己所带两个底下人恐怕靠不住,看见贾冲伺候老人家,一向小心翼翼,若得他在路上招呼,自己可少烦了多少心,不如向老人家处要了他去,岂不是好。主意定了,便向李大人说知此意。李大人起初不允,禁不得少大人再四相求,无奈只得允了。叫了贾冲来说知,并且交代送到河南,马上就赶回来,路上不可耽搁。贾冲得了这个差使,不觉大喜。"

正是:腾身逃出奴才籍,奋力投归仕宦林。不知贾冲此次跟了小主人出去,有何可喜之处,且待下回再记。

第一百回

巧机缘一旦得功名　乱巴结几番成笑话

　　我接着讲道："贾冲得了送少大人的差使，不觉心中大喜。也亏他真有机智，一面对着李大人故意做出多少恋恋不舍的样子；一面对于少大人，竭力巴结。少大人是家眷尚在湖南原籍，此次是单身到河南禀到。因为一向以为贾冲靠得住，便把一切重要行李，都交代他收拾。他却处处留心，甚么东西装在哪一号箱子里，都开了一张横单；他虽不会写字，却叫一个能写的人在旁边，他口中报着，叫那个人写。忙忙的收拾了五天，方才收拾停当。

　　"这一天长行，少大人到李大人处叩辞。贾冲等少大人行过了礼，也上去叩头辞行。李大人对少大人道：'你此次带贾冲出去，只把他当一员差官相待，不可当他下人。等他这回回来，我也要派他一个差使的了。'贾冲听了，连忙叩谢。少大人道：'孩儿的意思就是如此，不消爹爹吩咐。'说罢，便辞别长行。自有一众家人亲兵等，押运行李。贾冲紧随在少大人左右，招呼一切。上了轮船，到了上海，便到一家甚么吉升栈住下。那少大人到了上海，自有他一班朋友请吃花酒，吃大菜，看戏，自不必提。那两个带来的家人，也有他的朋友招呼应酬，不时也抽个空，跑到外头玩去。只有贾冲独自一个，守在栈里，看守房间。

　　"你道他果然赤心忠良，代主人看行李么？原来他久已存了一个不良之心，在宁波时，故意把某号箱子装的甚么东西，某号箱子装的甚么衣服，都开出帐来，交给主人。主人是个阔佬，拿过来不过略为过目，便把那篇帐夹在靴掖子里去了，哪里还一一查点。他却在收拾行李时，每个衣箱里，都腾出两件不写在帐上；这不写在帐上的，又都做了暗号，又私下配好了钥匙。到了此时，他便乘隙一件件的偷出来，放在自己箱子里。他为人又乖巧不过，此时是四月天气，那单的、夹的、纱的，他却丝毫不动，只拣棉的、皮的动手。那棉皮东西，是此时断断查不着的；等到查着时，已经隔了半年多，何况自己又有一篇帐交出去的，箱子里东西，只要和帐上对了，就随便怎样，也疑心不到他了。你道他的心思细不细？深不深？险不险？他在栈里做这个手脚，也不是一天做得完的。

"恰好这天做完了，收拾停当，一个家人名叫李福的，在外回来了，坐下来就叹气。贾冲笑问道：'哪里受了气来了，却跑回来长吁短叹？'李福道：'没有受气，却遇了一件极不得意的事。'贾冲道：'在这里不过是个过客罢了，有甚得意不得意的事？'李福道：'说来我也是事不干己的。我从前伺候过一位卜老爷，叫做卜同群，是福建候补知县，安徽人氏。'贾冲听得一个'卜'字，便伸长了耳朵去听。李福又道：'一位少爷，名叫卜子修，随在公馆里。恰好那两年台湾改建行省，刘省三大人放了台湾抚台。少爷本只有一个监生，想弄个官出来当差，便到台湾投效，得了两个奖札。后来卜老爷死了，少爷扶柩回籍安葬。起复后，便再到福建，希图当个差使。谁知局面大变，在那里一住十年，穷到吃尽当光。此刻老太太病重了，打电报叫他回去送终，他到得上海来，就盘缠断绝了。此刻拿了一张监照，两个奖札，在这里兜卖。'贾冲道：'是奖的甚么功名？要卖多少钱呢？'李福道：'头一个奖，是不论双单月，选用从九；第二个是免选本班，以县丞归部尽先选用。都是台湾改省，开垦案内保的，只要卖二百块钱。听说此刻单是一个三班县丞，捐起来，最便宜也要三百多两呢，还是会想法子的人去办，不然还办不来；此刻只要卖二百块，东西是便宜的。'贾冲道：'只要是真的，我倒有个朋友要买。'李福道：'东西自然是真的，这是我们看他弄来的东西，怎么会假。但不知这朋友可在上海？'贾冲道：'是在上海的。你去把东西拿来，等我拿把前路看看，我们也算代人家做了一件方便事情。'李福道：'如果真有人要，我便马上去拿来。'贾冲道：'自然是有人要，我骗你做甚么。'李福道：'那么我去拿来。'说罢，匆匆去了。

"原来贾冲在定海镇衙门混了几年，他是一心要想做官的，遇了人便打听，又随时在公事上留心。他虽然不认得字，但是何处该用朱笔，何处该用墨笔，咨、移、呈、札，各种款式，他都能一望而知的了。

并且一切官场的毛病，什么冒名顶替，假札假凭等事，是尤为查察得烂熟胸中。此刻恰好碰了一个姓卜的奖札，如何不心动？因叫李福去取来看。不一会，李福取了来。他接过仔细察看了一遍，虽然不识字，然而公事的款式，处处不错。便说道：'待我拿去给朋友看看。但不知二百块的价钱，可能让点？'李福道：'果然有人要了再说罢。'贾冲便拿了这东西，到外面去混跑了一回。心中暗暗打算：这东西倒像真的，可惜没有一个内行人好去请教。但是据李福说，看着他弄来的，料来假不到哪里。一个人荡来荡去，没个着落，只得到占卦摊上去占个卦，以定吉凶。那占卦的演成卦象，问占什么事。贾冲道：'求名。'占卦的道：'求名卦，财旺生官，近日已经有了机缘，可惜还有一点点小阻碍。过了某日，日干冲动官爻，当有好消息。'贾冲道：'我只问这个功名是真的是假的？'占卦的道：'官爻持世，真而又真，可惜未曾发动。过了某日，子水子孙，冲动己火官鬼；况且财爻得助，又去生官；那就恭喜，从此一帆顺风了。'贾冲听了，付过卦资，心中倒有几分信他，因他说的甚么财旺生官，自己本要拿钱去买这东西，这句已经应了；又说甚么目下有点阻碍，这明明是我信不过他的真假，做了阻碍了。又回头一想，在衙门里曾听见人说，拿了假官照出来当差，只要不求保举，是一辈子也闹不穿的，但不知奖札会闹穿不会。忽又决意道：'管他真的假的，我只要透便宜的还他价；他若是肯的，就是在外头当不得差，拿回乡下去吓唬乡下人，也是好的。'定了主意，便回到栈去。

"只见仍是李福一个人在那里，便把东西交还他道：'前路怕东西靠不住，不肯还价。'李福着急道：'这明明是我的旧日小主人在台湾当差得来的，那时候还有上谕登过《申报》，我们还戴上大帽子和老主人叩喜的，怎么说靠不住！'贾冲道：'就是真的，前路也出不起这个价；他说若是十来块洋钱，不妨谈谈。'李福道：'那是上天要价，下地还钱，我不怪他。若说是个假的，他买了这东西，我肯跟他到部里投供去；如果部里说是假的，那就请部里办我！'贾冲听了这话，心中又一动，暗想看他这着急样子，确是像真的。因说道：'你且去问问他价钱如何再说。'李福叹道：'人到了背时的时候，还有甚说得！'说罢，自去了。过了一会，又回来说道：'前路因为老太太有病急于回去，说至少要一百块，少了他就不卖了。'贾冲又还他二十块，叫他去问，李福不肯；贾冲又还到三十，李福方才肯去。如此往返磋商，到底五十块洋钱成的交。

"少大人应酬过几天,便要到外面买东西,甚么孝敬上司的,送同寅的,自己公馆用的,无非是洋货。他们阔少到省,局面自然又是一样。凡买这些东西,总是带了贾冲去,或者由贾冲到店里,叫人送来看。买完了洋货,又买绸缎。这两宗大买卖,又调剂贾冲赚了不少。贾冲心中一想:我买了那奖札,是要谋出身的,此刻除了李福,没有人知道;万一我将来出身,这名字传到河南去,叫他说穿了,总有许多不便,不如设法先除了他。恰好这几天李福在外面打野鸡,身上弄了些毒疮,行走不便。那野鸡妓女,又到栈里来看他。贾冲便乘势对少大人说:'李福这个人,很有点不正经,恐怕靠不住。就在栈里这几天,他已经闹的一身毒;还弄些甚么婆娘,三天五天到栈里来。照这个样子,带他到河南去,恐怕于少大人官声有碍。此刻不过出门在客中,他尚且如此;跟少大人到了河南,少大人得了好差使,他还了得么!在外面欢喜玩笑的人,又没本事赚钱,少不免偷拐抢骗,乱背亏空,闹出事情来,却是某公馆的家人,虽然与主人不相干,却何苦被外头多这么一句话呢。何况这种人,保不住他不借着主人势子,在外头招摇撞骗。请少大人的示,怎样儆戒儆戒他才好,不然,带到河南去,倒是一个累。'他天天拿这些话对少大人说,少大人看看李福,果然满面病容,走起路来,是有点不便当的样子,便算给工钱,把他开发了,另外托朋友荐过一个人来。

"又过了几天,少大人玩够了,要动身了,贾冲忽然病起来,一天到晚,哼声不绝,一连三天,不茶不饭;请医生来给他看过,吃了药下去,依然如此。少大人急了,亲到他榻前,问他怎样了,可能走得动。他爬在枕上叩头道:'是小的没福气跟随少大人,所以无端生起病来。望少大人上紧动身,不要误了正事。小的在这里将养好了,就兼程赶上去伺候。'少大人道:'我想等你病好了,一起动身呢。'贾冲道:'少大人的前程要紧,不要为了小的耽误了。小的的病,自己知道早晚是不会好的。'少大人无奈,只得带了两个家人,动身到镇江,取道清江浦,往河南去了。

"这边少大人动了身,那边贾冲马上就好了。另外搬过一家客栈住下,不叫贾冲,就依着奖札的名字叫了卜子修,结交起朋友来。托了一家捐局,代他办事,就把这奖札寄到京里,托人代他在部里改了籍贯,办了验看,指省江苏。部凭到日,他便往苏州禀到,分在上海道差遣。他那上衙门是天天不脱空的，又禀承了他叔祖老大人的教训，见了上司，那一种巴结的劲儿，简直形容他不出来。所以他分道不久，就得了个高昌庙巡防局的差使。高昌庙本是一个乡僻地方，从前没有甚么巡防局的。因为同治初年，湘乡曾中堂、合肥李中堂，奏准朝廷，在那边设了个江南机器制造总局，那局子一年年的扩充起来，那委员、司事便一年多似一年，至于工匠、小工之类，更不消说了，所以把局前一片荒野之地，慢慢的成了一个聚落，有了两条大路，居然是个镇市了，所以就设了一个巡防局。卜子修是初出茅庐的人，得了那个差使，犹如抓了印把子一般，倒也凡事必躬必亲。他自己坐在轿子里，看见路上的东洋车子拦路停着，他便喝叫停下轿子，自己拿了扶手板跑出来，对那些车夫乱打，吓得那些车夫四散奔逃，他嘴里还是混帐忘八蛋、娘摩洗乱炮的乱骂。制造局里的总办、提调都是些道府班，他又多一班上司伺候了。新年里头，他忽然到总办那里禀见。总办不知他有甚公事，便叫请他进来。见过之后，就有他的家人，拿了许多鱼灯、荷花灯、兔子灯之类上来，还有一个手版，他便站起来，垂手禀道：'这是卑职孝敬小少爷玩的，求大人赏收。'总办见了，又是可笑，又是可恼，说道：'小孩子玩的东西，何必老兄费心！'卜子修道：'这是卑职的一点穷孝心，求大人赏收了。'又对总办的家人道：'费心代我拿了上去，这手版说我替小少爷请安。'总办倒也拿他无可如何。从此外面便传为笑柄。

　　"那年恰好碰了中东之役，制造局是个军火重地，格外戒严。每天晚上，各厂的委员、司事都轮班查夜，就是总办、提调也每夜轮流着到处稽查；到半夜时，都在公务厅会齐一次，叫做'会哨'。这卜子修虽是局外的人，到了会哨时候，他一定穿了行装，带了两名巡勇去献殷勤。常时还带着些点心，去孝敬总办，请各委员、司事。有一天晚上，他叫人抬了一口行灶，放在公务厅天井里，做起汤圆来。总办来了，看见了，问是做甚么的。家人回说是巡防局卜老爷做汤圆的。总办道：'算了！东洋人这场仗打下来，如果中国打了胜仗，讲起和来，开兵费赔款的帐，还要把卜老爷的点心帐开上一笔呢。'不提防卜子修已在旁边站着班，听了这句话，走前一步，请了个安道：'谢大人栽培。'总办见了，又是好气，又是好笑，却又不好拿他怎样；只有对着别人，微微的冷笑一声。此时会哨的人都已齐集，大家不过谈些日来军事新闻，只有卜子修赶出赶进，催做汤圆。众人见他那副神气，都在肚子里暗笑，卜子修只不觉着。催得汤圆熟时，一碗一碗的盛在那里，未曾拿上去，子修自己亲来一看，见是每碗四个，便拿起汤匙来，在别个碗上取了两个，凑在一个碗里，过细数一数，是六个无疑了，便亲自双手捧了，送至总办跟前，双手一献至额道：'这是卑职孝敬大人的禄位高升！'总办倒也拿他无可如何，笑说道：'老兄太忙了！破了钞不算数，还要那么忙，这是叫我们下回不敢再查夜了。'总办说话时，他还垂着手，挺着腰，洗耳恭听。等总办说完了，他便接连答应'是，是，是'。旁边的人都几乎笑起来，他总是不觉着。又去取一碗，添足了九个，亲自捧了，又拿了一个手版，走到总办的家人跟前道：'费心费心，代我拿上去，孝敬老太太，说是卑职卜子修孝敬老太太的，久长富贵。这个手版，费心代回一回，是卑职卜子修恭请老太太晚安。'总办道：'算了罢，不要烦琐了，老太太早已睡了。'卜子修道：'这是卑职的一点孝心，老太太虽然睡了，也一定欢喜的。'总办无可如何，只得由他去闹。诸如此类的笑话，也不知闹了多少。

"最可笑的，是有一回一个甚么大员路过上海，本地地方官自然照例办差。等到那位大员驾到之日，自然阖城印委各员，都到码头恭迓。那卜子修打听得大员坐的是招商局船，泊在金利源码头，便坐了轿子去迎迓。偏偏那轿子走得慢，看见那制造局总办、提调，以及各厂的红委员，凡够得上去接的，一个个都坐了马车，超越在轿子前头，如飞的去了。那总办、提调，都是一个人一辆马车；其余各委员，也有两个人一辆的，也有三个人一辆的，最寒碜的是四个人一辆。卜子修心中无限懊悔，悔不和别人打了伙，雇个马车，那就快得多了。一面想，一面骂轿班走得慢：'你们吃老爷的饭，都吃到哪里去了！腿也跑不动了！'一面骂，一面在轿子里跺脚，跺得轿班的肩膀生疼，越发走不动了。他更是恨的了不得，骂道：'等一会回到局子里，叫你们对付我的板子！'嘴里骂着，心中生怕到得迟了，那边已经上了岸，那就没意思了。又想道：'怎样能再遇见一个熟人，是坐马车的，那就好了，我就不管三七二十一，喊住了他，附坐了上去了。'思想之间，轿子将近西门，忽然看见一辆轿子马车，从轿后超越到轿前去。

"卜子修定睛从那轿车后面的玻璃看进去，内中只坐了一人，便大呼小叫起来道：'马车停一停！马车停一停！'前头那马车夫听见了，回头一看，是卜老爷坐在轿子里，招手叫停车。也不知他有甚么要紧公事，姑且把马缰勒住，看他作何举动。卜子修见马车停住了，便喝叫停轿,自己走了下来,交代轿班,赶紧到码头去伺候,'到迟了,误了我的差使,小心你们的狗腿!'说罢,三步两步,跑到那马车跟前,伸手把机关一拧,用力一拉,开了门,一脚跨了上去。抬头一看,只把他急个半死!你道车子上是谁?正是卜子修的顶头上司,钦命二品衔、江南分巡苏松太兵备道!卜子修这一吓,竟是魂不附体!那马夫看见他一脚上了车,便放开缰绳,那马如飞而去了。只有卜子修此时,脸红过耳,连颈脖子都红了。还有一半身子在车子外面,跨又跨不进去,退又退不出来,弯着身子,站又站不直,急的又开口不得。道台见了这个情形,又可笑,又可恼,便冷笑道:'你坐下罢。'卜子修如奉恩诏一般,才敢把第二条腿拿了进来,顺手关上车门。谁知身上佩带的槟榔荷包上一颗料珠儿,夹在门缝里,那门便关不上,只好把一只手拉着门。这一边呢,又不敢和道台平坐;若要斜签着身子呢,一条腿又要压到道台膝盖上,闹得他左不是右不是。他平日见了上司是最会说话的,这回却急得无话可说。”

　　正是:大人莫漫嫌唐突,卑职专诚附骥来。未知卜子修到底怎样下场,且待下回再记。

第一百一回

王医生淋漓谈父子　梁顶美恩爱割夫妻

我接着讲道:"幸喜马车走得快,不多几时,便到了金利源码头了。卜子修连忙先下了车,垂手站着,等道台下车时,他还回道:'是大人叫卑职坐的。'道台看了他一眼,只得罢了。后来他在巡防局里没有事办,便常常与些东洋车夫为难,又每每误把制造局委员、司事的包车夫拿了去,因此大家都厌恶了他,有起事情来,偏偏和他作对。他自己也觉得乏味了,便托人和道台说,把他调到城里东局去,一直当差到此刻,也算当得长远的了。这个便是卜子修的来历。"

且慢!从九十七回的下半回起叙这件事,是我说给金子安他们听的,直到此处一百一回的上半回,方才煞尾。且莫问有几句说话,就是数数字数,也一万五六千了。一个人哪里有那么长的气?又哪个有那么长的功夫去听呢?不知非也,我这两段故事,是分了三四天和子安他们说的,不过当中说说停住了,那些节目,我懒得叙上,好等这件事成个片段罢了。这三四天功夫,早又有了别的事了。

原来这两天苟才又病了,去请端甫,端甫告辞不去。苟才便写个条子给继之,请继之问他是何缘故。继之便去找着端甫,问道:"听说苟观察来请端翁,端翁已经推掉了?"端甫道:"不错,推掉了。"继之道:"端翁,你这个就太古板了。他这个又不是不起之症,你又何必因一时的疑心,就辞了人家呢?"端甫道:"不起之症,我还可以直说。他公馆里住着一个要他命的人,叫我这做医生的,如何好过问!我在上海差不多二十年了,虽然没甚大名气,却也没有庸医杀人的名声,我何苦叫他栽我一下!虽然是非曲直,自有公论,但是现在的世人,总是人云亦云的居多,况且他家里人既然有心弄死他,等如愿以偿之后,贼人心虚,怕人议论,岂有不尽力推在医生身上之理? 此刻只要苟观察离了他公馆,或者住在宝号,或者径到我这里住下,二十天、半个月光景,我可以包治好了。要是他在公馆里请我,我一定不去的。"继之听了,倒也没得好说,只得辞了出来,便去找苟才。

其实苟才没甚大病,不过仍是怔忡气喘罢了。继之见面之下,只得说端甫这个人,是有点脾气的,偶然遇了有甚不如意的事,莫说请出门,就是到他那里门诊,他也不肯诊的,说是心绪不宁,恐怕诊乱了脉,误了人家的事。苟才道:"这个倒好,这种医生才难得呢。等他心绪好了再请他。"说话时,苟才儿子龙光走进来,和继之请过安,便对苟才道:"前天那个人又来了,在那屋里等着,家人们都不敢来回。"苟才道:"你在这里陪着吴老伯。"又对继之道:"继翁请宽坐,我去去就来。"说罢,自出去了。

继之不免和龙光问长问短,又问公馆里有几位老夫子及令亲。龙光道:"从前人多,现在只有帐房先生丁老伯、书启老夫子王老伯;至于舍亲等人,早年就都各回旗去了。此刻没有甚么。"继之忽然心中一动道:我何妨设一个法,试探试探他看呢? 因问道:"尊大人的病,除了咳喘怔忡,还有甚么病? 近来请哪一位先生?"龙光道:"一向是请的老伯所荐的王端甫先生。这两天请他,不知怎的,王先生不肯来了。昨天今天都是请的朱博如先生。"继之道:"是哪一位荐的?"龙光道:"没有人荐的,不过在报上看见告白,请来的罢了。老伯有甚朋友高明的,务求再荐一两个人,好去请教请教,也等家父早日安痊。"继之又想了一想道:"尊大人这个病是不要紧的,不过千万不要吃错了东西。据我听见的,这个咳喘怔忡之症,最忌的是鲍鱼。"龙光道:"什么鲍鱼?"继之道:"就是海味铺里卖的鲍鱼,还有洋货铺子里卖那个东洋货,是装了罐子的。这东西吃了,要病势日深的。"刚说完了话,苟才已来了。龙光站直来,俄延了一会,就去了。

继之和苟才略谈了一会,也就辞回号里,对我们众人谈起朱博如来。管德泉道:"朱博如,这个名字熟得很,是在那里见过的。"金子安道:"就是甚么兼精辰州符,失物圆光的那个,天天在报上上告白的,还有谁!"德泉道:"哦! 不错。然而苟观察何以请起这种医生来?"继之道:"他化了钱,自然是爱请谁请谁,谁还管得了他。我不过是疑心端甫那句说话。他家里说共一个儿子,一个帐房,一个书启,是哪个要弄死他? 这件事要做,只有儿子做。说起愤世嫉俗的话来,自然处处都有枭獍；但是平心而论，又何必人人都是枭獍呢？何况龙光那孩子，心里怎么想我不得而知；看他外貌，不像那样人。我今天已下了一个探听的种子，再过几天，就可以探听出来了。"我道："怎么探听有种子的？"继之道："你且不要问，你记着，下一个礼拜，提我请客。"我答应了。

　　光阴似箭，转瞬又过了一礼拜了。继之便叫我写请客帖子，请的苟才是正客，其次便是王端甫，余下就是自己几个人。并且就请在自己号里，并不上馆子。下午，端甫先来，问起："请客是甚意思，可是又要我和苟观察诊脉？"继之道："并不，我并且代你辩得甚好的。你如果不愿意，只说自己这两天心绪不宁。向来心绪不宁，不肯替人诊脉的就是了。"不多一会，苟才也来了。大家列坐谈天。苟才又央及端甫诊脉。端甫道："诊脉是可以，方子可不敢开，因为近来心绪不宁，恐怕开出来方子不对。"苟才道："不开方不要紧，只要赐教脉象如何？"端甫道："这个可以。"苟才便坐了过来，端甫伸出三指，在苟才两手上诊了一会道："脉象都和前头差不多，不过两尺沉迟一点，这是年老人多半如此，不要紧的。"苟才道："不知应该吃点甚么药？"端甫道："这个，实在因为心绪不安，不敢乱说。"苟才也就罢了。

　　一会儿，席面摆好了，继之起身把盏让坐。酒过三巡，上过鱼翅之后，便上一碗清炖鲍鱼。继之道："这是我这个厨子拿手的一样精品。"说罢，亲自一一敬上两片。苟才道："可惜这东西，我这两天吃的腻了。"继之听了，颜色一变，把筷子往桌上一搁。苟才不曾觉着；我虽觉着了，因为继之此时，尚没有把对龙光说的话告诉我，所以也莫名其妙。因问苟才道："想来是顿顿吃这个？"苟才道："正是。因为那医生说是要多吃鲍鱼才易得好，所以他们就顿顿给我这个吃。"端甫道："据《食物本草》，这东西是滋阴的，与怔忡不寐甚么相干！这又奇了！"

　　继之问苟才道："公子今年贵庚多少了？"苟才道："二十二岁了。"继之道："年纪也不小了，何不早点代他弄个功名，叫他到外头历练历练呢？"苟才道："我也有这个意思，并且他已经有个同知在身上。等过了年，打算叫他进京办个引见，好出去当差。"继之道："这又不是拣日子的事情，何必一定要明年呢？"苟才笑道："年里头也没有甚么日子了。"端甫是个极聪明、极机警的人，听了继之的话，早已有点会意，便笑着接口道："我们年纪大的人，最要有自知之明。大凡他们年轻的少爷奶奶,看见我们老人家,是第一件讨厌之物。你看他脸上十分恭顺,处处还依规矩;他那心里头,不知要骂多少老不死、老杀才呢!"说得合席人都笑了。端甫又道:"我这个是在家庭当中阅历有得之言,并不是说笑话。所以我五个小儿,没有一个在身边,他们经商的经商,处馆的处馆,虽是娶了儿媳,我却叫他们连媳妇儿带了去。我一个人在上海,逍遥自在,何等快活!他们或者一年来看我一两趟,见了面,那种亲热要好孝顺的劲儿,说也说不出来,平心而论,那倒是他们的真天性了。何以见得呢?大约父子之间,自然有一分父子的天性。你把他隔开了,他便有点挂念,越隔得远,越隔得久,越是挂念的利害,一旦忽然相见,那天性不知不觉的自然流露出来。若是终年在一起的,我今天恼他做错了一件甚么事,他明天又怪我骂了他那一项,久而久之,反为把那天性汩没了。至于他们做弟兄的,尤其要把他远远的隔开,他那友于之情才笃。若是住在一起,总不免那争执口角的事情,一有了这个事情,总要闹到兄弟不和完结。这还是父母穷的话。若是父母有钱的,更是免不了争家财,争田舍等事。若是个独子呢,他又恼着老子在前,不能由得他挥霍,他还要恨他老子不早死呢!"说着,又专对苟才说道:"这是兄弟泛论的话,观察不要多心。"

苟才道:"议论得高明得很,我又多心甚么。兄弟一定遵两位的教,过了年,就叫小儿办引见去。"继之道:"端翁这一番高论,为中人以下说法,是好极了!"端甫道:"若说为中人以下说法,那就现在天下算得没有中人以上的人。别的事情我没有阅历,这家庭的阅历是见得不少了。大约古圣贤所说的话,是不错的。孟夫子说是:'父子之间不责善。''责善,贼恩之大者。'此刻的人却昧了这个道理,专门责善于其子。这一着呢,还不必怪他,他期望心切,自然不免出于责善一类。最奇的,他一面责善,一面不知教育。你想,父子之间,还有相得的么。还有一种人,自己做下了多少男盗女娼的事,却责成儿子做仁义道德,那才难过呢!'谈谈说说,不觉各人都有了点酒意,于是吃过稀饭散坐。苟才因是有病的人,先辞去了。

继之才和端甫说起,前两天见了龙光,故意说不可吃鲍鱼的话,今日苟才便说吃得腻了,看来这件事竟是他儿子所为。端甫拍手道:"是不是呢,我断没有冤枉别人的道理!但是已经访得如此确实,方才为甚不和他直说,还是那么吞吞吐吐的?你看苟才,他应酬上很是精明,但是于这些上头,我看也平常得很,不见得他会得过意来。"继之道："直说了，恐怕有伤他父子之情呢。"端甫跳起来道："罢了，罢了！不直说出来，恐怕父子之情伤得更甚呢！"继之猛然省悟道："不错，不错。我明天就去找他，把他请出来，明告诉他这个底细罢。"端甫道："这才是个道理。"又谈了一会，端甫也辞了去。一宿无话。

次日，继之便专诚去找苟才。谁知他的家人回道："老爷昨天赴宴回来，身子不大爽快，此刻还没起来。"继之只得罢了。过一天再去，又说是这两天厌烦得很，不会客，继之也只得罢休。谁知自此以后，一连几次，都是如此。继之十分疑心，便说："你们老爷不会客，少爷是可以会客的，你和我通报通报。"那家人进去一会，出来说请。继之进去，见了龙光，先问起："尊大人的病，为甚连客都不会了？不知近日病情如何？"龙光道："其实没甚么；不过医生说务要静养，不可多谈天，以致费气劳神，所以小侄便劝家父不必会客。五庶母留在房里，早晚伏侍。方才睡着了，失迎老伯大驾！"继之听说，也不能怎样，便辞了回来。过一天，又写个条子去约苟才出来谈谈，讵接了回条，又是推辞。继之虽是疑心，却也无可如何。

光阴如驶，早又过了新年。到了正月底边，忽然接了一张报丧条子，是苟才死了。大家都不觉吃了一惊。继之和他略有点交情，不免前去送殡，顺便要访问他那致死之由，谁知一点也访不出来。倒是龙光哭丧着脸，向继之叩头，说上海并无亲戚朋友，此刻出了大事，务求老伯帮忙。继之只得应允。

到了春分左右，北河开了冻，这边号里接到京里的信，叫这边派人去结算去年帐目。我便附了轮船，取道天津。此时张家湾、河西务两处所设的分号，都已收了，归并到天津分号里。天津管事的是吴益臣，就是吴亮臣的兄弟。我在天津盘桓了两日，打听得文杏农已不在天津了，就雇车到京里去。此时京里分号，已将李在兹辞了，由吴亮臣一个人管事。我算了两天帐目，没甚大进出，不过核对了几条出来，叫亮臣再算。

我没了事，就不免到琉璃厂等处逛逛。顺便到山会邑馆问问王伯述踪迹，原来应畅怀倒在那里，伯述是有事回山东去了。只见一个年轻貌美的少年，在畅怀那里坐着，畅怀和我介绍，代通姓名。原来这个人是旗籍，名叫喜润，号叫雨亭，是个内阁中书。这一天拿了一个小说回目，到应畅怀这边来，要打听一件时事，凑上对一句。原来京城里风气，最欢喜诌些对子及小说回目等，异常工整，诌了出来，便一时传诵，以为得意。但是诌的人，全是翰林院里的太史公。这位喜雨亭中书有点不服气，说道："我不信只有翰林院里有人才，我们都敌他不上。"因得了一句，便硬要对一句，却苦于没有可对的事情。我便请教是一句甚么。畅怀道："你要知道这一句，却要先知道这桩事情的底细才有味。"我道："那就费心你谈谈。"

畅怀道："有一位先生，姓温，号叫月江。孟夫子说的：'人之患在好为人师。'这位温月江先生，却是最喜的是为人师，凡有来拜门的，他无有不笑纳；并且视贽礼之多少，为情谊之厚薄。生平最恼的是洋货，他非但自己不用，就是看见别人用了洋货，也要发议论的。有一天，他又收了一个门生，预先托人送过贽礼，然后谒见。那位门生去见他时，穿了一件天青呢马褂，他便发话了，说甚么：'孟子说的：吾闻用夏变夷者，未闻变于夷者也。若是服夷之服，简直是变于夷了。老弟的人品学问，我久有所闻，是很纯正的；但是这件马褂，不应该穿。我们不相识呢，那是彼此无从切磋起；今日既然忝在同学，我就不得不说了。'那门生道：'门生这件马褂，还是门生祖父遗下来的。门生家寒，有了两个钱，买书都不够，哪里来得及置衣服。像这个马褂，门生一向都不敢穿的，因为系祖父遗物，恐怕穿坏了，无以对先人。今天因为拜见老师，礼当恭敬的，才敢请出来用一用。'温月江听了，倒肃然起敬起来，说道：'难得老弟这一点追远之诚，一直不泯，真是可敬！我倒失言了。'那门生道：'门生要告禀老师一句话，不知怕失言不怕？'温月江道：'请教是甚么话？但是道德之言，我们尽谈。'那门生道：'门生前天托人送进来的贽礼一百元，是洋货！'温月江听了，脸红过耳，张着口半天，才说道：'这……这……这……这……这……可……可……可……可……可不是吗！我……我……我马上就叫人拿去换了银子来了。'

"自从那回之后，人家都说他是个臭货。但是他又高自位置，目空一切，自以为他的学问，谁都及不了他。人家因为他又高又臭，便上他一个徽号，叫他做梁顶粪，取最高不过屋梁之顶，最臭不过是粪之义。那年温月江来京会试，他自以为这一次礼闱一定要中、要点的，所以进京时就带了家眷同来。来到京里，没有下店，也不住会馆，住在一个朋友家里。可巧那朋友家里，已经先住了一个人，姓武，号叫香楼，却是一位太史公。温月江因为武香楼是个翰林，便结交起来。等到临会场那两天，温月江因为这朋友家在城外，进场不便，因此另外租了考寓,独自一人住到城里去。这本来是极平常的事情,谁知他出场之后,忽然出了一个极奇怪的变故。"

正是:白战不曾持寸铁,青巾从此晋头衔。未知出了甚么变故,且待下回再记。

第一百二回

温月江义让夫人　裘致禄孽遗妇子

畅怀道："温月江出场之后，回到朋友家里，入到自己老婆房间，自以为这回三场得意，一定可以望中的，正打算拿头场首艺念给老婆听听，以自鸣其得意。谁知一脚才跨进房门口，耳边已听得一声'走'！温月江吃了一惊，连忙站住了。抬头一看，只见他夫人站在当路，喝道：'你是谁？走到我这里来！'月江讶道：'甚么事？甚么话？'他夫人道：'吓！这是哪里来的？敢是一个疯子？丫头们都到哪里去了？还不给我打出去！'说声未了，早跑出四五个丫头，手里都拿着门闩棒槌，打将出来。温月江只得抱头鼠窜而逃，自去书房歇下。这书房本是武香楼下榻所在，与上房虽然隔着一个院子，却与他夫人卧室遥遥相对。温月江坐在书桌前面，脸对窗户，从窗户望过去，便是自己夫人的卧室，不觉定着眼睛，出了神，忽然看见武香楼从自己夫人卧室里出来，向外便走。温月江直跳起来，跑到院子外面，把武香楼一把捉住。吓得香楼魂不附体，登时脸色泛青，心里突突兀兀的跳个不住，身子都抖起来。温月江把他一把拖到书房里，捺他坐下，然后在考篮里取出一个护书，在护书里取出一迭场稿来道：'请教请教看，还可以有望么？'武香楼这才把心放下。定一定神，勉强把他头场文稿看了一遍，不住的击节赞赏道：'气量宏大，允称元作，这回一定恭喜了！'月江不觉洋洋得意。又强香楼看了二、三场的稿。香楼此时，心已大放，便乐得同他敷衍，无非是读一篇，赞一篇，读一句，赞一句。及至三场的稿都看完了，月江呵呵大笑道：'兄弟此时也没有甚么望头，只望在阁下跟前称得一声老前辈就够了！'香楼道：'不敢当，不敢当！这回一定是恭喜的！'

　　"从此以后，倒就相安了，不过温、武两个，易地而处罢了。这一科温月江果然中了，连着点了。谁知他偏不争气，才点了翰林，便上了一个甚么折子，激得万岁爷龙颜大怒，把他的翰林革了，他才死心塌地回家乡去。近来听说他又进京来了，不知钻甚么路子，希图开复。人家触动了前事，便诌了一句小说回目，是'温月江甘心戴绿帽'。这位喜雨翁要对上一句，却对了两天，没有对上。"我道："这个难题，必要又有个那么一回实事，才诌得上呢。若是单对字面，却是容易的，不过温对凉，月对星，江对海之类就得了。"喜雨亭道："无奈没有这件实事，总是难的。"

　　当下我见伯述不在，谈了几句就走了。回到号里，只见一个人在那里和亮臣说话，不住的唉声叹气，满脸的愁眉苦目，谈了良久才去。亮臣便对我说道："所谓货悖而入者亦悖而出，这句话真是一点不错。"我问是什么事。亮臣道："方才这个人，是前任福建侯官县知县裘致禄的妾舅。裘致禄他在福建日子甚久，仗着点官势，无恶不作，历署过好几任繁缺，越弄越红。后来补了缺，调了侯官首县，所刮得的地皮，也不知他多少。后来被新调来的一位闽浙总督，查着他历年的多少劣迹，把他先行撤任，着实参了他一本，请旨革职，归案讯办。这位裘致禄信息灵通，得了风声，便逃走到租界地方去。等到电旨到日，要捉他时，他已是走的无影无踪了。后来访着他在租界，便动了公事，向外国领事要人。他又花言巧语，对外国人说他自己并没有犯事，不过要改革政治，这位总督不喜欢他，所以冤枉参了他的。外国人向来有这么个规矩，凡是犯了国事的，叫做国事犯，别国人有保护之例。据他说所犯的是改革政治，就是国事犯，所以领事就不肯交人。闽浙总督急的了不得，派了委员去辩论，派了一起，又是一起，足足耽误了半年多，好容易才把他要了回来。自然是恼得火上加油，把他重重的定了罪案，查抄家产，发极边充军。当时就把他省城寓所查抄了，又动了电报，咨行他原籍，也把家产抄没了，还要提案问他寄顿之处，裘致禄便供家产尽绝了，然后起解充军。

　　"这裘致禄有个儿子，名叫豹英，因为家产被抄，无可过活，等他老子起解之后，便悄悄向各处寄顿的人家去商量，取回应用。谁知各人不约而同的，一齐抵赖个干干净净。你道如何抵赖得来？原来裘致禄得了风声时，便将各种家财，分向各相好朋友处寄顿，一一要了收条，藏在身边。因为儿子豹英一向挥霍无度，不敢交给他，他自己逃到租界时，便带了去。等到一边外国人把他交还中国时，他又把那收条，托付他一个朋友，代为收贮。其时他还仗着上下打点，以为顶多定我一个革职查抄罢了。万不料这一次总督大人动了真怒，钱神技穷，竟把他发配极边。他当红的时候，是傲睨一切的，多少同寅，没有一个在他眼里的。因此同寅当中，也没有一个不恨他入骨。此次他犯了事，凡经手办这个案的人，没有一个不拿他当死囚看待的。有时他儿子到监里去看他时，前后左右看守的人，寸步不离，没有一个不是虎视眈眈的。父子两个，要通一句私话都不能够，要传递一封信，更是无从下手。直到他发配登程的那天，豹英去送他，才觑了个便，把几家寄顿的人家说个大略，还不曾说得周全，便被那解差叱喝开了；又忘记了说寄放收条的那个朋友。豹英呢，也是心忙意乱，听了十句倒忘了四五句，所以闹得不清不楚，便分手去了。

"代他存放收条的那个朋友，本是福建著名的一个大光棍，姓单，名叫占光。当日得了收条，点一点数，一共是十三张。每张上都开列着所寄的东西，也有田产房契的，也有银行存据的，也有金珠宝贝的，也有衣服箱笼的，也有字画古董的，估了估价，大约总在七八十万光景。单占光暗想，这厮原来在福建刮的地皮有这许多，此刻算算已有七八十万，还有未曾拿出来的，以及汇回原籍的呢，还许他另有别处寄顿的呢。此刻单占光已经有意要想他法子的了。等到裘致禄定了充军罪案，见了明文，他便带了收条，径到福州省城，到那十三家出立收条人家，挨家去拜望，只说是裘致禄所托，要取回寄顿各件，又拿出收条来照过，大家自然没有不应允的道理。他却是只有这么一句话，说过之后，却不来取。等十三家人家挨次见齐之后，裘致禄的案一天紧似一天，那单占光又拿了收条挨家去取，却都只取回一半，譬如寄顿十万的，他只收回五万，在收条上注了某月某日收回某物字样，底下注了裘致禄名字。然后发出帖子去请客，单请这十三家人。等都到齐了，坐了席，酒过三巡，单占光举起酒杯，敬各人都干了一盅，道：'列位可知道，裘致禄一案，已是无可挽回的了。当日他跑到租界，兄弟也曾经助他一臂之力，无如他老先生运气不对，以至于有今日之事。想来各位都与他相好，一定是代他扼腕的。'众人听了，莫不齐声叹息。单占光又道：'兄弟今天又听了一个不好的消息，不知诸位可曾知道？'各人齐说：'弟等不曾听得有甚消息。'占光道：'兄弟也知道列位未必有那么信息灵通，所以特请了列位来，商量一个进退。'众人又齐说：'愿闻大教。'占光道：'兄弟这两天，代他经手取了些寄顿东西出来，原打算向上下各处打点打点，要翻案的。不料他老先生不慎，等我取了东西，将收条交还他时，却被禁卒看见了，一齐收了去，说是要拿去回上头。我想倘使被他回了上头，是连各位都有不是的，一经吊审起来，各位都是窝家，就是兄弟这两天代他向各位处取了些东西，也要担个不是，所以请了各位来商量个办法。'众人听了，面面相觑，不知所对。占光又催着道：'我们此刻，统共一十四个人，真正同舟共命，务求大家想个法子，脱了干系才好。'众人歇了半天无话。占光又再三相促。众人道：'弟等实无善策，还求阁下代设个法儿，非但阁下自脱干系，就是我等众人，也是十分感激的。'占光道：'法子呢，是还有一个。幸而那禁卒头儿，兄弟和他认得，一向都还可以说话。为今之计，只有化上两文，把那收条取了回来，是个最高之法。'众人道：'如此最好。但不知要化多少？'占光道：'少呢，我也不能向前途说；多呢，我也不能对众位说。大约你们各位，多则一万一个人，少则八千一个人，是要出的。'众人一听大惊道：'我们哪里来这些钱化？'占光把脸一沉，默默不语，慢慢的说道：'兄弟是洋商所用的人，万一有甚么事牵涉到我，只要洋东一出面，就万事都消了。兄弟不过为的是众位，或在官的，或在幕的，一旦牵涉起来，未免不大好看，所以多此一举罢了。各位既然不原谅我兄弟这个苦衷，兄弟也不多管闲事了。'说着，连连冷笑。内中有一个便道：'承阁下一番美意，弟等并不是不愿早了此事，实系因为代姓裘的寄存这些东西，并无丝毫好处，却无辜被累，凭空要化去一万、八千，未免太不值得，所以在这里踌躇罢了。'占光呵呵大笑道：'亏你们，亏你们！还当我是坏人，要你们掏腰呢。化了一万、八千，把收条取回来，一个火烧掉了，他来要东西，凭据呢？请教你们各位，是得了便宜？是失了便宜？至于我兄弟，为自己脱干系起见，绝不与诸位计较，办妥这件事之后，酬谢我呢，我也不却；不酬谢我呢，我也不怪，听凭各位就是了。'众人听了，恍然大悟道：'如此我等悉听占翁吩咐办理就是了。'占光道：'办，我只管去办。至于各出多少使费，那是要各位自愿的，兄弟不便强派。'众人听了，又互相商议，有出一万的，有出八千的，有出五六千的，统共凑起来，也有十一万五千了。占光摇头道：'这点恐怕不够。白费唇舌不要紧，兄弟是在洋东处告了假出来，不能多耽搁的，怕的是耽搁时候。'众人见他这么说，便又商量商量，凑够了十二万银子给他，约定日子过付。他等银子收到了，又请了一天客，把十三张收条取了出来，一一交代清楚，众人便把收条烧了。所以等到豹英去取时，众人乐得赖个干干净净。

"豹英至此，真是走头无路。忽然想起他父亲有一房姨太太，寄住在泉州。那姨太太还生有一个小兄弟，今年也有八岁了。那里须有点财产，不免前去分点来用用。想罢，便径到泉州来，寻着那位姨娘，说明来意。那姨娘道：'阿弥陀佛！我这里个个月靠的是老爷寄来十两银子过活，此刻有大半年没寄来了，我娘儿两个正愁着没处过活，要投奔大少爷呢。'说着，便抽抽咽咽起来。豹英不觉愣住了。但既来之，则安之，姑且住下再说。姨娘倒也不能撵他，只得由他住下，豹英终日烦琐，总说老人家有多少钱寄顿在这里，姨娘如果不拿出来，我只得到晋江县去告了。姨娘急了，便悄悄的请了自己兄弟来商量，不如把家财各项，暂时寄顿到干妈那里去。

"原来这位姨娘，是裘致禄从前署理晋江县的时候所置。及至卸任时，因为家中太太泼恶不过，不敢带回去，便另外置了一所房子，给她居住。又恐怕没有照应，因在任时，有一个在籍翰林杨尧蒿太史，十分交好。这杨尧蒿，本名叫杨尧蒿，因为应童子试时屡试不弟，大家都说他名字不利。他有一回小试，就故意把蒿字写成蒿字，果然就此进了学，联捷上去。因为点到翰林那年，已经四十多岁了，就不肯到京供职，只回到家乡，靠着这太史公的头衔，包揽几件词讼，结识两个官府，也就把日子过去了。裘致禄在任时，和他十分相得。交卸之后，这位姨娘，已经有了六个月身孕，因为叫她独住在泉州，放心不下，所以和杨太史商量，把这个姨娘拜在杨太史的姨太太膝下做干女儿。过了三四个月，姨娘便生下个孩子。此时致禄早已晋省去了。这边往来得十分热闹，杨太史又给信与致禄，和他道喜。致禄得了信，又到泉州走了一次，见母子相安，又重新拜托了杨太史照应。所以一向干爹、干妈、干女儿，叫的十分亲热。此时豹英来了，开口告官，闭口告官，姨娘没了主意，便悄悄叫了自己兄弟来，和他商量，不如把紧要东西，先寄顿在干娘那里。就是他告起来，官府来抄，也没得给他抄去。定了主意，便把那房产田契，以及金珠首饰，值钱的东西，放在一个水桶里，上面放了两件旧布衣服，叫一个心腹老妈子，装做到外头洗衣服的样子，堂哉皇哉，拿出了大门，姨娘的兄弟早在外头接应着，跟着那老妈子，看着她进了杨太史的大门，方才走开。

"如此一连三天，把贵重东西都运了出去，连姨娘日常所用的金押发簪子，都除了下来拿去，自己换上一支包金的。恰好豹英这天吃醉了酒，和姨娘大闹。闹到不堪，便仗着点酒意，自然翻箱倒箧起来。搜了半天，除了两件细毛衣服之外，竟没有一样值钱东西。豹英至此，也自索然无味，只得把几件父亲所用的衣服，及姨娘几件细毛衣服要了，动身回省。

"这边姨娘等大少爷去了，便亲带了那老妈子去见干妈，仍旧十分亲热。及至问起东西时，杨姨太太不胜惊讶，说是不曾见来。姨娘也大惊，指着老妈子道：'是我叫她送来的，一共送了三次，难道她交给干爹了？'连忙请了杨太史来问。杨尧蒿道：'我没看见啊。是几时拿来的？'姨娘道：'是放在一个水桶里拿来的。'杨姨太太笑道：'这便有了。'连忙叫人在后房取出三个水桶来。姨娘一看，果然是自己家中之物，几件破旧衣服还在那里。连忙把衣服拿开一看，里面是空空洞洞的，哪里有什么东西。姨娘不觉目瞪口呆。老妈子便插嘴道：'是我第一天送来这个桶，里面两个拜匣，我都亲手拿出来交给姨太太的。我还要带了水桶回去，姨太太说是不必拿去了。你出来时候，那衣服堆在桶口，此刻回去却瘪在桶底，叫人见了反要起疑心，我才把桶丢在这里。第二天送来是一个大手巾包，也是我亲手交给姨太太的。姨太太还说有什要紧东西，赶紧拿来，如果被你家大少爷看见了，就不是你家姨娘的东西了。第三天送来是两个福州漆盒，因为那盒子没有锁，还用手巾包着，也是我亲手点交姨太太的。怎么好赖得掉！'杨太史道：'住了！这拜匣、手巾包、盒子里，都是些甚么东西？你且说说。'姨娘道：'一个拜匣里，全是房契田契，其余都是些金珠首饰。'杨太史道：'吓！你把房契田契，金珠首饰，都交给我了！好好你家的东西，为甚么要交给我呢？'姨娘道：'因为我家大少爷要来霸占，所以才寄到干爹这里的。'杨太史道：'那些东西，一股脑儿值多少钱呢？'姨娘道：'那房产是我们老爷说过的，置了五万银子。那首饰是陆续买来的，一时也算不出来，大约也总在五六万光景。杨太史道：'你把十多万银子的东西交给我，就不要我一张收条，你就那么放心我！你就那么糊涂！哼，我看你也不是甚么糊涂人！你不要想在这里撒赖！'姨娘急的哭起来，又说老妈子干没了。老妈子急的跪在地下，对天叩响头，赌咒，把头都碰破了，流出血来。杨太史索性大骂起来，叫撵。姨娘只得哭了回去，和兄弟商量，只有告官一法。你想一个被参谪成知县的眷属，和一个现成活着的太史公打官司，哪里会打得赢？因此县里、府里、道里、司里，一直告到总督，都不得直。此刻跑到京里来，要到都察院里去告。方才那个人，便是那姨娘的兄弟，裘致禄的妾舅了。莫说告到都察院，只怕等皇帝出来叩阍，都不得直呢！"

　　正是：莫怪人情多鬼蜮，须知木腐始虫生。不知这回到都察院去控告，得直与否，且待下回再记。

第一百三回

亲尝汤药媚倒老爷　　婢学夫人难为媳妇

我这回进京，才是第二次。京里没甚朋友：符弥轩已经丁了承重忧，出京去了；北院同居的车文琴，已经外放了，北院里换了一家旗人住着，我也不曾去拜望；只有钱铺子里的恽洞仙，是有往来的，时常到号里来谈谈。但是我看他的形迹，并不是要到我号里来的，总是先到北院里去，坐个半天，才到我这边略谈一谈。不然，就是北院里的人不在家，他便到我这边来坐个半天，等那边的人回来，他就到那边去了。我见得多次，偶然问起他，洞仙把一个大拇指头竖起来道："他么？是当今第一个的红人儿!"我听了这个话，不懂起来，近日京师奔竞之风，是明目张胆，冠冕堂皇做的，他既是当今第一红人，何以大有"门庭冷落车马稀"的景象呢？因问道："他是做甚么的？是哪一行的红人儿？门外头宅子条儿也不贴一个？"洞仙道："他是个内务府郎中，是里头大叔的红人。差不多的人，到了里头去，是没有坐位的；他老人家进去了，是有个一定的坐位，这就可想了。"我道："永远不见他上衙门拜客，也没有人拜他，哪里像个红人？"洞仙道："你佇不大到京里来，怨不得你佇不知道。这红人儿里头，有明的，有暗的；像他那是暗的。"我道："他叫个甚名字？说他红，他究竟红些甚？你告诉告诉我，等我也好巴结巴结他。"洞仙道："巴结上他倒也不错，像我兄弟一家大小十多口人吃饭，仰仗他的地方也不少呢。"我笑道："那么我更要急于请教了。"

洞仙也笑道："他官名叫多福，号叫贡三，是里头经手的事，他都办得到，而且比别人便宜。每年他的买卖，也不在少处。这两年元二爷住开了，买卖也少了许多。"我道："怎么又闹出个元二爷来了？"洞仙道："这位多老爷有两个儿子，大的叫吉祥，我们都叫他做祥大爷，是个傻子；第二个叫吉元，我们都叫他做元二爷，捐了个主事，在户部里当差。他父子两个，向来是连手，多老爷在暗里招呼，元二爷在明里招徕生意。"我道："那么为甚么又要住开了呢？"洞仙道："这个一言难尽了。多老爷年纪大了，断了弦之后，一向没有续娶。先是给傻子祥大爷娶了一房媳妇，不到两年，就难产死了。多老爷也没给他续娶，只由他买了一个姨娘就算了。却和元二爷娶了亲。亲家那边是很体面的，一副妆奁，十分丰厚，还有两个陪嫁丫头，大的十五岁，小的才十二岁。过了两三年，那大丫头有了十七八岁了，就嫁了出去；只有这个小的，生得脸蛋儿很俊，人又机灵，元二爷很欢喜她，一直把她养到十九岁还没嫁。元二爷常常和她说笑鬼混，那位元二奶奶看在眼里，恼在心里。到底是大家姑娘出身，懂得规矩礼法，虽是一大坛子的山西老醋，搁在心上，却不肯泼撒出来，只有心中暗暗打算，觑个便，要早早的嫁了她。后来越看越不对了，那丫头眉目之间，有点不对了，行动举止，也和从前两样了，心中越加焦急。那丫头也明知二奶奶吃她的醋，不免怀恨在心。

　　"恰好多老爷得了个脾泄的病，做儿媳妇的，别的都好伺候，惟有这搀扶便溺，替换小衣，是办不到的，就是雇来的老妈子，也不肯干这个。元二奶奶一想，不如拨了这丫头去伺候公公，等伺候得病人好了，他两个也就相处惯了，希冀公公把她收了房做个姨娘，就免了二爷的事了。打定了主意，便把丫头叫了来，叫她去伺候老爷。这丫头是一个绝顶机警的人，一听了这话，心中早已明白，便有了主意，唯唯答应了，即刻过去伺候老爷。多老爷正苦没人伺候，起卧都觉得不便，忽然蒙媳妇派了这个丫头来伺候，心中自是欢喜。况且这丫头又善解人意，嘴唇动一动，便知道要茶；眼睛抬一抬，便知道要烟。无论是茶是药，一定自己尝过，才给老爷吃。起头的两天，还有点缩手缩脚的；过得两天惯了，更是伺候得周到。老爷要上马子，她抱着腰；老爷躺下来，她捶着背。并且她自从过来之后，便把自己铺盖搬到老爷房里去，到了晚上，就把铺盖开在老爷炕前地下假寐。那炕前又是夜壶，又是马子，又是痰盂，她并不厌烦。半夜里老爷要小解了，她怕老爷着了凉，拿了夜

壶，递到被窝里，伏侍小解。那夜壶是瓷的，老爷大腿碰着了，哼
了一声，说冰凉的。丫头等小解完后，便把夜壶舀干净，拿来焐在
自己被窝里，等到老爷再要用时，已是焐得暖暖儿的了。及至次
日，请了大夫来，凡老爷夜来起来几次，小解大解几次，是甚么颜
色，稀的稠的，几点钟醒，几点钟睡，有吃东西没有，只有她说得
清清楚楚。所以那大夫用药，就格外有了分寸。有时晚上老爷要喝
参汤，坐起来呢，怕冷，转动又不便当；她便问准了老爷，用茶漱
过口，刷过牙，刮过舌头，把参汤呷到嘴里，伏下身子，一口一口
的慢慢哺给老爷吃。有时老爷来不及上马子，弄脏了裤子，她却早
就预备好了的。你说她怎么预备来？她预先拿一条干净裤子，贴肉
横束在自己身上，等到要换时，她伸手到被窝里，拭擦干净了，才
解下来，替老爷换上，又是一条暖暖儿的裤子了。这一条才换上，
她又束上一条预备。

　　"如此伺候了两个多月，把老爷伺候好了。虽然起了炕，却是
片时片刻，也少她不得了。便和她说道：'我儿，辛苦你了！怎样
补报你才好！'她这两个多月里头，已经把老爷巴结得甜蜜儿一般，
由得老爷抚摩玩弄，无所不至的了。听了老爷这话，便道：'奴才
伺候主子是应该的，说甚么补报！'老爷道：'我此刻倒是一刻也离
不了你了。'丫头道：'那么奴才就伏侍老爷一辈子！'老爷道：'这
不是误了你的终身？你今年几岁了？'丫头道：'做奴才的，还说甚
么终身！奴才今年十九岁，不多几天就过年，过了年，就二十岁
了，半辈子都过完了；还有那半辈子，不还是奴才就结了吗！'老
爷道：'不是这样说。我想把你收了房，做了我的人，你说好么？'
丫头听了这句话，却低头不语。老爷道：'你可是嫌我老了？'丫头
道：'奴才怎敢嫌老爷！'老爷道：'那么你为甚么不答应？'丫头仍
是低头不语。问了四五遍，都是如此。老爷急了，握着她两只手，
一定要她说出个道理来。丫头道：'奴才不敢说。'老爷道：'我这
条老命是你救回来的，你有话，管说就是了，哪怕说错了，我不怪
你。'丫头道：'老爷、少爷的恩典，如果打发奴才出去，哪怕嫁的
还是奴才，甚至于嫁个化子，奴才是要一夫一妻做大的，不愿意当
姨娘。如果要奴才当姨娘，不如还是当奴才的好。'老爷道：'这还
不容易！我收了你之后，慢慢的把你扶正了就是。'丫头道：'那还
是要当几天姨娘。'老爷道：'那我就简直把你当太太，拜堂成礼如

何?'丫头道:'老爷这句话,可是从心上说出来的?'老爷道:'有甚不是!'丫头咕咚一声,跪下来叩头道:'谢过老爷天高地厚的恩典!'老爷道:'我和你已经做了夫妻,为甚还行这个礼?'丫头道:'一天没有拜堂,一天还是奴才;等拜过了堂,才算夫妻呢。还有一层:老爷便这般抬举,还怕大爷、二爷,他们不服呢?'老爷道:'有我担了头,怕谁不服!'丫头此时也不和老爷客气了,挨肩坐下,手握手的细细商量。丫头说道:'虽说是老爷担了头,没谁敢不服,但是事前必要机密,不可先说出来。如果先说出来,总不免有许多阻挡的说话。不如先不说出来,到了当天才发作,一会儿生米便成了熟饭,叫他们不服也来不及。至于老爷续娶,礼当要惊动亲友,摆酒请客的,我看这个不如也等当天一早出帖子,不过多用几个家人分头送送罢了。'此时老爷低着头听吩咐,丫头说一句,老爷就答应一个'是'字,犹如下属对上司一般。等吩咐完了,自然一切照办。

好丫头!真有本事,有能耐!一切都和老爷商量好了,她却是不动声色,照常一般。有时伺候好了老爷,还要到元二奶奶那边去敷衍一会。这件事竟是除了他两个之外,没有第三个人知道的。家人们虽然承命去刻帖子,却也不知道娶的是哪一门亲。就是那帖子签子都写好了,只有日子是空着的,等临时填写的,更不知道是哪一天。老爷又吩咐过不准叫大爷、二爷知道的,更是无从打听,只有照办就是了。直到了办事的头一天下午,老爷方才吩咐出来,叫把帖子填了明天日子,明日清早派人分头散去。又吩咐明天清早传傧相,传喜娘,传乐工,预备灯彩。这一下子,合宅上下人等都忙了。却一向不见行聘,不知女家是什么人。祥大爷是傻的,不必说他;元二爷便觉着这件事情古怪,想道:'这两三个月都是丫头在老爷那边伺候,叫她来问,一定知道。'想罢,便叫老妈子去把丫头叫来,问道:'老爷明天续弦,娶的是哪一家的姑娘?怎么我们一点不晓得?你天天在那边伺候,总该知道。'丫头道:'奴才也不知道,也是方才叫预备一切,才知道有这回事。'二爷道:'那边要铺设新房了,老爷的病也好了许久了,你的铺盖也好搬回这边来了。'丫头道:'是,奴才就去回了老爷搬过来。'说着,去了。过了一会,又空身跑了过来道:'老爷说要奴才伺候新太太,等伺候过了三朝,才叫奴才搬过来呢。'说罢,又去了。元二爷满腹疑心,又暗笑老头子办事糊涂，却还猜不出个就里。

　　"到了明天早起，元二爷夫妻两个方才起来，只见傻大爷的姨娘跑了来，嘴里不住的称奇道怪道：'二爷、二奶奶，可知道老爷今天娶的是哪一个姑娘？'二爷见她疯疯傻傻的，不大理会她。二奶奶问道：'这么大惊小怪的做甚么？不过也是个姑娘罢了，不见得娶个三头六臂的来！'姨娘道：'只怕比三头六臂的还奇怪呢！娶的就是二奶奶的丫头！'二爷、二奶奶听了这话，一齐吃了一惊，问道：'这是哪里来的话？'姨娘道：'哪里来的话！喜娘都来了，在那里代她穿衣服打扮呢。我也要去穿衣服了，回来怕有女客来呢。'说着，自去了。这边夫妻两个，如同呆了一般，想不出个甚么道理来。歇了一会，二爷冷笑道：'吃醋咧，怕我怎样咧，叫她去伺候老人家咧！当主子使唤奴才不好，倒要做媳妇去伺候婆婆！你看罢咧，日后的戏有得唱呢！'一面说，梳洗过了，换上衣服，上衙门去了。可怜二奶奶是个没爪子的螃蟹，走不动，只好穿上大衣，先到公公那边叩喜。此时也有得帖子早的来道喜了。

　　"一会儿，吉时已到，喜娘扶出新太太，候相赞礼拜堂。因为办事匆促，一切礼节都从简略，所有拜天地、拜花烛、庙见、交拜，都并在一时做了。过后便是和众人见礼。傻大爷首先一个走上前去，行了一跪三叩首的礼。老爷自是兀然不动，便连新太太，也直受之而不辞。傻大爷行过礼之后，家人们便一迭连声叫二爷。有人回说：'二爷今天一早奉了堂谕，传上衙门去了。'老爷已是不喜欢。二奶奶没奈何，只得上前行礼，可恼这丫头居然兀立不动。一时大众行过礼之后，便有许多贺客，纷纷来贺，热闹了一天。二爷是从这天上衙门之后，一连三天不曾回家。只苦了二奶奶，要还她做媳妇的规矩，天天要去请早安，请午安，请晚安。到了请安时，碰了新太太高兴的时候，鼻子里哼一声；不高兴的时候，正眼也不看一看。二奶奶这个冤枉，真是无处可伸。倒是傻大爷的姨娘上去请安，有说有笑。二爷直到了第四天才回家，上去见过老爷请过安，便要走。老爷喝叫站着，二爷只得站着。老爷歇了好一会，才说道：'你这一向当的好红差使！大清早起就是堂官传了，一传传了三四天，连老子娘都不在眼睛里了！'二爷道：'儿子的娘早死了，儿子丁过内艰来。'老爷把桌子一拍道：'吓！好利嘴！谁家的继母不是娘！'二爷道：'老爷在外头娶一百个，儿子认一百个娘；

娶一千个，儿子认一千个娘。这是儿媳妇房里的丫头，儿子不能认她做娘！'老爷正待发作，忽听得新太太在房里道：'甚么丫头不丫头！我用心替你把老子伺候好了，就娘也不过如此！'老爷道：'可不是！我病在炕上，谁看我一看来？得她伺候的我好了，大家打伙儿倒翻了脸了。你出来！看他认娘不认！'新太太巴不得一声走了出来，二爷早一翻身向外跑了。老爷气得叫'抓住了他！抓住了他'！二爷早一溜烟跑到门外，跳上车子去了。这里面一个是老爷气的暴跳如雷，大叫'反了反了'！一个是新太太撒娇撒痴，哭着说：'二爷有意丢我的脸，你也不和我做主；你既然做不了主，就不要娶我！'哭闹个不了。

"二奶奶知道是二爷闯了祸，连忙过来赔罪，向公公跪下请息怒。老爷气得把胡子一根根都竖了起来。新太太还在那里哭着。良久，老爷才说道：'你别跪我！你和你婆婆说去！'二奶奶站了起来，千委屈，万委屈，对着自己赔嫁的丫头跪下。新太太撅着嘴，把身子一扭，端坐着不动。二奶奶千不是，万不是，赔了多少不是。足足跪了有半个钟头，新太太才冷笑道：'起去罢，少奶奶！不要折了我这当奴才的！'二奶奶方才站了起来，依然伺候了一会，方才退归自己房里。越想越气，越气越苦，便悄悄的关上房门，取一根带子，自己吊了起来。老妈子们有事要到房里去，推推房门不开，听了听寂无声息，把纸窗儿戳破一个洞，往里一瞧，吓得魂不附体，大声喊救起来。惊动了阖家人等，前来把房门撞开了。两个粗使老妈子，便端了凳子垫了脚，解将下来，已经是笔直挺硬的了，舌头吐出了半段，眼睛睁得滚圆。傻大爷的姨娘一看道：'这是不中用的了！'头一个先哭起来。便有家人们，一面去找二爷，一面往二奶奶娘家报信去了。这里幸得一个解事的老妈子道：'你们快别哭别乱！快来抱着二奶奶，此刻是不能放她躺下的！'便有人来抱住。那老妈子便端一张凳子来，自己坐下，才把二奶奶抱过来道：'你们扳他的腿，扳的弯过来，好叫她坐下。'于是就有人去扳弯了。这老妈子把自己的波罗盖儿堵住了二奶奶的谷道，一只手便把头发提起，叫人轻轻的代她揉颈脖子，捻喉管；又叫人拈她肩膀；又叫拿管子来吹她两个耳朵。众人手忙脚乱的，搓揉了半天，觉得那舌头慢慢的缩了进去。那老妈子又叫拿个雄鸡来，要鸡冠血灌点到嘴里，这才慢慢的觉着鼻孔里有点气了。正在忙着，二爷回来了；可巧亲家老爷、亲家太太，也一齐进门。二爷嚷着怎样了。亲家太太一跨进来就哭了。那老妈子忙叫：'别哭，别哭！二爷快别嚷！快来和她度一口气罢！'二爷赶忙过来度气，用尽平生之力，度了两口，只听得二奶奶哼的一声哼了出来。那老妈子道：'阿弥陀佛！这算有了命了。快点扶她躺下罢。只能灌点开水，姜汤是用不得的。'那亲家太太看见女儿有了命，便叫过一个老妈子来，问那上吊的缘由，不觉心头火起。此时亲家老爷也听明白了，站起来便去找老爷，见了面，就是一把辫子。"

正是：好事谁知成恶事，亲家从此变冤家。不知亲家老爷这一把辫子，要拖老爷到哪里去，且待下回再记。

第一百四回

良夫人毒打亲家母　承舅爷巧赚朱博如

"你道那亲家老爷是谁？原来是内务府掌印郎中良果，号叫伯因，是内务府里头一个红人。当着这边多老爷散帖子那天，元二爷不是推说上衙门，大早就出去了么？原来他并不曾上衙门，是到丈人家去，把这件事情告诉了丈人丈母。所以这天良伯因虽然接了帖子，却并不送礼，也不道喜，只当没有这件事，打算将来说起来，只说没有接着帖子就是了。他那心中，无非是厌恶多老爷把丫头抬举的太过分了，却万万料不到有今天的事。今天忽然见女婿又来了，诉说老人家如此如此，良伯因夫妻两个正在叹息，说多老爷年纪大了，做事颠倒了。忽然又见多宅家人来说：'二奶奶上了吊了！'这一吓非同小可，连忙套了车，带了男女仆人，喝了马夫，重重的加上两鞭，和元二爷一同赶了来。一心以为女儿已经死了，所以到门便奔向二奶奶那边院子里去。看见众人正在那里救治，说可望救得回来的，鼻子里已经有点气了，夫妻两个权且坐下。等二奶奶一声哼了出来，知道没事的了。良夫人又把今天新太太如何动气，二奶奶如何下跪赔罪的话，问了出来。良伯因站起来，便往多老爷那边院子里去。多老爷正在那里骂人呢，说甚么：'妇人女子，动不动就拿死来吓唬人！你们不要救她，由她死了，看可要我公公抵命！'说声未了，良老爷飞跑过来，一把辫子拖了就走道：'不必说抵命不抵命，咱们都是内务府的人，官司也不必打到别处去，咱们同去见堂官，评评这个理看！'

多老爷陡然吃了一惊道：'亲……亲……亲家！有话好……好的说！'良老爷道：'说甚么！咱们回堂去，左右不叫你公公抵命的。'多老爷道：'回甚么堂？你撒了手好说话啊！'良老爷道：'世界已经反了，还说甚么话！我也不怕你跑了，有话你说！'说着，把手一撒，顺势向前一推，多老爷跌了两步，几乎立脚不住。良老爷拣了一把椅子坐下道：'有话你说！'此时家人仆妇，纷纷的站了一院子看新闻。三三两两传说，幸得二奶奶救过来了，不然，还不知怎样呢！这句话被多老爷听见了，便对良老爷说道：'你的女儿死了没有啊？就值得这么的大惊小怪！'良老爷道：'你是要人死了才心安呢！我也不说甚么，只要你和我回堂去，问问这纵奴凌主，是哪一国的国法？哪一家的家法？'正说话时，只见家人来报，说亲家太太来了。多老爷吃了一惊，暗想一个男的已经闹不了，又来一个女的，如何是好！想犹未了，只见良夫人带了自己所用的老妈子，咯嘣咯嘣地跑了过来，见了多老爷，也不打招呼，直奔到房里去。

　　"房里的新太太正在那里打主意呢。她起头听见说二奶奶上吊，心里还不知害怕，以为这是她自己要死的，又不是我逼死她，就死了有甚么相干。正这么想着，家人又说亲家老爷、亲家太太都来了。新太太听了这话，倒吃了一惊，暗想这是个主子，她回来拿起主子的腔来，我就怎样呢。回头一想，她到了这里须是个客，我迎出去，自己先做了主人，和他行宾主礼，叫他亲家母，他自然也得叫我亲家母，总不能拿我怎样。心中正自打定了主意，却遇了良老爷过来，要拉多老爷到内务府里去，声势汹汹，不觉又替多老爷担忧，呆呆的侧耳细听，倒把自己的心事搁过一边。不提防良夫人突如其来，一直走到身边，伸出手来，左右开弓的，劈劈拍拍，早打了七八个嘴巴。新太太不及提防，早被打得耳鸣眼花。良夫人喝叫带来的老妈子道：'王妈！抓了她过去，我问她！'王妈便去搀新太太的膀子。良夫人把桌子一拍道：'抓啊！你还和她客气！'原来这王妈是良宅的老仆妇，这位新太太当小丫头时，也曾被王妈教训过的，此刻听得夫人一喝，便也不客气，顺手把新太太的簪子一拔，一把头发抓在手里。新太太连忙挣扎，拿手来挡，早被王妈劈脸一个巴掌，骂道：'不知死活的蹄子！你当我抓你，这是太太抓你呢！'王妈的手重，这一下，只把新太太打得眼中火光迸裂，耳中轰的一声，犹如在耳边放了一门大炮一般。良夫人喝叫抓了过去。王妈提了头发，横拖竖曳的先走，良夫人跟在后头便去。多老爷看见了道：'这是甚么样子！这是甚么样子！'嘴里只管说，却又无可如何，由得良夫人押了过去。

　　"到得二奶奶院里，良夫人喝叫把她衣服剥了，王妈便去动手。

新太太还要挣扎，哪里禁得二奶奶所用的老妈子，为了今天的事，一个个都把她恨入骨髓，一哄上前，这个捉手，那个捉脚，一雯时把她的一件金银嵌的大袄剥下，一件细狐小袄也剥了下来。良夫人又喝叫把棉裤也剥了。才叫把她绑了，喝叫带来的家人包旺：'替我用劲儿打！今天要打死了她才歇！'这包旺又是良宅的老家人，他本在老太爷手下当书僮出身，一直没有换过主子，为人极其忠心。今天听见姑爷来说，那丫头怎生巴结上多老爷，怎生做了太太，怎生欺负姑娘，他便嚷着磨腰刀：'我要杀那浪蹄子去！'后来良老爷带他到这边来，他一到，便想打到上房里，寻丫头厮打，无奈规矩所在，只得隐忍不言。今听得太太吩咐打，正中下怀，连忙答应一声'嗱'，便跑到门外，问马夫要了马鞭子来，对准丫头身上，用尽平生之力，一下一下抽将下去；抽得那丫头杀猪般乱喊，满地打滚。包旺不住手的一口气抽了六七十下，把皮也抽破了，那血迹透到小衣外面来。新太太这才不敢撒泼了，膝行到良夫人跟前跪着道：'太太饶了奴才的狗命罢！奴才再也不敢了！情愿仍旧到这边来，伏侍二奶奶！'良夫人劈脸又是一个嘴巴道：'谁是你二奶奶！你是谁家的奴才！你到了这没起倒的人家来，就学了这没起倒的称呼！我一向倒是马马虎虎的过了，你们越闹越不成话了！奴才跨到主子头上去了！谁是你的二奶奶？你说！'说着，又是两个嘴巴。新太太忙道：'是奴才糊涂！奴才情愿仍旧伺候姑奶奶了！'良夫人叫包旺道：'把她拉到姑娘屋里再抽，给姑娘下气去。'新太太听说，也不等人拉，连忙站起来跑到二奶奶屋里。二奶奶正靠着炕枕上哭呢。新太太咕咚一下跪下来，可怜她双手是反绑了的，不能爬下叩头，只得弯下腰，把头向地下咯嘣咯嘣的乱碰，说道：'姑奶奶啊！开恩罢！今天奴才的狗命，就在姑奶奶的身上了！再抽几下，奴才就活不成了！'说犹未了，包旺已经没头没脑的抽了下来，嘴里说道：'不是天地祖宗保佑，我姑奶奶的性命，就送在你这贱人手里！今儿就是太太、姑奶奶饶你，我也不饶你！活活的抽死你，我和你到阎王爷那里打官司去！'一面说，一面着力的乱抽，把新太太脸上也七纵八横的，抽了好几条血路。包旺正抽得着力时，忽然外面来了两三个老妈子，把包旺的手拉住道：'包二爷，且住手，这边的舅太太来了。'包旺只得住了手出来，对良夫人道：'太太今天如果饶了这贱人，天下从此没有王法了！就是太太、姑奶奶饶了他，奴才也要一头撞死了，到阎王爷那里告她，要她的命的！'良夫人道：'你下去歇歇

罢,我总要惩治她的。'

"原来元二爷陪了丈人、丈母到家,救得二奶奶活了,不免温存了几句。二奶奶此时虽然未能说话,也知道点点头了。元二爷便到多老爷院子里去,悄悄打听,只听得良老爷口口声声要多老爷去见堂官,这边良夫人又口口声声要打死那丫头。想来这件事情,是自己父亲理短,牵涉着自己老婆,又不好上去劝。哥哥呢,又是个傻子。今天这件事,没有人解劝,一定不能下场的。踌躇了一会,便撇下了二奶奶,出门坐上车子,赶忙到舅老爷家去,如此这般说了一遍,要求娘舅、舅母同去解围。舅老爷先是恼着妹夫糊涂不肯去,禁不得元二爷再三央求,又叩头请安的说道:'务望娘舅不看僧面看佛面,只算看我母亲的面罢。'舅老爷才答应了,叫套车。元二爷恐怕耽搁时候,把自己的车让娘舅、舅母坐了,自己骑了匹牲口,跟着来家。亏得这一来,由舅老爷、舅太太两面解劝,方才把良老爷夫妻劝好了,坐了车子回去。元二爷从此也就另外赁了宅子,把二奶奶搬开了。向来的生意,多半是元二爷拉拢来的。自从闹过这件事之后,元二爷就不去拉拢了,生意就少了许多。"

我笑道:"原来北院里住的是个老糊涂。但不知那丫头后来怎样发落?"洞仙道:"此刻不还是当他的太太。"我道:"他儿子、媳妇虽说是搬开了,然而总不能永不上门,以后怎样见面呢?"洞仙道:"这个就没有去考求了。"说着,北院里有人来请他,洞仙自去了。

我在京又耽搁了几天,接了上海的信,说继之就要往长江一带去了,叫我早回上海。我看看京里没事,就料理动身,到天津住了两天,附轮船回上海。在轮船上却遇见了符弥轩。我看他穿的还是通身绸绉,不过帽结是个蓝的。暗想京里人家都说他丁了承重忧出京的,他这个装扮,哪里是个丁忧的样子。又不便问他,不过在船上没有伴,和他七拉八扯的谈天罢了。船到了上海,他殷殷问了我的住处,方才分手。我自回到号里,知道继之前天已经动身了,先到杭州,由杭州到苏州,由苏州到镇江,这么走的。

歇息了一天,到明天忽然外面送了一封信来,拆开一看,却是符弥轩请我即晚吃花酒的。到了晚上,我姑且去一趟。座中几个人都是浮头滑脑的,没有甚么事可记。所最奇的,是内中有一个是苟才的儿子龙光。我屈指一算,苟才死了好像还不到百日,龙光身上穿的是枣红摹本银鼠袍,泥金宁绸银鼠马褂,心中暗暗称奇。席散回去,和管德泉说起看见龙光并不穿孝，屈指计来，还不满百日，怎么荒唐到如此的话。德泉道："你的日子也过糊涂了。苟才是正月廿五死的，二月三十的五七开吊，继之还去吊的；初七继之动身，今天才三月初十，离末七还有三四天呢，你怎便说到百日了？"我听了倒也一呆。德泉又道："继之还留下一封长信，叫我给你，说是苟才致死的详细来历，都在上头，叫我交给你，等你好做笔记材料。是我忘了，不曾给你。"我听了，便连忙要了来，拿到自己房里，挑灯细读。

原来龙光的老婆，是南京驻防旗人，老子是个安徽候补府经历。因为当日苟才把寡媳送与上司，以谋差缺，人人共知，声名洋溢，相当的人家，都不肯和他对亲，才定了这头亲事。谁知这位姑娘有一个隐疾，是害狐臭的，所以龙光与她不甚相得，虽不曾反目，却是恩义极淡的。倒是一个妻舅，名叫承辉的，龙光与他十分相得，把他留在公馆里，另外替他打扫一间书房。郎舅两个终日在一处厮闹，常常不回卧室歇息，就在书房抵足。龙光因为不喜欢这个老婆，便想纳妾。却也奇怪，他的老婆听说他要纳妾，非但并不阻挡，并且竭力怂恿。也不知她是生性不妒呢，还是自惭形秽，或是别有用心，那就不得而知了。龙光自是欢喜。然而自己手上没钱，只得和老子商量。苟才却不答应，说道：'年纪轻轻的，不知道学好，只在这些上头留心。你此刻有了甚么本事？养活得起多少人？不能瞒你们的，我也是五十岁开外才纳妾的。'一席话，教训得龙光闭口无言。退回书房，喃喃呐呐的，不知说些甚么东西。承辉看见，便问何事。龙光一一说知。承辉道："这个叫做只许州官放火，不许百姓点灯，向来如此的。你看太亲翁那么一把年纪，有了五个姨娘还不够，前一回还讨个六姨；姊夫要讨一个，就是那许多说话。这个大约老头子的通脾气，也不是太亲翁一个人如此。"龙光道："他说他五十岁开外才讨小的，我记得小时候，他在南京讨了个钓鱼巷的货，住在外头，后来给先母知道了，找得去打了个不亦乐乎，后来不知怎样打发的，这些事他就不提一提呢。"承辉道："总而言之，是自己当家，万事都可以做得了主；若是自己不能当家，莫说五十岁开外，只怕六十、七十开外，都没用呢。"说得龙光默然。

两个年轻小子，天天在一起，没有一个老成人在旁边，他两个便无话不谈，真所谓言不及义，哪里有好事情串出来。承辉这小子，虽是读书不成，文不能文，武不能武，若要他设些不三不四的诡计，他却又十分能干,就和龙光两个,干了些没天理的事情出来。龙光时时躲在六姨屋里,承辉却和五姨最知己,四个人商量天长地久之计。承辉便想出一个无毒不丈夫的法子来。恰好遇了苟才把全眷搬到上海来就医,龙光依旧把承辉带了来,却不叫苟才知道。到了上海,租的洋房地方有限,不比在安庆公馆里面,七八个院子,随处都可以藏得下一个人,龙光只得将自己卧室隔作两间,把后半间给舅爷居住。虽然暂时安身,却还总嫌不便,何况地方促迫,到处都是謦欬相闻的,因此逼得承辉毒谋愈急。起先端甫去看病时,承辉便天天装了病,到端甫那里门诊,病情说得和苟才一模一样,却不问吃甚么可以痊愈,只问忌吃甚么。在他与龙光商量的本意,是要和医生串通,要下两样反对的药,好叫病人速死。因看见端甫道貌岸然,不敢造次,所以只打听忌吃甚么,预备打听明白,好拿忌吃的东西给苟才吃,好送他的老命。谁知问了多天,都问不着。偏偏那天又在公馆里被端甫遇见,做贼心虚,从此就不敢再到端甫处捣鬼了。过了两天,家人去请端甫,端甫忽然辞了不来。承辉、龙光两个心中暗喜,以为医生都辞了,这病是不起的了。谁知苟才按着端甫的旧方调理起来,日见痊愈。承辉心急了,又悄悄的和五姨商量,凡饮食起居里头,都出点花样,年老人禁得几许食积,禁得几次劳顿,所以不久那旧病又发了。

原来苟才煞是作怪,他自到上海来,所宠幸的就是五姨一个,日夜都在五姨屋里,所以承辉愈加难过。在五姨也是一心只向承辉的,看见苟才的胡子,十分讨厌,所以听得承辉交代,便依计而行,苟才果然又病了。承辉又打听得有一个医生叫朱博如,他的招牌是"专医男妇老幼大小方脉",又是专精伤寒、咽喉、痘疹诸科,包医杨梅结毒,兼精辰州神符治病、失物圆光,是江湖上一个人物,在马路上租了一间门面,兼卖点草头药的。便怂勇龙光请朱博如来看。龙光告知苟才。苟才因为请端甫不动,也不知上海哪个医生好,只得就请了他。那承辉却又照样到朱博如那里门诊,也是说的病情和苟才一模一样,问他忌吃甚么。朱博如是个江湖子弟,一连三天,早已看出神情,却还不说出来。这天继之去看苟才的病,故意对龙光说忌吃鲍鱼,龙光便连忙告诉了承辉,承辉告诉五姨。五姨交代厨子:"有人说老爷这个病,要多吃鲍鱼才好。"从此便煎的是鲍鱼,炖的是鲍鱼,汤也是鲍鱼,脍也是鲍鱼,把苟才吃腻了。继之请客,也是要试探他有吃鲍鱼没有。可惜试了出来,当席未曾说破他,就误了苟才一命。

　　原来继之请客那天,正是承辉、龙光、朱博如定计的那天。承辉一连到博如处去了几天,朱博如看出神情,便用言语试探,彼此渐说渐近,不多几天,便说合了龙。这一天便约定在四马路青莲阁烟间里,会齐商量办法。龙光、承辉到时,朱博如早已到了,还有三四个不三不四的人,同在一起。博如见了他两个,便撇了那几个人,迎前招呼,另外开了一只灯。博如先道:“你两位的意思,是要怎样办法?”承辉道:“我们明人不必细说,只要问你先生办得到办不到,要多少酬谢便了。”博如道:“这件事要办,是人人办得到的,不过就是看办得干净不干净罢了。若要办得不干净的,也无须来与我商量,就是潘金莲对付武大郎一般就得了。我所包的就是一个干净,随便他叫神仙来验,也验不出一个痕迹。不过不是一两天的事情,总要个把月才妥当。”龙光道:“你要多少酬谢呢?”博如道:“这件事不小,弄起来是人命关天的,老实说,少了我不干,起码要送二万银子!”龙光不觉把舌头吐了出来。承辉默然无语,忽然站起来,拉龙光到阑杆边上,唧唧哝哝的好一会,又用手指在栏杆上再三画给龙光看。龙光大喜道:“如此,悉听尊命便了。”承辉便过来和朱博如再三磋商,说定了一万两银子。承辉道:“这件事,要请你先说出法子来呢,你不信我;要我先付银呢,我不信你。怎生商量一个善法呢?”博如听了,也呆着脸,一筹莫展。承辉道:“这样罢,我们立个笔据罢。不过这个笔据,若是真写出这件事来,我们龙二爷是万万不肯的;若是不明写出来,只有写借据之一法。若是就这么糊里糊涂写了一万银子借据,知道你的法子灵不灵呢。借据落了你手,你就不管灵不灵,也可以拿了这凭据来要钱的。这张票子,到底应该怎样写法呢? 若是想不出个写法来,这个交易只好作罢。”

　　正是:舌底有花翻妙谛,胸中定策赚医生。未知到底想出甚么法子来,且待下回再记。

第一百五回

巧心计暗地运机谋　真脓包当场写伏辩

朱博如听得承辉说出来的话，句句在理上，不觉回答不出来。并且已经说妥的一万银子好处，此刻十有九成的时候，忽然被这难题目难住，看着就要撒决了。但是看承辉的神情，又好像胸有成竹一般。回心一想，我几十年的老江湖，难道不及他一个小孩子，这里头一定有个奥妙，不过我一时想不起来罢了。想到这里，拿着烟枪在那里出神。承辉却拉了龙光出去，到茶堂外面，看各野鸡妓女，逗着谈笑。良久，才到烟榻前去，问博如道："先生可想出个法子来了？"博如道："想不出来。如果阁下有妙法，请赐教了罢。"承辉道："法子便有一个，但是我也不肯轻易说出。"博如道："如果实在有个妙法，其余都好商量。"承辉道："老实说了罢，你这一万银子肯和我对分了，我便教你这个法子。"博如道："哪里的话！我也担一个极大干系的，你怎么就要分我一半？"承辉道："也罢，你不肯分，我也不能强你。时候不早了，我们明日会罢。"博如着急道："好歹商量妥了去，忙甚么呢。"龙光道："一万两我是答应了，此刻是你两个的事情，你们商量罢，我先走了。"博如道："索性三面言明了，就好动手办事了。"承辉道："这是你自己不肯通融，与我们甚么相干？"博如道："你要分我一半，未免太很。这样罢，我打八折收数，归你二成罢。"承辉不答应。后来再三磋商，言定了博如七折收数，以三成归承辉，两面都允了。承辉又要先订合同。博如道："我这里正合同都不曾定，这个忙甚么。"承辉道："不行！万一我这法子说了出来，你不认帐，我又拿你怎样呢。"博如只得由他。承辉在身边取出纸笔来，一挥而就，写成一式两纸，叫博如签字。博如一看，只见写的是：

兹由承某介绍朱某,代龙某办一要事。此事办成之
后,无论龙某以若干金酬谢朱某,朱某情愿照七折收数,
其余三成,作为承某中费。两面订明,各无异言。立此一
式两纸,各执一纸为据。

朱博如看了道:"怎么不写上数目?"承辉道:"数目是不能写的。
我们龙二爷出手阔绰,或者临时他高兴,多拿一千、八百出来,请你吃
茶吃酒,那个我也要照分的;如果此时写实了一万,一万之外我可不
能分你丝毫了。这个我不干。"博如听了,暗暗欢喜,便签了字,承辉
也签了字,各取一纸,放在身边。

博如就催着问:"是何妙法?"承辉道:"这件事难得很呢! 我拿你
三成谢金,实在还嫌少。你想罢,若不明写出来,不成个凭据;若明写
了,说是某人托某人设法致死其父,事成酬银若干,万一闹穿了,非但
出笔据的人要凌迟,只怕代设法的人也不免要杀头呢! 这个非但他
不敢写,写了,你也不敢要。"博如道:"这个我知道。"承辉道:"若是不
明写,却写些甚? 总不能另外诌一桩事情出来。若说是凭空写个
欠据,万一你的法子不灵呢,欠据落在你手里,你随意可以来讨的,叫
龙二爷拿甚么法子对付你? 数目又不在少处,整万呢!"博如道:"这
个我都知道,你说你的法子罢。"承辉道:"时候不早了,这里人多,不
是谈机密地方,你赶紧吃完了烟,另外找个地方去说罢。"博如只得匆
匆吸完了烟,叫堂倌来收灯,给过烟钱。博如又走过去,和那几个不
三不四的人说了几句话,方才一同走出。

龙光约了到雅叙园,拣一个房间坐下,点了菜。博如又急于请
教。承辉坐近一步,先问道:"据你看起来,那老头子到底几时才可以
死得?"博如道:"弄起来看,至迟明年二月里,总可以成功了。"承辉又
坐近一步,拿自己的嘴对了博如的耳朵道:"此刻叫龙二爷写一张借
据给你,日子就写明年二月某日,日子上空着,由得你临时填上。那
借据可是写的:

> 立借券某人,今因猝遭父丧大故,汇款未到,暂向某
> 人借到银壹万两。汇款一到,立即清还。蒙念相好,不计
> 利息。赖人某某亲笔。

等到明年二月,老头子死了,你就可以拿这个借据向他要钱了。"
博如侧着头一想道:"万一不死呢?"承辉道:"就是为的是这个

如果老头子不死,他又何尝有甚父丧大故,向人借钱? 又何故好好的自称棘人? 这还不是一张废纸么? 当真老头子死了,他可是为了父丧大故借用的,又有蒙念相好,不计利息的一层交情在里面,他好欠你分毫吗?"朱博如不觉恍然大悟道:"妙计! 妙计! 真是鬼神不测之机也!"于是就叫龙光照写。龙光拿起笔来,犹如捧着铁棒一般,半天才照写好了,却嫌"萬"字的笔画太多,只写了个方字缺一点的"万"字。朱博如看过了,十分珍重的藏在身边。恰好跑堂的送上酒菜,龙光让坐,斟过一巡酒,然后承辉请教博如法子。博如道:"要办这件事,第一要紧不要叫他见人,恐怕有人见愈调理病愈深,要疑心起来。明日再请我,等我把这个话先说上去,只说第一要安心静养,不可见人,不可劳动,不可多说话费气,包管他相信了。你们自己再做些手脚。我天天开的药方,你们只管撮了来煎,却不可给他吃。"龙光道:"这又是何意?"博如道:"这不过是掩人耳目,就是别人看了方子,也是药对脉案的;但是服了对案的药,如何得他死,所以掩了人耳目之后,就不要给他吃了。我每天另外给你们两个方子,分两家药店去撮,回来和在一起给他吃。"龙光又道:"何必分两家撮呢?"博如道:"两个方子是寒热绝不相对的,恐怕药店里疑心。"承辉道:"这也是小心点的好。"博如又附耳教了这甚么法子,方才畅饮而散。

从次日起,他们便如法泡制起来,无非是寒热兼施,攻补并进,拿着苟才的脏腑,做他药石的战场。上了年纪的人,如何禁受得起! 从年前十二月,捱到新年正月底边,那药石在脏腑里面,一边要坚壁清野,一边要架云梯、施火炮,那战场受不住这等蹂躏,登时城崩池溃,四郊延蔓起来,就此呜呼哀哉了。

三天成殓之后,龙光就自己当家。正是一朝权在手,便把令来行,陆续把些姨娘先打发出去,有给她一百的,有给她八十的,任她自去择人而事。大、二、三、四,四个姨娘,都不等满七,就陆续的打发了。后来这班人无非落在四马路,也不必说她了。只有打发到五姨,却预先叫承辉在外面租定房子,然后打发五姨出去,面子上是和众人一般,暗底子不知给了承辉多少。只有六姨留着。又把家中所用男女仆人等,陆续开除了,另换新人;开过吊之后,便连书启、帐房两个都换了。这是他为了六姨,要掩人耳目的意思。

朱博如知道苟才已死,把那借据填了二月初一的日子,初二便去要钱。承辉道:"你这个人真是性急! 你要钱也要有个时候,等这边开过吊,才像个样子。照你这样做法,难道这里穷在一天,初一急急要和你借,初二就有得还你了? 天下哪有这种情理!"一席话说得朱博如闭口无言,只得别去。直捱到开吊那天,他还买了点香烛纱元,亲来吊奠。承辉看见了大喜,把他大书特书记在礼簿上面。又过了三天,认真捱不住了。恰好这天龙光把书启、帐房辞去,承辉做了帐房,一切上下人等,都是自己牙爪,是恣无忌惮的了。承辉见博如来了,笑吟吟的请他坐下,说道:"先生今天是来取那笔款子的?"博如道:"是。"承辉道:"请把笔据取出来,"博如忙在身边取出,双手递与承辉。承辉接过看了一看道:"请坐请坐。我拿给先生。"博如此时真是心痒难抓,眼看着立时三刻,就是七千两银子到手了。忙向旁边一张椅子上坐下。

　　承辉拿了借据,放在帐桌上,提起笔来,点了两点,随手拿了一张七十两银子的庄票,交给博如道:"一向费心得很!"博如吃了一惊道:"这……这……这是怎么说?"承辉道:"那三成归了兄弟,也是早立了字据的。"博如道:"不错,我只收七折;但是何以变做七十两呢?"承辉笑道:"难道先生眼睛不便,连这票据上的字,都没有看出来?"博如连忙到案头一看,原来所写的那一万的"万"字,被他在一撇一钩的当中,加了两点,变成个"百"字了。博如这一怒非同小可,一手便把那借据抢在手里。承辉笑道:"先生恼甚么! 既然不肯还我票据,就请仍把庄票留下。"博如气昏了,便把庄票摔在地下要走。承辉含笑拦住道:"先生恼甚么? 到哪里去? 茶还没喝呢。来啊! 啬茶来啊! 客来了茶都不啬了,你们这班奴才,是干吗的啊!"一面说,一面重复让坐。又道:"先生还拿了这票子到哪里去呢?"博如怒道:"我只拿出去请大众评评这道理,可是'万'字可以改'百'字的!"承辉道:"'萬'字本不能改'百'字啊,这句话怎讲?"博如道:"我不和你说,你们当初故意写个小写的'万'字,有意赖我!"承辉笑道:"这句话先生你说错了。数目大事,你再看看,那票子上'一'字尚且写个'壹'字,岂有'万'字倒小写起之理? 只怕说出去,人家也不相信。"博如道:"我不管,我就拿了这票子到上海县去告,告你们涂改数目,明明借我的一万银子,硬改作一百。这个改的样子明明在那里,是瞒不过的。"

　　说话时家人送上茶来。承辉接过,双手递了一碗茶。说道:"好,好! 这个怪不得先生要告,整万银子的数目变了个一百,在我也是要告的。但不知先生凭甚么作证?"博如道:"你就是个证人,见了官,我不怕你再赖！"承辉道："是，是，我绝不敢赖。但是恐怕上海县问起来，他不问你先生，只问我。问道：苟大人是两省的候补道，当过多少差使。署过首道，署过藩台；上海道台，是苟大人的旧同寅，就是本县，从前也伺候过苟大人来；后来到了安徽，当了多少差使，谁不知道苟大人是有钱的。一旦不幸身故了，何至于就要和人家借钱办丧事？就说是一时汇款没到，凑手不及，本县这里啊，道台那里啊，还有多少阔朋友，哪里不挪动一万、八千，却要和这么个卖草头药的江湖医生去借钱？苟大人是署过藩台的，差不多的人，哪里觳得上和他拉交情，这个甚么朱博如，他觳得上和苟大人的少爷说相好，不计利息的话吗？他们究竟有甚么交情？你讲！'这么一篇话问下来，应该怎样回答，还请先生代我打算打算，预先串好了供，免得临时慌张。"朱博如听了，默默无言。良久，承辉又道："先生，这官司你是做原告，上海县他也不能不问你话的。譬如他问：'你不过是个江湖医生，你从哪里和苟大人父子拉上的交情，可以整万银子，不计利息的借给他？你这个人，倒很慷慨，本县很敬重你。但不知你借给他的一万银子，是哪里来的？在哪里赚着的？交给龙光的时候，还是钞票？还是元宝？还是洋钱？还是哪家银行的票子？还是哪家钱庄的票子？'这么一问，先生你又拿甚么话回答，也得要预先打算打算，免得临时慌张。"朱博如本来是气昂昂，雄赳赳的，到了此时，不觉慢慢的把头低下去，一言不发。

承辉又道："大凡打到官司，你说得不清楚，官也要和你查清楚的，况且整万银子的出进，岂有不查之理。他先把你宝号的帐簿吊去一查，有付这边一万银子的帐没有；再把这里的帐簿吊去一查，看有收到你一万银子的帐没有。你的帐簿呢，我不敢知道；我们这边帐簿，是的确没有这一笔。没有这笔倒也罢了，反查出了某天请某医生医金若干，某天请某医生医金若干。官又问了，说：'你们既然属在相好，整万银子都可以不计利息的，何以请你诊病，又要天天出医金呢？相好交情在哪里？'并且查到礼簿上，你先生的隆尊是'素烛一斤，纱元四匣'，与不计利息的交情，差到哪里去了！再拿这个一问，先生你又怎么说呢，这个似乎也要预备预备。"说罢，仍旧坐在帐桌上去，取过算盘帐簿，剔剔挞挞算他的帐去了。一会儿就有许多人来领钱的，来回事的，络绎不绝。一个家人拿了票子来，说是绸庄上来领寿衣价的，共是七十一两五钱六分银子。承辉呆了一呆道："哪里来这烦琐帐,甚么几钱几分的!"想了一会道:"这么罢,这一张七十两的票子,是朱先生退下来不要的,叫他先拿去罢。那个零头并在下回算,总有他们便宜。"那家人拿了去。朱博如坐在那里听着,好不难过,站起来急到帐桌旁边,要和承辉说话。承辉又是笑吟吟的道:"先生请坐。我这会忙,没功夫招呼你,要茶啊,烟啊,只管叫他们,不要客气。来啊! 招呼客人茶烟!'说着,又去办他的事了。一会儿,又跑了一个家人来,对承辉说道:"二爷请。"承辉便把帐簿往帐箱里一放,拍挞一声锁上了,便上去。博如连忙站起来要说话。承辉道:"先生且请坐,我马上就来。"

博如再要说话时,承辉已去的远了,无奈只得坐着等。心中暗想,这件事上当上的不小,而且这口气咽不下去。看承辉这厮,今天神情大为两样,面子上虽是笑吟吟的,那神气当中,却纯乎是挖苦我的样子。我想这件事,一不做,二不休,纵使不能告他欠项,他药死父亲可是真的,我就拿这个去告他。我虽然同谋,自首了总可以减等,我拚了一个"充军"的罪,博他一个"凌迟",总博得过。心里颠来倒去,只是这么想,那承辉可是一去不来了。

看看等到红日沉西,天色要黑下来了,才听得承辉一路嚷着说:"怎么还不点灯啊? 你们都是干吗的? 一大伙儿都是木头,拨一拨动一动!"一面嚷着,走到帐房里,见了博如,又道:"嗳呀! 你看我忙昏了,怎么把朱先生撂在这里!"连连拱手道:"对不住,对不住! 不知先生主意打定了没有? 如果先生有甚么意思,我们都好商量。"博如道:"总求阁下想个法儿,替我转个圜,不要叫我太吃亏了。"承辉道:"在先生的意思,怎样办法呢?"博如道:"好好的一万,凭空改了个一百,未免太下不去!"承辉道:"你先生还是那么说,我就没了法子了。"博如道:"这件事,如果一定闹穿了,只怕大家也不大好看。"承辉道:"甚么不好看呢?"博如道:"你们请我做甚么来的呢?"承辉正色道:"下帖子,下片子,请了大夫来,自然为的是治病。"

正说话间,忽然龙光走了进来,一见了博如,便回身向外叫道:"来啊!"外面答应一声,来了个家人。龙光道:"赶紧出去,在马路上叫一个巡捕来,把这忘八蛋先抓到巡捕房里去!"那家人答应去了。博如吃了一大惊道:"二爷,这是哪一门?"龙光不理他,又叫:"王二啊!"便有一个人进来。龙光道:"你懂两句外国话不是?"王二道:"是,家人略懂得几句。"龙光又叫:"来啊!"又走了一个人进来。龙光道："到我屋里去,把那一迭药方子拿来。"那人去了,龙光方才坐下。博如又道："二爷,你这个到底是哪一门?"龙光也不理他。此时承辉已经溜出去了。一会儿,那个人拿了一迭药方来。龙光接在手里,指给王二道："这个都是前天上海县官医看过了的。你看哪,这一张是石膏、羚羊、犀角,这一张是附子、肉桂、炮姜,一张一张都是你不对我,我不对你的。上海县方大老爷前天当面说过,叫把这忘八蛋扭交捕房,解新衙门,送县办他。你可拿好着,这方子上都盖有他的姓名图书,是个真凭实据。回来巡捕来了,你跟着到巡捕房里去,说明这个缘故,请他明天解新衙门。巡捕房要这方子做凭据的,就交给他;若不要的,带回来明日呈堂。"王二一一答应了。龙光又问："舅爷呢?"家人们便一迭连声请舅爷,承辉便走了进来。龙光道："那天上海县方大老爷说这个话的时候,新衙门程大老爷也在这里听着的,你随便写个信给他,请他送县。我现在热丧里头,不便出面,信上就用某公馆具名就是了。"承辉一一答应。只见那去叫巡捕的家人来说:"此刻是巡捕交班的时候,街上没有巡捕。"龙光道:"你到门口站着,有了就叫进来,不问是红头白脸的。"那家人答应出去了。龙光又指着博如对王二道:"他就交给你,不要放跑了!"说着侤长而去。

博如此时真是急得手足无措,走又走不了,站着不是,坐着不是,心里头就如腊月里喝了凉水一样,瑟瑟的乱抖。无奈何走近一步,向承辉深深一揖道:"这是哪一门的话?求大爷替我转个圜罢!"承辉仰着脸冷笑道:"闹穿了不过大家不好看,有甚要紧!"博如又道:"大爷,我再不敢胡说了!求你行个方便罢!"承辉道:"你就认个'庸医杀人',也不过是个'杖罪',好像还有'罚锾赎罪'的例,化几两银子就是了,不要紧的。"说着,站起来要走。吓得博如连忙扯住跪下道:"大爷,你救救我罢!这一到官司啊,这上海我就不能再住了。"一面说,一面取出那借据来,递给承辉道:"这个我也不敢要了。"承辉道:"还有一张甚么七折三成的呢?"博如也一并取了出来,交给承辉。承辉接过道:"你可再胡闹了?"博如道:"再也不敢了!"承辉道:"你可肯写下一张伏辩来,我替你想法子。"博如道:"写,写,写!大爷要怎样写,就怎样写。"

正是:未得羊肉吃,惹得一身臊。未知这张伏辩如何写法,且待下回再记。

第一百六回

符弥轩调虎离山　金秀英迁莺出谷

朱博如当下被承辉布置的机谋所窘,看着龙光又是赫赫官威,自己又是个外路人,带了老婆儿子来上海,所有吃饭穿衣,都靠着自己及那草头药店赚来的,此刻听说要捉他到巡捕房里去,解新衙门,送上海县,如何不急? 只急得他上天无路,入地无门,便由得承辉说甚么是甚么。承辉便起了个伏辩稿子来,要他照写。无非是:"具伏辩人某某,不合妄到某公馆无理取闹,被公馆主人饬仆送捕。幸经某人代为求情,从宽释出。自知理屈,谨具伏辩,从此不敢再到某公馆滋闹,并不敢在外造言生事。如有前项情事,一经察出,任凭送官究治"云云。博如一一照写了,承辉方才放他出去。他们办了这件事之后,自以为神不知鬼不觉的了。

谁知他打发出来的几个姨娘,以及开除的男女仆人,不免在外头说起,更有那朱博如,虽说是写了伏辩,不得在外造谣生事,那禁得他一万银子变了七千,七千又变了七十,七十再一变,是个分文无着,还要写伏辩,那股怨气如何消得了,总不免在外头逢人伸诉。旁边人听了这边的,又听了那边的,四面印证起来,便知得个清清楚楚。古语说的若要人不知,除非己莫为,果然说得不错。我仔仔细细把继之那封信看了一遍,把这件事的来历透底知道了,方才安歇。

此次到了上海之后,就住了两年多。这两年多,凡长江、苏、杭各处,都是继之去查检,因为德泉年纪大了,要我在上海帮忙之故。我因为在上海住下,便得看见龙光和符弥轩两个演出一场怪剧。原来符弥轩在京里头,久闻苟才的大名,知道他创办银元局,发财不少。恰遇了他祖父死了,他是个承重孙,照例要报丁忧。但是丁忧之后,有甚事业可做呢？想来想去，便想着了苟才。恰好那年的九省钦差，到安庆查办事件，得了苟才六十万银子的那位先生，是符弥轩的座主，那一年安庆查案之后，苟才也拜在那位先生的门下，论起来是个同门，因此弥轩求了那位先生一封信给苟才，便带了家眷，扶了灵柩出京。到得天津，便找了一处义地，把他祖父的棺材厝了。又找了一处房子，安顿下家眷。在侯家后又胡混了两个多月，方才自己一个人转身到上海。一到了，安顿下行李，即刻去找苟才。谁知苟才已经死了，见着了龙光。弥轩一看龙光这个人，举止浮躁，便存了一个心，假意说是从前和苟才认得，又把求来那封信交给龙光。他们旗人是最讲究交情礼节的，龙光一听见说是父亲的同门相好，便改称老伯。弥轩谦不敢当。谈了半天，弥轩似有行意。龙光道："老伯尊寓在哪里？恕小侄在热丧里，不便回候。"弥轩道："这个阁下太迂了！我并不是要阁下回候，但是住在上海，大可以从权。你看兄弟也是丁着承重忧，何尝穿甚么素。虽然，也要看处的是甚么地位；如果还在读书的时候，或是住在家乡，那就不宜过于脱略；如果是在场上应酬的人，自己又是个创事业的材料，那就大可以不必守这些礼节了。况且我看阁下是个有作为的人才，随时都应该在外头碰碰机会，而且又在上海，岂可以过于拘谨，叫人家笑话。我明天就请阁下吃饭，一定要赏光的。"说着，便辞了去。又去找了几个朋友，就有人请他吃饭。上海的事情，上到馆子，总少不免叫局，弥轩因为离了上海多年，今番初到，没有熟人，就托朋友荐了一个。当席就约了明天吃花酒。

到了次日，他再去访龙光，面订他晚上之局。龙光道："老伯跟前，小侄怎敢放恣！"弥轩道："你这个太客气！其实当日我见尊大人时，因尊大人齿德俱尊，我是称做老伯的。此刻我们拉个交情，拜个把罢。晚上一局，请你把帖子带到席上，我们即席换帖。"龙光道："这个如何使得！"弥轩道："如果说使不得，那就是你见外了。"龙光见弥轩如此亲热，便也欣然应允。弥轩又谆嘱晚上不必穿素衣，须知花柳场中，就是炎凉世界，你穿了布衣服去，他们不懂甚么道理，要看不起你的。我们既然换到帖，总不给你当上的。龙光本是个无知纨袴，被弥轩一次两次的说了，就居然剃了丧发，换上绸衣，当夜便去赴席。从此两个人便结交起来。

龙光本来是个混蛋，加以结识了弥轩，更加昏天黑地起来，不到百日孝满，便接连娶了两个妓女回去，化钱犹如泼水一般。弥轩屡次要想龙光的法子,因看见承辉在那里管着帐。承辉这个人,甚是精明强干,而且一心为顾亲戚,每每龙光要化些冤枉钱,都是被他止住,因此弥轩不敢下手。暗想总要设法把他调开了,方才妥当。看苟才死的百日将满,龙光偶然说起,嫌这个同知太小,打算过个道班。弥轩便乘机竭力怂恿,又说:"徒然过个道班,仍是无用,必要到京里去设法走路子,最少也要弄个内记名,不然就弄个特旨班才好。"龙光道:"这样又要到京里跑一趟。"弥轩道:"你不要嫌到京里跑一趟辛苦,只怕老弟就去跑一趟,受了辛苦,还是无用。"龙光道:"何以见呢?"弥轩道:"不是我说句放恣的话,老弟太老实了! 过班上兑,那是没有甚么大出进的。要说到走路子的话,一碰就要上当,白冤了钱,影儿也没一个。就是路子走的不差,会走的和不会走的,化钱差得远呢。"龙光道:"既然如此,也只好说说罢了。"弥轩道:"那又不然。只要老弟自己不去,打发一个能办事的人替你去就得了。"龙光道:"别样都可以做得,难道引见也可以叫人代的么?"弥轩笑道:"你真是少见多怪!便是我,就替人家代过引见的了。"龙光欢喜道:"既如此,我便找个人代我走一趟。"弥轩道:"这个人必要精明强干,又要靠得住的才行。"龙光道:"我就叫我的舅爷去,还怕靠不住么!"弥轩暗喜道:"这是好极的了!"龙光性急,即日就和承辉商量,要办这件事。承辉自然无不答应,便向往来的钱庄上,托人荐了一个人来做公馆帐房,承辉便到京里去了。

弥轩见调虎离山之计已行,便向龙光动手,说道:"令舅进京走路子,将来一定是恭喜的。然而据我看来,还有一件事要办的。"龙光问是什么事。弥轩道:"无论是记名,是特旨,外面的体面是有了,所差的就是一个名气。老弟才二十多岁的一个人,如果不先弄个名气在外头,将来上司见了,难保不拿你当纨裤相待。"龙光道:"名气有甚么法子可以弄出来的?"弥轩道:"法子是有的,不过要化几文,然而倒是个名利兼收的事情。"龙光忙问:"是怎么个办法? 要化多少钱?"弥轩道:"现在大家都在那里讲时务。依我看,不如开个书局,专聘了人来,一面著时务书,一面翻译西书。等著好了,译好了,我们就拿来拣选一遍,拣顶好的出了老弟的名,只当老弟自己著的译的,那平常的就仍用他本人名字,一齐印起来发卖。如此一来,老弟的名气也出去了,书局还可以赚钱,岂不是名利兼收么? 等到老弟到省时,多带几部自己出名的书去,送上司,送同寅,那时候谁敢不佩服你呢。博了个熟识时务,学贯中西的名气,怕不久还要得明保密保呢。"龙光道:"著的书还可以充得,我又没有读过外国书,怎样好充起翻译来呢?"弥轩道:"这个容易,只要添上一个人名字,说某人口译,你自己充了笔述,不就完了么。"龙光大喜,便托弥轩开办。

弥轩和龙光订定了合同,便租起五楼五底的房子来;乱七八糟,请了十多个人,翻译的,著撰的;一面向日本人家定机器,定铅字。各人都开支薪水。他认真给人家几个钱一月,不得而知;他开在帐上,总是三百一月,五百一月的,闹上七八千银子一月开销。他自己又三千一次,二千一次的,向龙光借用。龙光是糊里糊涂的,由他混去。这一混足足从四五月里混到年底下,还没有印出一页书来,龙光也还莫名其妙。

却遇了一个当翻译的,因为过年等用,向弥轩借几十块钱过年。弥轩道:"一局子差不多有二十人,过年又是人人都要过的,一个借开了头,便个个都要借了。"因此没有借给他。弥轩开这书局,是专做毛病的,差不多人人都知道,只有龙光一个是糊涂虫。那个借钱不遂的翻译先生,挟了这个嫌,便把弥轩作弊的事情,写了一封匿名信给龙光。后来越到年底,人家等用的越急,一个个向他借钱,他却是一个不应酬,因此大家都同声怨他。那翻译先生就把写信通知东家的一节,告诉了两个人,于是便有人学样起来。龙光接二连三的接了几封信,也有点疑心,便和帐房先生商量。帐房先生道:"做书生意,我本是外行。但是做了大半年,没有印出一部书来,本是一件可疑的事。为今之计,只有先去查一查帐目,看他一共用了多少钱,统共译了著了多少书,要合到多少钱一部,再问他为甚还不印出来的道理,看是怎样的再说。"龙光暗想这件事最好是承辉在这里,就办得爽快,无奈他又到京里去了。虽然他有信来过,说过班一事,已经办妥,但是走路子一事,还要等机会,正不知他几时才回上海。此刻无可奈何,只得就叫这个帐房先生去查的了。想罢,就将此意说出来。帐房先生道:"查帐是可以查的,但是那所译所著的书,精粗美恶,我可不知道。"龙光道:"好歹你不知,多少总看得见的,你就去查个多少罢了。"帐房先生奉命而行。

次日一早,便去查帐。弥轩问知来意,把脸色一变道:"这个局子是东家交给我办的,就应得要相信我。要查帐,应得东家自己来查。这个办书的事情,不是外行人知道的。并且文章价值,有甚一定,古人一字千金尚且肯出。你回去说,我这里的帐是查不得的,等我会了他面再说。"帐房先生碰了一鼻子灰,只得回去告诉龙光。龙光十分疑讶,且等见面之后再说。

　　当天晚上,弥轩便请龙光吃花酒。龙光以为弥轩见面之后,必有一番说话,谁知他却是一字不提,犹如无事一般。龙光甚是疑心,自己又不好意思先问。席散之后,回去和帐房先生说起。帐房先生道:"他不服查帐,非但是有弊病,一定是存心不良的了。此刻已到年下,且等过了年,想个法子收回自办罢。"龙光也只好如此。

　　光阴荏苒,又过了新年,龙光又和帐房先生商量这件事。帐房先生道:"去年要查一查他的帐尚且不肯,此刻要收他回来,更不容易了。此刻的世界,只有外国人最凶,人家怕的也是外国人;不如弄个外国人去收他回来,谅他见了外国人,也只得软下来了。"龙光道:"哪里去弄个外国人呢?"帐房先生道:"外国人是有的,只要主意打定了,就好去弄。"龙光道:"就是这个主意罢。叫他再办下去,不知怎样了局呢!"帐房先生便去找了一个外国人来,带了翻译,来见龙光。龙光说知要他收回书局的话,由翻译告诉了外国人。又两面传递说话,言明收回这家书局之后,就归外国人管事,以一年为期,每月薪水五百两。外国人又叫龙光写一张字据,好向弥轩收取,龙光便写了,递给外国人。外国人拿了字据,兴兴头头去见弥轩,说明来意。弥轩道:"我在这里办得好好的,为甚又叫你来接办?"外国人道:"我不知道。龙大人叫我来办,是有凭据给我的。"说罢,取出字据来给弥轩看。弥轩道:"龙大人虽然有凭据叫你接办,却没有凭据叫你退办,我不能承认你那张凭据。"外国人道:"东家的凭据,你哪里有权可以不承认?"弥轩道:"我自然有权。我和龙大人订定了合同,办这个书局,合同上面没有载定限期,这个书局我自然可以永远办下去。就是龙大人不要我办了,也要预先知照我,等我清理一切帐目,然后约了日子,注销了合同,你才可以拿了凭据来接收啊。"外国人说他不过,只得去回复龙光。龙光吃了一惊,去对帐房先生说。帐房先生吐出了舌头道:"这个人连外国人都不怕,还了得!"再和他商量时,他也没了法子了。过了三天,那外国人开了一篇帐来,和龙光要六千银子,说是讲定在前,承办一年,每月薪水五百,一年合了六千,此刻是你不要我办,并不是我不替你办,这一年薪水是要给我的。龙光没奈何,只得给了他。暗想若是承舅爷在这里,断不至于叫我面面吃亏,此刻不如打个电报,请他先回来罢。定了主意,便打个电报给承辉,叫他不要等开河,走秦皇岛先回来。

这边的符弥轩,自从那外国人来过之后,便处处回避,不与龙光相见,却拿他的钱,格外撒泼的支用起来,又天天去和他的相好鬼混。他的相好妓女,名叫金秀英,年纪已在二十岁外了;身边挣了有万把银子金珠首饰,然而所背的债差不多也有万把。原来上海的妓女,外面看着虽似阔绰,其实她穿的戴的,十个有九个是租来的,而且没有一个不背债。这些债,都是向那些龟奴、鳖爪,大姐、娘姨等处借来的,每月总是二三分利息。龟奴等辈借了债给她,就跟着伺候她,其名叫做带挡。这种风气,就同官场一般,越是背得债多的,越是红人,那些带挡的,就如官场的带肚子师爷一般。这金秀英也是上海一个红妓女,所以她手边虽置了万把银子首饰,不至于去租来用,然而所欠的债也足抵此数。符弥轩是一个小白脸。从来姐儿爱俏,弥轩也垂涎她的首饰,便一个要娶,一个要嫁起来。这句话也并非一日了,但是果然要娶她,先要代她还了那笔债,弥轩又不肯出这一笔钱,只有天天下功夫去媚秀英,甜言蜜语去骗她。骗得秀英千依百顺,两个人样样商量妥当,只待时机一到,即刻举行的了。

可巧他们商量妥当,承辉也从京里回来。龙光便和他说知弥轩办书局的事情,不服查帐,不怕外国人,一一都告诉了。承辉又一一盘问了一遍道:“你此刻是打算追回所用的呢? 还是不要他办算了呢?”龙光道:“算了罢! 他已经用了的,怎么还追得回来! 能够不要他办,我就如愿了。”承辉道:“这又何难,怎么这点主意都没有? 你只要到各钱庄去知照一声,凡是书局里的折子,一律停止付款,他还办甚么!”龙光恍然大悟,即刻依计而行。弥轩见忽然各庄都支钱不动,一打听,是承辉回来了。想道:“这家伙来了,事情就不好办了。”连忙将自己箱笼铺盖搬到客栈里去,住了两天。

这天打听得天津开了河,泰顺轮船今天晚上开头帮,广大轮船同时开广东。弥轩便写了两张泰顺官舱船票,叫底下人押了行李上泰顺船,却到金秀英家,说是附广大轮船到广东去,开销了一切酒局的帐。金秀英自然依依不舍,就是房里众人,因为他三天碰和,两天吃酒的,也都有些舍不得他走之意。这一天的晚饭,是在秀英家里吃的。吃过晚饭,又俄延到了十二点多钟,方才起身。秀英便要亲到船上送行,于是叫了一辆马车同去,房里一个老妈子也跟着同行。三个人一辆车,直到了金利源码头,走上了泰顺轮船,寻到官舱,底下人已开好行李在那里伺候。弥轩到房里坐下,秀英和他手搀手的平排坐着喁喁私语。那老妈子屡次催秀英回去,秀英道:"忙甚么! 开船还早呢。"直到两点钟时,船上茶房到各舱里喊道:"送客的上岸啊! 开船啊!"那老妈子还不省得,直等喊过两次之后,外边隐隐听得抽跳的声音,秀英方才正色说出两句话来,只把老妈吓得尿屁直流!

　　正是:报道一声去也,情郎思妇天津。未知金秀英说出甚么话来,且待下回再记。

第一百七回

觑天良不关疏戚　蓦地里忽遇强梁

当时船将开行,船上茶房到各舱去分头招呼,喊道:"送客的上岸啊!开船咧!"如此已两三遍,船上汽筒又呜呜的响了两声。那老妈子再三催促登岸,金秀英直到此时方才正色道:"你赶紧走罢!此刻老实对你说,我是跟符老爷到广东的了。你回去对他们说,一切都等我回来,自有料理。"老妈子大惊道:"这个如何使得!"秀英道:"事到如今,使得也要使得,使不得也要使得的了。你再不走,船开了,你又没有铺盖,又没有盘缠,外国人拿你吊起来我可不管!无论你走不走,你快到外头去罢,这里官舱不是你坐的地方!"说时,外面人声嘈杂,已经抽跳了。那老妈子连爬带跌的跑了出去,急忙忙登岸,回到妓院里去,告诉了龟奴等众,未免惊得魂飞魄散。当时夜色已深,无可设法,惟有大众互相埋怨罢了。这一夜,害得他们又急又气又恨,一夜没睡。

到得天亮,便各人出去设法,也有求神的,也有问卜的。那最有主意的,是去找了个老成的嫖客,请他到妓院里来,问他有甚法子可想。那嫖客问了备细,大家都说是坐了广大轮船到广东去的。就是昨天跟去的老妈子,也说是到广大船去的。又是晚上,又是不识字的人,她如何闹得清楚。就是那嫖客,任是十分精明,也断断料不到再有他故,所以就代他们出了个法子,作为拐案,到巡捕房里去告,巡捕房问了备细,便发了一个电报到香港去,叫截拿他两个人。谁知那一对狗男女,却是到天津去的。只这个便是高谈理学的符弥轩所作所为的事了。

唉!他人的事,且不必说他,且记我自己的事罢。我记以后这段事时,心中十分难过。因为这一件事,是我平生第一件失意的事,所以提起笔来,心中先就难过。你道是甚么事？原来是接了文述农的一封信,是从山东沂州府蒙阴县发来的,看一看日子,却是一个多月以前发的了。文述农何以又在蒙阴起来呢？原来蔡侣笙自弄了个知县到山东之后,宪眷极隆,历署了几任繁缺,述农一向跟着他做帐房的。侣笙这个人,他穷到摆测字摊时,还是一介不取的,他做起官来,也就可想了,所以虽然署过几个缺,仍是两袖清风。前两年补了蒙阴县,所以述农的信,是从蒙阴发来的。当下我看见故人书至,自然欢喜,连忙拆开一看,原来不是说的好事,说是:"久知令叔听鼓山左,弟自抵鲁之后,亟谋一面,终不可得。后闻已补沂水县汶河司巡检,至今已近十年,以路远未及趋谒。前年蔡侣翁补蒙阴,弟仍为司帐席。沂水于此为邻县,汶水距此不过百里,到任后曾专车往谒,得见颜色,须鬓苍然矣！谈及阁下,令叔亦以未得一见为憾。今年七月间,该处疠疫盛行,令叔令婶,相继去世。遗孤二人,才七八岁。闻身后异常清苦。此间为乡僻之地,往来殊多不便,弟至昨日始得信。阁下应如何处置之处,敬希裁夺。专此通知"云云。

　　我得了这信,十分疑惑。十多年前,就听说我叔父有两个儿子了,何以到此时仍是两个,又只得七八岁呢？我和叔父虽然生平未尝见过一面,但是两个兄弟,同是祖父一脉,我断不能不招呼的,只得到山东走一趟,带他回来。又想这件事我应该要请命伯父的。想罢,便起了个电稿,发到宜昌去。等了三天,没有回电。我没有法子,又发一个电报去,并且代付了二十个字的回电费。电报去后,恰好继之从杭州回来,我便告知底细。继之道:"论理,这件事你也不必等令伯的回电,你就自己去办就是了。不过令叔是在七月里过的,此刻已是十月了,你再赶早些去也来不及,就是再耽搁点,也不过如此的了。我在杭州,这几天只管心惊肉跳,当是有什么事,原来你得了这个信。"我道:"到沂水去这条路,还不知怎样走呢。还是从烟台走？还是怎样？"继之道:"不,不。山东沂州是和这边徐州交界,大约走王家营去不远;要走烟台,那是要走到登州了。"管德泉道:"要是走王家营,我清江浦有个相熟朋友,可以托他招呼。"我道:"好极了！等我动身时,请你写一封信。"

　　闲话少提。转眼之间,又是三日,宜昌仍无回电,我不觉心焦之极,打算再发电报。继之道:"不必了。或者令伯不在宜昌,到哪里去了,你索性再等几天罢。"我只得再等。又过了十多天,才接着我伯父的一封厚信。连忙拆开一看,只见鸡蛋大的字,写了四张三十二行的长信纸,说的是:"自从汝祖父过后,我兄弟三人,久已分炊,东西南北,各自投奔,祸福自当,隆替无涉。汝叔父逝世,我不暇过问,汝欲如何便如何。据我之见,以不必多事为妙"云云。我见了这封信,方悔白等了半个多月。即刻料理动身,问管德泉要了信,当夜上了轮船到镇江。在镇江耽搁一夜,次日一早上了小火轮,到清江浦去。

到了清江,便叫人挑行李到仁大船行,找着一个人,姓刘,号叫次臣,是这仁大行的东家,管德泉的朋友,我拿出管德泉的信给他,他看了,一面招呼请坐、喝茶,一面拿一封电报给我道:"这封电报,想是给阁下的。"我接来一看,不觉吃了一惊,我才到这里,何以倒先有电报来呢?封面是镇江发的。连忙抽出来一看,只见"仁大刘次臣转某人"几个字,已经译了出来,还有几个未译的字。连忙借了《电报新编》,译出来一看,是"接沪电,继之丁忧返里"几个字,我又不觉添一层烦闷。怎么接二连三都是些不如意的事?电报上虽不曾说甚么,但是内中不过是叫我早日返沪的意思。我已经到了这里,断无折回之理,只有早日前去,早日回来罢了。当下由刘次臣招呼一切,又告诉我到王家营如何雇车上路之法,我一一领略。

次日,便渡过黄河,到了王家营,雇车长行。走了四天半,才到了汶河,原来地名叫做汶河桥。这回路过宿迁,说是楚项王及伍子胥的故里;过剡城,说有一座孔子问官祠;又过沂水,说是二疏故里、诸葛孔明故里,都有石碑可证。许多古迹,我也无心去访了。到了汶河桥之后,找一家店住下,要打听前任巡检太爷家眷的下落。那真是大海捞针一般,问了半天,没有人知道的。后来我想起一法,叫了店家来,问:"你们可有认得巡检衙门里人的没有?"店家回说"没有"。我道:"不管你们认得不认得,你可替我找一个来,不问他是衙门里的什么人,只要找出一个来,我有得赏你们。"店家听说有得赏,便答应着去了。

过了半天,带了一个弓兵来,年纪已有五十多岁。我便先告诉了我的来历,并来此的意思。弓兵便叫一声"少爷",请了个安,一旁站着。我便问他:"前任太爷的家眷,住在哪里,你可知道?"弓兵回说:"在这里往西去七十里赤屯庄上。"我道:"怎么住到那里呢?两个少爷有几岁了?"弓兵道:"大少爷八岁,小少爷只有六岁。"我道:"你只说为甚住到赤屯庄去?"弓兵道:"前任老爷听说断过好几回弦,娶过好几位太太了,都是不得到老。少爷也生过好几位了,听说最大的大少爷,如果在着,差不多要三十岁了,可惜都养不住。那年到这边的任,可巧又是太太过了。就叫人做媒,把赤屯马家的闺女儿娶来,养下两个少爷。今年三月里,太太害春瘟过了。老爷打那么也得了病,一直没好过,到七月里头就过了。"我道:"躺下来之后,谁在这里办后事呢?"弓兵道:"亏得舅老爷刚刚在这里。"我道:"哪个舅老爷?"弓兵道:"就是现在少爷的娘舅,马太太的哥哥,叫做马茂林。"我道:"后事是怎样办的?"弓兵道:"不过买了棺木来,把老爷平日穿的一套大衣服装裹了去,就把两个少爷,带到赤屯去了。"我道:"棺木此刻在哪里呢?"弓兵道:"在就近的一块义地上邱着。"我道:"远吗?"弓兵道:"不远,不过二三里地。"我道:"你有公事吗? 可能带我去看看?"弓兵道:"没事。"我就叫他带路先走。我沿途买了些纸钱香烛之类,一路同去,果然不远就到了。弓兵指给我道:"这是老爷的,这是太太的。"我叫他代我点了香烛,叩了三个头,化过纸钱。生平虽然没有见过一面,然而想到骨肉至亲,不过各为谋食起见,便闹到彼此天涯沦落,各不相顾,今日到此,已隔着一块木头,不觉流下泪来。细细察看,那棺木却是不及一寸厚的薄板。我不禁道:"照这样,怎么盘运呢?"弓兵道:"如果要盘运,是要加外椁的了。要用起外椁来,还得要上沂州府去买呢。"

　　徘徊了一会,回到店里。弓兵道:"少爷可要到赤屯去?"我道:"去是要去的,不知一天可以赶个来回不?"弓兵道:"七十多里地呢!要是夏天还可以,此刻冬月里,怕赶不上来回。少爷明日动身,后天回来罢。弓兵也去请个假,陪少爷走一趟。"我道:"你是有公事的人,怎好劳动你?"弓兵道:"哪里的话。弓兵伺候了老爷十年多,老爷平日待我们十分恩厚,不过缺苦官穷,有心要调剂我们,也力不从心罢了。我们难道就不念一点恩义的么? 少爷到那边,他们一个个都认不得少爷,知道他们肯放两个小的跟少爷走不呢? 多弓兵一个去了,也帮着说说。"我道:"如此,我感激你得很! 等去了回来,我一起谢你。"弓兵道:"少爷说了这句话,已经要折死我了!"说着,便辞了去。一宿无话。

　　次日一早,那弓兵便来了。我带的行李,只有一个衣箱,一个马包。因为此去只有两天,便不带衣箱,寄在店里,只把在清江浦换来的百把两碎纹银，在箱子里取出来，放在马包里，重新把衣箱锁好，交代店家，便上车去了。此去只有两天的事，我何必拿百把两银子放在身边呢？因为取出银包时，许多人在旁边，我怕露了人眼不便，因此就整包的带着走了。我上了车，弓兵跨了车檐，行了半天，在路上打了个尖，下午两点钟光景就到了。是一所七零八落的村庄。

那弓兵从前是来过的，认得门口，离着还有一箭多地，他便跳了下来，一叠连声的叫了进去，说甚么"大少爷来了啊！你们快出来认亲啊"！只他这一喊，便惊动了多少人出来观看。我下了车，都被乡里的人围住了，不能走动。那弓兵在人丛中伸手来拉了我的手，才得走到门口。弓兵随即在车上取了马包，一同进去。弓兵指着一个人对我道："这是舅老爷。"我看那人时，穿了一件破旧茧绸面的老羊皮袍，腰上束了一根腰里硬，脚上穿了一双露出七八处棉花的棉鞋；虽在冬月里，却还光着脑袋，没带帽子。我要对他行礼时，他却只管说："请坐啊，请坐啊！地方小，委屈得很啊！"看那样子是不懂行礼的，我也只好糊里糊涂敷衍过了。忽然外面来了一个女人，穿一件旧到泛白的青莲色茧绸老羊皮袄，穿一条旧到泛黄的绿布紫腿棉裤，梳一个老式长头，手里拿了一根四尺来长的旱烟袋。弓兵指给我道："这是舅太太。"我也就随便招呼一声。舅太太道："这是侄少爷啊，往常我们听姑老爷说得多了，今日才见着。为甚不到屋里坐啊？"于是马茂林让到房里。

只见那房里占了大半间是个土炕，土炕上放了一张矮脚几，几那边一团东西，在那里蠕蠕欲动。弓兵道："请炕上坐罢，这边就是这样的了。那边坐的，是他们老姥姥。"我心中又一疑，北边人称呼外祖母多有叫姥姥的，何以忽然弄出个"老姥姥"来？实在奇怪！我这边才坐下，那边又说姥姥来了，就见一个老婆子，一只手拉了个小孩子同来。我此刻是神魂无主的，也不知是谁找谁，惟有点头招呼而已。弓兵见了小孩子，便拉到我身边道："叫大哥啊！请安啊！"那孩子便对我请了个安，叫一声"大哥"。我一手拉着道："这是大的吗？"弓兵道："是。"我问道："你叫甚么名字？"孩子道："我叫祥哥儿。"我道："你兄弟呢？"舅太太接口道："今天大姨妈叫他去吃大米粥去的，已经叫人叫去了。小的叫魁哥儿，比大的长得还好呢。"说着话时，外面魁哥儿来了，两手捧着一个吃不完的棒子馒头，一进来便在他姥姥身边一靠，张开两个小圆眼睛看着我。弓兵道："小少爷！来，来，来！这是你大哥,怎么不请安啊?"说着,伸手去搀他,他只管躲着不肯过来。姥姥道:"快给大哥请安去! 不然,要打了!"魁哥儿才慢腾腾的走近两步,合着手,把腰弯了一弯,嘴里说得一个"安"字,这想是凤昔所教的了。我弯下腰去,拉了过来,一把抱在膝上;这只手又把祥哥儿拉着,问道:"你两个的爸爸呢? 好苦的孩子啊!"说着,不觉流下泪来。这眼泪煞是作怪,这一流开了头,便止不住了。两个孩子见我哭了,也就哗然大啼。登时惹得满屋子的人一齐大哭,连那弓兵都在那里擦眼泪。哭够多时,还是那弓兵把家人劝住了,又提头代我说起要带两个孩子回去的话。马茂林没甚说得,只有那姥姥和舅太太不肯;后来说得舅太太也肯了,姥姥依然不肯。追冬日子短得很,天气已经快断黑了。舅太太又去张罗晚饭,炒了几个鸡蛋,烙了几张饼,大家围着糊里糊涂吃了,就算一顿。这是北路风气如此,不必提他。这一夜,我带着两个兄弟,问长问短,无非是哭一场,笑一场。

　　到了次日一早,我便要带了孩子动身,那姥姥又一定不肯。说长说短,说到中午时候,他们又拿出面饭来吃,好容易说得姥姥肯了。此时已是挤满一屋子人,都是邻居来看热闹的。我见马家实在穷得可怜,因在马包里,取出那包碎纹银来,也不知哪一块是轻的是重的,生平未曾用过戥子,只拣了一块最大的递给茂林道:"请你代我买点东西,请姥姥他们吃罢。"茂林收了道谢。我把银子包好,依然塞在马包里。舅太太又递给我一个小包裹,说是小孩子衣服,我接了过来,也塞在马包里,车夫提着出去。我抱了魁哥儿,弓兵抱了祥哥儿,辞别众人,一同上车。两个小孩子哭个不了,他的姥姥在那里倚门痛哭,我也禁不住落泪。那舅太太更是"儿啊肉啊"的哭喊,便连赶车的眼圈儿也红了。那哭声震天的光景,犹如送丧一般。外面看的人挤满了,把一条大路紧紧的塞住,车子不能前进。赶车的拉着牲口慢慢的走,一面嘴里喊着"让,让,让,让啊,让啊"! 才慢慢的走得动。路旁看的人,也居然有落泪的。走过半里多路,方才渐渐人少了。

　　我在车上盘问祥哥儿,才知道那老姥姥是他姥姥的娘,今年一百零四岁,只会吃,不会动的了。在车上谈谈说说,不觉日已沉西。今天这两匹牲口煞是作怪,只管走不动,看看天色黑下来了,问问程途,说还有二十多里呢。忽然前面树林子里,一声啸响,赶车的失声道:"罢了!"弓兵连忙抱过魁哥儿,跳下车去道:"少爷下来罢,好汉来了。"我虽未曾走过北路,然而"响马"两个字是知道的,但不知对付他的法子。看见弓兵下了车，我也只得抱了祥哥儿下来。赶车的仍旧赶着牲口向前走。走不到一箭之地，那边便来了五六个彪形汉子，手执着明晃晃的对子大刀；奔到车前，把刀向车子里一搅，伸手把马包一提，提了出来便要走。此时那弓兵和赶车的都站在路旁，行所无事，任其所为。我见他要走了，因向前说道："好汉，且慢着。东西你只管拿去。内中有一个小包裹，是这两个小孩子的衣服，你拿去也没用，请你把他留了，免得两个孩子受冷，便是好汉们的阴德了。"那强盗果然就地打开了马包，把那小包裹提了出来，又打开看了一看，才提起马包，大踏步向树林子里去了。我们仍旧上车前行。那弓兵和那赶车的说起："这一伙人是从赤屯跟了来的，大约是瞥见那包银子之故。"赶车的道："我和你懂得规矩的。我很怕这位老客，他是南边来的，不懂事，闹出乱子来怎好。"我道："闹甚么乱子呢？"弓兵道："这一路的好汉，只要东西，不伤人。若是和他争论抢夺，他便是一刀一个！"我道："那么我问他讨还小孩子衣服，他又不怎样呢？"赶车的道："是啊，从来没听见过遇了好汉，可以讨得情的。"一路说着，加上几鞭，直到定更时分，方才赶回汶水桥。

正是：只为穷途怜幼稚，致教强盗发慈悲。未知到了汶水桥之后，又有何事，且待下回再记。

第一百八回

负屈含冤贤令尹结果　风流云散怪现状收场

　　我们赶回汶水桥，仍旧落了那个店。我仔细一想，银子是分文没有了，便是铺盖也没了。取过那衣箱来翻一翻，无非几件衣服。计算回南去还有几天，这大冷的天气，怎样得过？翻到箱底，却翻着了四块新板洋钱，不知是几时，我爱他好玩，把他收起来的。此时交代店家弄饭。那弓兵还在一旁。一会儿，店家送上些甚么片儿汤、烙饼等东西，我就让那弓兵在一起吃过了。我拿着洋钱问他，这里用这个不用。弓兵道："大行店还可以将就，只怕吃亏不少。"我道："这一趟，我带的银子一起都没了，辛苦你一趟，没得好谢你，送你一个玩玩罢。"弓兵不肯要。我再四强他，说这里又不用这个的，你拿去也不能使用，不过给你玩玩罢了，他才收下。

　　我又问他这里到蒙阴有多少路。弓兵道："只有一天路，不过是要赶早。少爷可是要到那边去？"我道："你看我钱也没了，铺盖也没了，叫我怎样回南边去？蒙阴县蔡大老爷是我的朋友，我赶去要和他借几两银子才得了啊。"弓兵道："蔡大老爷么？那是一位真正青天佛菩萨的老爷！少爷你和他是朋友吗？那找他一定好的。"我道："他是邻县的县大老爷，你们怎么知道他好呢？"弓兵道："今年上半年，这里沂州一带起蝗虫，把大麦小麦吃个干净，各县的县官非但不理，还要征收上忙钱粮呢。只有蔡大老爷垫出款子，到镇江去贩了米粮到蒙阴散赈。非但蒙阴百姓忘了是个荒年，就是我们邻县的百姓赶去领赈的，也几十万人，蔡大老爷也一律的散放，直到六月里方才散完。这一下子，只怕救活了几百万人。这不是青天佛菩萨吗！少爷你明天就赶着去罢。"说着，他辞去了。我便在箱子里翻出两件衣服，代做被窝，打发两个兄弟睡了，我只和衣躺了一会。

次日一早，便动身到蒙阴去。这里的客店钱，就拿两块洋钱出来，由得他七折八扣的勉强用了。催动牲口，向蒙阴进发。偏偏这天又下起大雪来，直赶到断黑，才到蒙阴，已经来不及进城了，就在城外草草住了一夜。

次日赶早，仍旧坐车进城。进城走了一段路，忽然遇了一大堆人，把车子挤住，不得过去。原来这里正是县前大街的一个十字街口，此时头上还是纷纷大雪，那些人并不避雪，都挤在那里。我便下车，分开众人，过去一看，只见沿街铺户，都排了香案，供了香花灯烛，一盂清水，一面铜镜。几十个年老的人，穿了破缺不全的衣帽，手执一炷香，都站在那里，涕泪交流。我心中十分疑惑，今天来了，又遇了甚么把戏。正在怀疑之间，忽然见那一班老者都纷纷在雪地上跪下，嘴里纷纷的嚷着，不知他嚷些什么，人多声杂，听不出来，只仿佛听得一句"青天大老爷"罢了。

回头看时，只见一个人，穿了玄青大褂，头上戴了没顶的大帽子，一面走过来，一面跺脚道："起来啊！这是朝廷钦命的，你们怎么拦得住？"我定睛细看时，这个人正是蔡侣笙！面目苍老了许多，嘴上留了胡子，颜色亦十分憔悴。我不禁走近一步道："侣翁，这是甚么事？"侣笙向我仔细一看，拱手道："久违了。大驾几时到的？我此刻一言难尽！述农还在衙门里，请和述农谈罢。"说着，就有两个白胡子的老人，过来跪下说："青天大老爷啊！你这是去不得的哪！"侣笙跺脚道："你们都起来说话。我是个好官啊，皇上的天恩，我是保管没事的；我要不是个好官呢，皇上有了天恩，天地也不容我。你们替我急的是哪一门啊！"一面说，一面搀起两个老人，又向我拱手道："再会罢，恕我打发这班百姓都打发不了呢。"说着，往前行去。有两个老百姓，撑着雨伞，跟在后头，代他挡雪；又有一顶小轿，跟在后头，缓缓的往前去了。后头围随的人，也不知多少，一般的都是手执着香，涕泪交流的，一会儿都渐渐跟随过去了。我暗想侣笙这个人真了不得！闹到百姓如此爱戴，真是不愧为民父母了。

一面过来招呼了车子，放到县署前，我投了片子进去，专拜前任帐房文师爷。述农亲自迎出外面来，我便带了两弟进去，教他叩见。不及多说闲话，只述明了来意。述农道："几两银子，事情还容易。不过你今天总不能动身的了，且在这里住一宿，明日早起动身罢。"我又谈起遇见侣笙如此如此。述农道："所以天下事是说不定的。我本打算十天半月之后,这里的交代办清楚了,还要到上海,和你或继之商量借钱,谁料你倒先遇了强盗!"我道："大约是为侣笙的事?"述农道："可不是! 四月里各属闹了蝗虫,十分利害,侣笙便动了常平仓的款子,先行赈济;后来又在别的公款项下,挪用了点。统共不过化到五万银子,这一带地方,便处治得安然无事。谁知各邻县同是被灾的,却又匿灾不报,闹得上头疑心起来,说是蝗虫是往来无定的,何以独在蒙阴? 就派了查灾委员下来查勘。也不知他们是怎样查的,都报了无灾。上面便说这边捏报灾情,擅动公款,勒令缴还。侣笙闹了个典尽卖绝,连他夫人的首饰都变了,连我历年积蓄的都借了去,我几件衣服也当了,七拼八凑,还欠着八千多银子。上面便参了出来,奉旨革职严追。上头一面委人来署理,一面委员来守提。你想这件事冤枉不冤枉!"我道："好在只差八千两,总好商量的;倒是我此刻几两银子,求你设个法!"述农道："你急甚么! 我顶多不过十天八天,算清了交代,也到上海去代侣笙张罗,你何妨在这里等几天呢?"我道："我这车子是从王家营雇的长车,回去早一天,少算一天价,何苦在这里耽搁呢。况且继之丁忧回去了。"述农惊道："几时的事?"我道："我动身到了清江浦,才接到电报的。电报简略,虽没有说什么,然而总是嘱我早回的意思。"述农道："虽然如此,今天是万来不及的了。"我道："一天半天,是没有法子的。"述农事忙,我便引过两个孩子,逗着玩笑,让述农办事。

　　捱过了一天,述农借给我两份铺盖,二十两银子,我便坐了原车,仍旧先回汶水桥。此时缺少盘费,灵柩是万来不及盘运的了,备了香楮,带了两个兄弟,去叩别了,然后长行。到了王家营,开发了车价,渡过黄河,到了清江浦,入到仁大船行。刘次臣招呼到里面坐下,请出一个人来和我相见。我抬头一看,不觉吃了一大惊,原来不是别人,是金子安。我道："子翁为甚到这里来?"

　　子安道："一言难尽! 我们到屋里说话罢。"我就跟了他到房里去。子安道："我们的生意已经倒了!"我吃惊道："怎样倒的?"子安道："继之接了丁忧电报,我们一面发电给你,一面写信给各分号。东家丁了忧,通个信给伙计,这也是常事。信里面不免提及你到山东,大约是这句话提坏了,他们知道两个做主的都走开了,汉口的吴作猷头一个倒下来,他自己还卷逃了五万多。恰好有万把银子药材装到下江来的，行家知道了，便发电到沿江各埠，要扣这一笔货，这一下子，可全局都被牵动了。那天晚上，一口气接了十八个电报，把德泉这老头子当场急病了。我没了法子，只得发电到北京、天津，叫停止交易。苏、杭是已经跟着倒下来的了。当夜便把号里的小伙计叫来，有存项的都还了他，工钱都算清楚了，还另外给了他们一个月工钱，他们悄悄的搬了铺盖去，次日就不开门了。管德泉吓得家里也不敢回去，住在王端甫那里。我也暂时搬在文述农家里。"我道："述农不在家啊。"子安道："杏农在家里。"我道："此刻大局怎样了？"子安道："还不知道。大约连各处算起来，不下百来万。此刻大家都把你告出去了，却没有继之名字。"我道："本来当日各处都是用我的名字，这不能怪人家。但是这件事怎了呢？"子安道："我已有电给继之，大约能设法弄个三十来万，讲个折头，也就了结了。我恐怕你贸贸然到了上海，被他们扣住，那就糟糕了！好歹我们留个身子在外头好办事，所以我到这里来迎住你。"我听得倒了生意，倒还不怎样，但是难以善后，因此坐着呆想主意。

子安道："这是公事谈完了，还有你的私事呢。"说罢，在身边取出一封电报给我，我一看，封面是写着宜昌发的。我暗想何以先有信给我，再发电呢？及至抽出来一看，却是已经译好的："子仁故，速来！"五个字。不觉又大吃一惊道："这是几时到的？"子安道："同是倒闭那天到的，连今日有七天了。"我道："这样我还到宜昌去一趟，家伯又没有儿子，他的后事，不知怎样呢。子翁你可有钱带来？"子安道："你要用多少？"我便把遇的强盗一节，告诉了他。又道："只要有了几十元，够宜昌的来回盘费就得了。"子安道："我还有五十元，你先拿去用罢。"我道："那么两个小孩子，托你代我先带到上海去。"子安道："这是可以的。但是你到了上海，千万不要多露脸，一直到述农家里才好。"我答应了。当下又商量了些善后之法。

次日一早，坐了小火轮到镇江去。恰好上下水船都未到，大家便都上了趸船，子安等下水到上海，我等上水到汉口去。到了汉口，只得找个客栈住下。等了三天，才有宜昌船。船到宜昌之后，我便叫人挑了行李进城，到伯父公馆里去。入得门来，我便径奔后堂，在灵前跪拜举哀。续弦的伯母从房里出来，也哭了一阵。我止哀后，叩见伯母，无非是问问几时得信的，几时动身的，我问问伯父是甚么病，怎样过的。讲过几句之后，我便退到外面。

到花厅里，只是坐着两个人：一个老者，须发苍然。一个是生就的一张小白脸，年纪不过四十上下，嘴上留下漆黑的两撇胡子，眉下生就一双小圆眼睛，极似猫头鹰的眼，猝然问我道："你带了多少钱来了？"我愕然道："没有带钱来。"他道："那么你来做甚么？"我拂然道："这句话奇了！是这里打了电报叫我来的啊。"他道："奇了！谁打的电报？"说着，往里去了。我才请教那老者贵姓。原来他姓李，号良新，是这里一个电报生的老太爷，因为伯父过了，请他来陪伴的。他又告诉我，方才那个人，姓丁，叫寄莫，南京人，是这位陈氏伯母的内亲；排行第十五，人家都尊他做十五叔。自从我伯父死后，他便在这里帮忙，天天到一两次。

我两个才谈了几句，那个什么丁寄省又出来了，伯母也跟在后头，大家坐定。寄莫说道："我们一向当令伯是有钱的，谁知他躺了下来，只剩得三十吊大钱，算一算他的亏空，倒是一千多吊。这件事怎样办法，还得请教。"我冷笑一声，对良新道："我就是这几天里，才倒了一百多万，从江汉关道起，以至九江道、芜湖道、常镇道、上海道，以及苏州、杭州，都有我的告案。这千把吊钱，我是看得稀松，既然伯父死了，我来承当，叫他们就把我告上一状就是了。如果伯母怕我倒了百多万的人拖累着，我马上滚蛋也使得！"我说这话时，眼睛却是看着丁寄莫。伯母道："这不是使气的事，不过和少爷商量办法罢了。"我道："侄儿并不是使气，所说的都是真事。不然啊，我自己的都打发不开，不过接了这里电报，当日先伯母过的时候，我又兼祧过的，所以不得不来一趟。"伯母道："你伯父临终的交代，说是要在你叔叔的两个儿子里头，择继一个呢。"丁寄莫道："照例有一房有两个儿子的，就没有要单丁那房兼祧规矩。"我道："老实说一句，我老人家躺下来的时候，剩下万把银子，我钱毛儿也没捞着一根，也过到今天了。兼祧不兼祧，我并不争；不过要择继叔父的儿子，那可不能！"丁寄莫变色道："这是他老人家的遗言，怎好不依？"我道："伯父遗言我没听见，可是伯父先有一个遗嘱给我的。"说罢时，便打开行李，在护书里取出伯父给我的那封信，递给李良新道："老伯，你请先看。"良新拿在手里看，丁寄莫也过去看，又念给伯母听。

我等他们看完了，我一面收回那信，一面说道："照这封信的说话，伯父是不会要那两个侄儿的。要是那两个孩子还在山东呢，我也不敢管那些闲事；此刻两个孩子，经我千辛万苦带回来了，倘使承继了伯父,叫我将来死了之后见了叔叔,叔叔问我,你既然得了伯父那封信,为甚还把我的儿子过继他,叫我拿什么话回答叔叔!"

丁寄莫听了,看看伯母,伯母也看丁寄莫。寄莫道:"那两位令弟,是在哪里找回来的?"我便将如何得信,如何两次发电给伯父,如何得伯父的信,如何动身,如何找着那弓兵,那弓兵如何念旧,如何带我到赤屯,如何相见,如何带来,如何遇强盗,如何到蒙阴借债,如何在清江浦得这里电报,一一说了。又对伯母说道:"侄儿斗胆说一句话:我从十几岁上,拿了一双白手空拳出来,和吴继之两个混,我们两个向没分家,挣到了一百多万,大约少说点,侄儿也分得着四五十万的了。此刻并且倒了,市面也算见过了。哪个忘八蛋崽子,才想着靠了兼祧的名目,图谋家当!既然十五叔这么疑心,我就搬到客栈里住去。"寄莫道:"啊啊啊!这是你们的家事,怎么派到我疑心起来?"伯母道:"这不是疑心,不过因为你伯父亏空太大了,大家商量个办法。"我道:"商量有商量的话。我见了伯父,还我伯父的规矩,这是我们的家法;他姓差了一点的,配吗!"寄莫站起来对伯母道:"我还有点事,先去去再来。"说罢,去了。我对伯母道:"这是个什么混帐东西!我一来了,他劈头就问我道:'你来做甚?'我又不认得他,真是岂有此理!他要不来,来了,我还要好好的当面损他呢!"伯母道:"十五叔向来心直口快,每每就是这个上头讨嫌。"又说了几句话,便进去了。我便要叫人把行李搬到客栈里去,倒是良新苦苦把我留住。

坐了一会,忽听得外面有女子声音,良新向外一张,对我道:"寄莫的老婆来了。"我也并不在意。到了晚上,我在花厅对过书房里开了铺盖,便写了几封信,分寄继之、子安、述农等,又起了一个讣帖稿子,方才睡下。

无奈翻来复去,总睡不着。到得半夜时,似乎房门外有人走动,我悄悄起来一张,只见几个人,在那里悄悄的抬了几个大皮箱往外去,约莫有七八个。我心中暗暗好笑,我又不是山东路上强盗,这是何苦。

到了次日,我便把讣帖稿子发出去叫刻。查了有几处是上司,应该用写本的,便写了。不多几日,写的写好了,刻的印好了,我就请良新把伯父的朋友,一一记了出来,开个横单,一一照写了签子。也不和伯母商量,填了开吊日子,发出去。所有送奠礼来的,就烦良新经手记帐。